LA GRAN ENCICLOPEDIA DE LOS
Anfibios y Reptiles

LA GRAN ENCICLOPEDIA DE LOS
Anfibios y Reptiles

TIM HALLIDAY Y KRAIG ADLER

LIBSA

© 2007, Editorial LIBSA
San Rafael, 4
28108 Alcobendas, Madrid
Tel. (34) 91 657 25 80
Fax (34) 91 657 25 83
e-mail: libsa@libsa.es
www.libsa.es

© The Brown Reference Group plc.

Edición: Equipo Editorial LIBSA
Traductor: Maria Jesús Sevillano Ureta
Título original: *The New Encyclopedia of Reptiles and
Amphibians*

ISBN: 84-662-1445-3
ISBN-13: 978-84-662-1445-2

Fotos Pitón verde arborícola joven, amarilla
(*Morelia veridis*); páginas 2-3: Camaleón
orejero (*Chamaeleo dilepis*) –normalmente
habita en el bosque– a orillas de la depresión
de fondo salado Etosha Pan (Namibia).

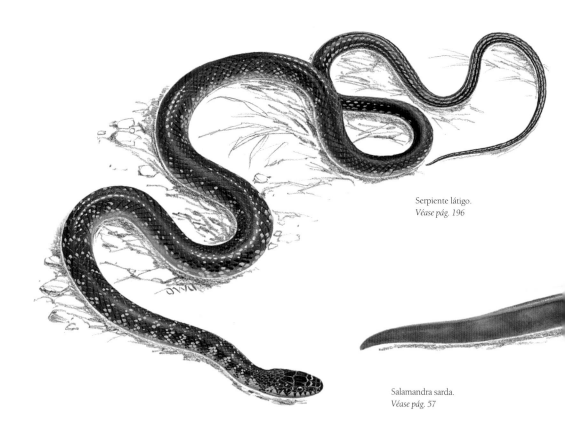

Serpiente látigo.
Véase pág. 196

Salamandra sarda.
Véase pág. 57

COLABORADORES

AA Anthony Arak, Universidad de Estocolmo, Estocolmo, Suecia.

KA Kraig Adler, Universidad Cornell, Ithaca, Nueva York, Estados Unidos.

RAA Ronald A. Altig, Universidad del Estado de Mississippi, Estado de Mississippi, Estados Unidos.

ADB Angus d'A. Bellairs, Escuela Médica del Hospital St. Mary, Universidad de Londres, Reino Unido.

AMB Aaron M. Bauer, Universidad Villanova, Villanova, Pensilvania, Estados Unidos.

EDB Edmund D. Brodie, Universidad del Estado de UTA, Logan, UTA, Estados Unidos.

GMB Gordon M. Burghardt, Universidad de Tennessee, Knoxville, Tennessee, Estados Unidos.

SDB S. Donald Bradshaw, Universidad de Australia occidental, Perth, Australia.

AC Alison Cree, Universidad de Otago, Dunedin, Otago, Nueva Zelanda.

AJC Alan J. Charig †, Museo de Historia Natural, Londres, Reino Unido.

DD Dougal Dixon, Wareham, Dorset, Reino Unido.

HGD Herndon G. Dowling, Universidad de Nueva York, Nueva York, Estados Unidos.

MD Mandy Dyson, The Open University, Milton Keynes, Reino Unido.

WED William E. Duellman, Universidad de Kansas, Lawrence, Kansas, Estados Unidos.

SEE Susan E. Evans, University College, Londres, Reino Unido.

BG Brain Groombridge, Centro de Monitorización y Conservación Internacional, Cambridge, Reino Unido.

Tortuga marginada.
Véase pág. 132

CG Carl Gans, Universidad de Tejas en Austin, Texas, Estados Unidos.

HCG H. Carl Gerhardt, Universidad de Missouri, Columbia, Missouri, Estados Unidos.

HWG Harry W. Greene, Universidad Cornell, Ithaca, Nueva York, Estados Unidos.

LJG Jr. Louis J. Gillette Jr. Universidad de Florida, Gainesville, Florida, Estados Unidos.

TRH Tim Halliday, The Open Univesity, Milton Keynes, Reino Unido.

JI John Iverson, Earlham College, Richmond, Indiana, Estados Unidos.

FJJ Fredric J. Janzen, Universidad del Estado de Iowa, Ames, Iowa, Estados Unidos.

AGK Arnold G. Kluge, Universidad de Michigan, Ann Arbor, Michigan, Estados Unidos.

HBL Harvey B. Lillywhite, Universidad de Florida, Gainesville, Florida, Estados Unidos.

JWL Jeffrey W. Lang, Universidad de Dakota del Norte, Grand Forks, Dakota del Norte, Estados Unidos.

CM Chris Mattison, Shelffield, Yorkshire Sur, Reino Unido.

EOM Edward O. Moll, Universidad Eastern Illinois, Charleston, Illinois, Estados Unidos.

RWM Robert W. Murphy. Museo Royal Ontario, Toronto, Ontario, Canadá.

SAM Sherman A. Minton, Universidad de Indiana, Indianápolis, Indiana, Estados Unidos

GS Gordon Schuett, Universidad de Michigan, Ann Arbor, Michigan, Estados Unidos.

RDS Raymond D. Semlitsch, Universidad de Missouri, Columbia, Missouri, Estados Unidos.

LT Linda Trueb, Universidad de Kansas, Lawrence, Kansas, Estados Unidos.

PPvD Peter Paul van Dijk, TRAFFIC Southeast Asia, Petaling Jaya, Selangor, Malasia.

DAW David A. Warrell, Centro de Medicina Tropical, Universidad de Oxford, Reino Unido.

MHW Marvalee H. Wake, Universidad de California en Berkeley, California, Estados Unidos.

GRZ George R. Zug, Institución Smithsoniana, Washington, DC, Estados Unidos.

KRZ Nelly Zamudio, Universidad Cornell, Ithaca, Nueva York, Estados Unidos.

Dibujos:

David M. Dennis
Denys Ovenden

Rana común.
Véase pág. 87.

CONTENIDO

Salamandra japonesa.
Véase pág. 56

Salamandra gigante japonesa.
Véase pág. 56

Rana de charco enmascarada.
Véase pág. 86

Gavial.
Véase pág. 213

Geco turco.
Véase pág. 170

REPTILES 98

Krait marina.
Véase pág. 207

PRÓLOGO

antes se consideraban a los anfibios y a los reptiles «formas de vida inferiores», y no sólo en la mala interpretación popular de la jerarquía de seres vivos. Incluso el famoso científico sueco Carl von Linné (Carolus Linnaeus), quien a mediados de la década de 1700 estableció el sistema para nombrar especies que todavía se utiliza hoy, se supone que sentía desprecio por ellos: «Estos animales asquerosos y repugnantes…. Su Creador no se ha esforzado al hacer algunos de ellos». Por suerte, la ciencia moderna tiene un punto de vista más instructivo.

Hoy en día, el estudio de anfibios y reptiles continúa siendo una única disciplina (herpetología, del griego *herpeton*, que significa «algo que se arrastra»). Sin embargo esta conjunción debe más a la tradición y al hecho de que los métodos de recogida y mantenimiento de anfibios y reptiles ha sido siempre muy similar, que a cualquier similitud fundamental que exista entre ellos. Los herpetólogos han descubierto que las diferencias existentes entre los dos grupos son mayores que sus similitudes en muchos casos. También han descubierto que muchos aspectos de estos animales provocan fascinación y se puede aprender mucho de ellos sobre la vida animal en general.

Además del modo de mantener su temperatura corporal y algunas otras similitudes como la de tener un único ventrículo en el corazón (las aves y los mamíferos tienen dos), los anfibios y los reptiles se diferencian notablemente. Los anfibios tienen una piel lisa, suave, que es permeable al agua; los reptiles están cubiertos de escamas secas, bastas, que son impermeables. Los huevos de los anfibios carecen de una cobertura exterior impermeable y siempre se encuentran en el agua o en lugares húmedos, mientras que el huevo de reptil posee una cáscara gruesa, dura, parecida a un pergamino, que mantiene la humedad y permite que el joven que se está desarrollando en su interior lo haga incluso sobre tierra seca.

Estas diferencias reflejan la importante posición que ocupa cada grupo en la historia evolutiva de los vertebrados. Los anfibios realizaron una transición desde la vida totalmente acuática de los peces y desarrollaron la habilidad de moverse libremente en tierra seca. El movimiento supuso una reorganización radical del esqueleto, especialmente de los huesos de las extremidades, si se compara con las aletas de los peces. También supuso crear la facultad de poder respirar aire y no sólo oxígeno disuelto, facultad que ya había evolucionado en sus antepasados los peces pulmonados. Los reptiles conquistaron la tierra en una etapa anterior y, al poseer una piel impermeable y una cobertura impermeable en los huevos, consiguieron emanciparse por

completo de su vida en el agua. En realidad la naturaleza ha ejercido su poder, en diferentes etapas, creando muchas criaturas de este tipo, y a principios de la historia los dos grupos eran elementos mucho más prominentes en la fauna de la Tierra de lo que son en la actualidad. Durante millones de años los reptiles fueron la forma dominante de vida. Sin embargo, cada uno de ellos es hoy mucho menos importante en lo que se refiere a cantidades de especies, por tanto hoy en día los anfibios, con unas 5.000 especies, es el segundo grupo de vertebrados más pequeño, mientras que los reptiles, con unas 8.000 especies, son menos numerosos que los peces o las aves.

Gracias al creciente interés actual que han despertado los anfibios y reptiles en biólogos profesionales, la ciencia de la herpetología está contribuyendo al conocimiento de la zoología casi del mismo modo que la ornitología y la mamalogía. En parte se debe a que ya no resulta válida la distinción tradicional de vertebrados «superiores» e «inferiores». Los anfibios y reptiles no han degenerado, ni son inferiores, si se comparan con las aves y los mamíferos. Simplemente han sucedido las cosas de un modo diferente y, en muchos aspectos, han tenido éxito. Por ejemplo, son mucho más eficaces utilizando la energía y, gracias a varias características especiales que ellos poseen, son capaces de vivir en ambientes que resultan inaccesibles a otros grupos. De un modo más notable, los reptiles son capaces de prosperar en los desiertos más secos donde aves y mamíferos no pueden sobrevivir.

Otro factor que refuerza el status de anfibios y reptiles ha sido reconocer que existe una diversidad mucho mayor de la que se pensaba anteriormente. La biología moderna se basa en Europa, un continente relativamente pobre en lo que se refiere a especies de anfibios y reptiles cuando se compara con el continente americano, especialmente los trópicos, donde todavía se están descubriendo especies nuevas. Finalmente, los biólogos han descubierto que los anfibios y los reptiles son ideales para el estudio dentro de varias disciplinas diferentes de zoología.

La ciencia de la zoología es como un tapiz con numerosos hilos entrelazados. En una dirección se encuentran varias disciplinas, como la anatomía, la psicología, la ecología y el comportamiento, que consideran procesos similares en varios tipos de animales. En la otra dirección se encuentran las ramas que consideran sólo una clase de animal: insectos, peces o aves. Este libro refleja la naturaleza de la zoología compleja, integrada, considerando que, aunque únicamente trata de dos clases de animales, también tiene presente los fenómenos, en psicología y comportamiento por ejemplo, que se encuentran en una amplia variedad de animales.

El esquema formal del libro sigue los hilos del tapiz en la dirección de la clasificación. Un artículo principal presenta la clase de anfibio y otro la clase de reptil, detallando su evolución a lo largo de la historia y aspectos destacados de psicología, historia vital y comportamiento. Una entrada independiente se dedica a cada uno de los tres órdenes de anfibios y los cuatro grupos principales de reptiles. Cada entrada comienza dando datos sobre la cantidad de especies, géneros y familias, su distribución y un resumen del hábitat, tamaño, color, reproducción, longevidad y estado de conservación. Los dibujos a escala indican los diferentes tamaños que se van a encontrar en un grupo comparados con la estatura de un hombre de 1,80 m. El texto principal trata en general de las formas psicológicas características de cada orden y de los lugares que ocupan para vivir. Una sección importante después del texto principal ofrece una descripción independiente de cada una de las familias del grupo, destacando los géneros y especies importantes.

Cinco de las entradas principales incluyen, en forma tabular, resúmenes de las familias que se encuentran dentro de los grupos en cuestión. Cada tabla ofrece la cantidad de especies y géneros de la familia, su distribución, los diferentes tamaños, el color y la forma del cuerpo, y donde se pueda aplicar, puntos importantes de la historia vital. Las tablas también son una lista de especies o géneros referidos en el texto, y se añaden además sus nombres científicos.

En varios puntos seguimos los hilos que van en la otra dirección, destacando aspectos del estudio de anfibios y reptiles que han conseguido que la herpetología sea una disciplina cada vez más importante dentro de la zoología. Los artículos de esta clase aparecen como características especiales de doble página después de dos introducciones y algunas de las entradas importantes. También aparecen dentro de las entradas principales en forma de recuadros. Hemos permitido que los autores informen en profundidad de los aspectos actualizados más fascinantes y comprensibles de la vida de los anfibios y de los reptiles.

Los autores también han destacado la necesidad de conservar las especies en peligro de extinción y por una mala dirección, porque uno de los fenómenos más alarmantes que han sucedido desde que preparamos la primera edición de este libro es el ritmo tan acelerado al que están disminuyendo y llegando a la extinción los anfibios y reptiles de todo el mundo. En esta enciclopedia hemos utilizado las categorías de la UICN (Unión Internacional para la Conservación de la Naturaleza) de especies en peligro, empleando la edición 2000 de la Lista Roja. Estas categorías se explican en la tabla de arriba.

Este libro es fruto de la labor de un equipo internacional de autores preeminentes en sus campos. A su inestimable esfuerzo hay que añadir el de los fotógrafos e ilustradores (especialmente a David Dennos) cuyo hábil trabajo ha dado vida a estas páginas. Finalmente, le toca decidir al lector si las criaturas «asquerosas y repugnantes» de Linnaeus no son en realidad los animales vivos más fascinantes e interesantes de la actualidad.

TIM HALLIDAY
THE OPEN UNIVERSITY
MILTON KEYNES

KRAIG ADLER
CORNELL UNIVERSITY
ITHACA, NY

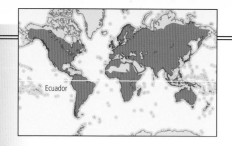

Ecuador

ANFIBIOS

OS ANFIBIOS SON UNA SORPRENDENTE DI-
versidad de vertebrados que han existido desde hace más
de 230 millones de años. Probablemente desde el período
Pérmico por lo menos (hace 295-248 millones de años) su linaje ha ido evolucionando independientemente. Es un error pensar que los anfibios modernos son formas en transición entre
peces y reptiles, aunque sí que poseen algunas características
anatómicas intermedias. Algunas veces existe cierta tendencia
a considerar que los anfibios vivos son unos perdedores en la
evolución, debido en parte a su pequeño tamaño y generalmente a su naturaleza discreta. En vez de pensar de ese modo, deberíamos pensar que ellos son descendientes de un antiguo linaje
de tetrápodos que tuvieron un gran éxito explotando una variedad de hábitats muy amplios. Los anfibios modernos muestran
una gran serie de historias de la vida y a menudo constituyen
un elemento dominante en muchas comunidades naturales.
Sin la conservación del hábitat y otros elementos, los anfibios
seguirán desapareciendo a un ritmo muy rápido.

Los anfibios vivos (ranas, salamandras y cecilias) muestran una magnífica variedad: algunos animales tienen
colas, otros no; algunos parecen serpientes o lagartos,
otros saltan como gamos con sus patas, otros hacen
madrigueras sin patas, y sus colores varían desde los
marrones pardos a los azules irisados, verdes y rojos.

De las 40.000 especies de vertebrados (animales con
espina dorsal) que se conocen, unas 5.400 son anfibias.
Próximos a los mamíferos, son la clase más pequeña de
vertebrados vivos, descendientes de un grupo de animales terrestres que fue dominante hace tiempo, los primeros vertebrados de tierra, algunos con la longitud de un
cocodrilo de tamaño moderado, que prosperaron hace
varios cientos de millones de años.

Los anfibios son un importante grupo de estudio porque son los descendientes de los primeros vertebrados
que conquistaron la tierra, un grupo que más tarde dio
origen a los reptiles (y ellos, a su vez, a los mamíferos y a
las aves). Los anfibios vivos se dividen en tres órdenes:
Caudados (las salamandras, incluyendo tritones y sirenas, 473 especies); los Anuros (las ranas, incluyendo los
sapos, 4.750 especies) y los Gimnofionos (las cecilias en
forma de anguila, 176 especies). En el momento de
escribir este libro, un total de 5.399 especies. En realidad, la cantidad de especies descritas recientemente ha
aumentado considerablemente en los últimos años
debido a varios factores: reconocimientos de regiones
inexploradas anteriormente, el empleo de caracteres no
morfológicos (por ejemplo, moleculares y de comportamiento) para distinguir especies y la prisa por describir
especies antes de que desaparecieran debido a cambios
en el medio ambiente.

La palabra «anfibio» procede del griego *amphibios* y
significa «ser con doble vida». Específicamente el que
vive en la tierra y en agua de un modo alternativo. Esta

doble vida es la regla de los anfibios, pero hay excepciones: algunas especies son acuáticas siempre y otras completamente terrestres. Todos los ectodérmicos utilizan la
temperatura ambiente para regular la temperatura de su
cuerpo.

Ninguna estructura define a los anfibios de un modo
único, como sucede en el caso de las aves, que tiene plumas, por tanto tenemos que recurrir a una combinación
de características. Para complicar más la definición está
el hecho de que las formas vivas han divergido de un
modo significativo de fósiles primitivos, y no existe
información clara sobre ciertas características clave en
las formas fósiles. De hecho, la clase de anfibios que se
describe aquí no incluye a los vertebrados terrestres más
antiguos, pero con el fin de comprender los orígenes de
los anfibios tenemos que tener en cuenta los orígenes de
los primeros vertebrados de cuatro patas (tetrápodos).

Transición a tierra
EVOLUCIÓN E HISTORIA FÓSIL

Los tetrápodos más antiguos que se conocen proceden
de los depósitos del Devónico Superior (hace 374-354
millones de años). Todos se recuperaron en lugares de
agua dulce, a excepción del *Tulerpeton* que se encontró
en depósitos marinos de Rusia. Los tetrápodos antiguos
más conocidos son los *Ichthyoestega* (ictiostega) y *Acant-
hostega* (acantostega), ambos hallados en el Este de Groenlandia y que datan de hace unos 365 millones de
años, pero otros son un poco más antiguos y proceden
de una amplia variedad de localidades geográficas: *Elginerpeton* de Escocia, *Hynerpeton* del noreste de Estados
Unidos, *Metaxygnathus* del sureste de Australia y *Obru-

Arriba La salamandra de fuego (*Salamandra salamandra*)
es una especie moderna de anfibio con éxito, está extendida
por Europa. Respecto a la forma del cuerpo, las salamandras
se parecen más a los primeros tetrápodos fósiles.

chevichthys del este de Europa. Groenlandia, en particular, puede parecer un lugar para vivir poco probable para
los primeros tetrápodos, pero su situación y clima eran
muy diferentes en el período Devónico (hace 417-354
millones de años), cuando cruzaba el ecuador de la Tierra y estaba situado en una región tropical húmeda y
cálida que se extendía desde la actual Australia por toda
Asia hacia el noreste de Norte América. Hasta principios
del Jurásico (hace unos 190 millones de años), toda la
masa de tierra del planeta estaba unida en un supercon-
tinente llamado Pangaea. Por tanto no debe sorprender
el hallazgo de pruebas de que los primeros tetrápodos se
extendieron rápidamente por tierras que en la actualidad
se encuentran a gran distancia, entre ellas Europa, Australia y el este de Norte América, y que a principios del
Triásico (hace unos 230 millones de años) llegaran
incluso hasta la Antártida.

Los antepasados de estos primeros tetrápodos eran
miembros de un grupo de peces óseos (clase Osteíctios) del orden Sarcopterigios (peces lobulados). A
diferencia de la mayoría de los demás peces óseos que
tenían aletas soportadas por radios cartilaginosos
(orden Actinopterigios, los peces con aletas radiadas
que comprenden la mayoría de los peces vivos), las aletas del pez sarcopterigio tenían elementos óseos comparables a los de las extremidades de los vertebrados
terrestres.

Además, los sarcopterigios que dieron origen a los tetrápodos tenían pulmones (aunque sólo se relacionan con el grupo de peces llamados pulmonados, los Dipnoi, de un modo distante,) y algunos poseían orificios nasales internos para que pudiera entrar el aire a los pulmones con la boca cerrada o cuando sólo los orificios externos se encontraban por encima del agua. Los orificios internos son característicos de los vertebrados terrestres. En la mayoría de los peces los orificios externos tienen únicamente una función sensorial, no están conectados directamente a la cavidad bucal.

Los *Ichthyostega* (ictiostegas) eran parecidos a un pez extinguido, el *Eusthenopteron* (familia de los Osteolepididos), hallado en depósitos del Devónico Superior en Québec (Canadá). Ambos tienen pulmones y orificios nasales internos y comparten dos rasgos que únicamente se encuentran en algún otro pez osteolepido y en antiguos tetrápodos: un cerebro dividido transversalmente en una parte anterior y otra posterior y, en segundo lugar, un pliegue en la superficie esmaltada de los dientes que forma, en una sección transversal, un dibujo complejo laberíntico. El pez extinguido está más relacionado con los tetrápodos, pero menos conocidos son dos géneros que hace tiempo se consideraban osteolepidos: *Elpistostege* de Québec y *Panderichthys* del este de Europa (de la familia Panderichthyidae).

El *Ichthyostega*, aunque era indudablemente un tetrápodo, mantenía algunas características de los peces, entre ellas los huesos operculares (restos de huesos que el caso del pez unen la branquia con la mejilla) y una aleta de cola sujeta por radios óseos. Pero la estructura de cintura y extremidades del ictiostega ya casi ha llegado a la condición de los primeros tetrápodos; los primeros vertebrados terrestres (los ictioestegalos, que incluyen los primeros parientes del ictiostega) siguen sin descubrirse y se han de buscar en depósitos más antiguos incluso. Los peces Panderichthyd, los parientes más próximos de los tetrápodos, prosperaron hace unos 380-375 millones de años y los tetrápodos más antiguos que aparecen son de hace 5 o 10 millones de años más tarde. Los géneros *Elginerpeton* y *Obruchevichthys* podrían acercarse particularmente a la transición de pez a tetrápodo y se consideran tetrápodos de tronco. Son tetrápodos antiguos pero no son anfibios.

¿Cómo se llevó a cabo la transición hacia tierra seca? La explicación clásica era que el Devónico fue un período de fuertes sequías. Los peces con aletas lo suficientemente fuertes pudieron evitar la varada y la muerte arrastrándose hacia charcas. De acuerdo a esta idea, los vertebrados terrestres podrían haber evolucionado de un derivado seleccionado originalmente que aumentó su agilidad para encontrar agua, ¡no tierra! Sin embargo, testimonios recientes ponen en duda el escenario de sequías periódicas, y parece probable que el Devónico fuera una época de ambiente relativamente húmedo continuo, al menos en las regiones tropicales.

Es posible que algunas características asociadas a los primeros tetrápodos evolucionaran en realidad en un entorno acuático. Por ejemplo, el desarrollo de un cuello funcional, y la separación del cráneo de la cintura pectoral para lograr este paso, puede haber evolucionado en los prototetrápodos, permitiendo rápidos movimientos laterales de la cabeza cuando acechaban y capturaban una presa en el agua. Quizás este cambio fuera una adaptación previa para facilitar la captura de la presa en tierra.

Se cree que uno o más de los factores siguientes han llevado a la evolución de los vertebrados terrestres. Durante el período Devónico los entornos acuáticos, con su enorme diversidad de peces y otros organismos, contenían muchos más competidores y predadores que la tierra, y la tierra también pudo haber sido un lugar seguro para depositar los huevos y para que pudieran sobrevivir las crías. El agua de los terrenos pantanosos cálidos del Devónico, en el cual se originaron los tetrápodos, tendría poco oxigeno probablemente, especialmente en los menos profundos, pero los peces antepasados de los vertebrados terrestres tenían que tener pulmones, al igual que todos sus descendientes vivos. Posiblemente estos peces se congregaban en aguas poco profundas y se aventuraban de vez en cuando a salir a tierra. Tal vez habría más de una cría ágil que así lo hiciera con el fin de conseguir alimento a base de insectos e invertebrados. Aunque esta transición sucedió sin duda durante un período de millones de años, no se conocen fósiles de estas etapas, pero se ha llegado al consenso de que la transición de pez a tetrápodo ocurrió sólo una vez y que los tetrápodos son, por tanto, un grupo monofilético.

Al convertirse en terrestres, estos tetrápodos se enfrentaron a numerosos retos, aunque es posible que algunos cambios se produjeran en un hábitat de aguas poco profundas. En tierra, la gravedad se convirtió en un factor clave para dar forma al esqueleto. Sin la facultad de flotar en el agua, el cuerpo se suspendía de la espina dorsal, que a su vez tenía que sujetarse en las extremidades y cintura: cuando el animal descansa sobre el suelo, unas costillas bien desarrolladas, como las actuales del

🔊 *Abajo   La rana de árbol amazónica que come huevos (Osteocephalus oophagus) se describió científicamente por primera vez en 1995. La hembra de esta especie (vista aquí con una banda de identificación alrededor de la cintura) pone huevos tróficos cuando la agarra el macho más pequeño. Sus renacuajos danzan alrededor y se comen los huevos tan pronto como salen. Sin la nutrición proporcionada por estos huevos tróficos, los renacuajos morirían.*

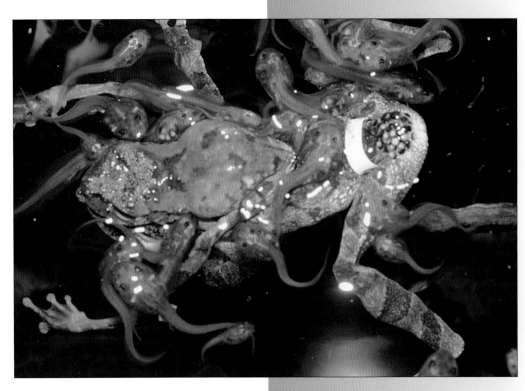

ictiostega, evita que los órganos internos sufran daños. Los arcos neurales y las superficies articuladas de los vertebrados distribuían la fuerza de la gravedad más que a lo largo de la espina dorsal.

No se sabe prácticamente nada de la piel de los primeros tetrápodos. Con frecuencia se ha asumido que era una piel lisa, desnuda, como la de los modernos anfibios, pero restos fósiles sugieren sin embargo que la parte inferior estaba cubierta por un escudo. Algunos tipos tienen osteodermos en las superficies superiores del cuerpo. Muchas especies eran acuáticas y poseían branquias, mientras que otras estaban adaptadas a la tierra.

Aunque muchos tenían un cuerpo pesado y una estructura parecida a la del lagarto, hay algunos tipos realmente raros, entre ellos las formas sin patas, pareci-

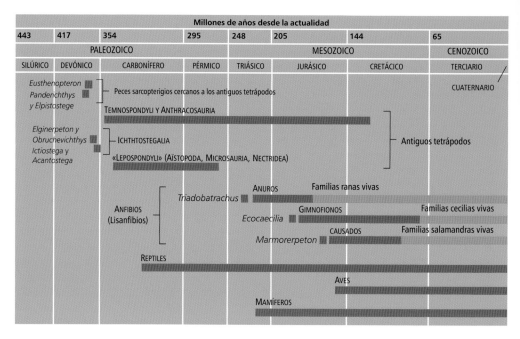

ANATOMÍA DE LOS PRIMEROS TETRÁPODOS

En el Devónico Superior, los primeros tetrápodos (de los cuales se cree que descienden los anfibios vivos) evolucionaron a partir de peces sarcopterigios, comenzando así la conquista de la tierra por parte de los vertebrados. El testimonio de este desarrollo procede de las destacadas similitudes entre la estructura ósea de las aletas y extremidades de los dos grupos respectivamente:

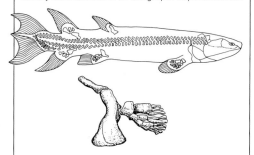

🔺 **Arriba** *Las aletas lobuladas y carnosas de los peces sarcopterigios, como el Eusthenopteron (arriba) sobresalen con forma de punta del cuerpo y sirven para propulsar. El hombro y la aleta (detalle inferior) contienen elementos óseos que corresponden a los encontrados en las extremidades de los primeros tetrápodos (abajo).*

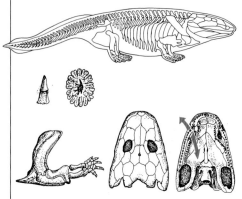

🔺 **Arriba** *El ictiostega (arriba) poseía un armazón de costillas fuertes para proteger los órganos internos de la presión de la vida terrestre. Sus dientes laberintodontos (centro; completa y sección transversal en la base) son característicos de los primeros tetrápodos. Las extremidades fuertes (abajo izquierda) le permitían mantenerse en el suelo. Su cráneo (abajo derecha) revela la presencia de orificios nasales internos, otra adaptación clave a la vida terrestre.*

das a las anguilas (Aïstopoda) y otros con cabezas extremadamente anchas echadas hacia atrás y con peculiares cuernos (Nectridea).

Después de la aparición de los primeros tetrápodos a finales del Devónico, sucedió un período de rápida evolución dando como resultado una enorme diversidad de tipos. Sin embargo, a finales del Triásico, unos 160 millones de años más tarde, casi todos ellos se habían extinguido. Algunos poseían un tamaño realmente grande. El más grande, el *Mastodonsaurus* del Triásico de Rusia, tenía un cráneo de 125 cm de ancho y una longitud total estimada de 4 m. En comparación, el anfibio vivo de mayor tamaño es la salamandra gigante asiática, que alcanza una longitud total de 160 cm.

Estos antiguos tetrápodos se encontraban en todas las masas terrestres y eran los animales terrestres dominantes en su época. Los mamíferos y las aves no evolucionaron hasta después de haberse extinguido estos antiguos vertebrados, pero los primeros reptiles evolucionaron a partir de ellos a mediados del período Carbonífero (hace unos 320 millones de años). Es importante destacar que los reptiles no evolucionaron a partir de los anfibios modernos, estos últimos aparecieron después del Carbonífero.

Enlaces perdidos
ANFIBIOS MODERNOS

A diferencia del conocimiento que poseemos sobre el origen de los reptiles, los antepasados de los anfibios modernos forman un auténtico puzzle. En gran medida se debe a que no existen fósiles que vinculen a los antiguos tetrápodos con ninguno de los tres órdenes de anfibios vivos. Esta es una de las grandes lagunas de la historia de los vertebrados terrestres. El anfibio fósil más antiguo que se conoce (*Triadobatrachus*, del Triásico Medio de Madagascar, de hace 230 millones de años) tiene ya unas características parecidas a las de la rana, aunque todavía mantiene una cola corta y tiene dos, como muchos vertebrados y ranas modernas. Un antiguo anfibio de Polonia parecido a la rana (*Czatkobatra-*

chus, sólo cinco millones de años más joven que el *Triadobatrachus*) nos da testimonio de que las ranas ya se habían extendido mucho durante el Triásico. Las primeras salamandras (*Marmorerpeton*, del Jurásico Medio de Gran Bretaña, data de hace 165 millones de años) y las cecilias (*Eocaecilia*, una forma con patas del Jurásico Inferior de Arizona –EE.UU– de hace 190 millones de años) estaban ya tan especializadas, cada una en su terreno, como las formas modernas. Por tanto, es probable que los primeros anfibios surgieran mucho antes, quizás antes del Pérmico, pero es posible que incluso aparecieran antes.

De este modo la incompleta información que nos proporcionan los fósiles no sirven de ayuda. De hecho, inspira dudas la pregunta de por qué no se fosilizaron, ya que se han descubierto incluso larvas laberintodontas pequeñas y frágiles con branquias externas. La razón puede ser ecológica: los antepasados de los anfibios vivos ocuparon probablemente aguas muy poco profundas o corrientes rápidas de la montaña donde las grandes especies de tetrápodos antiguos no pudieran perseguirlos y, por coincidencia, lugares en los que la fosilización es muy rara. Sabemos, por ejemplo, que el *Marmorerpeton* era una salamandra acuática.

Sin material fósil crítico, las relaciones de la evolución se tienen que realizar comparando las especies vivas. Durante mucho tiempo, dada las enormes diferencias entre las ranas y las salamandras, se creyó que cada una descendía de órdenes diferentes de tetrápodos del Paleozoico. Posteriormente se propuso que a pesar de sus aparentes diferencias, ranas, salamandras y cecilias tienen muchas características básicas comunes, especialmente: (1) los tipos de glándulas de la piel y también el hecho de que la piel se utilizara de aparato respiratorio; (2) la estructura del oído interno y de la retina del ojo y (3) la estructura de dientes pedicelados poco corriente en la cual cada diente tiene una base (o pedicelo) que se fija a la dorsal, mandíbula y a la que se une una corona renovable. (Véase esquema del cuerpo de anfibio).

Izquierda: Diagrama que muestra los acontecimientos geológicos de anfibios extintos y vivos, los antiguos tetrápodos y otros grupos de vertebrados. Los géneros clave se muestran en cursiva. Los registros fósiles son incompletos. No ha salido a la luz ningún fósil de formas en transición que vincule inequívocamente a los antiguos tetrápodos con los anfibios vivos. Las numerosas similitudes que hay entre los tres órdenes de anfibios modernos llevan a creer a los científicos que son monofiléticos, que comparten un antepasado común.

La posibilidad de que todas estas características comunes, y otras, evolucionaran de un modo independiente es tan improbable que es más razonable asumir un origen monofilético. Por tanto, la mayoría de los biólogos sitúan a los tres grupos vivos en una subclase: Lisanfibios.

Adaptación al entorno
FORMA Y FUNCIÓN

Muchas de las primeras características que desarrollaron los tetrápodos antiguos se refieren a la crucial transición del agua a la tierra que han heredado sus descendientes los anfibios. Como tales, los anfibios poseen auténticas lenguas (para humedecer y mover alimentos), párpados (los cuales, junto a las glándulas adyacentes, humedecen la córnea), una capa externa de células muertas en la epidermis que puede desprenderse, las primeras orejas auténticas (y una estructura para producción de voz, la laringe) y el primer órgano de Jacobson, una estructura quimiosensorial adyacente a las cavidades nasales que alcanzan su cenit de desarrollo en lagartos y serpientes (véase Lagartos). Presumiblemente estas características también existían en los antepasados tetrápodos de los anfibios ahora extinguidos.

También hay cambios importantes en el sistema nervioso relacionados con la vida en un entorno terrestre más complejo. El cordón espinal se alarga en las regiones adyacentes a las extremidades, correlacionadas con el movimiento más complejo de las extremidades si se compara con las aletas de sus antepasados peces. La invasión de la capa externa de los hemisferios cerebrales que realizan células nerviosas existe en los anfibios, pero no al mismo nivel que la gran proporción que aparecen en los cerebros de los mamíferos.

La piel de los anfibios vivos, que se humedece por las secreciones de varias glándulas mucosas, no es una capa externa pasiva sino que representa un papel vital y activo en el equilibrio del agua, respiración y protección. Algunas ranas poseen sustancias antibióticas (magainina) en la piel. Es muy permeable al agua, especialmente en especies terrestres. Las formas acuáticas han reducido la permeabilidad para compensar la afluencia del agua por medio de la ósmosis.

Aunque muchos anfibios están confinados en hábitats húmedos, hay especializaciones que permiten a muchas especies vivir en otros entornos inhóspitos. Por ejemplo, los sapos del desierto crean un gradiente osmótico por su piel reteniendo la urea de la orina, permitiendo así conseguir agua en suelos extremadamente secos. La mayoría de las ranas terrestres poseen un parche de piel en la zona pélvica, rico en capilares de sangre, que les permite conseguir agua de la superficie de la película más fina. Otras ranas y unas cuantas salamandras forman un capullo de piel para reducir la pérdida de agua, y algunas ranas de árbol reducen la evaporación del agua frotando secreciones grasas de la piel por la superficie de su cuerpo.

Por otro lado, la pérdida de agua corporal a través de la piel es utilizada por algunas especies como método de regulación de temperatura, se enfrían por evaporación.

En la mayoría de las especies la piel húmeda y las superficies de la cavidad bucal también poseen función respiratoria, ya que los gases disueltos pasan a través de ellas. Los numerosos miembros de una familia de salamandras (Pletodóntidos) han perdido los pulmones y dependen por completo de este modo de intercambio de gases.

El entorno biogeográfico
DISTRIBUCIÓN

Los anfibios se encuentran hoy en día en todos los continentes, a excepción de la Antártida. Viven desde el nivel del mar (y algunas veces incluso por debajo, en cuevas y corrientes subterráneas) hasta en los picos más altos de las montañas.

Ningún anfibio se ha adaptado a vivir en agua de mar, y generalmente no se encuentran en islas oceánicas.

Más allá de las declaraciones generales, la distribución (o biogeografía) de las especies, géneros y familias de anfibios varían enormemente de un taxón a otro debido a acontecimientos ocurridos en el lejano pasado geológico (biogeografía histórica) y a condiciones medioambientales del pasado reciente y de la actualidad (biogeografía ecológica). La biogeografía histórica nos permite comprender distribuciones inexplicables de otro modo. Por ejemplo, la existencia de cecilias en las aisladas Islas Seychelles del océano Índico, a unos 1.000 km al noreste de Madagascar, se debe al hecho de que estas islas son fragmentos que ha dejado la placa tectónica india cuando se rompió y se separó de África durante el Mesozoico.

Un ejemplo más reciente es la explicación de la poca diversidad de salamandras pletodóntidas (2 géneros y 25 especies) existente en Sudamérica, una familia que

Derecha Tetrápodos gigantes de otros tiempos. El Triásico (hace 248-205 millones de años) vio surgir vertebrados terrestres del tamaño de un cocodrilo, como el **1** Mastodonsaurus, que medía 4 m desde el hocico a la punta de la cola, **2** Diadectes, de 3 m y **3** Eryops, de 1,5 m.

tiene su centro de dispersión en Norteamérica y muestra una gran diversidad en Centroamérica (13 géneros y 177 especies). Debido a la erosión y a la deriva continental, la unión entre Centroamérica y Sudamérica se interrumpió durante el Eoceno (creando el Portal de Panamá) y no se unió de nuevo hasta 50 millones de años después, durante el Plioceno, debido a la actividad volcánica y a los elevamientos de tierra asociados. La abertura se cerró hace sólo unos 3 millones de años, recuperándose así la ruta de dispersión de la salamandra hacia Sudamérica.

Otras distribuciones de anfibios se pueden explicar por su capacidad psicológica y los entornos físicos y bióticos en los cuales viven en la actualidad. Por ejemplo, no hay anfibios marinos porque no pueden mantener el equilibrio osmótico con agua de mar. Perderían agua continuamente, se deshidratarían y morirían. Unas cuantas salamandras y ranas pueden soportar una salinidad alta, pero sólo una especie, la rana cangrejera del sureste de Asia, se ha adaptado a vivir en estuarios salobres llenos de mangle. Lo consigue manteniendo altos niveles de urea en la sangre, permaneciendo así en equilibrio osmótico con su entorno.

Muchas especies de ranas y salamandras viven en latitudes o altitudes elevadas donde las temperaturas bajo 0° podrían ser una amenaza para su existencia. Tienen que hibernar cuando hiela o volver a las charcas cuando suben las temperaturas. Pero, en realidad, algunas especies toleran las heladas y de esa manera están distribuidas por regiones que de otro modo sería imposible para ellas. Se sabe que una docena de especies de anfibios (tanto ranas como salamandras) son capaces de sobrevivir a temperaturas bajo 0° librando glucosa y glicerol en su sangre para disminuir el punto de congelación del agua en las células. No debe sorprender que la rana del bosque y la pseudacris crucifer, que son dos de las primeras especies que entraron en las charcas de Norteamérica, se encuentren entre las especies que emplean la glucosa como anticongelante.

El fuego es otro factor medioambiental que puede limitar la distribución de las especies anfibias ya que el fuego ocurre de un modo regular en muchos hábitats. Los incendios de brozas son frecuentes en las costas de California, pero el tritón de California es capaz de sobrevivir secretando rápidamente una mucosidad sobre su cuerpo y puede atravesar el frente de las llamas. Se han visto tritones caminar rápidamente por entre las llamas cuando la baba de sus cuerpos hace una espuma que adquiere una consistencia como la del merengue de huevo. Después pasa por las llamas, la costra blanca se quita con facilidad frotando

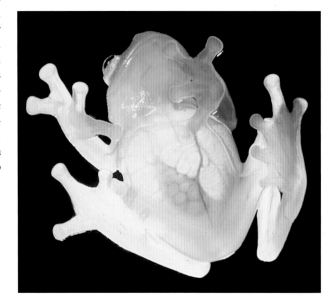

◗ **Derecha** Los órganos internos, como el hígado o el páncreas, se ven a través de la piel traslúcida del abdomen de esta rana de cristal de Fleischmann (Hyalinobatrachium fleischmanni). Obsérvese la masa verdosa de los huevos en el ovisaco esperando la deposición.

sus húmedos cuerpos. En el oeste de África, donde los incendios de la sabana son frecuentes, investigaciones recientes demuestran que las ranas de juncal responden al sonido de la crepitación de las llamas que se acercan huyendo hacia un lugar seguro, permitiéndoles así sobrevivir en un hábitat que de otro modo resultaría inhóspito.

Carnívoros y caníbales
DIETA Y ALIMENTACIÓN

Los anfibios son carnívoros. Se comen la presa animal entera, sin desmenuzarla. La excepción más importante son los renacuajos, el estado larval acuático de las ranas, que se alimentan de algas y protistos que obtienen en las superficies de debajo del agua o filtrándolos del agua (véase Máquinas de nadar, comer y crecer). Como norma, los anfibios pequeños comen insectos y otros invertebrados pero los más grandes comen vertebrados de vez en cuando, y entre ellos incluyen miembros de su propia especie. De hecho, el canibalismo está muy extendido en los anfibios, especialmente en los estados larvales. Se sabe que los morfos caníbales se desarrollan regularmente en algunas especies de salamandras y ranas.

La mayor parte de las especies poseen una dieta variada. Las salamandras rojas de los bosques de Norteamérica se pueden alimentar de cientos de especies diferentes de invertebrados, les limita únicamente el tamaño de sus bocas, pero prefieren presas de cuerpo blando y evitan las especies de sabor desagradable. Por el contrario, algunas especies son más especiales, como el sapo excavador mejicano, que tiene una boca diminuta y sólo se alimenta de termitas.

Muchos anfibios se han adaptado a hábitats en los cuales sólo es posible alimentarse según la estación. En zonas templadas, es posible que tengan actividad durante unos meses al año solamente y en algunas zonas desérticas únicamente durante unas semanas. Por tanto, tienen que alimentarse rápidamente y almacenar mucha comida (especialmente grasas) que después utilizarán para sobrevivir en los malos tiempos y para el vitelo de sus huevos. Los anfibios son muy eficaces a la hora de extraer nutrientes de sus alimentos y muchas especies

ESQUEMA DEL CUERPO DEL ANFIBIO

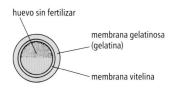

huevo sin fertilizar
membrana gelatinosa (gelatina)
membrana vitelina

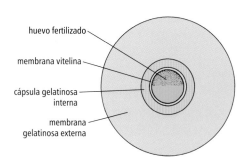

huevo fertilizado
membrana vitelina
cápsula gelatinosa interna
membrana gelatinosa externa

◔ **Arriba** Los embriones (huevos fertilizados) de los anfibios, como los de los peces, tienen membranas gelatinosas pero carecen de membrana protectora (amnion) que se encuentra en todos los vertebrados más grandes. Los huevos de los anfibios también carecen de cáscara y por tanto se tienen que dejar en agua dulce o en lugares húmedos para evitar que se sequen, aunque unas cuantas especies nacen completamente formadas. Las larvas poseen branquias externas y en los renacuajos de las ranas éstas se encuentran en el interior de una cámara cubierta de una capa de piel (el opérculo). La larva sufre una metamorfosis brusca (véase páginas 10-11) hacia el estado adulto, del cual sólo se diferencia en su estructura principalmente.

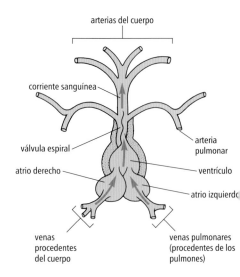

arterias del cuerpo
corriente sanguínea
válvula espiral
atrio derecho
arteria pulmonar
ventrículo
atrio izquierdo
venas procedentes del cuerpo
venas pulmonares (procedentes de los pulmones)

◔ **Arriba** El corazón consta de tres cámaras, dos atrios y un ventrículo, que pueden estar divididos en partes. Los anfibios tienen dos pulmones, pero en cuatro familias de salamandras éstos se han reducido algunas veces y otras veces están ausentes en su totalidad. En las cecilias el pulmón izquierdo es mucho más reducido.

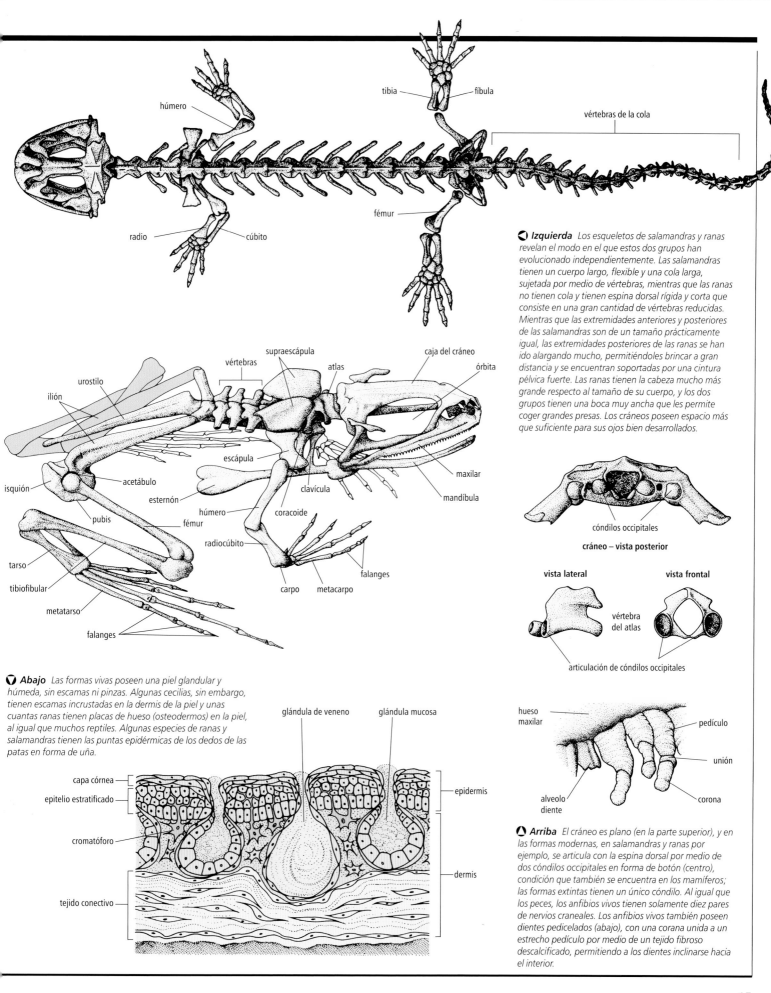

húmero

tibia — fíbula

vértebras de la cola

radio — cúbito

fémur

◖ *Izquierda* Los esqueletos de salamandras y ranas revelan el modo en el que estos dos grupos han evolucionado independientemente. Las salamandras tienen un cuerpo largo, flexible y una cola larga, sujetada por medio de vértebras, mientras que las ranas no tienen cola y tienen espina dorsal rígida y corta que consiste en una gran cantidad de vértebras reducidas. Mientras que las extremidades anteriores y posteriores de las salamandras son de un tamaño prácticamente igual, las extremidades posteriores de las ranas se han ido alargando mucho, permitiéndoles brincar a gran distancia y se encuentran soportadas por una cintura pélvica fuerte. Las ranas tienen la cabeza mucho más grande respecto al tamaño de su cuerpo, y los dos grupos tienen una boca muy ancha que les permite coger grandes presas. Los cráneos poseen espacio más que suficiente para sus ojos bien desarrollados.

supraescápula
vértebras
atlas
caja del cráneo
órbita

urostilo
ilión

escápula
clavícula
maxilar
mandíbula

isquión
acetábulo
esternón
húmero
coracoide
radiocúbito

pubis
fémur

tarso
falanges

tibiofibular
carpo
metacarpo

metatarso

falanges

cóndilos occipitales

cráneo – vista posterior

vista lateral   **vista frontal**

vértebra
del atlas

articulación de cóndilos occipitales

◑ *Abajo* Las formas vivas poseen una piel glandular y húmeda, sin escamas ni pinzas. Algunas cecilias, sin embargo, tienen escamas incrustadas en la dermis de la piel y unas cuantas ranas tienen placas de hueso (osteodermos) en la piel, al igual que muchos reptiles. Algunas especies de ranas y salamandras tienen las puntas epidérmicas de los dedos de las patas en forma de uña.

glándula de veneno   glándula mucosa

hueso
maxilar
pedículo

unión

alveolo
diente
corona

capa córnea
epitelio estratificado
epidermis

cromatóforo

dermis

tejido conectivo

◑ *Arriba* El cráneo es plano (en la parte superior), y en las formas modernas, en salamandras y ranas por ejemplo, se articula con la espina dorsal por medio de dos cóndilos occipitales en forma de botón (centro), condición que también se encuentra en los mamíferos; las formas extintas tienen un único cóndilo. Al igual que los peces, los anfibios vivos tienen solamente diez pares de nervios craneales. Los anfibios vivos también poseen dientes pediculados (abajo), con una corana unida a un estrecho pedículo por medio de un tejido fibroso descalcificado, permitiendo a los dientes inclinarse hacia el interior.

tienen unas necesidades de alimentación muy bajas, al menos en condiciones de frío. Algunas salamandras pletodóntidas, por ejemplo, pueden sobrevivir de un modo parecido sin resultar afectadas después de haber soportado el frío durante un año o más, incluso sin alimentos.

El modo de alimentarse varía fundamentalmente en las formas acuáticas y terrestres. Al igual que los peces, las especies acuáticas y las que presentan etapas acuáticas en su vida se alimentan haciendo más grande su cavidad bucal de repente, por tanto crean una presión negativa y aspiran hacia dentro de la boca el alimento suspendido en el agua. Este método de succión se encuentra en las salamandras acuáticas (tanto larvas como adultos), renacuajos e incluso ranas de uñas, que son acuáticas. Las salamandras gigantes y sus parientes asiáticos, tienen la habilidad única de succionar la presa por uno de los lados de la boca porque las dos mandíbulas se mueven de modo independiente.

Los anfibios terrestres, entre ellos las cecilias y algunas ranas y salamandras, emplean un método de mordedura y agarre que también implica a los dientes y a la lengua, simple y no protráctil. La mayoría de las ranas y salamandras terrestres, sin embargo, tienen lenguas protráctiles. En ambas la lengua se proyecta utilizando un sistema de varillas cartilaginosas (el esqueleto hiobran-

quial) y músculos asociados en el piso de la boca, pero el mecanismo de las ranas y salamandras es bastante diferente. En las ranas, el extremo anterior de la lengua se une a la parte delantera de la mandíbula inferior; de ese modo, cuando el extremo posterior de la lengua se extiende completamente tiene que salir al revés, y por tanto es la superficie dorsal la que realmente atrapa a la presa. En el sapo marino la lengua atrapa a la presa en unas 37 milésimas de segundo y todo el proceso de captura de una presa sucede en 143 milésimas de segundo. Respecto a las salamandras, al poseer un sistema de lengua protráctil más avanzado, el esqueleto hiobranquial es mucho más largo y la lengua en forma de hongo se apoya en la punta anterior, no sobre el piso de la boca. Cuando se contraen los músculos hioides, el esqueleto hiobranquial se propulsa hacia delante con una sorprendente rapidez, pegando la presa a la lengua. En algunas salamandras neotropicales (*Bolitoglossa*), el proceso de captura de una presa sólo dura de 4 a 6 milésimas de segundo (véase Salamandras en miniatura en Salamandras y Tritones).

Los anfibios se alimentan de dos modos básicos: algunas se sientan a esperar que la presa se acerque a ellos. Estas especies son diurnas generalmente y emplean el atractivo de su color, así son, por ejemplo, las espe-

Arriba *La naturaleza carnívora de los anfibios queda ampliamente demostrada en la rana de Knudsen (Leptodactylus knudseni) del bosque tropical húmedo amazónico. Esta gran especie leptodáctila es completamente capaz de conseguir presas vertebradas substanciales como los murciélagos. En común con muchos otros anuros que comparten su hábitat, la rana de Knudsen es un depredador activo y caza por la noche.*

Derecha *Solamente cuatro especies de salamandras producen jóvenes vivos completamente metamorfoseados. En esta salamandra turca (Mertensiella luschani), el recién nacido es casi tan grande como la madre.*

cies de ranas cornudas sudafricanas que ocultan las puntas de los dedos de las extremidades posteriores para atraer a otras ranas.

Otras son activas y buscan su presa. Estas especies son nocturnas normalmente pero, si son diurnas, son de colores llamativos y tóxicas, como las ranas venenosas o la fase acuática del tritón moteado rojo.

Ondulaciones y brincos
LOCOMOCIÓN

Ha habido una adaptación sorprendente en los anfibios en lo que se refiere a locomoción y reproducción. Las salamandras y las cecilias nadan como los peces, con movimientos sinusoidales de lado a lado. Las ranas, por otra parte, nadan (y saltan) de un modo completamente diferente. La espina dorsal se ha ido haciendo más corta, las vértebras posteriores se han fundido para formar un único elemento (el urostilo) y los huesos de las patas traseras se han alargado. De este modo, las ranas tienen unos cuerpos relativamente inflexibles y nadan por medio de empujones simultáneos de las patas (véase Saltos y Brincos).

Las salamandras terrestres se mueven con movimientos ondulados laterales, avanzando en diagonal con los pies contrarios cada vez que dobla el cuerpo. Algunas especies emplean una cola a modo de quinta pata. Las cecilias no tienen patas y, a excepción de unas cuantas especies totalmente acuáticas, viven en madrigueras. Como las paredes de las madrigueras limitan enormemente las ondulaciones laterales, las cecilias se mueven mediante una progresión de pliegues y extensiones que alternan y en la cual sólo se dobla la espina dorsal produciéndose puntos de contacto momentáneos con el sustrato que permite la extensión de otras partes del cuerpo, superficialmente se parece al movimiento de un gusano terrestre.

Envío de esperma en paquetes
REPRODUCCIÓN

Los anfibios presentan la mayor diversidad de modos de reproducción dentro del grupo de los vertebrados. La fertilización puede ser externa o interna. En las familias más primitivas (la salamandra gigante y la asiática) es externa, derramando el esperma dentro del agua, cerca de los huevos. Sin embargo, la mayoría de las salamandras transfieren el esperma en pequeños paquetes llamados espermatóforos que recogen las hembras con los labios de su cloaca durante el cortejo. El esperma se puede utilizar enseguida o, en la mayoría de las especies, almacenarse en glándulas especializadas (spermathecae) que se encuentran en la cloaca para ser utilizado durante la estación siguiente. En algunas salamandras topo norteamericanas (género *Ambystoma*) el esperma sólo activa el proceso de desarrollo y, en forma de partenogénesis, no contribuye genéticamente (véasae Unisexualidad: ¿Redundancia de machos?)

Con pocas excepciones, las ranas fertilizan externamente. Normalmente se deposita el esperma cuando se han puesto los huevos, mientras el macho abraza a la hembra con sus patas delanteras (amplexo). Algunas ranas venenosas no tienen amplexo; los machos fertilizan los huevos después de la deposición. En algunos sapos de boca estrecha los cuerpos se pegan temporalmente, y en otras especies la cloaca del macho se aproxima a la de la hembra mientras se transfiere el esperma, por tanto la fertilización es interna, pero no se introduce ningún órgano. Sin embargo, en las ranas con cola norteamericanas, la cola es, en realidad, una extensión de la cloaca del macho que se introduce en la cloaca de la hembra para transferir el esperma. Todas las cecilias fertilizan internamente, la cloaca es protráctil y se utiliza de órgano de penetración.

La mayoría de las especies anfibias son ovíparas y dejan sus huevos en agua dulce o en tierra. Otras son vivíparas, la madre retiene a los huevos dentro de su cuerpo y los embriones se alimentan de la comida almacenada en su propio saco vitelino o de los materiales que obtiene directamente de la madre. El tamaño de la bolsa varía de unas especies de ranas a otras, y oscila entre un solo huevo a unos 25.000. En las salamandras, la cantidad de huevos no suele ser superior a una docena, pero algunos tritones ponen 400.

Los huevos fertilizados pueden estar solos, en grupos o en largos hilos, pero todos están cubiertos de una capa gelatinosa. Si se dejan en el agua (o lo suficientemente cerca como para que las larvas puedan arrastrarse o ser barridas por las corrientes), las larvas tienen branquias y llevan una existencia acuática, finalmente sufren metamorfosis y se convierten en adultos en miniatura (véase Acontecimiento clave en los anfibios).

Los anfibios utilizan varios lugares diferentes para depositar los huevos, entre ellos el agua estancada o las corrientes, estanques cenagosos construidos por los machos, cavidades situadas debajo de troncos o piedras, desperdicios o madrigueras, hojas que cuelgan sobre el agua, o axilas de plantas llenas de agua. Sin embargo, cada especie prefiere un lugar generalmente. Los que ponen huevos en la tierra no suelen tener una fase larval de vida independiente y experimentan un desarrollo directo. Esto es cierto en muchas ranas tropicales y prácticamente en todas las especies terrestres de salamandras. En muchas ranas y salamandras hay una defensa de los huevos que realiza uno de los padres, y en muchas especies de ranas se transporta a los huevos o a los renacuajos. (véase Padres conscientes).

Unas cuantas ranas son vivíparas. En las ranas vivíparas de Puerto Rico, el vitelo proporciona al embrión los nutrientes necesarios para su desarrollo. La cola del embrión es delgada y rica en sangre y puede funcionar en el intercambio de gases. Varias especies de sapos africanos (en el género *Nectophrynoides* y *Mertensophryne*) son vivíparas. En uno de ellos, el sapo vivíparo de África occidental, los fetos ingieren mucoproteína (leche uterina) secretada por el oviducto cuando se han terminado las provisiones de vitelo.

Cuatro salamandras europeas y del Suroeste de Asia son vivíparas normalmente. En una salamandra turca (*Mertensiella luschani*) y en dos especies de salamandras alpinas de grandes altitudes (*Salamandra atra, S. lanzai*) se producen una o dos descendencias perfectamente formadas. En la *S. atra* sólo sobreviven 1 o 2 jóvenes de unos 30 huevos fertilizados. Los supervivientes practican el canibalismo con sus propios hermanos y sufren metamorfosis antes de nacer después de un período de gestación de 2 a 4 años. En la salamandra de fuego europea, un miembro del mismo género, los jóvenes se depositan en el agua en forma de larvas, pero en regiones montañosas podrían nacer completamente metamorfoseados. Además, el proteo del sureste de Europa puede ser vivíparo cuando la temperatura del agua está templada, en cuyo caso se producen dos larvas con branquias. Aunque muchas cecilias depositan huevos que guarda la madre, casi la mitad de las especies son vivíparas. Después de utilizar su propio vitelo, los fetos grandes se alimentan de la «leche uterina» y también del material de consiguen royendo con sus dientes especializados las paredes de oviducto. El intercambio de gases sucede entre las branquias agrandadas y la pared del oviducto, pero las branquias se reabsorben antes de nacer. Esto es todo lo que sabe sobre los anfibios vivíparos.

Señales sutiles
CONDUCTA SOCIAL Y COMUNICACIÓN

La conducta social entre individuos requiere alguna forma de comunicación: química, acústica, visual o táctil. Los anfibios presentan una amplia variedad de con-

ductas sociales, pero algunas son muy sutiles y no se han descubierto hasta hace poco tiempo. Entre las cecilias, algunas especies producen chillidos y sonidos de golpes pequeños de función desconocida, pero la mayor parte de la comunicación es química y táctil e implica a un órgano saliente (el tentáculo) que es único entre los vertebrados. Estas dos estructuras se encuentran a medio camino entre los ojos y los orificios nasales y se extienden por medio de presión hidrostática. Aunque se sabe poco sobre la función del tentáculo, se podría utilizar para localizar a una presa debajo de la tierra o debajo del agua, dependiendo de las especies, cuando las narinas están cerradas.

Las salamandras son cortas de vista y tienen que utilizar señales visuales en primer plano, como por ejemplo cuando las salamandras rojas machos señalan agresión levantando el cuerpo. Muchas salamandras emiten ruidos secos o golpes. Las ensatinas silban y las sirenas más pequeñas emiten llamadas de peligro agudas y penetrantes. Durante el cortejo, los machos de muchas especies emplean señales táctiles (frotamiento, roces o uniones) para aumentar la receptividad de la hembra.

Sin embargo, las señales sociales predominantes en las salamandras son químicas. Los anfibios en general poseen dos zonas quimiosensoriales independientes en la nariz que envían señales a diferentes partes de los lóbulos olfativos del cerebro: el epitelio olfativo, que detecta olores volátiles (transmitidos por el aire), generalmente pequeñas moléculas; y el órgano vomeronasal (o de Jacobson), que detecta olores no volátiles, principalmente moléculas grandes. Empleando los olores, las salamandras pueden distinguir especies y sexos, determinar el estado reproductivo de otros individuos y estimular la actividad sexual en otros. Algunas salamandras pletodóntidas golpean ligeramente su hocico sobre el sustrato, permitiendo que las señales químicas que han dejado otros se muevan mediante acción capilar hacia la ranura nasolabial del órgano vomeronasal. En algunos salamándridos como el tritón moteado rojo, los machos

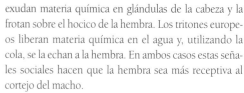

exudan materia química en glándulas de la cabeza y la frotan sobre el hocico de la hembra. Los tritones europeos liberan materia química en el agua y, utilizando la cola, se la echan a la hembra. En ambos casos estas señales sociales hacen que la hembra sea más receptiva al cortejo del macho.

Las ranas emplean en primer lugar las señales sociales acústicas. La mayoría de las especies producen una llamada específica en cada especie que se utiliza para localizar al compañero, pero en algunas especies hay todo un repertorio de llamadas diferentes: de cortejo para atraer a las hembras, las territoriales que emplean los machos para defender su terreno, hacen llamadas cuando los machos son abrazados (amplexo) de un modo accidental por otros machos, y hay llamadas de angustia cuando resultan atrapados por un predador. Algunas llamadas tienen un volumen muy alto (comparado con los niveles de sonido de un tren que pasa a pocos metros) y otras son tan suaves que no se pueden oír a más de un 1 m de distancia.

ponder de igual modo con la pata, y el macho también envía esta señal a otros machos que entran en su territorio. Otras especies emplean señales realizadas con las manos, o pueden ondular sutilmente los dedos de los pies. Las señales táctiles las utilizan algunas ranas venenosas durante el cortejo, cuando la hembra golpea al macho con la pata delantera como signo de receptividad y para estimular al macho a que libere esperma. También los renacuajos emplean señales táctiles para indicar a la hembra que deposite huevos nutritivos con los que alimentarse o para seguirla al agua (véase Padres conscientes)

En peligro en todo el mundo
CONSERVACIÓN Y MEDIOAMBIENTE

Los anfibios se encuentran en peligro en todo el mundo. Aunque la extinción de especies es un suceso geológico natural, los anfibios están desapareciendo en la actualidad a un ritmo alarmante. Se cree que al menos diez especies se han extinguido en los últimos 20 años solamente en los neotrópicos, Australia y Nueva Zelanda.

Estudios recientes señalan muchos factores causantes, la mayoría medioambientales. Entre ellos se encuentran los pesticidas y otros contaminantes, introducción de predadores y competidores, explotación comercial, aumento de la exposición a los rayos UVA y las infecciones causadas por hongos parásitos. Sin embargo, lo más importante es la pérdida de un hábitat apropiado, especialmente lugares de cría vitales.

Las consecuencias de estas pérdidas pueden ser profundas. Los anfibios representan un papel importante en los ecosistemas terrestres y son un enlace trófico esencial entre sus diminutas presas invertebradas y los grandes vertebrados que, a su vez, se los comen a ellos. De igual manera en los hábitats acuáticos los renacuajos no sólo son consumidores importantes de algas unicelulares y protistos sino que, al sufrir metamorfosis y convertirse en adultos terrestres, contribuyen al flujo de nutrientes desde los hábitats de agua dulce a los terrestres.

La inversión de esta tendencia requerirá una investigación básica para proporcionar el conocimiento crítico de la biología de las especies, la educación de las personas de la región para proteger a los anfibios, legislación para la protección local y para gobernar el comercio internacional, y el restablecimiento de poblaciones dentro del área natural. Pero sin la conservación de los hábitats apropiados ninguna de estas acciones tendrá éxito en última instancia.

◖ **Arriba** *Extraordinario ejemplo de conducta social de cooperación, machos de ranas de árbol grises (Chiromantis xerampelina) subidas a un árbol de la sabana sudafricana, baten una secreción producida por sus hembras y la convierten en espuma. El exterior de la espuma se seca y forma una costra, pero el interior permanece húmedo para permitir que los huevos se desarrollen.*

◖ **Izquierda** *Después de desarrollarse en el interior de la espuma protectora, los renacuajos de rana de árbol gris culebrean libres y caen a una charca temporal que se forma debajo del árbol durante la estación lluviosa. Aquí completarán su desarrollo.*

◖ **Derecha** *Una hembra de rana de hocico de cerdo africana (Hemisus marmoratus) excava en el barro para guiar a sus nuevos renacuajos desde su cámara de alimentación situada debajo de tierra hacia el agua. Los renacuajos utilizan señales táctiles para seguir a su madre en esta actividad de vital importancia.*

Las ranas hembras pueden seleccionar a machos basándose en varios parámetros de llamada. Una rana centroamericana (*Physalaemus pustulosus*) realiza una llamada en dos partes, que consisten en un quejido y un golpe. Los machos pueden producir un quejido o un quejido más golpes, de 1 a 6. Las hembras prefieren llamadas más complejas, pero ya que éstas duran más tiempo, los machos que las realizan pueden ser localizados y caer presa de los murciélagos que comen ranas. Las hembras de algunas especies prefieren llamadas con frecuencias más bajas (tono), ya que éstas significan que provienen de machos más grandes y más deseables. Algunas veces los machos satélites mas pequeños no llaman, se sitúan cerca de los machos que llaman e interceptan a las hembras y se emparejan con ellas.

Algunas ranas también utilizan señales visuales y táctiles. En la rana torrente de Brasil, los machos vocalizan pero también utilizan las patas, extienden la pata trasera sobre el cuerpo y abren los dedos. La hembra puede res-

CLASIFICACIÓN Y TAXONOMÍA

Relaciones de evolución de anfibios y reptiles

DESDE TIEMPOS INMEMORABLES, LOS HUMANOS HAN creado categorías de clases de organismos agrupando los más parecidos y le han dado a cada uno de ellos un único nombre. Aristóteles, en el siglo IV antes de Cristo, reconoció los grupos principales de vertebrados: peces, reptiles, aves y mamíferos, aunque fracasó a la hora de advertir la importancia de la metamorfosis a la hora de clasificar y englobó a los anfibios con los reptiles. A finales del siglo XVII, un clérigo y naturalista inglés, John Ray, sugirió que cada clase de organismo, o especie, tenía una base biológica que se fundamentaba en un parentesco común. Fue el botánico sueco Carl von Linné (originalmente Linnaeus) el que sistematizó la sugerencia de Ray y escribió libros en los que daba nombres en latín a cada una de las especies de organismos que se conocían hasta el momento. Desarrolló un sistema en el cual a cada especie se le daba un nombre compuesto de dos partes (la primera palabra se refiere al género, y se escribe en mayúscula, y el segundo, el epíteto de la especie, que no va en mayúscula) y en latín, ya que los nombres vernáculos para cada organismo variaban normalmente de un país a otro. Por tanto, el nombre formal en latín de todos los animales, incluyendo anfibios y reptiles, empezó oficialmente por Linné. Nosotros nos referimos a su libro de 1758 para algunas de las especies más conocidas: Bufo marinus (sapo marino), Ichthyophis glutinosus (cecilia de Ceilán) y Triturus vulgaris (tritón común) entre los anfibios. Chelonia mydas (tortuga marina verde), Caiman crocodilus (caimán común), Hemidactylus turcicis (geco mediterráneo) y Python molurus (pitón india) entre los reptiles.

Linné vio a las especies como entidades fijas y sin cambios creadas por Dios y, las ordenó por conveniencia, dando una clasificación puramente artificial, para organizar las especies conocidas. Por el año 1820 se reconoció por fin que los anfibios eran muy diferentes a los reptiles. La clasificación tradicional de los vertebrados es la siguiente:

Filo Cordados (animales que tienen notocordio embriónico, soporte flexible a lo largo del dorso).
  Subfilo vertebrados (todos los animales con espina dorsal).
    Clase Agnados (peces sin mandíbula, como las lampreas y lampreas glutinosas).
    Clase Condrictios (peces cartilaginosos, como los tiburones y las rayas).
    Clase Osteíctios (todos los peces óseos, entre ellos los peces de aletas radiadas y los peces de aletas lobuladas, como los coelacantos y peces pulmonados).
    Clase Anfibios (anfibios).
    Clase Reptiles (reptiles).
    Clase Aves (aves).
    Clase Mamíferos (mamíferos).

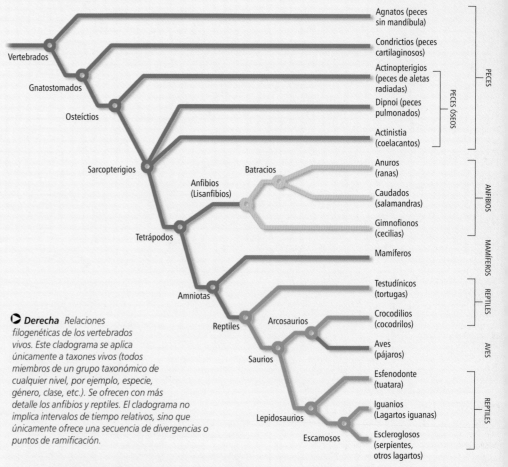

▶ **Derecha** *Relaciones filogenéticas de los vertebrados vivos. Este cladograma se aplica únicamente a taxones vivos (todos miembros de un grupo taxonómico de cualquier nivel, por ejemplo, especie, género, clase, etc.). Se ofrecen con más detalle los anfibios y reptiles. El cladograma no implica intervalos de tiempo relativos, sino que únicamente ofrece una secuencia de divergencias o puntos de ramificación.*

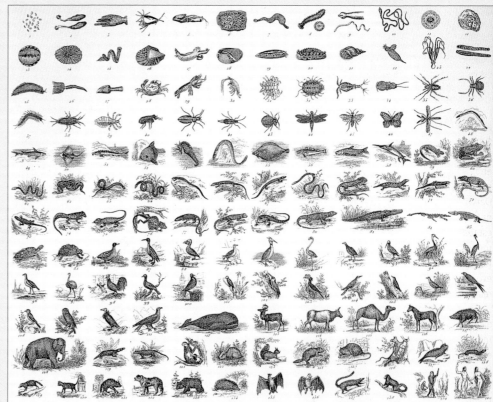

◐ Arriba *Junto con otros cuatro géneros, los sapos africanos del género Xenopus (aquí se muestra al Xenopus laevis) están clasificados en la familia de los Pípidos, basándose en parte en que todos carecen de lengua.*

◐ Izquierda *El biólogo francés George Cuvier adoptó y extendió el sistema de clasificación de Linné. Esta tabla de principios del siglo XIX muestra los grupos de animales filos de Cuvier, que van desde los organismos celulares (arriba izquierda) hasta los seres humanos (abajo derecha). En esta etapa, los anfibios (al final de la quinta fila) se encuentran claramente separados de los reptiles (filas 6-8).*

Observe que aunque esta clasificación es jerárquica, no comunica relaciones de evolución. Por supuesto, la idea de que las especies incluidas en esta clasificación pudieran tener alguna relación histórica entre ellas era algo que desconocía Linné y otros naturalistas de esa época. Hasta que no llegó Charles Darwin con su concepto de evolución por selección natural, que implicaba que todas las especies vivas estaban relacionadas unas con otras y que vivieron (y murieron) hace tiempo unos antepasados comunes, no se tuvo en consideración las relaciones en la evolución. Pero, ¿Cómo se pueden indicar esas relaciones en una clasificación?

En la década de 1960 las ideas de un biólogo alemán, Willi Henning, empezaron a revolucionar el modo en el que analizamos las relaciones de evolución entre organismos. Su método, que se llama «sistemática filogenética» (o «cladismo»), depende del reconocimiento de un origen de evolución monofilético. De un modo específico, un linaje monofilético (o clado)

está compuesto de una especie ancestral original y todas sus especies descendientes. Únicamente esos linajes monofiléticos se reconocen en la sistemática filogenética y se les da un nombre formal dentro de clasificaciones. Por medio de este método, se reconocen los clados identificando los caracteres llamados derivados (aquellos que difieren de la condición del antepasado) y, determinando el orden en el cual se ramificaron los clados durante su evolución, se puede establecer una clasificación filogenética. Por ejemplo, todas las ranas de uñas (incluyendo el sapo de Surinam y cuatro géneros de sapo africano) carecen de lengua. Todas las demás ranas –en realidad, todos los demás anfibios– tienen lengua, por tanto resulta más razonable creer que la lengua se perdió en el antepasado original de las ranas de uñas y por tanto todos los descendientes carecen de lengua. La presencia de lengua, por tanto, es la condición primitiva y su ausencia es la condición derivada. Su ausencia en este grupo de ranas es una característica clave que convence a los biólogos de que estos cinco géneros de rana representan un grupo monofilético al que se daría un nombre sistemático formal: la familia Pípidos.

A diferencia de la clasificación jerárquica clásica, una clasificación filogenética codifica las relaciones evolutivas. Empleando este moderno método de clasificación, las relaciones de las clases de vertebrados presentan diferencias sorprendentes, como se indica en el diagrama de la página anterior.

¿Qué nos dice este diagrama filogenético (o cladograma)? Primero, nos dice que todos los

vertebrados terrestres (tetrápodos) son, según el cladismo, peces óseos (Osteíctios). Segundo, implica (y se cree) que todos los anfibios vivos tuvieron un antepasado común y representa un linaje monofilético. (Por desgracia no podemos incluir todas las especies fósiles que durante tanto tiempo se han clasificado de anfibios en esta categoría, porque algunas de las características más importantes de la anatomía blanda de los anfibios vivos no se pueden determinar a partir de un registro fósil, y los lisanfibios comparten características derivadas que se sabe que no están presentes en las formas fósiles). Tercero, el cladograma muestra que los crocodilios y las aves son parientes muy cercanos. Cuarto, este cladograma nos dice que los reptiles vivos son monofiléticos únicamente si se considera a las aves como reptiles, ya que son descendientes de un grupo de reptiles llamados arcosaurios. Si se considera a las aves una clase independiente, los reptiles no son monofiléticos porque si no entran las aves no se incluirían todos los descendientes de reptiles ancestrales.

Sin embargo, los reptiles y las aves se clasifican con más frecuencia como clases de vertebrados cercanos. ¡Muerte a la tradición! A pesar de todo, los biólogos utilizan regularmente los términos de reptiles y aves al modo tradicional, aunque reconocen que sus relaciones filogenéticos son más complejas de lo que implica este uso. En este libro hemos elegido utilizar las clasificaciones de anfibios y reptiles más correctas científicamente basadas en sistemáticas filogenéticas.

KA/HWG

ACONTECIMIENTO CLAVE EN LOS ANFIBIOS

El papel de la metamorfosis en ranas, salamandras y cecilias

METAMORFOSIS: TRANSFORMACIÓN ABRUPTA DE LARVA a adulto. Esta es una de las características que definen a todos los anfibios, los únicos animales de cuatro patas en los que sucede este fenómeno. Estos cambios morfológicos y las modificaciones psicológicas y de conducta que los acompañan, son mucho más marcados en las ranas que en las salamandras o en las cecilias.

La forma de vida de las ranas y sapos en fase larval (las únicas larvas llamadas «renacuajos» con propiedad) y la de las larvas de salamandra y cecilia son muy diferentes. Los renacuajos son herbívoros principalmente, adaptados al modo de vida de alimentación en suspensión que realizan filtrando del agua partículas de alimento, o rasgando y rayendo material de las plantas. Se conocen renacuajos caníbales gigantes en algunas especies. Los renacuajos de algunas especies pueden extraer alimento (como bacterias verde azuladas) tan pequeñas como una décima de micrómetro de diámetro, una eficacia comparable a los mejores tamices mecánicos. Algunos pueden filtrar el agua a un ritmo de ocho veces más del volumen de su cuerpo por minuto. Sin embargo, las larvas de las salamandras son carnívoras activas que atrapan zooplancton diminuto y, posteriormente, presas grandes entre las que se encuentran otras larvas de salamandra. Estas larvas parecen adultos en miniatura con branquias externas. De este modo, además de perder las branquias y órganos sensoriales en la línea lateral, y algunos cambios internos en el esqueleto,

dientes y musculatura, la metamorfosis en su caso es un proceso relativamente sutil que supone la reabsorción de las aletas de la cola, diferenciación de párpados y cambios en el grosor de la piel y permeabilidad al agua. Las larvas de cecilia pasan por una fase aún más avanzada y parecen adultos si exceptuamos el tamaño y la presencia de branquias.

En ranas y sapos la metamorfosis es más dramática porque los renacuajos son muy diferentes de los adultos carnívoros. Por ejemplo, tienen colas propulsoras, grandes, que se reabsorben totalmente en la metamorfosis. Se desprenden los «dientes» larvales (en realidad no son auténticos dientes sino dentículos queratinosos) y la boca se hace mucho más grande. Las extremidades posteriores, que después se convierten en el principal medio de locomoción, son diminutas y no funcionales en los renacuajos hasta un poco antes de terminar la metamorfosis. Las extremidades anteriores no se pueden ver externamente porque se encuentran en el interior de una cámara que se forma creciendo una capa de piel (el opérculo) que alberga a las branquias. Internamente, las diferencias entre la rana en fase de larva y la adulta son igual de extremas, especialmente en el aparato digestivo. En la metamorfosis, el intestino largo y enrollado del renacuajo –característica psicológica vital que es necesaria por su dieta tan vegetariana– se acorta en gran medida, y en algunas especies disminuye hasta convertirse en un 15 por ciento de la longitud original. La metamorfosis es el momento de mayor vulnerabilidad a los

○ *Izquierda* *El principal ejemplo de especie anfibia paedomórfica es el ajolote (Ambystoma mexicanum). Mantiene ciertas características larvales, como las prominentes branquias externas. Estas formas se denominan con frecuencia neotenic (del griego neos que significa «joven»).*

predadores, ya que en esta fase no pueden nadar de un modo tan eficaz como los renacuajos y tampoco pueden saltar como las ranas. Estudios realizados en serpientes han mostrado que sus estómagos contienen una cantidad desproporcionada de animales en esta fase metamórfica.

La metamorfosis se controla hormonalmente, como su desarrollo en general. Entran en acción las hormonas producidas en las glándulas pituitaria (prolactina) y tiroides (tiroxina). El aumento de la cantidad de tiroxina y el cambio de sensibilidad de los tejidos a la tiroxina, hace estallar la metamorfosis y se puede causar por factores medioambientales tales como el apiñamiento, oxígeno bajo u otros factores de angustia.

La duración de la metamorfosis puede variar enormemente. En algunas especies de ranas y salamandras las larvas se aletargan y no pueden transformarse hasta el verano siguiente, o incluso más tarde, mientras que los renacuajos de algunos sapos de espuelas que habitan en el desierto

△ **Arriba** *Los dramáticos cambios psicológicos que tienen lugar en la metamorfosis de renacuajo a rana se ven claramente en esta rana de árbol enana del Este* (Litoria fallax). *La duración de la fase larval varía considerablemente entre los anuros, desde unos cuantos días a un año o más.*

completan el proceso en sólo ocho días, una adaptación a la naturaleza efímera de las charcas del desierto. Sin embargo, de ningún modo significa que todas las larvas de salamandra se transformen en la típica forma de adulto; algunas mantienen características de larva, incluso aunque sean ya adultos reproductores. La retención de rasgos larvales o juveniles en adultos se debe a cambios en el ritmo de crecimiento (o heterocronía) de un tipo llamado paedomorfosis. Este fenómeno complica enormemente nuestra comprensión de la evolución de la salamandra basada en la morfología.

Entre las características paedomórficas de las salamandras se encuentran un sistema funcional en la línea lateral, ausencia de párpados y retención de branquias externas. Uno o más de estos rasgos se han hallado en algunas especies o poblaciones de todas las familias de salamandras vivas. En algunas familias (salamandras gigantes, necturos y proteos, anguilas congoleñas y sirenas) todas las especies son paedomórficas. En las salamandras sin pulmones y el

proteo, la paedomorfosis se asocia a la adaptación de la vida en cuevas. Para todas estas familias es una característica genética fija normalmente, y la aplicación de la tiroxina por parte de los investigadores no induce a la metamorfosis.

En otras familias de salamandras la paedomorfosis se encuentra únicamente en algunos individuos o poblaciones dentro de una especie, y la aplicación de tiroxina causa la metamorfosis. Por ejemplo, los ajolotes que viven en el lago Xochimilco, en el centro de Méjico, llegan a la madurez sexual por medio de otra fase larval diferente, aunque se han encontrado adultos transformados. En cierto modo el entorno de Xochimilco favorece la paedomorfosis, quizás porque sus aguas contienen una cantidad insuficiente de iodina, necesaria para producir la hormona tiroxina. O el efecto se puede deber a las temperaturas frías del lago en las cuales, según estudios de laboratorio realizados, la tiroxina tiene poco efecto.

En el tritón moteado rojo americano (*Notophthalmus viridescens*), algunas poblaciones costeras pasan por alto la fase terrestre normal (eft), mantienen las branquias y se maduran para la reproducción. La paedomorfosis se encuentra a menudo en poblaciones de tierras altas pero se desconoce en poblaciones de esa misma especie en tierra bajas. Varias especies de salamandras topo

americanas, el tritón alpino europeo y otras especies *Triturus*, y una salamandra japonesa, *Hynobius lichenatus*, todos muestran el mismo modelo.

Los ecologistas piensan que los hábitats acuáticos rodeados de seres terrestres hostiles favorecen la paedomorfosis. Esta circunstancia es cierta con frecuencia en las especies que habitan en cuevas, en charcas del desierto, en corrientes de agua que atraviesan zonas áridas y en charcas elevadas. Sin embargo, algunas especies no siguen este patrón. Las sirenas y las anguilas congoleñas, por ejemplo, han perdido su capacidad genética de la metamorfosis, pero se han adaptado a otras cosas, como la capacidad que poseen las sirenas de pasar el estío en cavidades fangosas o la de las anguilas congoleñas para moverse por tierra cuando se seca su hábitat acuático.

A diferencia de las larvas de salamandra y de cecilia, los renacuajos de rana han sacrificado la reproducción, aparentemente, a favor de la alimentación y de un ritmo de crecimiento rápido. Literalmente son «máquinas de comer», el esqueleto de la cabeza y el enorme conducto alimentario están adaptados a la forma de vida herbívora (véase Máquinas de nadar, comer y crecer). El espacio para la completa diferenciación de órganos reproductores se produce únicamente en la metamorfosis.   KA

ADAPTACIÓN CALEIDOSCÓPICA

Los empleos múltiples de los colores de los anfibios

LOS ANFIBIOS MUESTRAN UN CALEIDOSCOPIO DE colores. Los colores con los que se presenta al ser humano surgen de una combinación de la absorción diferencial y reflectancia de la luz (color químico) así como de la difracción y otros fenómenos de interferencia de la luz (color físico). Se producen en unos pigmentos de la capa de la epidermis (superior) de la piel, en células especializadas que contienen pigmentos, llamadas en general cromatóforos, o en la capa de la dermis (inferior) y algunas veces en pigmentos que se encuentran en tejidos aún más profundos. El color verde de la mayoría de las ranas se produce por la combinación por separado de pigmentos azules y verdes, pero en ciertas especies neotropicales es resultado de la deposición de un producto excretado verde, el pigmento de la bilis biliverdina, en tejidos blandos y huesos.

Muchos anfibios cambian de color concentrando o dispersando melanina (de color negro o marrón oscuro) u otros pigmentos en los cromatóforos, pero como estos cambios se deben en su mayoría al control hormonal suceden con bastante lentitud, en una escala de tiempo que varía de segundos a minutos. Al cambiar así de color los anfibios, como muchos reptiles, pueden regular la temperatura corporal, ya que los cuerpos de color oscuro absorben la energía radiante con más rapidez que los de color claro. Por eso las ranas son pálidas y casi blancas cuando calienta el sol. Algo extraordinario sucede cuando el cuerpo de una rana está a la sombra parcialmente y muestra dos tonos de color divididos en el borde la sombra. El pigmento melanina también es muy eficaz para filtrar la luz ultra violeta, esas longitudes de onda de luz del sol que potencialmente son más peligrosas para los tejidos del cuerpo y para el material genético y que están implicados en el descenso de población de algunas especies en estado natural.

El color y el dibujo de los anfibios se utilizan con frecuencia para ocultarse (cripsis), o para permitirles evitar ser detectados por una posible presa o, especialmente, para evitar convertirse ellos mismos en presa. Aunque muchos anfibios poseen toxinas en la piel que son nocivas o incluso mortales para los predadores, la mayoría de las especies tienen colores enigmáticos. Muchos emplean el camuflaje, que les permite tomar el color del entorno o difuminan su coloración y hacen desaparecer a la vista el perfil de su cuerpo.

Ciertas ranas que habitan en suelo boscoso (por ejemplo, el sapo cornudo malayo, el sapo hoja neotropical y el *Hemiphractus* de Sudamérica) parecen hojas muertas, incluso hasta tienen proyecciones carnosas detalladas que parecen el borde de una hoja y rayas que parecen las nervaduras centrales de las hojas. En algunas especies, individuos diferentes tienen dibujos de colores distintos (polimorfismo),

◐ **Izquierda** *Las ranas cornudas amazónicas (aquí dos morfos de diferente color de Ceratophrys cornuta) son famosas por su conducta de predador rapaz. En su caso, el efectivo camuflaje no es sólo para protegerse, también lo emplean como parte de su estrategia de caza de «sentarse a esperar» cuando yacen al acecho sobre las hojas.*

◑ **Derecha** *En su hábitat de las Montañas Great Smoky en la frontera entre Tennessee y Carolina del Norte, la salamandra imitadora (Desmognathus imitator, derecha) imita la coloración de las patas y mejillas rojas de la salamandra de Jordan (Plethodon jordani) nada apetecible. Este es un ejemplo de mimicria de Bates.*

◔ **Abajo** *Ejemplo en miniatura de la rana dorada venenosa (Phyllobates terribilis). Los matices iridiscentes y brillantes de este habitante del bosque tropical húmedo sudamericano insinúan su extrema venenosidad. Es la rana más tóxica del mundo.*

Unas cuantas especies combinan cripsis y coloración de aviso, y adquieren un misterioso color cuando se las ve desde arriba, pero tienen un vientre de color brillante que únicamente muestran cuando el animal es amenazado por un predador. Los sapos de vientre de fuego de Europa y Asia y los tritones del Pacífico y de América occidental tienen toxinas en la piel y muestran el llamado reflejo «unken» cuando están inquietos (véase Defensores repugnantes).

Entre otros ejemplos de intimidación de predadores relacionados con el color y el dibujo se encuentran los colores llamativos de las ranas. Estos colores brillantes se limitan a ciertas superficies del cuerpo, como costados y parte posterior del muslo que están ocultos cuando descansa el animal, pero que aparecen y desaparecen cuando salta una y otra vez, confundiendo posiblemente al predador que pudiera estar intentando capturar objetos de color. La rana de ojos falsos de Sudamérica tiene dos manchas grandes en forma de ojos sobre el anca; cuando es amenazada, apunta el anca hacia el predador. Algunas ranas tienen dibujos que no resultan visibles al ojo humano. Por ejemplo, la rana de árbol blanca de Australia tiene una gran mancha en el hocico que sólo se puede ver en la gama de infrarrojos. Se desconoce su función.

Los colores y los dibujos también se utilizan para reconocerse entre las especies y dentro de ellas. Especies diferentes comparten la misma tendencia a poseer dibujos de colores marcadamente diferentes. En algunas especies los sexos difieren en color, algunas veces notablemente (como en el caso del sapo de Yosemite y del sapo dorado). Este dimorfismo sexual podría funcionar en las especies de actividad diurna para reconocer el sexo. En la rana torrente (stream), una rana venenosa de Trinidad y Venezuela, que llama a los machos se convierte en negra y lucha solamente con otros machos negros, y los perdedores se vuelven marrones en unos minutos.

dificultándole al predador la obtención de una imagen fidedigna. Estudios detallados muestran que la reflectancia del lomo de la rana y la de su entorno normal se corresponden con mucha precisión, incluso se producen variaciones mínimas en ciertas longitudes de onda. Ciertas especies de ranas neotropicales que se colocan sobre hojas se igualan a su entorno tanto en el espectro visible como en el infrarrojo, lo cual les ayuda a evitar que las detecten los predadores que habitan en los árboles, como los monos, e incluso las víboras que buscan presas con sensores infrarrojos. Muchas especies presentan un contraste muy efectivo: una parte superior oscura pero con vientres de color claro que les hace menos visibles en el agua cuando se mira desde el fondo hacia el cielo de color claro.

Por el contrario, algunas especies son de colores vivos y se detectan con facilidad. Muchas de ellas, como las ranas venenosas de los neotrópicos y las

salamandras de fuego de Europa, producen secreciones tóxicas en la piel y se cree que su coloración brillante ha evolucionado como un modo de aviso a predadores potenciales para que no las molesten (coloración aposemática). Algunas especies apetitosas consiguen protección imitando colores de las desagradables (mimicria de Bates); en el este de Norteamérica la salamandra de lomo rojo evita a los predadores tomando el color de los tritones rojos en su fase terrestre, y tienen toxinas en la piel que resultan letales para los depredadores. Al mismo tiempo, los tritones en su etapa terrestre tienen una relación diferente (mimicria de Müller) con la salamandra roja venenosa. Sus coloraciones de aviso parecidas tienen la ventaja de que los predadores generalizan las malas experiencias que han tenido con una especie con especies que poseen el mismo color y dibujo.

KA

25

ARTÍCULO
ESPECIAL

PADRES CONSCIENTES
Cuidado parental en los anfibios

CUALQUIER CONDUCTA DE UNO DE LOS DOS PADRES O DE los dos que fomente la supervivencia de sus huevos fertilizados (embriones, técnicamente) o descendencia con un coste potencial para ellos se denomina cuidado parental. Los costes para los padres pueden incluir el aumento de la depredación o la limitación de toma de alimento, o dedicar un largo período de tiempo a una nidada o grupo de crías, o simplemente la incapacidad de producir más jóvenes. Por el contrario, los beneficios que obtienen los padres por fomentar la supervivencia de su descendencia cuidando de ellos tiene que pesar más que cualquier coste para los padres en realidad. Si fuera de otro modo el cuidado no podría evolucionar.

Entre los anfibios el cuidado parental ha evolucionado muchas veces, pero su distribución en las especies no es aleatoria. La mitad de todas las especies de cecilias ponen huevos, y probablemente en todas ellas la hembra permanece con los huevos hasta el momento de la eclosión. En las salamandras, la atención que prestan a los huevos las hembras o los machos se produce en todas las familias registradas, pero también se sabe que sólo ocurre en una cuarta parte de las especies aproximadamente. Con mucha diferencia, la mayor diversidad de formas de cuidado parental de los anfibios se encuentra entre las ranas, en unos dos tercios de las familias, pero menos del 10 por ciento de las especies, según la información de la que se dispone.

⬤ *Derecha Una de las formas más inusuales de cuidado parental en los anfibios se encuentra en las ranas que incuban sus huevos dentro de la boca, en Sudamérica. El macho mete a los huevos en el saco vocal, donde completan su desarrollo. Aquí una rana de Darwin (Rhinoderma darwinii) acaba de vomitar dos ranitas.*

⬤ *Abajo Entre los meses de septiembre y diciembre, dependiendo de la altitud, la salamandra jaspeada (Ambystoma opacum), que habita al este de Estados Unidos, pone de 40 a 230 huevos en una cavidad a modo de nido. Mientras espera que caigan las lluvias del otoño y del inverno para estimular la eclosión, la hembra guarda los huevos arropándolos con su cuerpo.*

El cuidado parental de los anfibios está asociado con su paso a tierra. Las nidadas de huevos fertilizados y las larvas de cuerpo blando que se encuentran en corrientes y charcas son presa de numerosos predadores con frecuencia, pero en tierra la posibilidad de supervivencia es mayor generalmente, especialmente si uno de los padres o los dos cuidan de ellos. Sin embargo, existen excepciones respecto a esta tendencia en algunas especies totalmente acuáticas, como en las salamandras gigantes y en los sapos de Surinam, que muestran un comportamiento parental.

Los anfibios presentan la variedad más amplia de modos de reproducción de cualquier clase de vertebrados, y poseen casi todo tipo inconcebible de cuidados parentales. En gran medida, esta diversidad refleja el diferente grado de implicación que tienen las distintas especies entre la cantidad de descendientes y la cantidad de cuidado invertido.

Ya que las hembras producen menos gametos (células germinales) que los machos, y con un mayor gasto de energía, normalmente son ellas las que invierten más tiempo en cuidar de su descendencia, pero hay muchas intrigantes excepciones entre los anfibios. En la mayoría de las familias básicas de salamandras vivas (las salamandras gigantes y asiáticas) y en muchas ranas, casi todas ellas con fertilización externa, los huevos se ponen dentro del territorio del macho y es él el que los defiende. Esta es la forma más común de cuidado parental, de reducir la depredación y la desecación de los huevos. Algunas veces el macho guardará simultáneamente las nidadas de varias hembras. En el grupo más derivado, las salamandras sin pulmones y las especies de cecilias que ponen huevos, los cuales se fertilizan internamente, y en algunas ranas, las hembras guardan los huevos en tierra o en el agua.

Rara vez los animales son cuidados por sus padres, pero dentro de los vertebrados el cuidado paternal es más común en peces y anfibios. Se puede deber al hecho de que la fertilización es externa y su éxito en la reproducción puede fomentarse por tanto cuidando de su descendencia. O simplemente podría ser que los machos tienen que estar presentes en la fertilización externa y así tienen la oportunidad de cuidarlos. En las especies de fertilización interna el apareamiento y la deposición de huevos pueden realizarse con un mes de diferencia o más, por tanto el cuidado parental del macho es una opción menos probable.

Se han observado varios modos de cuidado parental entre los anfibios. Quizás el modo de duración más transitoria, y sin embargo uno de los que más expone al padre a cierto riesgo, sucede cuando la hembra deposita con sumo cuidado los huevos fertilizados. En varias especies de tritones europeos, la hembra envuelve en hojas de vegetación acuática a cada uno de sus huevos con todo cuidado y protege el desarrollo de los embriones de la depredación y de los negativos efectos de la radiación UVA. En otras muchas especies, los dos

padres atienden a los huevos durante períodos largos. En las salamandras acuáticas puede ser la hembra (en necturos) o el macho (salamandra gigante acuática) el que atiende al nido de huevos, en primer lugar con propósitos psicológicos (fomentar el intercambio de gases alrededor del nido que realizan mediante rápidos movimientos con las branquias y mediante movimientos oscilantes del cuerpo respectivamente). Algunas veces los necturos incluso ponen los huevos cerca de las cavidades nido de las salamandras gigantes acuáticas, una estrategia de parásito para defender el nido que requiere más estudio. Algunas ranas que se crían en tierra y cuidan nidos, como la coqui de Puerto Rico, proporcionan hidratación a los embriones transfiriendo agua directamente a través de la piel del macho. Otras especies que atienden a sus nidos los cuidan protegiendo a los huevos de agentes patógenos como los hongos, secretando quizás sustancias fungicidas. En otras especies de salamandras y ranas, la atención al nido va acompañada de una conducta de guardián de nidos en el cual el padre que lo cuida ataca a los intrusos, tanto si se trata de miembros de la misma especie como si se trata de predadores. En experimentos realizados en el campo con una rana microhílida en Nueva Guinea, los nidos eran atacados y consumidos por artrópodos si eliminaban al macho guardián.

Ranas que incuban

Todas las demás formas de cuidado parental en los anfibios se limitan a las ranas. La primera de ellas (la conducta de incubar huevos) se encuentra en varias especies acuáticas y terrestres. En los sapos de Surinam acuáticos de Sudamérica, los machos fertilizan los huevos durante un salto con voltereta mediante el cual coloca a los huevos en el lomo de la hembra. Cada huevo se desarrolla en una bolsa independiente, y la cola del renacuajo, rica en capilares, realiza la misma función que una placenta. Los jóvenes salen en forma de renacuajos o completamente metamorfoseados, dependiendo de las especies.

Hay unas 775 especies en la familia de ranas de árbol, Hílidos. En unas 65, todas neotropicales, la hembra transporta a los huevos sobre el lomo. En cuatro géneros, los huevos se adhieren al lomo (*Cryptobatrachus, Hemiphractus y Stefania*) o bien se transportan en bolsas abiertas (*Flectonotus*) y las larvas se convierten en ranitas. En un género (*Gastrotheca*) hay una bolsa o bolsas como las de un marsupial que se abren justo por encima de la cloaca. Después de la fertilización del macho, los huevos se colocan en la bolsa, así se consigue que los embriones que se están desarrollando en su interior se encuentren en un entorno húmedo constantemente y los jóvenes salen en forma de renacuajos o de pequeñas ranitas, según las especies.

Quizás el caso más extraño de incubar huevos se encuentra en las ranas australianas que los incuban dentro del estómago. La hembra ingiere hasta 20 huevos fertilizados, se desarrollan en su estómago y

Continúa a la vuelta ▷

después los «vomitan» en forma de renacuajos y ranitas. Durante este tiempo la madre no se alimenta. En realidad el aparato digestivo se inhibe por medio de la liberación de una sustancia parecida a una hormona, una prostaglandina, secretada en el moco oral de las larvas. Cierra la secreción de ácido clorhídrico y las ondas peristálticas del conducto alimentario.

Los huevos o los renacuajos de muchas ranas son transportados por uno de los padres para protegerlos de temperaturas extremas, desecación, depredación o parasitismo. En los sapos parteros de Europa, el macho lleva cadenas de huevos alrededor de sus patas posteriores, algunas veces procedentes de más de una hembra, y de vez en cuando las lleva al agua para mantenerlas húmedas. Cuando las larvas están preparadas para salir, las conduce al agua. En la rana marsupial australiana los renacuajos culebrean en las bolsas que se encuentran en ambos costados del macho y más tarde surgen en forma de diminutas ranitas. En las ranas que incuban en la boca, el macho de una especie transporta hasta 20 larvas en su bolsa bucal, que puede alcanzar el tamaño de su propio cuerpo cuando los renacuajos aumentan de tamaño. Experimentos realizados han demostrado que efectivamente el macho proporciona nutrientes a los

◗ **Derecha** *La conducta de cavar una pendiente de la rana toro sudafricana* (Pyxicephalus adspersus) *está bien documentada. Durante el cálido verano, cuando esta especie se activa después de las lluvias estacionales, la rana toro macho excava un canal entre dos masas de agua para permitir que sus renacuajos salgan de charcas poco profundas antes de que se sequen. Los canales pueden superar los 15 m de longitud.*

embriones en desarrollo. Los machos pueden transportar al mismo tiempo huevos de varias hembras diferentes. En otras especies, el macho simplemente lleva a los renacuajos en la bolsa bucal desde su nido en tierra al agua.

En algunas ranas venenosas neotropicales (las ranas Seychelles (especies *Nesomantis* y *Sooglossus*) y en la rana de Hamilton de Nueva Zelanda (*Leiopelma hamiltoni*) los huevos se depositan en tierra y, después de la eclosión, los renacuajos culebrean con rapidez y suben al lomo de la madre o del padre y después los llevan al agua, un viaje que puede durar varios días. En algunas especies es el macho el que realiza la tarea y en otras es la hembra. Y aún hay otras en las que la realizan ambos padres.

Huevos que proporcionan nutrientes

Una forma especialmente inusual de cuidado parental es la provisión de huevos tróficos (fertilizados o no fertilizados) que la madre ofrece a sus renacuajos. Esta conducta ha evolucionado al menos seis veces entre las ranas, pero en cada caso únicamente donde los renacuajos se desarrollan en depósitos de agua (axilas de bromelias, huecos de árboles o segmentos de bambú) que no tienen alimento o es escaso.

En varias especies de ranas venenosas del género *Dendrobates* la hembra deposita a los renacuajos en axilas llenas de agua de hierbas prímulas o en bromelias epifíticas a cierta altura del suelo, pero nunca hay más de un renacuajo en cada axila. Luego, ella vuelve en intervalos de 1 a 8 días, inspecciona la axila, regresa al agua y pone varios huevos sin fertilizar con los que alimentará a su renacuajo y sin los cuales morirían. El renacuajo señala su presencia

◗◔ **Derecha y arriba** *En el bosque tropical húmedo de Costa Rica, la rana fresa venenosa* (Dendrobates pumilio) *ha desarrollado un ingenioso método de asegurar el desarrollo de su descendencia. Colocan grupos de 4 a 6 huevos en el humus del suelo forestal. Después de eclosionar los huevos, la hembra sube a los renacuajos a grietas de árboles llenas de agua o a axilas de bromelias. En estos microhábitats acuáticos, alimentados periódicamente con huevos tróficos, los renacuajos se transforman en pequeñas ranitas.*

colocando la cabeza cerca de la abertura de la hembra y luego hace vibrar su cuerpo y su cola. Los renacuajos se alimentan golpeando la capa gelatinosa y succionando el vitelo. En una especie monógama brasileña de este mismo género, tanto el macho como la hembra representan un papel importante. Los renacuajos son transportados de uno en uno por el macho, desde el lugar donde se han depositado los huevos, y los coloca en huecos de árboles llenos de agua. La pareja corteja cada cinco días de media. Al parecer el cortejo estimula a la hembra a ovular huevos. Después el macho la guía

hacia los huecos de los árboles donde se encuentran sus renacuajos en solitario; ella deposita uno o dos huevos tróficos para consumo del renacuajo.

Un comportamiento muy similar está registrado en una rana de la familia Racofóridos con la que no tiene ninguna relación, la rana mantella trepadora de Madagascar, que cría en depósitos llenos de agua (huecos de árboles o segmentos de bambú rotos). Durante el cortejo, el macho lleva a la hembra al depósito, allí se aparean y ponen un único huevo. Los machos defienden los depósitos, mientras que las hembras regresan al agua y ponen un huevo trófico.

La convergencia entre esta rana neotropical y la de Madagascar, referido a términos de conducta y morfología oral del renacuajo, es digna de mención.

Las ranas también guardan y atienden a los jóvenes permaneciendo con los renacuajos durante largos períodos de tiempo después de la eclosión. En algunas, el padre se sienta dentro o cerca del banco de renacuajos y atacará a los animales que les molesten. En una rana de la familia Leptodactílidos panameña, un banco de renacuajos se mueve con la hembra por una zanja llena de agua, al parecer respondiendo a los movimientos de bombeo repetitivos realizados por el

cuerpo de la hembra que produce ondas en la superficie y éstas viajan hacia los renacuajos. En la rana de hocico de cerdo africana (*Hemisus marmoratus*) la hembra, mientras se encuentra todavía en amplexo con el macho, cava una cámara bajo tierra en el fondo de una futura charca. El macho se marcha después de fertilizar los huevos. Los renacuajos eclosionan una semana más tarde y, después de la inundación, la hembra emerge a la superficie y lleva a los renacuajos a aguas abiertas. Algunas veces las hembras cavarán una pendiente en la superficie, con los renacuajos nadando detrás de ella, y los guiará hacia el agua. KA

DECLIVE DE LA POBLACIÓN ANFIBIA

Causas en implicaciones de una amenaza que crece en todo el mundo

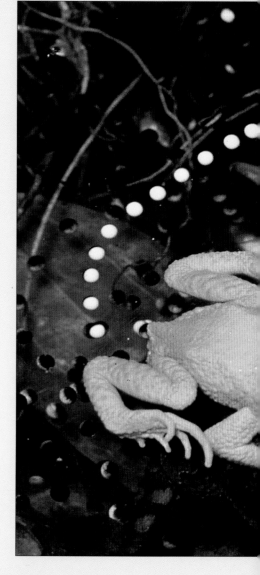

DESDE 1989, MOMENTO EN EL QUE LOS PRIMEROS herpetólogos fueron conscientes del problema por primera vez, ha habido una creciente preocupación por el dramático declive del mundo anfibio. Estos declives, que al parecer han llevado a la extinción a varias especies, son síntomas del deterioro global del medio ambiente, y los anfibios no son los únicos afectados en absoluto. Existe la misma preocupación por aves, reptiles y otras formas de vida. No obstante, lo que ha aumentado la preocupación por los anfibios en particular es que los declives y extinciones han ocurrido en reservas naturales, en parques nacionales y en otras áreas supuestamente protegidas para conservar la biodiversidad. Un clásico ejemplo es la pérdida de varias especies de ranas y de salamandras únicas en la Reserva Bosque Nuboso Monteverde de Costa Rica, entre ellos el sapo dorado (*Bufo periglenes*) que se ha convertido en un potente símbolo del fenómeno del declive de los anfibios.

El declive y desaparición de anfibios en zonas protegidas excluye la pérdida de hábitat como causa inmediata en estos casos en particular. Aún así, no hay duda de que este fenómeno es responsable de los declives en muchas partes del mundo, donde los anfibios se encuentran amenazados por las consecuencias del crecimiento de la población humana, como es el caso de la deforestación, la agricultura industrializada y la contaminación.

Características comunes del declive de la población anfibia en zonas protegidas de lugares tan distantes

en el mundo como el este de Australia, el noroeste del Pacífico en Estados Unidos y América Central y del Sur son: primera, que han sucedido con mucha rapidez, hay especies que han desaparecido en dos o tres años; y segunda, que han afectado a algunas especies anfibias simpátricas pero no a otras de los mismos hábitats. Estos hechos han fomentado la investigación para encontrar uno o más factores en el medio ambiente que pudieran estar afectando a los anfibios a escala mundial, y a los cuales unas especies serían más susceptibles que otras.

Uno de esos factores es el aumento de la cantidad de radiación ultravioleta B (UV-B) que alcanza ahora a la superficie de la Tierra como resultado de la disminución de la capa de ozono producida por los contaminantes atmosféricos. Investigaciones realizadas, tanto en el campo como en el laboratorio, han demostrado que los huevos, los embriones, las larvas de anfibios son muy sensibles a los UV-B generalmente, que rompen su ADN y causa anormalidades en su desarrollo y muerte. Además, se han encontrado algunas especies que no se han visto afectadas por el incremento de UV-B, lo que aumentó las esperanzas de que este factor global sólo afectara a algunos anfibios.

Sin embargo este optimismo duró poco tiempo. Hay muchos anfibios que han sufrido un declive, especialmente en los trópicos, en lugares donde los niveles de radiación UV-B no han aumentado, y en especies cuyos huevos y embriones no se exponen a la

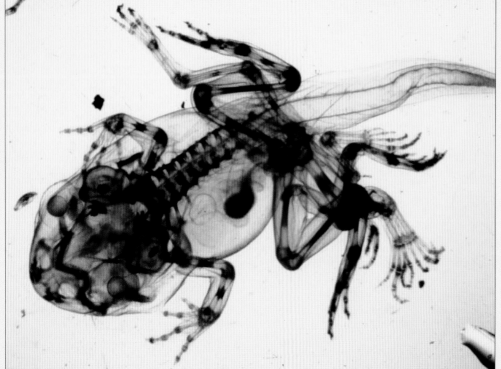

Arriba Dos pares de sapos dorados desovan en la Reserva Bosque Nuboso Monteverde de Costa Rica (una espectacular visión que quizás no se vea nunca más). Clasificada en la lista oficial «en peligro crítico», es posible que el sapo dorado se haya extinguido. Aunque se contaron 1.500 individuos en la reserva a finales de 1987, no hay informes de haberse visto desde 1989.

Izquierda Sometida a un proceso de limpieza y teñido, esta fotografía muestra por rayos X las extremidades adicionales de una rana de árbol deformada del Pacífico (Hyla regilla). Los culpables responsables de estas anormalidades son unos parásitos diminutos, parecidos a amebas, llamados trematodos, que se meten en la piel de los renacuajos, interfiriendo en el desarrollo natural de las extremidades. Las deformaciones también son causadas por factores no naturales del entorno, como la contaminación y la radiación UV.

deformaciones son muy comunes en poblaciones individuales y por tanto pueden tener un impacto negativo sobre los anfibios de la zona. También podría ser una respuesta a factores medioambientales subletales que pueden matar anfibios.

En muchas partes del mundo la actividad industrial genera una lluvia ácida, que puede caer a cientos de kilómetros de distancia de la fuente inmediata de contaminación. Por ejemplo, la quema de fueles fósiles en Gran Bretaña es causa importante de lluvia ácida en la Península de Escandinavia. La acidificación del agua tiene un efecto negativo sobre el huevo y en las etapas embrionarias de los anfibios, y pueden causar el declive de población en zonas extensas.

Muchos anfibios dependen en gran medida de las charcas o de las corrientes efímeras para poder alimentarse, y su actividad de apareamiento está muy vinculada a los cambios climáticos que proclaman la llegada de las condiciones apropiadas. Los anfibios de Gran Bretaña se reproducen ahora varias semanas antes de lo que lo hacían hace 20 años, una tendencia que se está empezando a ver como síntoma del calentamiento global. El cambio climático puede impactar en los anfibios de varias maneras diferentes y está implicado en varios casos de declive de población. Hay que destacar la dramática pérdida de varias especies de ranas en Monteverde (Costa Rica) que se ha vinculado a la sucesión de efectos de El Niño y ha dado como resultado una importante reducción de cantidad de tierra que quedaba cubierta de nubes bajas todos los años. Se ha indicado que las condiciones más secas resultantes de la reducción de esta cubierta de nubes han obligado a los anfibios a concentrarse en unos cuantos lugares ocultos bajo tierra, aumentando así la extensión de parásitos y enfermedades.

La amenaza de las enfermedades

El impacto más dramático sobre los anfibios en los últimos diez años ha sido la enfermedad. En la década de 1990 hubo una mortalidad en masa de ranas comunes (*Rana temporaria*) en una amplia zona del sur de Gran Bretaña. Fue causa por infecciones víricas. Mucho más preocupante ha sido la aparición, al parecer en todo el mundo, de una enfermedad llamada quitridiomicosis. Causada por un hongo unicelular llamado quitridio, que invade la piel de los anfibios, esta infección parece ser la responsable del catastrófico hundimiento de fauna anfibia en América Central, este de Australia y zonas del oeste de Estados Unidos. Aparecida al principio en animales cautivos, la quitridiomicosis se encuentra en casi todos los continentes del mundo. No se sabe muy bien todavía si es una nueva cepa que ha aparecido recientemente de lo que presumiblemente es una enfermedad bien

luz del sol. Aunque esto excluye a los UV-B como causa del declive de todos los anfibios, no obstante sigue siendo una amenaza para algunas especies, especialmente aquellas que se crían en aguas poco profundas en altitudes altas, donde los niveles de UV son más altos. Investigaciones recientes también indican que, aunque el UV-B elevado no siempre causa mortalidad en masa, tiene un efecto dañino en los anfibios en desarrollo, limita su crecimiento y causa deformaciones físicas, reduciéndose así la reproducción de las poblaciones.

En muchas partes del mundo los anfibios están amenazados por uno o más compuestos químicos creados por el hombre, que liberan al medio ambiente en forma de herbicidas, pesticidas y fertilizantes o además en forma de subproductos de procesos industriales. La lista de compuestos que se sabe que dañan a los anfibios es muy larga en realidad. De especial preocupación son los nitratos, utilizados de fertilizantes agrícolas, que se acumulan en charcas y corrientes de agua, y también una variedad de compuestos conocidos por los trastornos endocrinos que producen y que interfieren en las hormonas naturales de los anfibios. Estas substancias tienen dos

efectos dañinos importantes. Primero, pueden causar que los anfibios se desarrollen de un modo anormal, por ejemplo bocas deformadas o, en casos extremos, se produce la pérdida o adición de extremidades. Segundo, incluso en mínimas concentraciones, pueden tener un efecto de afeminamiento en los machos, reduciendo su éxito en la reproducción.

Las deformaciones de los anfibios han despertado un gran interés público en Estados Unidos, pero su relevancia en el declive de la población en conjunto no está clara. Suelen concentrarse en algunas zonas en particular. La minnesota, en particular, es una «rana deformada en situación crítica». Las deformaciones son causadas por varios factores, algunos de ellos completamente naturales. Pueden ser el resultado de ataques de depredadores, y hay parásitos que se meten en las yemas de las extremidades de los renacuajos de rana, provocando el desarrollo de dos o más patas donde sólo debería haber una. Las causas de deformaciones no naturales (normalmente pérdida de extremidades o partes de extremidades) incluyen varios productos químicos creados por el hombre, el aumento de la radiación ultravioleta, y la endogamia en poblaciones pequeñas y aisladas. Algunas veces las

Continúa a la vuelta ▷

◐ **Arriba** Catalogada ahora de Vulnerable, la salamandra rabilarga (Chioglossa lusitanica) de España y Portugal es una de las varias especies de salamandra consideradas amenazadas. De un modo global, el principal peligro procede de la pérdida de su hábitat, aunque el cambio climático y el aumento de la radiación UV-B también representan un papel importante.

◑ **Derecha** La amenaza de las ranas gigantes Titicaca (Telmatobius culeus) procede de la pesca sobre todo. Se venden a los restaurantes para nutrir la demanda de ancas de ranas y, en segundo lugar, por la demanda de su supuesto zumo de rana afrodisíaco. La pérdida de la piel de esta especie acuática principalmente es una adaptación para maximizar la toma de oxígeno.

establecida o, por varias razones, los anfibios se han hecho ahora susceptibles a una enfermedad con la que antes habían sido capaces de coexistir.

Muchas de las investigaciones realizadas sobre las posibles causas del declive de los anfibios implican, inevitablemente, considerar un único factor independiente pero, en realidad, los anfibios están amenazados por muchos factores diferentes a la vez. Algunas investigaciones han buscado interacciones entre dos o más factores y se ha visto que puede haber efectos sinergísticos entre ellos muy significativos. Por ejemplo, en el oeste de Estados Unidos, el cambio climático, aumento de la radicación UV-B y enfermedad han actuado en conjunto para causar el declive de población anfibia. El cambio climático ha reducido los niveles de agua en las charcas donde se crían, por tanto los huevos están menos protegidos de la luz UV por la falta de profundidad del agua. Este hecho, a su vez, hace que los huevos sean más susceptibles al hongo patógeno *Saprolegnia*, que invade y mata los huevos de los anfibios.

Los huevos y larvas de la mayoría de los anfibios tienen unas defensas pobres contra predadores como los peces y han resultado devastadas muchas poblaciones anfibias por haber introducido peces de modo artificial a charcas, lagos y corrientes. Por ejemplo, se han liberado peces mosquito en muchas partes del mundo para intentar controlar los mosquitos que producen la malaria, mientras que la trucha se introduce normalmente para promocionar la pesca. Ambas clases de peces encuentran a las larvas de los anfibios presa fácil y atractiva. La pérdida de varias especies de anfibios de los lagos montañosos de California se debe en gran medida a la depredación de las truchas que se han introducido.

Los peces no son los únicos enemigos de los anfibios. Incluso otros anfibios, trasladados a lugares donde no pertenecen, pueden amenazar a las especies autóctonas. La rana toro norteamericana (*Rana catesbeiana*) es uno de estos casos. Se ha introducido en muchas partes del mundo para mantener el comercio de patas de ranas. Sus larvas crecen hasta alcanzar un enorme tamaño y con frecuencia compiten con las larvas de las especies autóctonas.

Hábitats reducidos

La tensión que genera la población humana que cada vez se extiende más en el mundo, crea una insaciable demanda de tierra que provoca la destrucción del hábitat natural de plantas y animales. Este proceso se contrarresta, a un nivel mucho menor, con la creación de reservas naturales, pero se pueden convertir en prisiones más que en paraísos para animales como los anfibios. Muchos anfibios viven en poblaciones pequeñas, locales, su supervivencia depende de la inmigración

◁ *Izquierda* *Antes una de las ranas más comunes de la costa del Pacífico de Norteamérica, la rana de patas rojas Rana aurora se ha visto afectada negativamente por haber introducido en los humedales donde ella vive especies no autóctonas, entre ellas la trucha y las ranas toro más grandes. La contaminación producida por nitratos se cree que también está contribuyendo a su declive.*

▷ *Derecha* *La rana Tinkling (Taudactylus rhenophilus), confinada a una pequeña región montañosa del noreste de Queensland (Australia), fue vista por última vez en 1991. La población, que había disminuido dramáticamente durante los dos años anteriores, puede haber sido víctima del brote de quitridiomicosis, un hongo que invade la piel de las ranas adultas y se reproduce repetidamente, al parecer alimentándose de queratina.*

ocasional de animales de otras poblaciones de otros lugares. Cada vez más los anfibios se ven obligados a vivir en paisajes fragmentados en los cuales carreteras, construcciones y agricultura separan una población de otra. Cada vez está más demostrado que este aislamiento les lleva a la endogamia y a la consecuente pérdida de diversidad genética que se manifiesta en la disminución de supervivientes y en el aumento cada vez mayor de deformaciones anatómicas.

Como los animales se van haciendo raros, su valor en el comercio internacional de mascotas aumenta, y el coleccionismo se puede convertir a su vez en otra amenaza más para su supervivencia. Este peligro pone en riesgo a varias de las ranas más coloridas del mundo, entre ellas las ranas venenosas y arlequín de América Central y del Sur y las mantellas de Madagascar.

Aunque el declive de la población anfibia ha provocado mucho interés en los científicos y en los medios, no hay razón para pensar que son raras o únicas. Todos los factores que impactan de forma adversa contra los anfibios son una amenaza para su forma de vida en estado salvaje. Las clases de hábitats de agua dulce de las que dependen muchos anfibios: charcas, terrenos pantanosos y humedales, se encuentran en grave amenaza en todo el mundo especialmente, con consecuencias serias para los innumerables peces, insectos y otros animales que los frecuentan.

Lo que podría ser algo especial en los anfibios es que ellos nos están avisando de un desastre ecológico que no ha hecho nada más que empezar. Los anfibios poseen una serie de características que les hacen muy sensibles a una amplia variedad de «insultos» medioambientales. En forma de huevos, de larvas y de adultos, carecen de protección en la superficie de su cuerpo que les pueda escudar de la radiación o de la contaminación química. Normalmente en sus etapas juveniles carecen de protección contra los depredadores y sólo se pueden desarrollar de un modo seguro en depósitos de agua efímeros que están amenazados por el cambio climático y la destrucción del hábitat. Comparados con muchos animales, los anfibios tienen muy poco poder de dispersión, y por tanto, la fragmentación del hábitat evita el intercambio de diversidad genética del que depende la supervivencia de las poblaciones individuales a largo plazo.   TRH

CONSERVACIÓN DE LOS ANFIBIOS

Enfrentamiento con las amenazas locales y mundiales para su conservación

LOS ANFIBIOS DEL MUNDO SE ENFRENTAN A VARIAS amenazas para continuar existiendo (véase Declive de la población anfibia). La escala geográfica a la que se aplican estos peligros varía de fenómenos globales como el cambio climático a factores completamente locales, como los sapos que mueren atropellados mientras cruzan una carretera camino de una charca para poder reproducirse. Cuando uno se pregunta qué se podría hacer para proteger a los anfibios, y quién debería hacerlo, la respuesta depende de la escala a la que se dirija la iniciativa de conservación. Es cierto que el número de anfibios está disminuyendo por el cambio climático, por la elevada radiación ultravioleta, o por la lluvia ácida, por tanto la solución está en manos de los políticos y de las organizaciones mundiales que deben buscar los remedios apropiados por medio de tratados y acuerdos internacionales.

Poco pueden hacer los grupos de conservación individuales o locales para contrarrestar tales amenazas, no más que sumar su voz para presionar a los líderes políticos a que adelanten en su agenda los temas de medioambiente.

No obstante, los pequeños grupos de personas pueden hacer mucho localmente para proteger y estimular a los anfibios. En muchas partes de Gran Bretaña, en la Europa continental y en Norteamérica, hay grupos que salen durante las noches de primavera para proteger la migración de los anfibios cuando cruzan las carreteras con tráfico denso. En algunos lugares, estos grupos han tenido éxito a la hora de convencer a las autoridades locales de cerrar trechos cruciales de la carretera durante un período de tiempo apropiado. Otra estrategia para paliar esa misma amenaza es la construcción de túneles bajo las carreteras, los cuales, si se diseñan y sitúan de un modo adecuado, permiten a los anfibios llegar con seguridad a sus lugares de cría.

La pérdida de hábitat se puede compensar, hasta cierto punto, por la creación de un hábitat. Investigaciones llevadas a cabo en Gran Bretaña y en Estados Unidos han demostrado que los nuevos estanques, creados en tierra agrícola, se han visto colonizados rápidamente por tritones, ranas y sapos. Incluso los diminutos estanques de los jardines mantendrán buenas poblaciones de anfibios, siempre y cuando no se surtan también de peces. Se estima que las ranas comunes viven ahora en mayor proporción en estanques de jardines que en hábitats naturales. Al sapo común se le ha llamado «el amigo del jardinero» por su apetito de babosas y plagas de insectos.

Sin embargo, un conservador debe recordar que la mayoría de los anfibios pasan solo una pequeña parte de su vida en el agua y que la creación de hábitats terrestres adecuados es tan importante como hacer nuevos estanques. Como la ecología de anfibios terrestres es muy poco conocida, crear un hábitat adecuado para ellos es a menudo cuestión de adivinar.

En muchos países desarrollados, las especies anfibias en peligro están protegidas legalmente. En Gran Bretaña, por ejemplo, es ilegal coleccionar o matar un tritón crestado o un sapo corredor. Más importante todavía es que sus lugares de cría también están protegidos normalmente y los que deseen destruir un estanque tienen que pagar con medidas de mitigación, como la de crear un estanque en otro lugar al que puedan trasladarse la población amenazada.

Algunos anfibios se han conservado con éxito gracias a programas de cría en cautividad y de liberación de animales al estado salvaje. Este procedimiento posee un gran potencial para muchos anfibios (siempre que se combine con medidas de protección del hábitat natural) gracias a su elevada fecundidad. En cautividad se puede evitar la gran mortalidad debida a la depredación y que es típica en la naturaleza, y el resultado es que se pueden producir muchos más animales. El sapo partero de Mallorca (*Alytes muletensis*) se ha conservado de esta manera, y en Australia se está buscando un proyecto similar para proteger al sapito corroborre en Peligro de extinción (*Pseudophryne corroboree*).

El papel que representa la enfermedad en el declive de los anfibios requiere sus propias medidas de conservación. Individuos anfibios infectados por la enfermedad de hongo quitridiomicosis sólo se pueden curar con un preparado que se utiliza en los humanos para curar «el pie de atleta». Sin embargo, este tratamiento no va a servir de ayuda probablemente para proteger a las poblaciones naturales. Existe una posibilidad real de que los herpetólogos, las mismas personas que buscan el modo de conservar anfibios, puedan haber ayudado a extender enfermedades al llevar esporas en sus botas de goma o en sus

◗ *Derecha* *En una autopista de mucho tráfico de Brno, en la República Checa, las agencias medioambientales han construido un complicado paso subterráneo para ayudar a conservar la población de sapos de la zona. Un sapo hembra que transporta a un macho se acerca a una reja de gran tamaño, por la cual se caerá y continuará su viaje de un modo seguro por debajo de la carretera.*

🔺 **Arriba** *En Europa, señales de aviso alertan a los conductores de la presencia de ranas y sapos en la carretera según la estación del año. El tráfico puede causar una gran mortalidad de anfibios. Ciertas especies de ranas y sapos son especialmente vulnerables, ya que utilizan la misma ruta año tras año para regresar a su lugar de cría.*

🔻 **Izquierda** *Los anfibios se dirigen en masa a sus lugares de cría cada primavera: lagos, charcas, corrientes e incluso charcos. Las condiciones más favorables para estas migraciones en masa son las noches cálidas y lluviosas. En esta fotografía se ven a sapos comunes saliendo de un túnel de carretera construido especialmente para ellos en el Reino Unido.*

herramientas de coleccionista. Muchas organizaciones, entre ellas la Task Force para la Población Anfibia en Declive, han trazado directrices para tratar de evitar la propagación local de enfermedades anfibias. A nivel internacional, existen ciertos movimientos para controlar y reducir el movimiento de anfibios por el mundo, para intentar reducir la posibilidad de que las enfermedades se extiendan de un país o continente a otro.

Las reservas naturales son un modo obvio de conservar a los anfibios, aunque no se puede proteger de muchas amenazas a las que se enfrentan. Una cuestión importante es cómo proteger las zonas que se han diseñado para proporcionar condiciones óptimas para los anfibios. Las poblaciones basadas en un único lugar para criar se están enfrentando probablemente a una extinción final, a pesar de la protección, porque llegan a la endogamia. Muchos anfibios parecen necesitar una red de lugares de cría, conectados por un hábitat que puedan cruzar con cierta facilidad, con el fin de que la población mantenga un alto nivel de variación genética.

Aunque se ha hecho y se está haciendo mucho por conservar a los anfibios tanto en un nivel local como en niveles nacionales e internacionales, la mayoría se lleva a cabo por la esperanza más que por las expectativas de éxito. La auténtica conservación efectiva requiere un conocimiento más profundo de ecología y, por desgracia, hay muchos aspectos de la ecología de los anfibios que desconocemos por completo. Ni siquiera conocemos la respuesta a la sencilla pregunta que se da en la mayoría de los anfibios: ¿Adónde van cuando no están criando?   TRH/RDS

MÁQUINAS DE NADAR, COMER Y CRECER

El renacuajo lucha por la supervivencia en un mundo hostil

MUCHAS VECES INTERPRETAMOS LAS COSAS DESDE EL punto de vista de un mamífero, y desde esta perspectiva el cambio de renacuajo a rana es un acontecimiento nada convencional. Aunque aproximadamente un 20 por ciento de las 4.750 especies de ranas en el mundo carecen de una etapa de renacuajo, el resto se caracteriza por tener esa fase como parte de su ciclo de desarrollo que dura desde unos cuantos días a varios años. Esta criatura, que no se reproduce, es poco más que una máquina de nadar, comer y crecer, cuyo principal objetivo ecológico es crecer lo más rápidamente posible para enviar al metamorfo más grande posible a la parte reproductiva del ciclo vital de la rana. Muchos factores de la ecología del renacuajo influyen en el éxito de la empresa, y a causa de los muchos peligros biológicos y medioambientales que supone, quizás sólo un 1 por ciento de renacuajos aproximadamente alcanzan alguna vez la metamorfosis. Una cantidad considerablemente menor que la que termina en adultos reproductores.

La primera parte del desarrollo de todas las ranas que tienen una fase de renacuajo es muy similar. También se conoce relativamente bien porque se accede fácilmente a los huevos que se desarrollan fuera de la madre y que ha hecho que la reproducción de la rana esté al alcance de los estudiantes de embriología de vertebrados. Los renacuajos aparecen en cualquier hábitat de agua dulce imaginable, desde unos mililitros de agua en la axila

(ángulo que forma la hoja con el tallo) de una bromelia hasta grandes lagos y aguas torrenciales, pasando por charcos y estanques. Además es posible encontrar desde uno a una docena en cualquier sitio dado. Una pequeña cantidad de especies de Sudamérica, África y la India pasan la mayor parte de su tiempo, o todo él, fuera del agua en realidad, aunque siempre en condiciones húmedas.

Los renacuajos aparecen en muchos microhábitats diferentes y poseen suficientes adaptaciones locomotoras y de alimentación para que haya excepciones a cualquier afirmación general que se de sobre ellas. Aún así, se pueden resumir algunos aspectos de su biología.

Respecto a la morfología, el típico renacuajo tiene una serie de estructuras ornadas para alimentarse, alrededor de la boca, que no aparecen en ningún otro vertebrado, y la estructura y operaciones de las mandíbulas son únicas. La boca está rodeada normalmente de un disco oral con papilas que recorren los márgenes formando dibujos, y cientos de dientes labiales, diminutos, de queratina (compuesta del material de las uñas humanas) y no óseos como los dientes de las ranas adultas. Están dispuestos en filas transversales en el labio superior e inferior y les sirve para raspar. Las fundas de queratina de los cartílagos de la mandíbula sirven de superficie para morder, cavar y cortar. El disco oral de estos renacuajos que se adhiere a las rocas en corrientes rápidas de agua, es enorme. Los

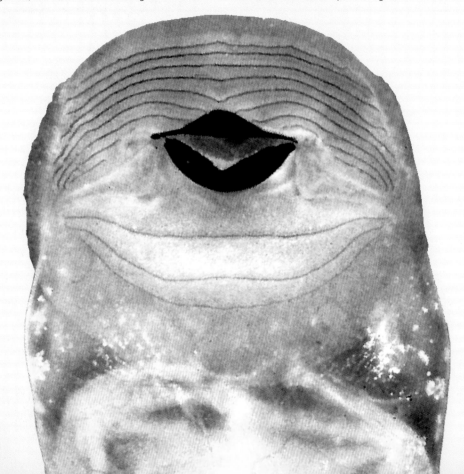

⬤ **Arriba** Los animales muertos o a punto de morir son una rica fuente de nutrientes para los renacuajos. Hay varios renacuajos totalmente carnívoros, pero incluso los que son herbívoros principalmente también pueden alguna vez recoger los restos de los esqueletos. Aquí, renacuajos hilios de la rana de árbol Meadow (Hyla pseudopuma) están practicando el canibalismo.

◖ **Izquierda** Muy ampliada, la parte de la boca de un renacuajo de rana cascada (esp. Boophis) muestra el gran disco oral que rodea su boca. Estos renacuajos que nadan libres se desarrollan en las corrientes de las montañas de Madagascar, utilizando el disco para agarrarse a las rocas mientras se alimentan en el agua de rápidas corrientes.

◗ **Derecha** Un renacuajo del sapo de uñas africano (Xenopus laevis) que muestra la ondulación de la punta de su cola. Las larvas de esta especie de gran éxito se alimentan de elementos en suspensión en el agua, filtran fitoplancton. Sin embargo, necesitan salir a la superficie con regularidad para coger aire. Traspasan la superficie del agua con extraordinaria rapidez, en 80 milésimas de segundo o menos, y aún así sólo abren la boca cuando están sobre la superficie del agua y la cierran de nuevo antes de que la boca quede completamente sumergida.

y alimentarse mientras están adheridos a las rocas mediante sus grandes discos orales. Muchos renacuajos son carroñeros oportunistas de animales muertos, pero unos cuantos se han especializado en morder partes de renacuajos vivos o incluso en ingerir individuos enteros. Aunque estos renacuajos carnívoros son caníbales algunas veces, prefieren no alimentarse de sus hermanos.

Como los renacuajos no se reproducen, carecen de la coloración que se relaciona normalmente con la reproducción en otros grupos. La mayoría de los renacuajos muestran tonos oscuros que les sirven de camuflaje, y son característicos los contrastes de tono: colores oscuros en la parte superior y colores claros en la inferior, lo que dificulta que sea detectado a contraluz un individuo que esté en el agua. Algunos tienen colores muy vistosos, al parecer para fomentar la cohesión social o también para anunciar el material nocivo o tóxico que tiene en la piel (coloración aposemática). Tanto el cuerpo como el músculo de la cola puede tener rayas o bandas, y aunque normalmente las aletas son claras, algunas especies tienen manchas prominentes o un contraste de colores en las aletas. Resulta interesante el reciente descubrimiento de que la forma del cuerpo y la coloración son más plásticos en presencia de ciertos depredadores.

Ya que los renacuajos no se reproducen, su conducta sirve principalmente para fomentar su supervivencia, como las formas varias de escapar y las interacciones sociales. Normalmente los renacuajos se congregan, se reúnen en grupos para responder a estímulos medioambientales, como el de las zonas de temperaturas más calidas, pero unas cuantas especies forman bancos fijos o móviles (agrupaciones sociales que muestran complejas interacciones). En algunos casos uno de los padres podría guiar a estos bancos a zonas donde haya buenos alimentos o a zonas menos peligrosas. Los renacuajos de algunas especies *Bufo* y *Rana* pueden distinguir entre los que son parientes y los que no lo son, y prefieren asociarse con los primeros.   RA

de los habitantes de charcas son más pequeños. Las bocas de los que se alimentan de elementos en suspensión en el agua carecen de todo tejido de queratina y la mayoría son blandos. El agua que entra a la boca pasa por las branquias y por complejas estructuras para coger el alimento, que en algunas especies pueden recoger partículas del tamaño de una bacteria, y luego sale por el espiráculo que normalmente es uno solo y está situado al lado izquierdo. El largo intestino, normalmente enrollado en forma de espiral doble, es la estructura interna más importante.

Las formas del cuerpo varían según el hábitat. Los renacuajos que habitan en el fondo, como los de las especies sapo (*Bufo*) y rana auténtica (*Rana*), son algo deprimidos, mientras que los que se adhieren a las rocas con el disco oral en aguas rápidas, como el *Ascaphus* de Norteamérica y el *Heleophryne* de Sudáfrica, son aún más incluso. Los renacuajos que viven en bromelias, axilas de hojas y huecos de árboles (fitotelmata) son más acentuados. En todos estos casos los ojos se encuentran encima de la cabeza. Los renacuajos que pasan la mayor parte del tiempo en el agua, entre ellos los hílidos y algunos hyperolius, tienen cuerpos comprimidos y los ojos están situados a ambos lados de la cabeza. En el último grupo, las aletas de la cola son altas y se extienden por delante del cuerpo, mientras que en las formas que habitan en el fondo y especialmente en las de corrientes de agua rápidas, las aletas son bajas y pueden terminar

en la unión del cuerpo con la cola o más hacia la punta de la cola.

Para alimentarse, un típico renacuajo de charca utiliza la boca para raspar pequeñas partículas de la prolífica fauna que crece en todas las superficies sumergidas. Algunas formas tienen el disco oral orientado hacia arriba y recogen las partículas de la superficie inclinando la cabeza hacia arriba, mientras que otros se alimentan de elementos suspendidos en el agua. Algunas especies flotan en medio del agua tranquilamente, en posición horizontal, pero otras como las *Xenopus laevis* mantienen una postura cabeza abajo con la ayuda de una ondulación constante de la punta de la cola. Especies que habitan en aguas de corrientes rápidas son capaces de moverse

Cecilias

CONFUNDIDAS A MENUDO CON GUSANOS *grandes, las cecilias tienen el cuerpo largo, son anfibios sin extremidades, con una cola pequeña o sin ella. Los científicos empiezan a comprender la vida de estas sigilosas excavadoras tropicales, que resultan difíciles de observar y tienen una limitada historia fósil.*

La mayor parte del material fósil corresponde a vertebrados desde el Holoceno hasta el Paleoceno (hace 65 millones de años). Sin embargo se ha descubierto recientemente material del Cretácico de África del Norte y del Jurásico de Norteamérica (Arizona). Las especies de Arizona proporcionan más pistas sobre la evolución de las cecilias. Tienen extremidades pequeñas y una cola, y sus cuerpos sólo son moderadamente largos, aunque la estructura del cráneo indica que son cecilias sin ninguna duda.

Cavadoras como los gusanos
FORMA Y FUNCIÓN

Los huesos, los dientes, los cuerpos grasos y otras estructuras de las cecilias, así como la información molecular, muestran que están relacionados con las salamandras y las ranas, y por tanto son miembros de la clase Anfibios. Al parecer sufrieron un cambio importante al principio de la historia de su evolución. Al alargar el cuerpo, perdieron las extremidades (ninguna especie de cecilia viva tiene extremidades o rudimentos de cintura) y la cola (sólo las cecilias filogenéticas básicas tienen colas, de 4 a 20 vértebras). Los cráneos se van haciendo más óseos y los ojos se reducen cuando asumen su modo de vida subterránea.

Parece ser que en la actualidad las cecilias viven en baja densidad en muchos lugares, pero abundan en otros, especialmente en el sur de China, en Ghana y en algunas zonas de América Central. También se han difundido por los trópicos. Es difícil observarlas, ya que salen con poca frecuencia de sus madrigueras, aunque algunas especies acuáticas de Sudamérica han quedado atrapadas alguna vez en las redes de los pescadores. Se parece a un gran gusano terrestre por los anillos segmentarios que rodean su cuerpo. Las cecilias acuáticas se han confundido con anguilas synbranchidae.

Las cecilias tienen tamaños muy diversos. La más pequeña (*Idiocranium*, del oeste de África) mide 7 cm; la más grande es la *Caecilia thompsoni* de Colombia que mide 1,6 m. Otras formas son más cortas pero más robustas: la *C. nigricans* mide 80 cm de longitud y el diámetro de su cuerpo es de 4 cm.

Las cecilias son animales excavadores, cavan tanto en el suelo como en el sustrato de una masa de agua. Utilizan la cabeza a modo de pala para cavar o para hurgar en el lodo en busca de comida. El cráneo es muy óseo para este uso y la piel es muy adherente, las capas subyacentes están unidas a los huesos para que la piel no se desprenda mientras cavan. La locomoción la realizan mediante ondulación del cuerpo, una actividad muscular que forma ondas a partir de la cabeza, hacia atrás. Las curvas formadas por el cuerpo ofrecen resistencia al suelo o al agua y se produce un movimiento hacia delante. No se ha demostrado que los anillos segmentarios que rodean su cuerpo representen algún papel en la locomoción.

◑ Arriba *Los anillos segmentarios o «annuli» del cuerpo que son comunes en todas las cecilias, destacan de un modo especial en la llamada, con toda propiedad, Siphonops annulatus de Sudamérica.*

◑ Izquierda *Una notable característica de las cecilias es el tentáculo sensor retráctil, situado uno a cada lado de la cabeza, entre el ojo y la fosa nasal. Este órgano, que es único en el mundo de los vertebrados, transmite mensajes químicos del entorno a la cavidad nasal, y ayuda a la cecilia a buscar presas. El que se muestra aquí es el tentáculo de Ichthyophis glutinosus, una especie de Sri Lanka.*

CECILIAS

Orden: Gimnofionos (Apodos)

Aproximadamente 176 especies en 36 géneros y 6 familias: Cecílidos (24 géneros, 89 especies); Ictiófidos (2 géneros, 36 especies); Rinatrémidos (2 géneros, 9 especies); Escolecomórfidos (2 géneros, 5 especies); Tiflonéctidos (5 géneros, 13 especies); Uraeotyphlidae (1 género, 4 especies). Las relaciones taxonómicas de las cecilias se encuentran en estudio actualmente, y es posible que se descubran más familias, géneros y especies.

DISTRIBUCIÓN Sureste de Asia desde la India a Sri Lanka, sur de China, Archipiélago Malayo a sur de Filipinas; este y oeste de África; Seychelles, América Central y gran parte de Sudamérica.

HÁBITAT Suelo húmedo y suelto de bosques tropicales y plantaciones, a menudo cerca de corrientes de agua. Los tiflonéctidos en ríos y arroyos de tierras bajas.

TAMAÑO Variable: las especies más pequeñas miden de 7 a 11,6 cm de longitud en su madurez: muchas miden entre 30 y 70 cm. La mayoría tienen el cuerpo robusto, algunas son delgadas.

COLOR Muchas especies presentan un color gris azulado uniforme, otras son amarillas brillantes, marrones o negras. Algunas tienen los costados más claros o rayas segmentarias, otras poseen dibujos con manchas. La cabeza es más clara normalmente, de color rosa o azul claro.

REPRODUCCIÓN Fertilización interna. Algunas especies ponen huevos que producen larvas libres, otras se desarrollan directamente por medio de metamorfosis antes de la eclosión. Varias especies de 3 familias son vivíparas (la madre alimenta a los jóvenes, entre 2 y 25, en sus oviductos durante 9 u 11 meses).

LONGEVIDAD De 12 a 14 años en la *Dermophis mexicanus*.

ESTADO DE CONSERVACIÓN 2 especies de Ictiófidos están en la lista de la UICN: la cecilia de la Isla Basilan se encuentra en Peligro y la cecilia de la Isla Mindanao es Vulnerable.

La piel es lisa, las capas exteriores algo endurecidas con queratina. La capa interior contiene muchas glándulas mucosas y una cantidad variable de glándulas venenosas, cuya secreción puede resultar bastante tóxica para los depredadores, entre ellos los humanos. En muchas especies hay también escamas en los anillos segmentarios. Se parecen a las escamas de los peces en cuanto a la estructura y origen embrionario, pero son diferentes de las de los reptiles. Existe tendencia a perder las escamas: las especies filogenéticas básicas (ancestrales o «primitivas») las tenían a lo largo de todo el cuerpo, otras únicamente en la parte posterior de los anillos segmentarios, mientras que la mayoría de las especies derivadas carecen de escamas.

Las cecilias han desarrollado un buen sistema inmunológico. Trabajos recientes sobre la neuroanatomía de los animales indican que sus cerebros y nervios periféricos difieren en estructura. Las larvas que viven libres tienen órganos mecanoreceptores y electroreceptores en la piel. La mayoría de las cecilias tienen un único pulmón bien desarrollado. Algunos tiflonéctidos tienen dos pulmones, pero una especie no tiene pulmones. Todas las cecilias realizan un intercambio de gases a través de la piel y del revestimiento de la boca.

Vivir del suelo

DIETA Y ALIMENTACIÓN

La mayor parte de las cecilias son cazadoras de presas oportunistas en general, se alimentan, por ejemplo, de gusanos, termitas, grillos y saltamontes. Algunas parecen haberse especializado, en termitas en el caso de las *Boulengerula* o en gusanos de tierra (*Dermophis*, cuando abundan los gusanos), o de crisálidas de escarabajo (*Typhlonectes natans*). En alguna ocasión las *Dermophis* comen pequeños lagartos, y las *Siphonops* se comerán a las crías de los ratones en el laboratorio. Las cecilias son presas de las serpientes y de las aves.

La alimentación implica una estrategia de «sentarse a esperar» modificada. Normalmente, las cecilias se acercan lentamente a su presa, luego la agarran con rapidez con la fuerza de sus mandíbulas. La mandíbula inferior cuelga para no interferir en la función de cavar con la cabeza. Todas las cecilias tienen dos filas de dientes en la mandíbula superior, y una o dos filas en la interior. Estos dientes curvados hacia el interior sujetan a la presa con rapidez mientras que a base de mordiscos y expansiones de la boca y de la garganta la propulsan hasta el conducto alimentario. Los dientes se han modificado para cortar y sujetar, tienen bordes afilados y algunas veces dos vértices. Algunos músculos han cambiado de función para efectuar un fuerte mordisco, desde la contracción de la cavidad oral al cierre de la mandíbula inferior.

Larvas y jóvenes
CRÍA Y DESARROLLO

Todas las cecilias son de fertilización interna. El macho saca la parte posterior de su cloaca y la introduce en la abertura de la hembra, de ese modo transfiere directamente el esperma en el aparato reproductor de la hembra, donde tiene lugar la fertilización igual que en los reptiles, aves o mamíferos. No se sabe nada prácticamente sobre el reconocimiento de la pareja y el cortejo, aunque se ha observado en algunas especies acuáticas cierto «baile» ondulante antes del apareamiento. Las especies básicas de cecilias depositan huevos en madrigueras cercanas a corrientes de agua; las larvas con branquias salen del huevo y culebrean hacia el agua, convirtiéndose en terrestres después de la metamorfosis. Algunas especies se desarrollan directamen-

te. Los huevos se depositan bajo tierra y el joven se desarrolla en su interior por medio de la metamorfosis, por tanto después de la eclosión son adultos en miniatura. Todas las especies prácticamente depositan huevos, la hembra es la que lleva a cabo el cuidado parental, enroscándose alrededor de los huevos.

La viviparidad es la característica más importante de la reproducción de las cecilias. Es posible que la mitad de todas las especies retengan al joven en desarrollo en el oviducto de la hembra durante la metamorfosis, alimentando al joven con «leche uterina», ricas secreciones procedentes de glándulas de los oviductos, después de haberse terminado el vitelo. Muy pocas ranas y salamandras han desarrollado un mecanismo así. Los fetos en desarrollo tienen multitud de dientes diminutos, de una forma diferente en cada

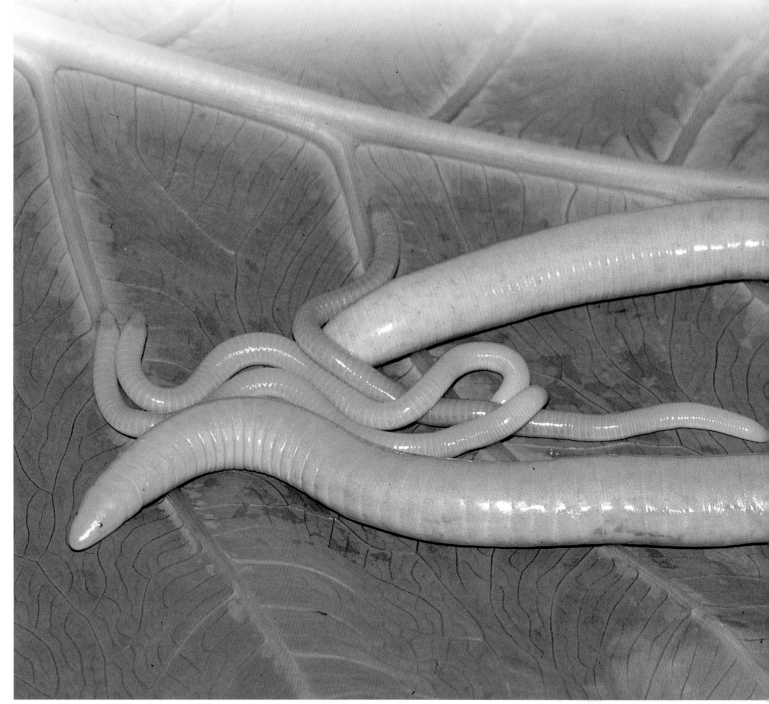

▶ **Derecha** *Un cuerpo parecido al de un gusano y unos ojos cubiertos son típicos de las cecilias (aquí Caecilia tentaculata). Los ojos están cubiertos de piel, o de piel y hueso, y se adhieren a estas capas. El cristalino del ojo es fijo, y algunas especies no tienen músculos en el globo ocular. El cristalino y la retina son de tamaño reducido en algunas especies, pero casi todas poseen nervio óptico, sugiriendo que la función de los ojos es sentir la luz.*

▼ **Abajo** *La mayoría de las cecilias son de un color discreto, pero la Schistometopum thomense es una importante excepción. Su piel de color naranja y amarillo brillante puede servir para avisar a los depredadores de que segrega productos químicos nocivos que resultan desagradables al gusto.*

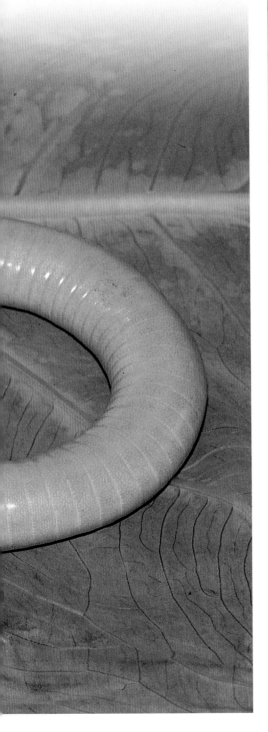

especie, asociados a la alimentación en estas secreciones glandulares del oviducto. Adquieren dientes de adulto en el nacimiento. Se cree que las branquias fetales funcionan en el intercambio de gases, y quizás también en el de nutrientes, transportando material por los capilares a la sangre en circulación, tanto del feto como de la madre. La gestación es larga, de 7 a 11 meses dependiendo de la especie, y los jóvenes se alimentan de las secreciones maternas durante la mayor parte de ese tiempo. Una nidada puede estar formada por una cantidad de 2 a 25 jóvenes, y la masa de cada feto aumenta enormemente durante la gestación, por tanto la demanda de energía de la madre es muy grande.

Seis grupos principales
FAMILIAS DE CECILIAS

Las seis familias de cecilias se distinguen por combinaciones de caracteres que incluyen los de biología reproductora, forma externa del cuerpo, huesos, dientes y músculos. La información molecular está aumentando y nos ayudará a comprender las relaciones y la identidad del taxón cecilia. Estos anfibios son tan poco conocidos que no hay nombres comunes para las familias y géneros, tampoco para la mayoría de las especies.

Rhinatremos e Ictiófidos incluyen géneros con varios anillos en cada segmento del cuerpo (y no sólo uno o dos), vértebras caudales (una «cola») que se extiende hasta más allá del ano, un gran número de huesos en el cráneo y un modo reproducción de deposición de huevos con larvas libres. Los Uraeotyphlidae comparten la mayoría de estas características pero tienen menos huesos en el cráneo, hay diferencias en los músculos y dos anillos en la mayoría de los segmentos del cuerpo. Los Cecílidos tienen sólo un anillo o dos por segmento del cuerpo, no tiene una cola auténtica y aún menos huesos en el cráneo. Parece ser que algunos huesos nunca se desarrollan; otros se fusionan para formar elementos menores. Pueden depositar huevos (con larvas o con desarrollo directo) o pueden dar nacimiento a jóvenes formados. Los Tiflonéctidos vivíparos tienen un anillo por cada segmento del cuerpo y una «aleta» dorsal ligera o moderada. Son acuáticos y semiacuáticos, las únicas cecilias que no son excavadoras terrestres. Los Escolecomórfidos también tienen un anillo por segmento. Varias especies son vivíparas y tienen un número reducido de huesos en el cráneo, carecen de estribos o hueso del oído medio.

Sometidos a tensiones
CONSERVACIÓN Y MEDIO AMBIENTE

Las cecilias se han ido haciendo más raras en muchos lugares en los que se habían observado. La tierra que sufre cambios (especialmente la destrucción de bosques por la agricultura o por los ranchos) está causando la restricción e incluso la extinción de muchas poblaciones y algunas especies enteras. Las infecciones del hongo quitridio, como las que se han encontrado en varias especies de ranas y de algunas salamandras, están causando la muerte a muchas cecilias en varios lugares. Estas infecciones, al parecer, son las precursoras de una degradación medioambiental general, y en consecuencia crean tensión en los animales y los hacen vulnerables. Es posible que las cecilias estén muriendo, e incluso se estén enfrentando a la extinción, ahora que los científicos han comenzado a apreciar su biología y su lugar en los ecosistemas.

MHW

Salamandras y tritones

AS SALAMANDRAS Y LOS TRITONES SON AN-
fibios con cola que llevan una vida reservada normalmente. Suelen vivir en lugares fríos, sombríos y son
activos durante la noche. Pocos miden más de 15 cm de longitud. A diferencia de las ranas y sapos, no anuncian su presencia haciendo sonidos.

Sin embargo, ciertas especies pueden ser muy abundantes. En algunos bosques montañosos al este de Norteamérica, se estima que la cantidad total de salamandras
del bosque supera a la de las aves y mamíferos juntos.
Los tritones de Europa y Norteamérica emigran cada primavera desde amplias zonas hasta las charcas con el fin
de criar, y pueden aparecer grandes poblaciones en cría.
En los últimos años, las investigaciones realizadas han
revelado información rica y fascinante sobre sus hábitos.
Todavía se están descubriendo especies nuevas y se
están describiendo por primera vez, especialmente en
los bosques tropicales de América Central.

Carnívoros de piel lisa
FORMA Y FUNCIÓN

Las salamandras y los tritones comprenden el orden de
anfibios conocidos como Caudados (o Urodelos). Normalmente son de cuerpo alargado, cola larga y dos pares
de patas de un tamaño bastante similar, aunque algunas
formas han perdido las extremidades posteriores. De
este modo se parecen más a los anfibios fósiles antiguos
en lo que se refiere a la forma del cuerpo que a cualquier
otro grupo de anfibios de la actualidad.

El término «salamandra» procede de la palabra latina
salamandra, que a su vez procede de la palabra griega
que significa «lagarto de fuego». Las salamandras se relacionan con el fuego porque salen arrastrándose de los
troncos y se dirigen hacia el fuego, y se piensa que pueden atravesar el fuego arrastrándose. Antes se llamaba al
amianto «lana de salamandra». «Salamandra» se aplica
generalmente a cualquier anfibio con cola, pero más
especialmente a aquellos que tienen hábitos terrestres.
El término «newt» (tritón), procedente del anglosajón
efete o evete que se convirtió en ewt en inglés medieval, se
refiere a esos géneros que regresan al agua cada primavera durante una estación de cría prolongada. Entre ellos
se encuentra el género europeo Triturus, los géneros norteamericanos Taricha y Notophthalmus y el género japo-
nés Cynops. El término «eft» de la misma derivación
anglosajona, se refiere a la etapa terrestre de los jóvenes
de la especie Notophthalmus.

Al igual que otros anfibios, las salamandras y los tritones poseen una piel lisa, flexible, que carece de escamas
y es húmeda normalmente. La piel actúa de superficie
respiratoria, por la cual entra el oxígeno al cuerpo y por
la que se libera dióxido de carbono. Por esta razón, las
salamandras y los tritones se limitan a hábitats húmedos. Muda con frecuencia la capa más externa de la piel.

En algunas especies sale en trozos, en otras se desprende
por completo. La piel mudada se come normalmente,
pero algunas veces se puede encontrar toda la piel de un
tritón acuático colgando de una hierba de agua. Muchas
salamandras y tritones se protegen de los depredadores
mediante unas secreciones que salen de las glándulas
venenosas de su piel (véase Defensores Repugnantes).

Todas las salamandras y tritones son carnívoros, se
alimentan de pequeños invertebrados vivos como insectos, babosas, caracoles y gusanos. Poseen una lengua
que utilizan para humedecer y mover el alimento en la
boca. En algunas especies puede salir rápidamente para
capturar a una presa pequeña. En muchas especies
acuáticas la cola está bien desarrollada para nadar, se
comprimen lateralmente y puede llevar una aleta dorsal.

◗ **Derecha** Una hembra de tritón crestado (Triturus
cristatus) se alimenta de su piel recientemente mudada.
Algunas poblaciones de este tritón europeo pasan casi todo
el año en el agua una vez que han llegado al estado adulto.
Los numerosos hoyuelos pequeños de la cabeza son órganos
de línea lateral que permiten al tritón detectar diminutas
perturbaciones en el agua, como las que causan sus presas.

◗ **Abajo** Mostrando la quintaesencia de las características
de las salamandras y de los tritones, la salamandra moteada
(Ambyostoma maculatum) tiene un cuerpo tubular de piel
brillante y flexible, una cola larga y prominentes estrías en los
laterales. Esta especie abunda relativamente, aunque rara vez
se ven, ya que pasan las horas del día bajo tierra. Como
muchas otras salamandras, su piel exuda una toxina cuando
es atacada.

DATOS

SALAMANDRAS Y TRITONES

Orden: Caudados (Urodelos)

Más de 470 especies en 60 géneros y 10 familias

DISTRIBUCIÓN Norteamérica, América Central, norte de Sudamérica, Europa, Mediterráneo, África, Asia, incluyendo Japón y Taiwan.

HÁBITAT Acuático, terrestre o anfibio.

TAMAÑO Longitud desde el hocico a la punta de la cola: desde 2 cm a 1,4 m, pero la mayoría miden entre 5 y 15 cm.

COLOR Muy variable. Se encuentra el verde, el marrón, el negro, el rojo, el naranja y el amarillo.

REPRODUCCIÓN Fertilización interna en su mayoría: La mayor parte deposita huevos, pero en algunas especies los huevos se desarrollan en el interior de la hembra.

LONGEVIDAD En cautividad de 20 a 25 años algunas veces, alguna vez han llegado a 50 años. Se sabe muy poco sobre la longevidad en estado natural, pero algunas especies no crían hasta que no han pasado varios años.

ESTADO DE CONSERVACIÓN 4 especies, entre ellas las salamandras del desierto, las de Lago Lerma y las sardas están en Peligro Crítico; 10 están en Peligro y 30 son Vulnerables.

Los dos pares de extremidades tienen dedos, normalmente menos en las extremidades anteriores que en las posteriores. En algunas especies, como las anguilas congoleñas de Norteamérica, las extremidades son muy pequeñas y no tienen función locomotora. En otras, como en el tritón palmeado, los dedos de las extremidades posteriores se han entrelazado entre ellos para facilitar la natación rápida.

Los huevos de los anfibios con cola no tienen cáscara. Están cubiertos de capas gelatinosas protectoras. Cada capa forma una cápsula distinta y los huevos de algunas salamandras contienen hasta ocho cápsulas. Normalmente el huevo eclosiona en una larva carnívora, que crece hasta que la metamorfosis le convierte en adulto. La metamorfosis implica cambios complejos que equipan a la salamandra o al tritón para su vida de adulto. En los tritones, la metamorfosis coincide con el dramático cambio de hábitat del agua a la tierra.

La piel húmeda de tritones y salamandras es, para la mayoría de las especies, sólo una ruta por la cual el oxígeno y el dióxido de carbono entran y salen del cuerpo. Las larvas suelen tener branquias externas de aspecto plumoso y los adultos tienen pulmones. Algunas especies, entre las que se encuentran formas terrestres y acuáticas, también utilizan la superficie interna de la boca, succionando de un modo rítmico y expulsando agua o aire a través de la boca o de las fosas nasales. Este «bombeo bucal» se ve claramente por las vibraciones rápidas de la suave piel que hay debajo de la barbilla del tritón o de la salamandra. No sólo sirve para respirar, también permite al animal probar continuamente los olores de su entorno externo. Un sofisticado sentido del olfato es muy importante en los anfibios de cola, especialmente para la comunicación.

La familia más grande, la de las salamandras sin pulmones, han perdido por completo los pulmones que tenían sus antepasados y respiran a través de la piel y del revestimiento de la boca. Algunas viven en corrientes de agua rápidas, donde abunda el oxígeno. Otras son totalmente terrestres. Las salamandras y tritones que viven en aguas estáticas, donde los niveles de oxígeno pueden ser muy bajos, tienen que respirar con pulmones, saliendo a la superficie del agua a intervalos de tiempo frecuentes para tomar aire fresco, o con branquias externas, que mantienen cuando han pasado de su fase larval a la vida adulta.

Los tritones acuáticos consiguen oxígeno de tres maneras mientras viven en el agua durante la época de cría: a través de la piel, del revestimiento de la boca o de los pulmones. Durante la mayor parte del tiempo el oxígeno que obtienen del agua por medio de la piel y de la boca es suficiente para mantener su actividad. Sin embargo, si se activan más, por ejemplo durante la conducta sexual, tienen que realizar frecuentes ascensiones a la superficie del agua para tragar aire. Algunas veces el tritón traga tanto aire que es incapaz de hundirse de nuevo al fondo del estanque. Puede recuperar esa facultad expulsando burbujas de aire, igual que las de un buzo. Los ascensos para poder respirar son potencialmente peligrosos porque los tritones llaman la atención de un modo especial cuando ascienden a la superficie, y es entonces cuando las aves predadoras como las garzas aprovechan para atraparlos. Los tritones también tienen que respiran más a menudo en días muy cálidos, cuando las altas temperaturas les producen más actividad pero cuando los niveles de oxígeno de las charcas son muy bajos.

No se sabe todavía la cantidad exacta de especies de salamandras y de tritones que hay en el mundo, porque constantemente se están describiendo nuevas especies. Una lista reciente contiene 472 especies, mientras que en una lista de hace 15 años, sólo aparecen 358 especies de anfibios con cola. Este sorprendente incremento podría deberse a dos factores. Primero, la exploración de regiones sobre las que no había documentación ha descubierto nuevas especies. Esto es cierto, especialmente, en el caso de América Central y del Sur, donde se han descubierto varias especies nuevas de salamandras sin pulmones, muchas de las cuales son muy pequeñas (véase Salamandras en Miniatura). Segundo, como resultado de la aplicación de nuevas técnicas para analizar el ADN nuclear y mitocondrial, se han descubierto algunas salamandras muy extendidas que presentan varias formas genéticas distintas, cada una de ellas de una variedad limitada y claramente definida.

En tierra y en el agua
DISTRIBUCIÓN

Las salamandras y los tritones están confinados principalmente a los climas templados del hemisferio norte, aunque un grupo, el de las salamandras sin pulmones, ha invadido la zona tropical de América Central y del Sur. Viven en hábitats variados e incluyen formas totalmente acuáticas y formas totalmente terrestres, así como también especies que dividen su tiempo entre el agua y la tierra. Las formas acuáticas se encuentran en ríos, lagos, corrientes de montaña, charcas, terrenos pantanosos y cuevas subterráneas. Las especies terrestres viven normalmente debajo de las rocas y en troncos, pero algunas excavan en el suelo y otras pueden trepar por un árbol hasta una altura considerable. Ya que las salamandras y los tritones tienen una piel permeable al agua, no pueden tolerar el calor ni las sequías, y para muchas especies, el verano es la época en la que se retiran a refugios húmedos, de donde salen únicamente durante las noches frescas. Cuando hace frío están inactivos, y especies que viven en climas templados se entierran en el suelo o se ocultan debajo de grandes rocas y troncos y se aletargan.

Vidas diferentes. Ciclos vitales diferentes
REPRODUCCIÓN Y DESARROLLO

Debido a la gran diversidad que existe, no hay un ciclo vital «típico» para los miembros de este orden. No obstante, se pueden distinguir tres tipos generales: completamente terrestres, completamente acuáticos y anfibios. Una especie terrestre típica es la salamandra de lomo rojo, que se encuentra en las zonas boscosas del este de

⊙ Abajo *Huevos de salamandra moteada con sus larvas en desarrollo. A menudo, crece un alga verde dentro de la cápsula del huevo, en beneficio de las dos especies. Los huevos que contienen algas producen embriones más grandes que eclosionan antes y sobreviven mejor. Muchas salamandras moteadas que crían en charcas del noreste de Estados Unidos están contaminadas por la lluvia ácida.*

Norteamérica. El apareamiento tiene lugar en tierra, y la hembra se retira a depositar sus huevos dentro de un tronco parcialmente podrido. Se produce una pequeña cantidad de huevos grandes (20-30) y los embriones se desarrollan rápidamente en su interior. Toda la fase larval de desarrollo ocurre dentro del huevo, que eclosiona para producir una versión en miniatura de la salamandra adulta. En algunas salamandras terrestres, por ejemplo en la salamandra dusky americana, uno de los padres cuida del desarrollo de los huevos. En unas cuantas especies, como las de los miembros del género europeo *Salamandra*, la hembra retiene a los huevos fertilizados dentro de su cuerpo mientras se desarrollan, dando vida posteriormente a los jóvenes, que pueden ser larvas o juveniles. En una peculiar población de salamandra de fuego española se ha descubierto que los jóvenes que crecen más deprisa se comen a sus hermanos más pequeños mientras se encuentran todavía en el interior de la madre.

En las especies acuáticas, los adultos se aparean en invierno, y algunos practican la fertilización externa. Los nidos suelen ser grandes (hasta de 500 huevos), y los huevos eclosionan en larvas con branquias externas. Los adultos de varias especies totalmente acuáticas, como la del proteo de la costa balcánica y el necturo del este de Norteamérica, mantienen ciertas estructuras larvales cuando son adultos, como el caso de las branquias externas, una

◐ **Arriba** *En común con otras especies que pasan la mayor parte del tiempo en el agua, la cola de tritón crestado es plana, lo que le permite utilizarla de timón y de medio de propulsión. La prominente cresta identifica a este individuo como macho.*

◑ **Abajo** *Comparación de los ciclos vitales de las salamandras y de los tritones. Muchas salamandras son totalmente terrestres, mientras que los tritones regresan al agua cada año para criar. El ajolote del centro de Méjico, miembro de la familia salamandra topo, es totalmente acuática.*

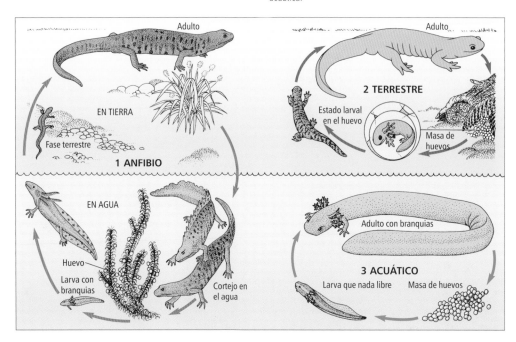

Adulto — Adulto

EN TIERRA

Fase terrestre

1 ANFIBIO

2 TERRESTRE

Estado larval en el huevo

Masa de huevos

EN AGUA

Huevo

Larva con branquias

Cortejo en el agua

Adulto con branquias

3 ACUÁTICO

Larva que nada libre — Masa de huevos

condición que se conoce con el nombre de paedomorfosis. El mantenimiento de las branquias durante toda la vida es más común en aquellas especies que, como las sirenas, viven en aguas estancadas pobres en oxígeno. La paedomorfosis puede ser una característica permanente de todos los miembros de una especie, como en el caso de las sirenas, proteos y necturos, o puede ser una condición temporal que sucede en algunos individuos que carecen de un nutriente crítico. El ejemplo más conocido de este último caso es el ajolote mejicano, que mantiene las branquias larvales si se le priva de la idoina necesaria para producir la hormona tiroxina.

En el ciclo vital anfibio, los adultos pasan la mayor parte de su vida en tierra, pero emigran al agua con el fin de procrear. El cortejo puede suceder en densas congregaciones de individuos, todos van a criar a la misma charca al mismo tiempo, como la salamandra moteada de Norteamérica. Por el contrario, la época de cría de algunos tritones europeos (*Triturus*) dura varios meses, y el tiempo de permanencia en el agua varía considerablemente según los individuos. La hembra deposita huevos en los que se desarrollan larvas acuáticas. Los nidos son grandes normalmente (de 100 a 400 huevos), pero los huevos son pequeños. Las larvas se convierten en juveniles por medio de la metamorfosis, algunas veces llamados «efts», que abandonan el agua para vivir en tierra hasta que han crecido hasta el punto de producir un huevo, un proceso que dura entre 1 y 7 años. Los tritones de la familia Salamándridos, como el tritón común europeo o el tritón moteado rojo norteamericano, tipifican este tipo de ciclo vital.

Sirenas
FAMILIA SIRÉNIDOS

Hay sólo cuatro especies de sirenas que se encuentran en el sur y en el centro de Estados Unidos y en el noreste de Méjico. Viven en aguas poco profundas en fosos, corrientes y lagos y son predadores activos. Se alimentan de animales como el cangrejo de río, gusanos y caracoles, y pasan mucho tiempo enterrados en el barro o en la arena. La parte frontal de la boca carece de dientes. En vez de ellos, las sirenas tienen un pico corneo y se alimentan por succión, arrastrando agua y presa dentro de la boca. Parecen larvas que han crecido demasiado con un cuerpo parecido al de la anguila y poseen branquias externas. Carecen de extremidades posteriores, pero tienen extremidades anteriores débiles y pequeñas detrás de las branquias. La sirena más grande puede alcanzar los 90 cm. de longitud. Es uno de los anfibios con cola más largos, pero la sirena más pequeña rara vez pasa de los 25 cm. Las diminutas sirenas enanas pueden ser muy numerosas, especialmente cuando viven entre jacintos de agua, una hierba acuática que ha llegado a ser muy abundante desde que se introdujo en Norteamérica. Cuando agarran, las sirenas emiten un sonido de gañido normalmente.

Muchas de las charcas y fosos donde viven las sirenas se secan durante el verano, pero son capaces de sobrevivir a los períodos de sequía entrando en un estado llamado de estivación. Cuando la arena o el barro se secan, la capa mucosa que cubre su cuerpo se endurece hasta formar un capullo parecido a un parche que cubre todo su cuerpo a excepción de la boca. Pueden sobrevivir en estas condiciones durante muchas semanas, hasta que su hábitat vuelve a inundarse de nuevo.

La reproducción de la sirena es algo misteriosa, ya que nunca se ha observado apareamiento. Los machos carecen de glándulas que segreguen espermatóforos como en otros muchos anfibios de cola, y la hembra carece de un receptáculo en el que se pueda almacenar el semen, por tanto se cree que se practica la fertilización externa. Sin embargo la hembra deposita sus huevos en solitario, y los dispersa entre la vegetación acuática, por tanto es posible que sean fertilizados antes de ponerlos. O bien las sirenas muestran una forma de fertilización interna que no se ha visto en otros anfibios con cola, o bien el macho sigue a la hembra dando vueltas a su alrededor mientras ella depo-

🔺 **Arriba** *Una de las salamandras vivas más grandes, la salamandra gigante china (Andrias davidianus) se llama así por el misionero y naturalista francés del siglo XIX Armand David. Vive en corrientes rápidas de las montañas, donde abunda el oxígeno, y posee una piel rugosa que le ayuda a respirar en ausencia de branquias.*

🔻 **Abajo** *La salamandra gigante de California (Dicamptodon ensatus) habita en el bosque conífero boreal de la costa noroccidental del Pacífico en América, desde la Columbia Británica hasta el norte de California. Junto a las otras tres especies de su familia, antes crecía en condiciones de bosque tropical húmedo templado y virgen de esa región, pero su hábitat se ha visto amenazado ya que la zona se ha abierto a la explotación forestal comercial.*

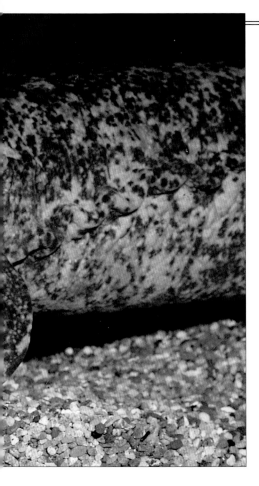

sita los huevos, fertilizando cada huevo individualmente a medida que los va depositando. Esta cuestión requiere un estudio más detallado.

Salamandras gigantes
FAMILIA CRIPTOBRÁNQUIDOS

Las salamandras más grandes con diferencia. Las tres especies de salamandra gigante viven en ríos y grandes corrientes. Generalmente son de hábitos nocturnos, y pasan el día debajo de las rocas. A pesar de su gran tamaño y feo aspecto, son bastante inofensivas para los humanos. En Japón y en China se cogen con una vara y una cuerda y se las considera una delicia. Su dieta consiste de prácticamente todos los animales que viven en ríos y corrientes de agua: peces, salamandras más pequeñas, gusanos, insectos, cangrejos de río y caracoles. Normalmente cogen a la presa desde una roca o pende por medio de un rápido moviendo lateral de la boca. Se alimenta por la noche principalmente y confía en el olor y en el tacto para localizar a su presa. Su visión es pobre. Los ojos son pequeños y, al estar situados en la parte de atrás a ambos lados de la cabeza, no puede enfocar el mismo objeto a la vez.

Las salamandras gigantes nunca abandonan el agua y, aunque pierden las branquias muy temprano en su vida, nunca pierde por completo todas sus características larvales. Probablemente viven mucho tiempo. Un especimen vivió 52 años en cautividad. La salamandra gigante japonesa puede alcanzar una longitud de 1,5 m. y la salamandra gigante acuática tiene una longitud máxima de 70 cm. Su gran tamaño y la falta de branquias las confinan probablemente a las corrientes de agua, donde abunda el oxígeno. Los pliegues visibles de su piel a lo largo de los costados aumentan la superficie

por la cual toman el oxígeno. Pueden respirar por medio de sus pulmones, aunque no son muy eficaces, y los animales de viven en acuarios ascenderán a la superficie con frecuencia para tomar aire.

En la salamandra gigante acuática, la época de cría sucede a finales del verano. El macho excava debajo de una roca y defiende ese terreno contra otros machos. También excluye a las hembras que han puesto sus huevos, pero permite entrar a cualquier hembra que lleve huevos. La hembra deposita sus huevos en el nido del macho formando dos largas cadenas. Los huevos se mantienen unidos por medio de un hilo pegajoso que se adhiere a las rocas y se endurece poco después de entrar en contacto con el agua. Una hembra grande puede poner hasta 450 huevos, y varias hembras pueden poner sus huevos en el nido de un sólo macho. El macho fertiliza los huevos, los cubre con una nube de fluido seminal parecido a la leche y los guarda durante todo su desarrollo (de 10 a 12 semanas). Luego las larvas abandonan el nido del macho y llevan una existencia totalmente independiente, alimentándose principalmente de pequeños animales acuáticos. La piel de las larvas y de los adultos produce un limo tóxico que disuade a los predadores potenciales.

Las tres especies están amenazadas en muchas zonas por la obstrucción que la silvicultura ejerce en su hábitat. Existe preocupación en Estados Unidos por la disminución de la cantidad de salamandras gigantes acuáticas en toda su extensión, y la salamandra gigante japonesa está catalogada de Vulnerable.

Salamandras asiáticas
FAMILIA HINÓBIDOS

Restringidas al centro y este de Asia, las salamandras asiáticas se conocen muy poco. Por su forma y biología de reproducción, es claramente uno de los anfibios con cola más primitivos. Durante la mayor parte de su vida son terrestres, suelen criar en ríos o arroyos montañosos donde abunda el oxígeno, y, o tienen pulmones muy pequeños o no tienen ninguno. Los pulmones grandes podrían dificultar su flotación y serían arrastrados por la corriente. Algunas especies tienen uñas curvadas y afiladas, cuya función se desconoce.

Durante el apareamiento, la hembra produce sacos apareados, cada uno contiene entre 35 y 70 huevos. El macho los coge cuando salen de la cloaca de la hembra y, presionándolos en su cloaca, echa esperma sobre ellos. En algunas especies al menos, el macho guarda a los huevos hasta que eclosionan. La salamandra Semirechensk tiene un modo muy poco corriente de aparearse. El macho deposita el esperma en un sencillo espermatóforo y la hembra coloca sus sacos de huevos encima de él.

Existe preocupación por el estado de conservación de varias salamandras asiáticas. Muchas están amenazadas por la destrucción y deterioro del hábitat. Se cogen varias especies en grandes cantidades para el mercado mundial de mascotas.

Salamandras topo del Pacífico
FAMILIA DICAMPTODÓNTIDOS

Hay cuatro especies de salamandras topo del Pacífico que viven en los ríos o arroyos montañosos, o cerca de

ellos, en las proximidades de la costa occidental de Estados Unidos. Tienen pulmones de tamaño reducido que previenen la flotación y que sean llevadas por la corriente. Puede alcanzar un gran tamaño, siendo las salamandras terrestres más grandes, y los grandes especimenes pueden dar un buen mordisco. La especie más extendida, la salamandra gigante del Pacífico, pasa muchos años en forma de larva acuática. En algunas zonas de los lugares donde están extendidas, una parte de la población es paedomórfica, llegando a la madurez sexual cuando todavía se encuentran en forma de larva. Por ejemplo, la salamandra gigante de Cope es una especie totalmente paedomórfica.

Las salamandras topo del Pacífico no abundan tanto como antes y los especimenes más grandes y más viejos son cada vez más raros. Viven en bosques que se explotan para la obtención de madera, y la silvicultura les afecta de forma adversa alterando su hábitat terrestre y obstruyendo con sedimentos las corrientes de agua en las que crían.

Salamandras topo
FAMILIA AMBISTOMÁTIDOS

Las salamandras topo se llaman así porque viven en madrigueras la mayor parte de su vida. Rara vez se las ve excepto en la época de cría, cuando emigran a las charcas para aparearse y depositar sus huevos. Se encuentran sólo en Norteamérica, la mayoría de las 30 especies son terrestres, pero todas tienen larvas acuáticas. Tienen cuerpos de constitución robusta, cabezas anchas y una piel lisa y brillante. Muchas de ellas tienen marcas de colores fuertes y brillantes.

A principios de la primavera, la salamandra moteada muestra una espectacular emigración para criar, reuniéndose en numerosas charcas donde, durante dos o tres días, se aparean en masa. Las hembras depositan hasta 200 huevos en el agua y luego regresan a su vida terrestre, dejando que los huevos eclosionen y den lugar a larvas que se convertirán en adultos mediante metamorfosis 2 o 4 meses después de la eclosión, abandonando el agua a finales del verano o en otoño. Por el contrario, la salamandra jaspeada pone sus huevos en el otoño en lechos de charcas secas, la hembra se enrosca alrededor de los huevos y los guarda hasta las lluvias del invierno, cuando eclosionan en larvas.

En algunas zonas de Norteamérica hay poblaciones de varias especies de salamandras topo en las cuales los adultos son paedomorfos, manteniendo su forma larval incluso cuando alcanzan la madurez sexual. El ejemplo más famoso de este caso es el ajolote mejicano, que existe en la naturaleza sólo en estado larval. Pasará a la forma

terrestre si se le inyecta extracto tiroideo para que se produzca la metamorfosis.

En la salamandra topo algunas larvas se convierten en caníbales, alimentándose de larvas más pequeñas de sus propias especies y creciendo hasta alcanzar un tamaño muy grande. No obstante, pagan por esta conducta, cuando las larvas caníbales se comen a los de su propia clase, es más probable que resulten infectados de parásitos.

Las larvas de todas las salamandras topo son presa fácil para los peces y la introducción de peces ha terminado con muchas poblaciones. Otras se han perdido por la destrucción del hábitat, y algunas especies, como la salamandra tigre de California, se encuentran seriamente amenazadas.

Tritones y salamandras europeas
FAMILIA SALAMÁNDRIDOS

De las diez familias de anfibios con cola, los Salamándridos, que incluyen a los tritones y a las salamandras europeas, son los más extendidos. Cubren Norteamérica,

◯ Derecha *Especies representativas de siete familias de salamandras y tritones:*
1 Bolitoglossa schizodactyla; Pletodóntidos;
2 Salamandra roja (Pseudotriton ruber);
Salamándridos. 3 Salamandra tigre
(Ambyostoma tigrinum); Ambistomátidos.
4 Proteo (Proteus anguinus); Proteidos.
5 Necturo (Necturus maculosis); Proteidos.
6 Batrachuperus pinchonii; Hinóbidos.
7 Onychodactylus japonicus; Hinóbidos.
8 Tylototriton taliangensis; Salamándridos.
9 Tritón verde americano, en su fase acuática
(Notophthalmus viridescens); Salamándridos.
10 Tritón común (Triturus vulgaris);
Salamándridos. 11 Sirena mayor (Siren lacertina), Sirénidos. 12 Anguila del fango
(Amphiuma means); Anfiúmidos.

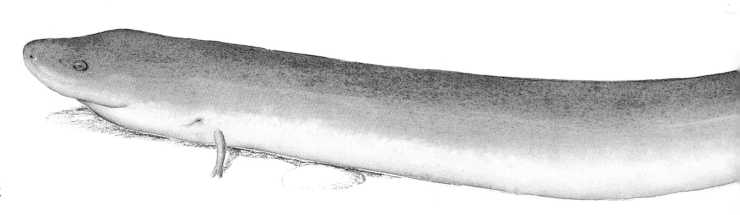

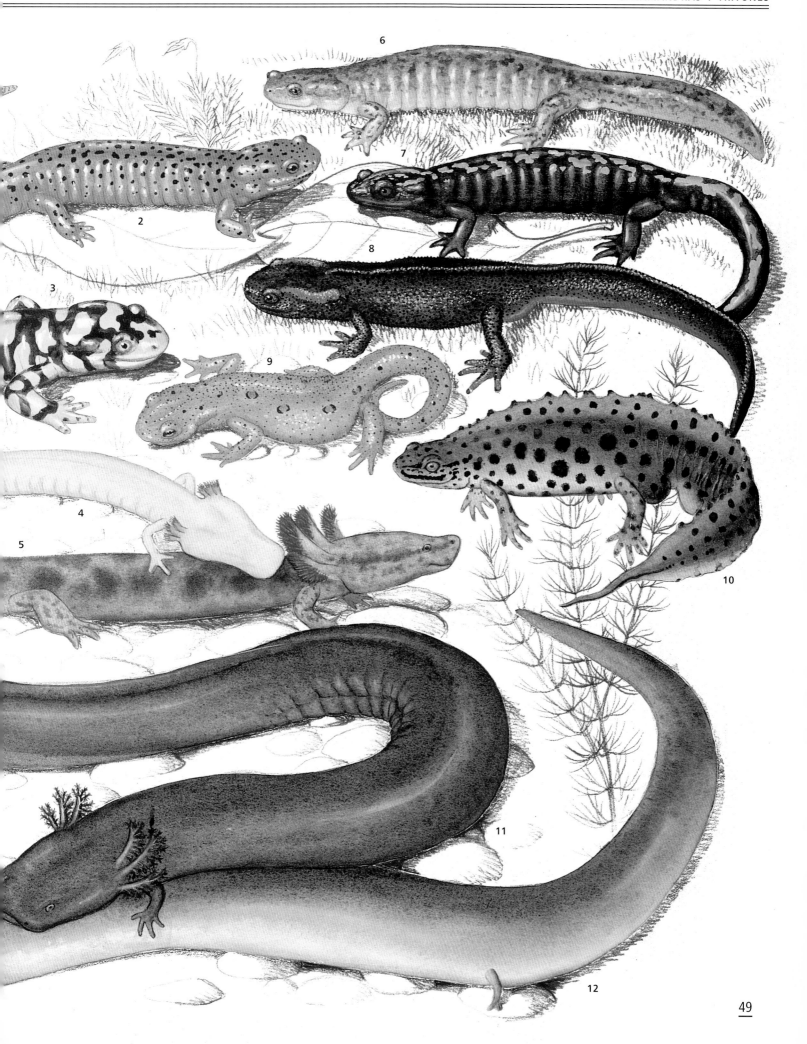

Europa y partes de Asia. Respecto a la historia vital hay una familia muy diversa, y entre las especies hay diferencias considerables sobre el tiempo de su vida que pasan en el agua y en tierra.

La fertilización es interna, el esperma se transfiere del macho a la hembra en un espermatóforo, normalmente después de un cortejo largo y complejo (véase Cortejo de las Salamandras y Tritones). En la mayoría de las especies, la hembra deposita los huevos en el agua, donde se desarrollan las larvas, pero en la salamandra de fuego europea la hembra retiene en su cuerpo a los huevos fertilizados hasta que se han convertido en larvas completamente formadas. Posteriormente la hembra entra en una charca o corriente de agua para que nazcan los jóvenes, la única vez que un adulto regresa al agua.

Por el contrario, la mayoría de los tritones europeos pasan casi la mitad del año en el agua una vez que se han hecho adultos. Es en el agua donde cortejan, depositan los huevos y luego crean las reservas de grasa necesarias para sobrevivir durante el invierno en tierra. Sin embargo, en algunas poblaciones de tritones crestados mayores, los adultos permanecen en el agua todo el año.

Cuando a principios de la primavera los tritones vuelven a las charcas, sufren varios cambios físicos que representan una metamorfosis parcial que les devuelve a la condición de larvas. La piel se hace delgada, suave y permeable al oxígeno, la cola se convierte en una estructura plana y hundida que les permite nadar con fuerza, y los ojos adquieren una forma algo diferente para enfocar debajo del agua. Dentro de la piel se desarrolla un gran número de órganos en la línea lateral. Estos son sensibles a las vibraciones del agua y son importantes a la hora de detectar a una presa. Los tritones palmeados machos forman un tejido entre los dedos de las extremidades posteriores durante la época de cría, característica que les permite nadar un poco más rápido que las hembras durante su enérgico cortejo.

Las larvas de tritón y de salamandra europea tienen branquias externas de aspecto plumoso y, en un principio, carecen de extremidades. Crecen rápidamente durante los primeros meses de vida, hasta que en el otoño pierden las branquias y abandonan el agua en forma de réplicas diminutas de sus padres. Entra en una fase terrestre, llamada algunas veces etapa «eft», que dura de 1 a 7 años, dependiendo de las especies y de la zona. En el tritón común, por ejemplo, esta etapa es mucho más larga en Escandinavia que en el sur de Europa.

Muchos miembros de la familia tienen colores brillantes y liberan secreciones nocivas desde glándulas de su piel. El tritón moteado rojo americano es poco corriente por su etapa «eft» especialmente tóxica y su color rojo brillante. Los tritones californianos tienen secreciones de la piel que se encuentran entre las sustancias más tóxicas que se conocen.

◖ *Izquierda* El tritón jaspeado del suroeste de Europa (Triturus marmoratus) se encuentra separado de otros miembros europeos de colores más sombríos de la familia Salamándridos debido a su piel viva, jaspeada de negro y verde. La peculiar raya de color rojo anaranjado que sigue la línea de la espina dorsal es una marca de contraste de los juveniles (mostrado aquí) y de las hembras de esta especie.

EN BUSCA DE CHARCAS PARA CRIAR

Todos los tritones y muchas salamandras regresan al agua cada año en primavera para poder criar. Muestran una gran capacidad de orientación para volver al hogar. Se desconoce a qué distancia se alejan de las charcas en las que crían, pero los tritones en fase terrestre se encuentran normalmente a varios kilómetros de la charca apropiada más próxima. Se han realizado experimentos de alejamiento con el tritón de vientre rojo en California y han demostrado que son capaces de encontrar el camino de regreso al lugar exacto del río o arroyo donde fue cogido, a pesar de haberle llevado a corrientes de agua situadas a varios kilómetros de distancia y a estar separados de «su» hogar por un territorio montañoso.

Varios sentidos, algunos bastante inusuales, parecen estar implicados en esta migración. La vista y el olfato son importantes, aunque incluso animales ciegos con el sentido del olfato destruido son capaces de encontrar su camino hacia el agua. La glándula pineal, una excrecencia que se encuentra justo debajo de los huesos del cráneo, es sensible a la luz también,

especialmente a la luz polarizada. Se ha visto que algunas salamandras pueden percibir la luz polarizada y pueden utilizarla para determinar la posición del sol en el cielo, incluso aunque el sol se encuentre oculto tras una nube, por tanto pueden utilizar el sol de «brújula» para dirigir sus movimientos. Más recientemente, se ha demostrado que algunas especies norteamericanas, como la salamandra Cave y el tritón verde americano (ABAJO en fase terrestre –«eft»–) pueden detectar el campo magnético de la tierra y utilizar esta señal como sistema de referencia de dirección y posición.

Los tritones y salamandras que crían en el agua también demuestran con frecuencia una gran fidelidad a la charca o corriente de agua en la que crecen, regresan allí para criar durante varios años sucesivos, incluso aunque se haya trasladado a gran distancia de su lugar de cría en los meses o años intermedios. Este hecho sugiere que sus sistemas nerviosos han sido capaces de desarrollar y almacenar «mapas» detallados de su entorno.

Tanto si viven en tierra como si viven en el agua, los tritones y salamandras europeos se alimentan normalmente de pequeños invertebrados, entre ellos gusanos, babosas, insectos y crustáceos. Mientras tanto, en la fase acuática, algunas especies como la del tritón común, son predadores voraces de renacuajos de rana. Detectan a la presa de un modo visual principalmente, y en general es el movimiento de la presa el que permite su detección. La presa en movimiento sólo puede ser detectada por medio de los órganos de la línea lateral.

La vista, el olfato y el tacto también son importantes en el cortejo. En los tritones, los machos realizan varias exhibiciones que envían estímulos visuales, olfativos y táctiles a las hembras. Dentro de los anfibios con cola, los tritones europeos son poco corrientes en el aspecto en el que durante el cortejo el macho no captura ni retiene a la hembra. En relación a esta clase de cortejo, machos y hembras de estas especies presentan un aspecto muy diferente durante la etapa de cría que otras clases de anfibios con cola. El macho desarrolla una gran cresta que recorre la longitud de su cuerpo y cola, y

el tritón común tiene muchas manchas negras grandes en el cuerpo y en la cola.

En algunas especies los adultos muestran una fuerte tendencia a regresar al mismo lugar de cría en años sucesivos. Los tritones en fase terrestre también muestran una gran afinidad a sus charcas natales, pero algunos sí que se trasladan a otras charcas y, probablemente, es en esta etapa del ciclo vital cuando los tritones se dispersan de un lugar de cría a otro.

Muchas especies de esta familia han sufrido un declive dramático en los últimos 50 años, a menudo porque los cambios en las prácticas agrícolas han supuesto la destrucción de sus charcas de cría. También les amenaza la contaminación y la pérdida de su hábitat terrestre.

Proteos, necturos y perritos de agua
FAMILIA PROTEIDOS

Los dos géneros de la familia que incluyen a los proteo, a los necturos y a los perritos de agua llevan vidas totalmente acuáticas y poseen ciertas características larvales, entre las que destacan las branquias externas de aspecto

bastante plumoso, aunque también tienen pulmones. El proteo vive en cuevas subterráneas llenas de agua en montañas de piedra caliza a lo largo de la costa balcánica del Adriático y pasa la mayor parte del tiempo enterrado en el barro o en la arena. Su piel carece de pigmentación, dando a su cuerpo un aspecto pálido, blanco, y las branquias son de un color rojo brillante. Tiene las extremidades cortas y débiles y unos ojos muy rudimentarios, totalmente ciegos. Los proteos crecen hasta los 30 cm. de longitud y son cada vez más raros, en parte se debe a la contaminación, pero también porque los colecciona el mercado de acuarios.

Todo lo que se sabe de su reproducción se basa en observaciones realizadas en los acuarios. Los huevos son fertilizados en el interior del cuerpo de la hembra, y después ella podría hacer una o dos cosas con ellos. Algunas veces (respondiendo a altas temperaturas) deposita de 12 a 70 huevos debajo de una piedra, donde tanto el macho como la hembra cuidan de ellos durante su desarrollo o sólo ponen uno o dos huevos que se desarrollarían en el interior de la hembra, empleándose el resto para proporcionar nutrientes a esos dos. En este caso la madre alumbra finalmente a larvas bien desarrolladas.

El necturo y el perrito de agua del este de Norteamérica son animales mucho más robustos, con piel pigmentada, que viven en charcas, lagos y ríos o arroyos. El necturo se encuentra en el norte, los perritos de agua en el sur. Los nombres reflejan de un modo erróneo que estos animales producen un sonido parecido a un latido.

Tienen branquias externas de color rojo o púrpura que parecen diminutas plumas de avestruz. Pueden variar de tamaño dependiendo del contenido de oxígeno del agua. En aguas estancadas donde el oxígeno es escaso, las branquias son muy grandes, pero en corrientes de agua bien oxigenadas son bastante pequeñas. Los necturos y perritos de agua se alimentan de varios animales: insectos, cangrejos de río y peces, y tardan varios años en llegar a la madurez. Se aparean en otoño, los huevos se fertilizan internamente pero no los depositan hasta que no llega la primavera. Una hembra pone de 20 a 190 huevos, adhiriéndolos individualmente a troncos o a rocas, y el macho los guarda durante las 5 o 9 semanas que tardan en desarrollarse.

Salamandras torrente
FAMILIA RHYACOTRITONIDAE

La familia de salamandras torrente consiste en cuatro especies que pertenecen a un único género. Confinadas en la región noroccidental del Pacífico en Estados Unidos, se distinguen de otras salamandras por la presencia en los machos de unas protuberancias grandes, de forma cuadrada, situadas detrás y a cada lado de la cloaca. Su función es incierta. Las salamandras torrente poseen cuerpos y colas de constitución fuerte y son semiacuáticas, viviendo dentro o cerca de corrientes de agua y filtraciones de bosques de coníferas húmedos y fríos. Sus larvas tardan de 3 a 5 años en desarrollarse por completo, probablemente porque viven en aguas muy frías. Poco se conoce de sus costumbres y comportamiento, pero están amenazados por la actividad de la silvicultura, que degrada su hábitat y causa obstrucción con sedimentos en sus lugares de cría de las corrientes de agua.

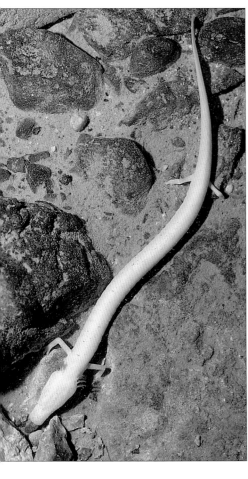

Anguilas congoleñas
FAMILIA ANFIÚMIDOS

Debido a la forma alargada de su cuerpo, antes se las denominaba «anguilas del Congo». Esta denominación es engañosa por dos razones, porque estos animales sólo se parecen superficialmente a las anguilas, que son peces, y porque éstas viven en Norteamérica, no en África. Sólo hay tres especies en la familia, todas ellas se encuentran en los pantanos del sureste de Estados Unidos. Tienen un cuerpo largo, delgado, de forma cilíndrica, la piel es suave y resbaladiza y las extremidades son tan pequeñas que no las pueden utilizar en la locomoción. Sin embargo, en estado larval, las extremidades son más grandes si se comparan con el tamaño del cuerpo, y las utilizan para andar. La anguila congoleña de tres dedos puede alcanzar una longitud de 90 cm y los individuos más grandes son capaces de dar un doloroso mordisco cuando cazan. Las adultas tienen pulmones, no branquias, aunque sí que poseen la característica larval de una abertura branquial.

Las anguilas congoleñas llevan una vida totalmente acuática, aunque es posible que realicen breves excursiones a tierra después de haber llovido con fuerza. La mayor parte del tiempo viven en madrigueras y son activas por la noche. Se alimentan de una variedad de presas, entre ellas ranas, caracoles, peces y cangrejos de río. Por consiguiente son consideradas una plaga para los pescadores, quienes las atrapan y las matan.

En la época de cría las hembras superan en número a los machos algunas veces, y se puede ver a varias hembras rozar a un macho con el hocico para atraer su atención. Durante el apareamiento, macho y hembra se enroscan, y el esperma se transfiere directamente a la cloaca de la hembra. Ella pone hasta 200 huevos, unidos en una larga cadena, y los guarda con el cuerpo enroscado alrededor de ellos hasta que eclosionan después de unas 20 semanas. La deposición de huevos sucede a menudo cuando el nivel del agua es alto y, cuando desciende, la hembra y sus huevos se pueden quedar en un hueco húmedo debajo de un tronco. Cuando eclosionan, los jóvenes tienen que encontrar el camino de regreso al agua.

◔ Izquierda *Con su cuerpo alargado, extremidades y ojos rudimentarios, ocultos debajo de una membrana de piel, el proteo (Proteus anguinus) se ha adaptado perfectamente a las oscuras cuevas de la costa del noreste de Italia, Eslovenia y Croacia. Este hábitat subterráneo hace que sean una de las salamandras menos estudiadas. De hecho, se conoció su existencia en el siglo XVIII, cuando una inundación subterránea sacó a un proteo a la superficie.*

◔ Abajo *Una anguila congoleña de dos dedos (Amphiuma jeans) que, de un modo poco característico, apareció durante el día sobre una hoja de nenúfar en los Pantanos de Florida. Tanto esta especie de Amphiuma como las otras dos son nocturnas, cazan una amplia variedad de peces, crustáceos de agua dulce y ranas. Durante las tormentas, cuando la tierra está húmeda, se la puede ver algunas veces moviéndose por tierra desde una masa de agua a otra.*

Salamandras sin pulmones

FAMILIA PLETODÓNTIDOS

La familia más grande de anfibios con cola, las salamandras sin pulmones, son si duda el grupo de anfibios que más éxito tiene en lo que se refiere a cantidad de individuos. En el noreste de Estados Unidos son muy numerosas.

Este éxito es paradójico si tenemos en cuenta que, durante su evolución, han perdido una de las características más básicas de los vertebrados terrestres: sus pulmones, y únicamente pueden absorber el oxígeno a través de su piel y del revestimiento de la boca. Esta limitación impone de un modo potencial restricciones severas sobre los lugares en los que pueden vivir, la actividad que pueden tener y el tamaño que pueden alcanzar. Los animales grandes poseen una superficie pequeña en proporción a su volumen, y por tanto tienen mayor dificultad que otros animales a la hora de suministrar oxígeno a todos sus tejidos por depender de su piel para respirar. A pesar de ello, algunas salamandras sin pulmones miden más de 20 cm de longitud.

El factor más importante de utilizar la piel para respirar es que tiene que estar siempre húmeda para que el oxígeno pueda ser transportado por la sangre a todos los capilares que hay debajo de la piel. Por esta razón las salamandras sin pulmones que viven en hábitats templados están confinadas a lugares oscuros y húmedos durante la mayor parte de sus vidas, y sólo pueden salir para aparearse o buscar alimento cuando el tiempo es húmedo, por la noche normalmente.

La vida de la salamandra sin pulmones consiste por tanto de breves períodos de actividad, entremezclados con períodos de inactividad que a menudo son muy largos. Son capaces de sobrevivir a la inactividad porque, al tener un ritmo metabólico muy lento, sus necesidades energéticas son muy bajas. No necesitan alimentarse con mucha frecuencia, y cuando se alimentan, son capaces de almacenar en forma de grasa mucho de lo que comen. Algunas especies son territoriales, defienden la zona que rodea su refugio, donde se alimentan y aparean. Las salamandras de lomo rojo defienden su territorio marcando los bordes con gránulos fecales.

En general, las salamandras sin pulmones poseen cuerpos delgados, largas colas y ojos prominentes. Una característica peculiar de la familia es una estría poco profunda, la estría nasolabial, que va desde cada una de las narinas hasta el labio superior. Su función es la de transmitir olores del lecho de la tierra a la cavidad nasal.

Las salamandras sin pulmones del bosque son completamente terrestres y no tienen una fase larval acuática. Sus huevos, depositados en musgos o troncos podridos, eclosionan dando directamente réplicas diminutas de sus padres. Durante el día se ocultan en madrigueras o debajo de troncos o piedras y salen durante las noches húmedas para alimentarse de una amplia variedad de presas invertebradas: babosas, gusanos y escarabajos. La salamandra de Jordan aparece en una amplia gama de colores, que varían de un lugar a otro. El color básico del cuerpo es el negro, pero aunque algunas poblaciones son negras totalmente, otras tienen varias combinaciones

◗ **Derecha** *Dentro de la familia grande y diversa de las salamandras sin pulmones se encuentra un ejemplo de especialización en hábitat que sorprende de un modo especial. Se encuentra entre ciertas especies del género Bolitoglossa, que habita en los bosques tropicales húmedos de América Central y Sudamérica. Especies completamente arborícolas como la Bolitoglossa mexicana ha desarrollado una fuerte cola prensil que le permite moverse con gran agilidad por el bosque.*

◖ **Abajo** *Con una técnica de alimentación parecida a la de los camaleones, ciertos pletodóntidos pueden capturar presas sacando su lengua a la velocidad de un rayo. En términos absolutos, también relativos al tamaño del cuerpo, las salamandras del género Hydromantes tienen las lenguas más largas, extendiéndose hasta los 5 cm o hasta más de la mitad de la longitud de su cuerpo (excluyendo la cola). El esqueleto de la lengua (aparato hiobranquial) que permite que se utilice la lengua a modo de proyectil es un aparato muy sofisticado compuesto de no menos de siete elementos cartilaginosos unidos por articulaciones flexibles. La mayoría de los pletodóntidos son autóctonos de América del Norte, Central y del Sur, pero la especie que se muestra aquí, Hydromantes supramontis, habita en las montañas de Cerdeña.*

diferentes de rojo en patas, mejillas y rayas dorsales. Cuando se tocan, las salamandras del bosque producen una baba pegajosa que resulta muy difícil quitársela de las manos. Predadores como las serpientes podrían encontrarse con las mandíbulas pegadas.

Las salamandras dusky se encuentran generalmente cerca de las corrientes de agua, donde depositan sus huevos. Sin embargo, se alejan mucho de casa y algunas veces trepan a los árboles y arbustos en busca de comida. La salamandra Mountain Dusky presenta un aspecto muy variable, y gran parte de esta variación se debe al hecho de que, en algunas zonas, imita la forma de la salamandra de Jordan. Estas formas miméticas se llaman formas «imitador». La salamandra Pigmy, cuya longitud máxima es de unos 5 cm, vive en altitudes elevadas, es totalmente terrestre y pasa su etapa de larva en el interior del huevo. Algunas veces se encuentra sobre la tierra, entre el follaje.

Muchas salamandras sin pulmones se han especializado para vivir en tipos de hábitats específicos. La salamandra Spring, un animal de colores brillantes, con la piel de color rojo, rosa asalmonado o naranja con manchas negras o marrones, vive en las corrientes montañosas donde su cabeza en forma de cuña les permite empujarse entre las rocas. La salamandra roja, también de un color rojo brillante, cava en el barro cerca de manantiales y corrientes. La salamandra Cave vive dentro de entradas de cuevas, donde su cola larga y prensil le permite trepar entre las rocas con gran agilidad.

Quizás la salamandra sin pulmones más rara es la que vive en cuevas profundas y masas de agua subterráneas. La salamandra ciega de Tejas del suroeste de Estados Unidos se parece mucho al proteo europeo, miembro de otra familia, la de los Proteidos. Tiene las patas delgadas y débiles, un hocico plano, ojos rudimentarios, branquias externas de color rosa y el resto del cuerpo blanco. La salamandra Grotto, que se encuentra en la región de Ozarks en Estados Unidos, es de color blanco y rosa pálido y posee ojos rudimentarios, pero no tiene branquias externas. Su historia vital es única. Cuando es larva vive en corrientes de agua normales y tiene la forma de una salamandra típica con ojos totalmente funcionales, branquias externas, una gran aleta en la cola y es de color gris o marrón. Sin embargo en la metamorfosis se retira a cuevas y pierde la aleta de la cola, las branquias y la pigmentación de la piel. Sus ojos dejan de crecer y se cubren de piel.

Existe mucha variación respecto al tiempo que dedican a actividades de procreación las salamandras sin pulmones. Las especies del este de Norteamérica son activas en el verano, se aparean en primavera o en otoño normalmente, y depositan sus huevos a principios del verano. En el oeste, son inactivas durante los meses de verano cálidos y secos y se aparean durante el invierno y la primavera. En la América Central tropical y en Sudamérica, están activas todo el año y algunas especies pueden criar en cualquier época del año.

Varias especies de salamandras sin pulmones están amenazadas por la destrucción de su hábitat, especialmente las que tienen una extensión muy limitada o requieren un hábitat muy específico, como el caso de las cuevas.   TRH

Familias de Salamandras y Tritones

EL ORDEN DE LOS CAUDADOS ESTÁ DIVIDIDO en familias basadas en una amplia variedad de caracteres, algunos de los cuales se refieren a detalles de la posición de los huesos del cráneo, otros al detalle de la distribución de dientes en los huesos del cráneo. Las diez familias están agrupadas en tres superfamilias. Las tres familias de las dos superfamilias más antiguas, los Sirenoideos y Criptobrancoideos, tienen fertilización externa. Las siete familias de los Salamandroideos más recientes tienen fertilización interna.

SIRENOIDEOS

Sirenas
Familia Sirénidos

Trópico de Cáncer

4 especies en 2 géneros. Costa y sureste de Estados Unidos y Valle del Mississippi, noreste de Méjico. Viven permanentemente en lagos, ciénagas y pantanos con mucha vegetación. Especies: **Sirena enana del norte** (*Pseudobranchus striatus*), **sirena enana del sur** (*P. axanthus*), **sirena mayor** (*Siren lacertina*), **sirena menor** (*S. intermedia*)
TAMAÑO: Longitud 10-90 cm.
COLOR: Verde aceituna o gris oscuro con manchas pálidas.
FORMA: Se parece a una anguila, con branquias externas y de uno a tres pares de hendiduras en las branquias. Tienen un pico córneo en vez de dientes premaxilares, diminutas extremidades anteriores cerca de las branquias, carecen de párpados, los ojos son pequeños, no tienen extremidades posteriores. Tienen estrías en la piel, en la zona costal, encima de las costillas.
CRÍA: Modo de fertilización incierto, pero presumiblemente externa. Los huevos se depositan en solitario o en pequeños grupos sobre la vegetación.

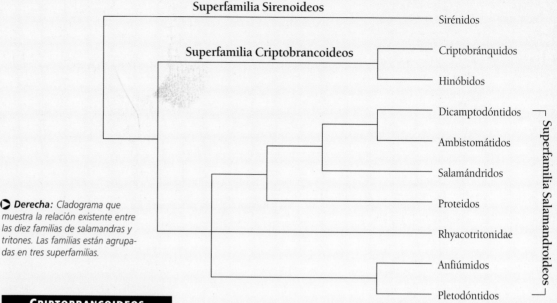

Superfamilia Sirenoideos

Superfamilia Criptobrancoideos

- Sirénidos
- Criptobránquidos
- Hinóbidos
- Dicamptodóntidos
- Ambistomátidos
- Salamándridos
- Proteidos
- Rhyacotritonidae
- Anfiúmidos
- Pletodóntidos

Superfamilia Salamandroideos

⊳ **Derecha:** *Cladograma que muestra la relación existente entre las diez familias de salamandras y tritones. Las familias están agrupadas en tres superfamilias.*

CRIPTOBRANCOIDEOS

Salamandras gigantes
Familia Criptobránquido

Trópico de Cáncer

3 especies en 2 géneros. Este y centro de Estados Unidos, este de China, Japón. Totalmente acuáticas, viven en ríos y corrientes de agua claras. Especies: **salamandra gigante china** (*Andrias davidianus*), **salamandra gigante japonesa** (*A. japonicus*), **salamandra gigante acuática** (*Cryptobranchus alleganiensis*).
TAMAÑO: Longitud 60-160 cm.
COLOR: Marrón o gris
FORMA: Cuerpo y cabeza grandes y redondos; extremidades cortas, cola corta, robusta, comprimida lateralmente; pliegues en la piel, en los costados; carece de párpados; tiene pulmones pero son rudimentarios; un único par de hendiduras de branquias; 4 dedos en patas anteriores y 5 en las posteriores.
CRÍA: Fertilización externa. Los huevos se depositan en un nido situado en el lecho de una corriente, los guarda el macho.
ESTADO DE CONSERVACIÓN: La **salamandra gigante japonesa** está catalogada de Vulnerable.

Salamandras asiáticas
Familia Hinóbidos

Trópico de Cáncer

35 especies en 7 géneros. Centro y este de Asia, incluyendo Japón y Taiwan. La mayoría de las especies son terrestres pero emigran a charcas o corrientes de agua para criar. Especies: **Salamandra siberiana** (*Hynobius keyserlingii*), **Salamandra Semirechensk** (*Ranodon sibiricus*).
TAMAÑO: Longitud 10-21 cm.
COLOR: varios
FORMA: Cuerpo robusto, cola larga y gruesa; párpados con movimiento; pulmones pequeños o ausencia de ellos; estrías en la zona costal del cuerpo; 4 dedos en patas anteriores y 4 o 5 en las posteriores.
CRÍA: Fertilización externa, los huevos se depositan en masas gelatinosas.
ESTADO DE CONSERVACIÓN: 5 especies están en Peligro, 4 son Vulnerables.

SALAMANDROIDEOS

Salamandras topo del Pacífico
Familia Dicamptodóntidos

Trópico de Cáncer

4 especies en 2 géneros. Noroeste del Pacífico en Norteamérica. Terrestres, viven en bosques costeros húmedos, emigran para criar en corrientes de agua. Especies: **Salamandra gigante de Cope** (*Dicamptodon Copei*), **Salamandra gigante costera** (*D. tenebrosus*), **Salamandra gigante de California** (*D. ensatus*), **salamandra gigante de Idaho** (*D. aterrimus*).
TAMAÑO: Longitud 13-35 cm. La salamandra gigante del Pacífico es la salamandra terrestre más grande, alcanza los 35 cm.
COLOR: Marrón o gris, jaspeada de negro.
FORMA: Cabeza ancha y robusta, cola comprimida lateralmente; párpados móviles; pulmones pequeños; 4 dedos en patas anteriores, 5 en patas posteriores; estrías en zona costal a lo largo de los costados del cuerpo. La salamandra gigante de Cope es paedomórfica, como lo son algunas poblaciones de otras especies.
CRÍA: Fertilización interna. Los huevos se depositan en cavidades llenas de agua debajo de rocas y troncos, los defiende el macho.

NOTAS   Longitud: longitud desde el hocico al ano.

Equivalentes aproximados no métricos: 10 cm = 4 pulgadas / 1 Kg. = 2,2 libras

Salamandras topo
Familia Ambistomátidos

Trópico de Cáncer

30 especies adicionales en 1 género. Norteamérica. La mayoría de las especies son terrestres, emigran al agua para criar en invierno o en primavera. Especies: **Ajolote** (*Ambystoma mexicanum*), **Salamandra topo** (*A. talpoideum*), **Salamandra jaspeada** (*A. opacum*), **Salamandra Santacruz de dedos largos** (*A. macrodactylum croceum*), **Salamandra moteada** (*A. maculatum*), **Salamandra tigre** (*A. tigrinum*), **Salamandra tigre californiana** (*A. californiense*).
TAMAÑO: longitud 8-22 cm.
COLOR: Marrón o negro, moteado, jaspeado o con rayas blancas, amarillas, verdes, rosas, naranjas, rojas o azules.
FORMA: Cabeza ancha y robusta, cola comprimida lateralmente; párpados móviles; presencia de pulmones; 4 dedos en patas anteriores y 5 en posteriores. Estrías en zona costal en los costados del cuerpo. El ajolote es paedomórfico, como lo son algunas poblaciones de otras especies, por ejemplo, la salamandra topo.

CRÍA: Fertilización interna
ESTADO DE CONSERVACIÓN: La **salamandra del Lago Lerma** (*Ambystoma Lermaense*) se encuentra en Peligro Crítico, otras 3 especies, entre ellas el ajolote, son Vulnerables.

Tritones y salamandras europeas
Familia Salamándridos

Ecuador

55 especies adicionales en 15 géneros. Oeste y este de Norteamérica, Europa, África mediterránea, oeste de Asia, China y Taiwan, sureste de Asia, Japón. La mayoría de las especies son terrestres, emigran a charcas o corrientes de agua en primavera para criar. Algunas especies se aparean en tierra, por ejemplo la salamandra de fuego. Especies: **Salamandra sarda** (*Euproctus platycephalus*), **tritón alpino** (*Triturus alpestris*), **tritón crestado** (*T. cristatus*), **tritón palmeado** (*T. helveticus*), **tritón común** (*T. vulgaris*), **salamandra de fuego** (*Salamandra salamandra*), **salamandra rabilarga** (*Chioglossa lusitanica*), **salamandra de vientre rojo** (*Taricha rivularis*), **tritón de California** (*T. torosa*), **salamandra roja** (*Pseudotriton ruber*), **tritón verde americano** (*Notophthalmus viridescens*), **gallipato** (*Pleurodeles waltl*), **tritón de Anderson** (*Echinotriton andersoni*).
TAMAÑO: Longitud 7-35 cm.
COLOR: Marrón, negro, o verde por encima, amarillo, naranja o rojo por debajo. A menudo con manchas oscuras.
FORMA: Delgada con cola larga; piel áspera excepto cuando está en el agua; párpados móviles; presencia de pulmones, 4 dedos en patas anteriores, de 4 a 5 en posteriores. Se diferencia de otros miembros de los Salamándridos por la ausencia de estrías en zona costal en los costados del cuerpo. Algunas poblaciones de algunas especies de tritones son paedomorfas, por ejemplo el tritón común.
CRÍA: Fertilización interna.
ESTADO DE CONSERVACIÓN: La **salamandra sarda** está en Peligro Crítico; otras 5 especies son Vulnerables.

Proteos, necturos y perritos de agua
Familia Proteidos

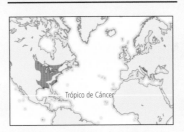

Trópico de Cáncer

Arriba La salamandra tigre es una de las salamandras topo más extendidas. Esta subespecie, la salamandra tigre rayada (*A. t. mavorticum*) se encuentra en la mitad occidental de Estados Unidos, desde Nebraska y Wyoming al sur de Nuevo Méjico.

6 especies en 2 géneros. Balcanes y norte de Italia (proteos), este y centro de Norteamérica. Todas acuáticas, viven en el barro o en aguas estancadas: el proteo vive en cuevas. Especies: **perrito de agua de la Costa del Golfo** (*Necturus beyeri*), **necturo** (*N. maculosus*), **proteo** (*Proteus anguinus*).
Tamaño: Longitud 11-35 cm.
COLOR: Gris o marrón por arriba, gris por debajo; el proteo es de color blanco crema.
FORMA: Cabeza grande y plana, hocico voluminoso, cola corta y comprimida lateralmente, extremidades pequeñas. Los proteos tienen el cuerpo alargado y la cabeza puntiaguda, carecen de párpados. Todas las especies son paedomórficas. Presencia de pulmones, pero son pequeños; branquias externas y dos hendiduras branquiales; 4 dedos en patas anteriores y 4 en posteriores, o 3 en anteriores y 2 en posteriores (proteo); estrías en zona costal en los costados del cuerpo.
CRÍA: Fertilización interna
ESTADO DE CONSERVACIÓN: El proteo está clasificado de Vulnerable.

Salamandras torrente
Familia Rhycotritonidae

Trópico de Cáncer

4 especies en 1 género. Noroeste del Pacífico en Estados Unidos. Habitantes semiacuáticos de los bosques de coníferas húmedos. Las larvas y los adultos se encuentran en zonas rocosas durante el frío, en corrientes de agua y manantiales del bosque bien aireados. Los adultos hurgan en el suelo de los bosques durante las fuertes lluvias. Especies: **Salamandra torrente cascada** (*Rhyacotriton cascadae*), **salamandra torrente olímpica** (*R. olympicus*).
TAMAÑO: Longitud 9-12 cm.
COLOR: Marrón, marrón rojizo o marrón verdoso por arriba, amarillo por debajo.
FORMA: Cuerpo y cola robustos, 4 extremidades cortas bien desarrolladas, párpados móviles, presencia de pulmones, 4 dedos en patas anteriores y 5 en posteriores; presencia de estrías en zona costal sobre las costillas; glándulas hinchadas distintivas alrededor de la cloaca.
CRÍA: Fertilización interna

Anguilas congoleñas
Familia Anfiúmidos

Trópico de Cáncer

3 especies en 1 género. Sureste de Estados Unidos, incluyendo la parte sur del Valle del Mississippi. Totalmente acuáticas, viven en aguas estancadas y ciénagas. Especies: **anguila congoleña de un dedo** (*Amphiuma pholeter*), **anguila congoleña del fango** (*A. means*), **anguila congoleña de tres dedos** (*A. tridactylum*).
TAMAÑO: Longitud 22-76 cm., a veces hasta 116 cm.
COLOR: Marrón oscuro o negro por arriba, gris por debajo.
FORMA: Constitución fuerte, larga, anguiliforme, y flexible. Extremidades muy pequeñas; ausencia de párpados, presencia de pulmones, de 1 a 3 dedos, estrías en zona

▶ *Derecha: La salamandra del barro vive en altitudes bajas a lo largo de la costa oriental de Estados Unidos. Todas sus subespecies tienen colores muy vivos (aquí se muestra la salamandra Midland, Pseudotriton montanus diastictus).*

costal en los costados del cuerpo.
Cría: Fertilización interna.

Salamandras sin pulmones
Familia Pletodóntidos

Trópico de Cáncer

266 especies en 27 géneros. Es la familia más grande de los Caudados, dividida en dos subfamilias: Desmognathinae y Plethodontinae. La Desmognathinae incluye 2 géneros norteamericanos: *Desmognathus* y *Phaeognathus*, la primera consta de especies que habitan en corrientes de agua predominantemente. La Plethodontinae incluye 25 géneros de especies predominantemente terrestres, divididas en tres grupos: Hemidactyliini que se encuentra en el este y centro de Norteamérica, la Plethodontini en el este y oeste de Norteamérica y la Bolitoglossini en Sudamérica, América Central tropical y en Europa, con siete especies de *Hydromantes* en el sureste de Francia, Italia y Cerdeña. Son las salamandras que más han evolucionado, viven en bosques, cuevas o arroyos y ríos de montaña. Los adultos de algunas especies son acuáticos, pero muchos son terrestres y algunos son formas muy pequeñas que viven en árboles. Especies: **Salamandra Cave** (*Eurycea lucifuga*); **salamandra ciega de Tejas** (*E. rathbuni*), **salamandra del norte de dos rayas** (*E. bislineata*), **salamandra dusky del norte** (*Desmognathus fuscus*), **Salamandra dusky Allegheny Mountain** (*D. ochrophaeus*), **Salamandra Pigmy** (*D. wrighti*), **salamandra Grotto** (*Typhlotriton spelaeus*), **salamandra de Jordan** (*Plethodon jordani*), **salamandra Shenandoah** (*P. shenandoah*), **salamandra de lomo rojo** (*P. cinereus*), **Salamandra babosa** (*P. glutinosus*), **Salamandra Spring** (*Gyrinophilus porphyriticus*), **Salamandra cave Tennessee** (*G. palleucus*), **Salamandra Roja** (*Pseudotriton ruber*), y varias salamandras en miniatura del género *Thorius*.
TAMAÑO: longitud 2,5-21 cm.
COLOR: Marrón, negro, rojo, amarillo o verde: Muchas moteadas, jaspeadas o con rayas de color rojo, amarillo o blanco. Especies de cuevas, como algunas *Eurycea* y todas las *Haideotriton* y *Typhlotriton*, son blancas.
FORMA: Larga y delgada, cabeza estrecha; cola larga y cilíndrica; párpados móviles; ausencia de pulmones; normalmente 4 dedos en patas anteriores y 5 en posteriores; estrías en zona costal a lo largo de los costados del cuerpo.
CRÍA: Fertilización interna. Los huevos se depositan en el agua o en tierra.
ESTADO DE CONSERVACIÓN: La salamandra del desierto se encuentra en Peligro Crítico; otras 4 especies están en Peligro y 11 son vulnerables.

NOTAS	Longitud: longitud desde el hocico al ano.
	Equivalentes aproximados no métricos: 10 cm = 4 pulgadas / 1 Kg. = 2,2 libras

CORTEJO Y APAREAMIENTO DE SALAMANDRAS Y TRITONES

Curvas y vueltas de un complejo ritual de reproducción

LA INMENSA MAYORÍA DE TRITONES Y SALAMANDRAS muestran una forma de apareamiento extremadamente ortodoxa. La fertilización es interna, el esperma se encuentra con los huevos en el aparato reproductor de la hembra, pero el macho carece de pene para introducir el esperma en ella. De este modo, el esperma se transfiere del macho a la hembra en una cápsula rudimentaria en forma de cono que se llama espermatóforo, y se compone de dos partes: una base ancha, gelatinosa y una cápsula llena de esperma encima de esa base. En las salamandras que se aparean en tierra, la base es rígida y dura. Por el contrario, en los tritones, que se aparean en el agua, es un saco blanco lleno de fluido. En ambas situaciones la función de la base del espermatóforo es mantener la cápsula del espermatóforo sobre el suelo o piso de la charca, donde lo pueda recoger la cloaca de la hembra. La base la segrega varias glándulas que se abren en la cloaca

del macho, que de un modo característico aumentan de tamaño durante la época de cría.

Transferir el esperma supone formas complejas y elaboradas de comportamiento. En muchas especies de salamandra el macho captura a la hembra y la abraza con fuerza, este abrazo se llama amplexo. En las especies varía la utilización de las extremidades que emplean para este propósito. Existen varias combinaciones de extremidades y cola. En las salamandras, como en el caso de la salamandra de fuego europea y las salamandras de montaña de Córcega, Cerdeña y Pirineos, el amplexo se mantiene durante todo el apareamiento y el espermatóforo se transfiere directamente a la hembra. Por otro lado, en especies como las de los tritones de vientre rojo o moteado rojo norteamericanos, el macho abraza a la hembra al principio pero la libera justo antes de transferir el espermatóforo. En el tritón común

○ **Abajo** *Aplicación de estimulantes sexuales en salamandras y tritones.* **1a** *La salamandra de dos rayas, una especie semiacuática norteamericana. El macho tiene dientes que sobresalen.* **1b** *con los que lacera la piel de la hembra, después de haberla cubierto antes de secreciones procedentes de la glándula de la barbilla.* **2** *Salamandra de Jordan, una especie woodland (del bosque), terrestre, del este de Norteamérica. El macho conduce a la hembra y con la glándula que se encuentra debajo de la barbilla da pequeños golpes al hocico de la hembra.* **3** *Tritón de vientre rojo, una especie acuática del oeste de Norteamérica. El macho abraza a la hembra con las patas anteriores y posteriores y frota una glándula que tiene debajo de la barbilla sobre las narinas de ella.* **4** *Tritón común. El macho mueve la cola para generar una corriente de agua que lleve a los orificios nasales de la hembra el olor de las numerosas glándulas de su piel.*

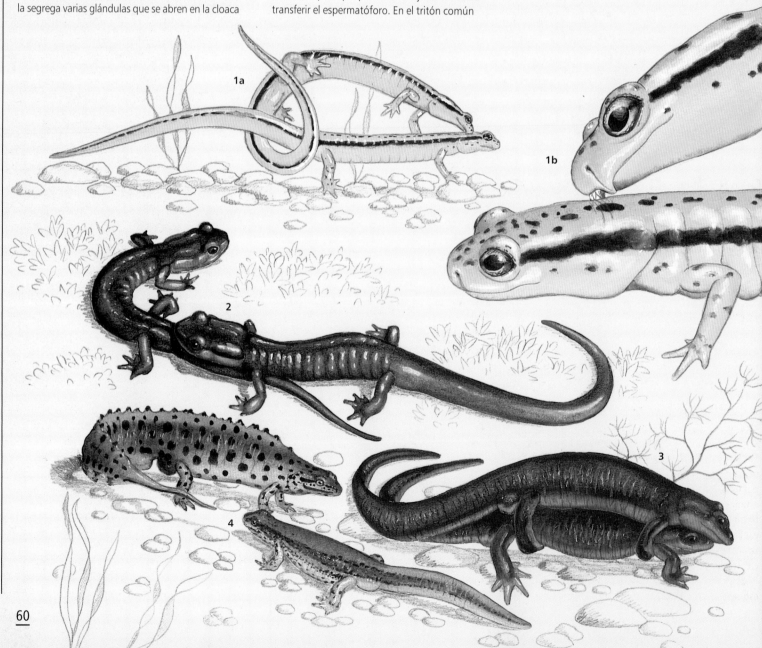

⬥ **Arriba** *Amplexo en tres salamandras y tritones:* **1** *Salamandra de fuego, especie europea terrestre. El macho abraza a la hembra desde abajo; deposita un espermatóforo en el suelo y después mueve cuerpo y cola hacia un lado para que la cloaca de la hembra caiga sobre él.* **2** *Salamandra arroyo acuática europea. El macho captura a la hembra con la cola y el espermatóforo se transfiere directamente desde la cloaca del macho a la de la hembra.* **3** *Tritón moteado rojo, especie acuática norteamericana. El macho abraza el cuello de la hembra con sus fuertes extremidades anteriores. En esta postura frota grandes glándulas de su mejilla sobre las narinas de la hembra.*

europeo y en las salamandras del bosque norteamericanas, el amplexo no tiene lugar y la hembra se mueve libremente durante todas las etapas del cortejo.

Como las hembras de los tritones se mueven libremente, también eligen libremente a su pareja, algo que las salamandras con amplexo no pueden hacer. En los tritones europeos, la elección de la hembra requiere que los machos compitan con otros por el aspecto y conducta más llamativos y estimulantes. En los anfibios de cola únicamente los tritones europeos tienen dibujos de colores llamativos y una larga cresta en el lomo durante la época de cría. Las hembras son más receptivas a los machos de crestas más largas.

El amplexo cumple dos funciones: el macho puede estimular a la hembra con secreciones de varias glándulas mientras la mantiene abrazada, y también puede evitar que vengan a cortejarla otros machos. En especies en las que la hembra es libre de moverse durante el apareamiento, tiene que ser estimulada por el macho antes de que ella se comporte del modo apropiado. Los tritones y salamandras machos poseen una serie de glándulas que producen secreciones para ese fin, y que se aplican a las hembras de varios modos diferentes. Los tritones machos europeos desarrollan una enorme glándula en el abdomen que se abre en la cloaca. Esta segrega una feromona durante el cortejo que el macho lleva por el agua hacia el hocico de la hembra mediante un movimiento rápido de su cola que crea una corriente de agua. Algunas salamandras machos segregan durante el cortejo un feromona en una glándula que se encuentra debajo de la barbilla y la frotan sobre la cabeza y cuerpo de la hembra. También arañan la piel de la hembra con unos dientes especiales para que el feromona penetre en la sangre.

A pesar de la variedad de conductas que muestran las diferentes especies en las fases iniciales del cortejo, muchas muestran una conducta muy similar a la hora de transferir el espermatóforo. El macho se arrastra delante de la hembra y luego se detiene y hace temblar la cola. La hembra toca la cola y el macho responde depositando un espermatóforo. Después él se aleja arrastrándose, formando un arco para ocupar una posición en ángulo recto respecto a su dirección anterior. Entonces se detiene y evita que la hembra, que le ha seguido, se aleje de allí. Ella roza de nuevo la cola y coloca su cloaca encima del espermatóforo. Recoge la masa de esperma con los labios de la cloaca, dejando atrás la base del espermatóforo.

Este proceso es bastante impreciso, y en muchas especies de salamandras y tritones las hembras pierden una gran proporción de espermatóforos y por tanto se desperdician. Para compensar la pérdida, los machos son capaces de producir muchos espermatóforos, y el apareamiento supone con frecuencia repetir varias veces la compleja secuencia del traspaso.

Después del apareamiento, el esperma se almacena en unos receptáculos especiales de la hembra llamados espermatecas hasta que está preparada para depositar los huevos. El almacenaje de esperma significa que el apareamiento y la deposición de huevos están separados en el tiempo y en el espacio de un modo que no se podría dar en las ranas, que tienen fertilización interna. Muchas hembras de tritones y salamandras depositan sus huevos fertilizados en lugares seguros, por ejemplo debajo de tierra. Los tritones europeos envuelven laboriosamente a cada huevo en una hoja plegada. Esta cubierta les protege tanto de los predadores como de la radiación ultravioleta.

TRH

DEFENSORES REPUGNANTES

Arsenal de salamandras y tritones contra los predadores

MIENTRAS QUE LOS VERTEBRADOS ANDAN, LAS salamandras son pequeñas, lentas y débiles. Se debería esperar que animales con estas características maduraran rápidamente y tuvieran una vida corta. Sin embargo, las salamandras viven mucho tiempo, el record lo posee una salamandra de fuego, *Salamandra salamandra*, que sobrevivió 50 años en cautividad. En estado natural las salamandras y tritones sufren con frecuencia ataques de musarañas, aves, serpientes, otras salamandras e incluso escarabajos, ciempiés y arañas. La gran tensión que producen estos predadores les ha llevado a desarrollar mecanismos antipredadores que combinan secreciones de glándulas de la piel repugnantes y tóxicas junto a otros mecanismos defensivos.

Varios tritones y salamandras han desarrollado toxinas mortales para protegerse, pero en todos los casos que se han examinado, una especie o más de serpientes han creado una resistencia a la toxina y continúan alimentándose de salamandras. Por ejemplo, los tritones de piel áspera (*Taricha*) poseen unos niveles extremos de neurotoxina y tetrodotoxina concentrados en la piel. Un tritón puede llevar toxinas para matar a 25.000 ratones, pero también se los pueden comer a ellos serpientes de jarretera. Algunos miembros del género *Bolitoglossa* tienen una neurotoxina que no se ha descrito y que puede matar a algunas especies de serpientes después de darles un solo mordisco en la cola (no obstante, varias especies de serpientes simpátricas se comen a estas salamandras tan tóxicas).

Por tanto las serpientes son los predadores más peligrosos para la mayoría de las salamandras porque han desarrollado una resistencia a las secreciones repulsivas de la piel. La mayoría de las salamandras responden a los golpes rápidos de la lengua de la serpiente huyendo o tomando rápidamente una postura defensiva. Por el contrario, las poblaciones de salamandras de lugares donde no hay serpientes (por ejemplo en las grandes alturas de América Central) no responden a los golpes rápidos de la serpiente. También, algunas salamandras tropicales sólo responden con una postura defensiva cuando las temperaturas son lo bastante elevadas como para que estén activas las serpientes.

La salamandra de fuego ha desarrollado un mecanismo único para emplear la sustancia neurotóxica samandarina y otras toxinas presentes en glándulas gigantes situadas en la línea media dorsal. Los animales son capaces de presurizar estas glándulas y rociar las toxinas de un modo controlado a 4 m de distancia. Este rocío causa quemaduras y ceguera temporal en los humanos, y presumiblemente también en los posibles predadores. Rociar toxinas para defenderse es un arma poderosa en el arsenal antipredador de esta especie.

Generalmente las salamandras emplean modelos de conducta defensivas que maximizan la eficacia de sus defensas químicas. Ciertas especies tienen una concentración de glándulas en la parte posterior de la cabeza (glándulas parotoides) que producen secreciones desagradables al gusto. Otras especies, como la salamandra moteada (*Ambystoma maculatum*) inclinan la cabeza o la apoyan en el suelo cuando son atacadas, presentándose así al predador con la parte más desagradable de su cuerpo. Más compleja es la conducta de topetear con la cabeza de algunas salamandras topo y tritones *Ambystoma*, entre ellos gallipato (*Pleurodeles*) de España, Portugal y Marruecos. Estas especies mantienen el cuerpo alejado del suelo. La cabeza está inclinada hacia abajo

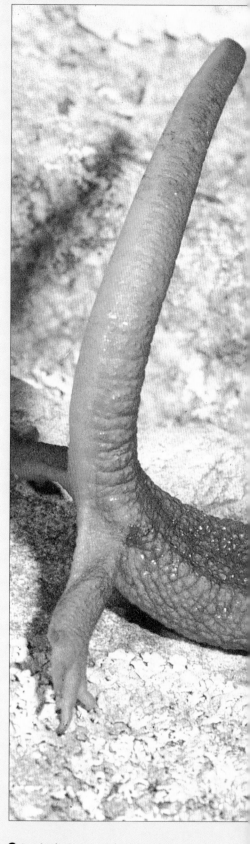

◖ **Izquierda** *Posturas defensivas.* **1** *Postura «unken reflex» de baja intensidad en el gallipato.* **2** *Postura «unken reflex» de alta intensidad en el tritón de vientre rojo.* **3** *Sacudida de la cola de la ensatina (Ensatina eschscholtzii).* **4** *Postura de cola ondulante en la salamandra Cave.* **5** *Topetazos con la cabeza en la salamandra topo (Ambyostoma talpoideum).*

y embisten con la parte posterior de la cabeza, que posee glándulas bien desarrolladas, un modo eficaz de repeler musarañas. La mayoría de las especies articulan mientras topetean con la cabeza, y en varias de ellas las glándulas son de colores brillantes con manchas amarillas o naranjas que sirven para avisar a los atacantes expertos. Los predadores sin visión de color, como las musarañas, probablemente aprenden a reconocer los olores o articulaciones característicos de estas salamandras.

La sacudida de la cola es característica de especies que poseen músculos bien desarrollados en la cola y concentraciones de glándulas venenosas en la superficie de la misma. La salamandra tigre (*Ambyostoma tigrinum*) y gallipato son ejemplos de especies que de un modo eficaz agitan su cola llena de una secreción hacia el predador que se acerca (normalmente musarañas). Esta conducta avisa al atacante de que es una parte de la anatomía repelente y prescindible. Algunas veces el color de aviso de la superficie superior de la salamandra establece asociaciones desagradables en los posibles predadores.

Muchas especies tienen concentraciones de glándulas en la superficie superior de la piel de las colas largas y delgadas, que no son lo suficientemente fuertes como para azotar a los atacantes. Algunas de estas especies ondulan sus colas, generalmente en posición vertical, mientras sus cuerpos permanecen quietos. Es la postura más común de las salamandras sin pulmones (Pletodóntidas), que a menudo también son capaces de mudar las colas. Si resulta desagradable el objetivo del ataque, eso determinará futuros ataques, y el activo movimiento de la cola después de romperse distrae al predador mientras escapa la salamandra y le crece una nueva. Sin embargo, perder la cola tiene su coste. No sólo se pierde tejido, también la salamandra se hace más susceptible a ataques futuros, porque pierde gran

parte de su repelente químico y no puede correr tan deprisa.

Algunos tritones también tienen colas ondulantes, pero durante un ataque intenso recurren al «unken reflex» que es más característico de su familia: se mantienen rígidos e inmóviles con la cola y la barbilla levantadas, mostrando los colores brillantes de su parte inferior. Los pájaros aprenden rápidamente a evitar especies como la *Taricha* o *Triturus*, animales incomibles, con una superficie llena de glándulas venenosas y un vientre amarillo o rojo intensos. Algunos tritones (*Cynops* y *Paramesotriton*) con vientres de colores brillantes se echan sobre sus lomos cuando les acosan los predadores.

Los imitadores del género *Desmognathus*, *Gyrinophilus*, *Pseudotriton*, *Plethodon* y *Eurycea* se benefician de las secreciones defensivas de especies más desagradables imitando sus colores de aviso. La inmovilidad de una salamandra en postura «unken reflex» también tiene el efecto de inhibir los ataques de aves predadoras, reduciendo la probabilidad de sufrir una herida grave de un ave que no ha aprendido todavía que la salamandra, o una especie que la imita, es incomible.

Quizás los mecanismos antipredadores más importantes pertenecen a los tritones de costillas afiladas *Pleurodeles* y a las salamandras *Echinotriton*, que además de otras defensas poseen unas costillas largas y afiladas cuyas puntas atraviesan la piel cuando agarran a estos animales. Las puntas de las costillas de estos tritones atraviesan las glándulas abultadas que se encuentran en los costados del cuerpo, e inyectan dolorosas secreciones de la piel en la boca de sus predadores.

Debido a la presión persistente y resistente de los predadores, las salamandras han desarrollado un arsenal de sustancias químicas defensivas y modelos de comportamiento que utilizan de un modo eficaz contra los predadores.   EDB

◔ **Arriba** *La postura unken reflex en acción. Un tritón de piel áspera (Taricha granulosa) se queda inmóvil y levanta la cabeza y la cola para dejar al descubierto la superficie ventral.*

◑ **Derecha** *Defensa con costillas venenosas. El tritón de Anderson (Echinotriton andersoni), una especie japonesa, tiene unas costillas largas y afiladas. Si la atrapa un predador, las costillas atraviesan glándulas venenosas que hay en la piel.*

Ranas y sapos

AS RANAS Y LOS SAPOS SON LOS ANFIBIOS *más numerosos y diversos: unas 4.750 especies ocupan hábitats que se extienden desde desiertos y sabanas hasta altas montañas y bosques tropicales húmedos. La mayoría vive tanto en el agua como en la tierra, al menos durante cierta parte de su vida, pero unas cuantas son totalmente acuáticas y muchas otras son totalmente terrestres o arborícolas.*

Aunque la variedad más rica de anuros (más del 80 por ciento de todas las especies) se encuentra en los trópicos y subtrópicos, muchos viven en las zonas templadas. Se encuentran en muchas islas y en todos los continentes, excepto en la Antártida. La rana común europea (*Rana temporaria*) y la rana parda (*R. sylvatica*) de Norteamérica se han extendido al norte del Círculo Polar Ártico.

Hechas para saltar
FORMA Y FUNCIÓN

Las características más claras que distinguen a los anuros de otros anfibios son sus largas extremidades posteriores, tronco corto y ausencia de cola. Dos «tobillos», o huesos tarsales son alargados, aumentado así la longitud de la extremidad posterior. La parte anterior, o delantera, de la espina dorsal es corta y normalmente consta de ocho vértebras o menos. Las vértebras posteriores que componen las colas de otros anfibios se han fusionado para formar una especie de vara ósea larga (el urostilo) que forma el extremo posterior de la espina dorsal en los anuros. De ese modo, la espina dorsal consta normalmente de 12 huesos o menos en los anuros, mientras que hay de 30 a 100 huesos individuales en los tritones y salamandras, y hasta 250 en las cecilias, pero ambos carecen de las especializaciones de la pelvis y de las extremidades posteriores que poseen los anuros. Los huesos tarsales se han modificado en los anuros añadiendo un segmento más a sus extremidades posteriores, y la pelvis se ha modificado para formar una articulación parecida a una palanca con la parte delantera de la espina dorsal. Desde su postura sentada, el animal puede estirar rápida y eficazmente cada articulación de sus extremidades posteriores en sucesión, proporcionando así una fuerza propulsora que proyecta hacia adelante la parte anterior de su cuerpo durante el salto.

Las «ranas» se diferencian de los «sapos» normalmente, pero en realidad ambos son anuros y la distinción que existe entre ellos puede llegar a ser confusa porque las definiciones varían en diferentes partes del mundo. Por ejemplo, los europeos y norteamericanos llaman «ranas» a las ranas arborícolas y ranas de agua que tienen dientes y piel lisa, y llaman «sapos» o «sapos auténticos» a las ranas de piel áspera, sin dientes, con espuelas o moteadas. Por otro lado, los africanos llaman «sapos de uñas» a las ranas autóctonas acuáticas de piel lisa. La distinción entre ranas y sapos no tiene sentido en realidad en el esquema más grande de la diversidad y evolución de los anuros.

Dependiendo de su forma de vida, los anuros tienen un tipo de cuerpo diferente, cada uno caracterizado por diferentes rasgos físicos. Los anuros adaptados a formas de vida similares pueden compartir muchas similitudes físicas a pesar no estar relacionados directamente. Por ejemplo, los anuros semiacuáticos, como la rana comestible, la rana toro americana y la rana moteada frecuentan orillas de charcas y lagos. Todas estas especies de rana tienen la cabeza puntiaguda, la piel lisa, un cuerpo aerodinámico, extremidades posteriores muy largas y dedos largos y palmeados. Normalmente se sientan al borde del agua. Cuando las molestan, escapan al agua dando un salto y se alejan nadando. Su cuerpo está adaptado para moverse con rapidez y facilidad tanto en hábitats terrestres como acuáticos.

Por el contrario, los anuros que pasan la mayor parte del tiempo fuera del agua (por ejemplo el sapo común europeo, la rana dorada, la rana de Darwin, el sapo cornudo brasileño y las ranas venenosas) tienen normalmente la cabeza roma, pueden tener la piel áspera, el cuerpo robusto y extremidades posteriores cortas con dedos poco palmeados. Los anuros están adaptados para saltar por la tierra. Para escapar del peligro, o bien se sientan tranquilamente y confían en sus formas y colores crípticos para ocultarse, o se alejan saltando rápidamente y confunden a los predadores cambiando de dirección continuamente. Varias clases de anuros diferentes que viven en climas áridos o muy estacionales son excavadores (por ejemplo el sapo excavador, los sapos de espuelas, los excavadores australianos y las ranas de boca estrecha). Generalmente estos anuros no son grandes y tienen hocicos romos, cabezas anchas y altas, cuerpos robustos y globulares, extremidades cortas y robustas y dedos que no están palmeados. La mayoría cavan hacia atrás con las extremidades posteriores en la tierra suelta, y varias especies tienen «palas» en las pies que les para ayudan a cavar.

La mayoría de los anuros están adaptados para colgarse de varios tipos de vegetación, por ejemplo de los carrizos y hierbas de los pantanos (ranas juncia y ranas arbusto), arbustos (especie *Eleutherodactylus*) y ramas y hojas de los árboles (ranas de cristal, ranas hoja y la mayoría de las ranas arborícolas). El cuerpo suele ser plano y las extremidades posteriores largas. Los dedos (algunas veces tienen en las patas posteriores) están entrelazados parcialmente. En muchos casos las puntas de los dedos están extendidas. Las especies que tienen estos discos terminales tienen ayuda para llegar a las superficies de las plantas y para trepar por la vegetación.

De un modo sorprendente, hay pocos anuros que se podrían definir de totalmente acuáticos en el sentido de que pasen la mayor parte del tiempo en el agua. Entre los que sí lo pasan se encuentran las ranas de uñas y los sapos de Surinam, las ranas pseudid y la rana del Lago de Titicaca. Aunque cada una de ellas posee adaptaciones especiales para vivir en el agua, parecen muy diferentes entre ellas y no están relacionadas. Los más acuáticos son los pípidos sin lengua (ranas de uñas y sapos de Surinam), que tienen el cuerpo plano y la cabeza pequeña, con dos ojos situados dorsalmente, las extremidades extendidas lateralmente y dedos completamente palmeados. Las ranas pseudid tienen la cabeza puntiaguda, ojos dorsales, un cuerpo aerodinámico, potentes extremidades posteriores con dedos totalmente palmeados y dedos alargados. Por el contrario, la rana del Lago Titicaca es una de las ranas más grandes y tiene un cuerpo robusto, rechoncho, con extremidades posteriores fuertes, así como unos peculiares pliegues grandes de piel suelta situados en los costados que le ayudan a respirar en las frías aguas de los lagos de altitudes elevadas en los que habita.

Las cabezas de los anuros están unidas al tronco, por tanto estos animales no pueden mover la cabeza hacia los lados. Los adultos tienen pulmones para respirar aire en tierra, pero obtienen la mayor parte del oxígeno directamente a través de la piel. Algunas ranas que viven en aguas frías de altitudes elevadas, que contienen un bajo nivel de oxígeno disuelto, poseen una piel muy abolsada, o protuberancias que parecen pelos ricas en capilares. Estas modificaciones aumentan la superficie para respirar y maximizan la toma de oxígeno.

Los ojos son grandes en la mayor parte de los anuros, como se debería esperar en organismos que localizan su alimento con la vista. Todos los anuros, a excepción de un pequeño grupo, tienen lengua. En la mayoría la lengua es almohadillada y sólo está unida en la parte anterior de la boca, en la mandíbula. Esta disposición permite a los anuros sacar la lengua y, por encima de la mandíbula inferior, coger el alimento con la superficie pegajosa de la lengua.

Los ojos tienen unas glándulas especiales para mantenerlos húmedos y unos párpados móviles los protegen

DATOS

RANAS

Orden: Anuros (Salientia)

Unas 4,750 especies en 338 géneros y 28 familias

DISTRIBUCIÓN En todos los continentes, exceptuando la Antártida.

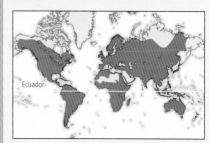

Ecuador

HÁBITAT Casi todo tipo de hábitat. Ausentes sólo en las regiones polares y en desiertos muy secos. Los adultos son arborícolas, terrestres, anfibios o acuáticos.

TAMAÑO Longitud desde el hocico al ano 1-35 cm, pero la mayoría 2-12 cm.

COLOR Muy variables, entre ellos el verde, el marrón, el negro, el rojo, el naranja, el amarillo e incluso el azul y el blanco.

REPRODUCCIÓN Fertilización externa en su mayoría. Los huevos se pueden depositar en el agua o en suelo húmedo, o desarrollarse en uno de los padres. Los embriones de la mayoría de las especies pasan una etapa de renacuajo, en la que nadan libremente, pero algunos se desarrollan en la cápsula del huevo y eclosionan en forma de ranitas pequeñas.

LONGEVIDAD En cautividad los adultos viven normalmente entre 1 y 10 años, aunque hay registros de vida de más de 35 años. Se sabe muy poco sobre su longevidad en estado natural.

ESTADO DE CONSERVACIÓN 5 especies recientes, entre ellas la rana leopardo de Vegas Valley, figuran en la lista como Extinguidas. Además, 22 especies están en Peligro Crítico, 29 en Peligro y 56 son Vulnerables.

Véase tabla de especies ▷

◁ **Izquierda** *Las ranas de hoja de ojos rojos (Agalychnis callidryas) se han adaptado de un modo soberbio a su hábitat arbóreo de los bosques tropicales húmedos de América Central. Tiene el cuerpo delgado, extremidades posteriores largas y discos adherentes en todos sus dígitos para agarrarse mejor a los tallos y ramas húmedos.*

◗ **Derecha** *Los ojos saltones comunes en todas las ranas y sapos son especialmente evidentes en este sapo de espuelas (Pelobates cultripes). Las pupilas verticales permiten a las ranas acuáticas ver por encima del agua mientras mantienen el resto del cuerpo sumergido.*

del polvo y de la tierra. Justo detrás del ojo de la mayoría de las especies hay un tímpano visible. Las ranas son los vertebrados más primitivos que tienen cavidad de oído medio para transferir vibraciones sonoras desde el tímpano al oído interno. Correlacionado con el desarrollo del oído y con la locomoción mediante saltos se encuentra la presencia de una auténtica caja de voz (laringe) y un gran saco vocal extensible, que hace posible una amplia variedad de vocalizaciones.

Imitar el calor y el frío
REGULACIÓN DE TEMPERATURA Y AGUA

Las ranas son animales de «sangre fría» (ectodermos), lo que significa que aunque el metabolismo genere calor interno, dependen ante todo de fuentes de calor medioambientales para regular la temperatura de su cuerpo. Su temperatura corporal se aproxima normalmente a la de su entorno y varía desde 3°C a 36°C dependiendo de las condiciones climáticas. A bajas temperaturas, durante los inviernos de las zonas templadas, los anuros no mantienen su actividad y su única opción es entrar en letargo. La mayoría de las especies pueden sobrevivir a temperaturas entre 0° y 9°C durante largos períodos de tiempo en letargo, y algunas, como la rana común europea y la rana del bosque norteamericana, pueden sobrevivir a temperaturas bajas, a -6°C, produciendo glicerol, que actúa de anticongelante en sus tejidos. Algunas ranas aumentan la temperatura del cuerpo durante el día tumbándose al sol con el cuerpo y las patas estiradas, pero su resultado es la pérdida de agua. De este modo, tumbarse al sol está restringido a especies que viven cerca del agua permanentemente. Las ranas que viven en climas cálidos, áridos, evitan la pérdida de agua metiéndose en madrigueras durante la parte del día o las estaciones más calurosas, salen únicamente cuando cae la lluvia o por la noche.

Los anuros siempre se enfrentan a la desecación porque su piel es muy permeable, la mayoría son nocturnos y activos cuando las temperaturas son más bajas y la humedad atmosférica es más elevada. Cuando se sumergen en el agua, los anuros pueden absorber agua y sales a través de su piel y del revestimiento de la cavidad bucal y pulmones, pero la mayoría no tienen la capacidad psicológica de controlar la evaporación del agua corporal en tierra. Prefieren confiar en sus adaptaciones de conducta: principalmente en la postura del cuerpo que deje expuesta una superficie más o menos extensa, dependiendo de las condiciones predominantes. Las especies de regiones áridas toleran mejor la pérdida de agua. El sapo de espuelas occidental de las llanuras secas y desiertos de Norteamérica pierde hasta un 60 por ciento del agua corporal, mientas que la rana Pig acuática puede tolerar solamente un 40 por ciento de pérdida. Las especies adaptadas a la aridez también puede rehidratarse con más rapidez que las especies de regiones más húmedas. Algunos sapos, como los sapos comunes y de espuelas, absorben el agua simplemente sentándose en una zona de suelo húmedo. La piel de la superficie inferior del cuerpo es fina y rica en vasos sanguíneos. Tienen un «parche» muy absorbente.

Muchos anuros excavadores almacenan agua en la vejiga. Esta característica les permite permanecer bajo tierra durante largos períodos de tiempo sin secarse. Cuando necesitan agua, la difunden al cuerpo a través de las paredes de la vejiga. Las ranas australianas que retienen agua poseen unas glándulas linfáticas abolsadas y grandes que, cuando están llenas de agua, suponen la mitad de su peso. Esta y otras especies excavadoras segregan una membrana mucosa que se endurece y actúa como un capullo que retiene el agua. Durante los períodos secos las ranas excavadoras pueden permanecer inactivas durante meses, incluso varios años. En los sapos de espuelas la salida desde debajo de tierra después de la sequía se lleva a cabo por la disminución de la presión barométrica asociada a la llegada de tormentas.

Algunas ranas que viven en regiones secas combinan anatomías poco corrientes con conductas notables que evitan la pérdida de agua. Las ranas arborícolas con

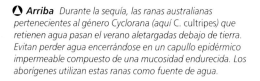

Arriba Durante la sequía, las ranas australianas pertenecientes al género Cyclorana (aquí C. cultripes) que retienen agua pasan el verano aletargadas debajo de tierra. Evitan perder agua encerrándose en un capullo epidérmico impermeable compuesto de una mucosidad endurecida. Los aborígenes utilizan estas ranas como fuente de agua.

Izquierda Un sapito de espuelas (género Scaphiopus) sale de la charca en la que ha nacido en busca de sombra para evitar la desecación. En el ambiente árido del suroeste de Estados Unidos y de Méjico, el desarrollo tiene que suceder rápidamente para explotar las efímeras charcas que quedan después de las tormentas, por tanto estos sapos han evolucionado para tener una eclosión y un período larval muy rápido (3-4 días y 6-8 días respectivamente).

Derecha Sapos comunes machos (Bufo bufo) agarrándose a una hembra mucho más grande durante el amplexo. En la época de cría de esta especie, que es relativamente breve (característica que comparten con otros muchos anuros de zonas templadas) el macho llega a las charcas de cría mucho antes que las hembras, a las que superan en número.

cabeza de yelmo tienen cráneos amplios cubiertos de piel que están unidos al hueso de abajo. Tapan cavidades y agujeros con sus peculiares cabezas (conducta denominada fragmosis) para mantener la humedad en sus refugios. Algunas ranas hoja segregan lípidos y extienden la secreción por la piel para formar una barrera casi impermeable que evita la pérdida de agua. Se sabe que unas cuantas ranas excretan ácido úrico en forma semisólida más que en forma de urea, que es soluble al agua y entraña mucha más pérdida de agua.

Continua o explosiva
REPRODUCCIÓN Y DESARROLLO

Las ranas y los sapos muestran dos modelos básicos de reproducción. En las especies de zonas templadas, la época de reproducción depende de una combinación de temperatura y lluvia caída. En las regiones tropicales secas y templadas, especialmente, los anuros se agrupan en gran número para criar, y los cantos a coro de los machos producen un impresionante sonido que se puede oír a gran distancia. Estas grandes congregaciones para criar sólo dura unas noches normalmente, por eso a estas especies se las denomina criadoras «explosivas». Sin embargo, en la mayoría de las especies que habitan en las regiones húmedas de los trópicos y subtrópicos,

los anuros se pueden reproducir durante todo el año. El factor importante para controlar el tiempo de reproducción es la lluvia caída. A estas ranas tropicales se las llama criadoras «continuas» u «oportunistas».

Generalmente las migraciones hacia los lugares de cría están muy sincronizadas entre las especies y puede involucrar a un gran número de animales. Es cierto especialmente en las zonas áridas, simplemente porque no existen demasiadas ocasiones en las que las condiciones sean apropiadas para la cría. En las zonas tropicales y subtropicales húmedas, por otro lado, los anuros viven normalmente cerca de sus lugares de cría, como por ejemplo pantanos extensos y corrientes de agua en las montañas.

Algunas especies crían en charcas permanentes o lagos y muestran una gran fidelidad al lugar, regresando a la misma charca año tras año. Incluso aunque se traslade a los individuos a otras charcas apropiadas de la zona, ellas intentarán regresar a la charca que visitaron con anterioridad. Se cree que existen indicaciones medioambientales en la migración a las charcas de cría, entre ellas el olor, el grado de humedad, el paisaje, la posición de los cuerpos celestes y las llamadas de otras ranas. Durante mucho tiempo se creyó que las ranas comunes europeas encontraban su «hogar» únicamente por el olor,

pero ésta no puede ser la única indicación ya que hay informes bien documentados y frecuentes sobre ranas que regresan a lugares donde las charcas se han drenado, se han llenado o se han vuelto a hacer.

Los anuros poseen modos de reproducción muy diversos. Aunque casi todos los anuros de regiones templadas y áridas (así como varias especies tropicales) depositan sus huevos en charcas donde se desarrollan los renacuajos que nadan libremente, muchas especies de los trópicos depositan sus huevos en la vegetación, en el suelo o en excavaciones. Las masas de huevos de ranas depositadas en el agua varían enormemente de tamaño y de forma. En aguas frías, las masas de huevos suelen ser de forma globular, mientras que en aguas más templadas donde los niveles de oxígeno son bajos, los huevos forman una delgada película sobre la superficie para que cada embrión sea capaz de obtener oxígeno suficiente. Los huevos de los sapos auténticos (Bufónidos) forman cadenas que se depositan cuando la pareja apareada se traslada al agua.

Los huevos que se ponen en el agua se pueden secar si baja el nivel del agua. También corren peligro de ser comidos por peces y varios insectos acuáticos. Muchas clases de anuros han superado esta frágil parte de su vida depositando sus huevos fuera de charcas y corrientes de

agua. Por ejemplo, varias especies de Leptodáctilos sudamericanos ponen sus huevos en nidos de espuma que flotan en el agua, mientras que algunas ranas terrestres australianas (Limnodynastidae) depositan los huevos en nidos de espuma en el agua o en madrigueras terrestres. La espuma es una mezcla de agua, aire, esperma y huevos. La hembra bate con energía esta combinación. La parte exterior que está expuesta al aire se endurece como el merengue, mientras que el interior permanece húmedo y proporciona un entorno protector en el que se desarrollan los huevos.

Muchas especies de ranas arborícolas amero-australianas (Hílidos), algunas ranas de juncal (Hyperoliidae) y todas las ranas de cristal depositan huevos en la vegetación que hay sobre el agua, o dentro o encima del agua en agujeros de árboles o en bromelias. En la eclosión, los renacuajos caen al agua que hay debajo de sus nidos o completan su desarrollo en agujeros de árboles o bromelias. Las

◖ *Izquierda* *Muchas ranas arborícolas afroasiáticas (Racofóridos) construyen nidos de espuma sobre la vegetación del agua. En algunas de estas especies, uno o dos machos ayudan a batir la espuma. Cuando eclosionan los huevos y salen los renacuajos, el nido de espuma se disuelve y los renacuajos caen al agua que tienen debajo.*

◑ *Abajo* *En común con otros miembros de la familia de los sapos auténticos (Bufónidos), el sapo verde (Bufo viridis) de Europa y Asia agrupa a sus huevos pequeños, pigmentados, en largas cadenas situadas debajo del agua. Estos huevos eclosionan y producen renacuajos independientes.*

TOXINAS Y VENENOS DE LOS ANUROS

Todas las ranas y sapos producen venenos en glándulas especiales de su piel. La mayoría no son perjudiciales para los humanos, pero unas cuantas especies, como la de las ranas venenosas de América Central y del Sur, producen algunas de las toxinas biológicas más venenosas que se conocen. Una de las más letales es la batracotoxina, secreción de la piel de la rana venenosa Koikoi de Colombia y Panamá. Sólo un 0,00001 gr. es suficiente para matar a un hombre de constitución media. Los indios Choco de la selva Darien envenenan las puntas de 50 flechas con las secreciones extraídas de una rana diminuta. En la actualidad utilizan esas flechas para cazar venados, monos o pájaros, pero se dice que en tiempos pasados habían utilizado sus cerbatanas y dardos envenenados con efectos mortales contra tribus vecinas hostiles.

Muchas ranas venenosas poseen colores brillantes para avisar a predadores potenciales, y las aves que comen ranas normalmente han aprendido a evitar ciertas especies rápidamente.

Cuando se las provoca, muchas ranas hoja extienden sus patas rápidamente y dejan a la vista unas manchas brillantes en los costados y a lo largo del interior de los muslos. Los sapos de vientre de fuego arquean el lomo y tuercen las patas para dejar expuesta su parte inferior de color negro y naranja brillante. La rana de ojos falsos de Sudamérica, que tiene dos manchas oculares grandes en el anca, se da la vuelta ante el atacante, infla los pulmones y eleva en el aire su parte posterior para enseñar las marcas. Esta especie también produce una desagradable secreción en las glándulas que rodean las manchas oculares.

El sapo de caña puede arrojar chorros de secreciones tóxicas de sus glándulas parótidas hacia los ojos o boca del predador y alcanzan hasta un metro de distancia. Los perros que han intentado comerse a uno de estos sapos han sufrido fuertes dolores después. Han sucedido desgracias humanas en Fiji y en Filipinas, donde no habían avisado a las personas que solían comer ranas de los peligros de comer esta especie en particular cuando se introdujo allí. Campesinos peruanos han muerto simplemente por comer sopa preparada con sus huevos.

◐ **Arriba** La rana de ojos falsos de Brasil (Physalaemus nattereri) ha desarrollado una estrategia defensiva algo diferente para indicar toxicidad y disuadir a posibles predadores, unas manchas oculares posteriores que acobardan.

◐ **Derecha** La rana azul venenosa (Dendrobates azureus) posee un color azul eléctrico, un aviso de su gran toxicidad.

ranas gladiador machos (Hílidos) excavan y defienden cuencas poco profundas en la arena o en el barro adyacente a charcas o corrientes de agua. Los renacuajos pasan el principio de su desarrollo en estas cuencas.

Muchas especies de varias familias depositan sus huevos en tierra. En muchas de ellas la etapa de renacuajo no existe y los embriones se desarrollan pasando directamente a la forma de ranitas pequeñas. Al contrario de las nidadas de huevos formadas por cientos o miles de huevos que se depositan en el agua, las nidadas depositadas en la vegetación o en tierra son mucho más pequeñas. Los huevos terrestres son mucho más grandes porque cada uno contiene vitelo suficiente para mantener al joven durante su desarrollo.

En muchos casos, los huevos terrestres son atendidos por uno de los padres, normalmente la hembra, que puede sentarse sobre los huevos para mantenerlos húmedos y para evitar que se los coman los predadores.

También han evolucionado en los anuros otras muchas clases complejas de cuidado parental. Los machos de los sapos parteros transportan los huevos entrelazándolos en las patas traseras. Cuando se produce la eclosión de los huevos terrestres, los renacuajos de las ranas venenosas y de las ranas Seychelles son transportados hacia el agua sobre los lomos de los padres. En algunas ranas venenosas, las hembras depositan huevos estériles en bromelias para alimentar a los renacuajos en desarrollo. Los renacuajos de la rana australiana Assa darlingtoni culebrean en bolsas situadas en los costados de los machos; aquí se desarrollan por completo. Cuando eclosionan los huevos de la rana de Darwin (Rhinoderma darwinii), el macho los coge con la boca y los renacuajos se convierten en pequeñas ranitas dentro de los sacos vocales. En las ranas marsupiales de Sudamérica y en sus aliados (Hílidos), los huevos se desarrollan en bolsas situadas en los lomos de las hembras, donde se convierten en pequeñas ranitas, pero en algunos los casos los huevos dan renacuajos y la hembra los lleva a las charcas.

El último caso de cuidado parental ha evolucionado de un modo independiente en los sapos del oeste de África y en la rana de Puerto Rico en los que se produce nacimiento de jóvenes. Las hembras tienen sólo dos jóvenes por cría. La provisión de alimento para el embrión que se está desarrollando en los oviductos presenta las mismas condiciones que la placenta de los mamíferos.

A diferencia de las larvas de otros anfibios, los renacuajos tienen el cuerpo corto, casi esférico. Su dieta vegetariana principalmente requiere un conducto alimentario largo. Posee extensas superficies de absorción y se enrosca formando una bola apretada. Muchos son herbívoros que raspan materia vegetal de algas y otras plantas acuáticas. Los renacuajos de unas cuantas especies, como la rana toro de Sudamérica, son carnívoros y tienen el conducto alimentario mucho más corto que los herbívoros.

La mayoría de los renacuajos son capaces de filtrar alimento y pueden sobrevivir varios meses sin comida visible, ya que se alimentan de algas y de otras pequeñas partículas del agua. Toman el agua por la boca, pasa por unas estructuras especializadas que filtran el plancton y finalmente la expelen al exterior por medio de un tubo: el espiráculo. Los renacuajos tienen branquias internas que extraen oxígeno del agua.

1

Las bocas de la mayoría de los renacuajos constan de labios carnosos con filas de «dientes» corneos dispuestas como las púas de un peine. Varía la cantidad y aspecto de los dientes (que difiere de los dientes de la mandíbula de los adultos) y son características importantes a la hora de identificar especies. Los renacuajos de las ranas de uñas y de los sapos de Surinam tienen extensiones carnosas, tubulares y sensoriales en la piel (barbillas o tentáculos). Para detectar cambios de presión y vibraciones en el agua, los renacuajos poseen órganos en la línea lateral: una serie de células sensoriales especiales (neuromastos) dispuestos en ordenadas filas sobre la cabeza y el cuerpo. En algunas ranas totalmente acuáticas (por ejemplo las ranas de uñas) el sistema de la línea lateral se mantiene en los adultos. La etapa de renacuajo dura desde unos cuantos días en algunas especie a más de tres años en aquellas que viven en regiones templadas frías.

Impacto humano
CONSERVACIÓN Y ENTORNO

Las patas de las ranas se comen en muchos lugares del mundo, pero la mayoría de las veces son manjares gastronómicos más que fuente importante de nutrición. En Europa, la rana comestible, un híbrido de ranas comunes y ranas lessonae, es la especie principal, pero ahora se pretende que la mayor parte de las ranas para el consumo se importen de los países en los cuales se desarrollan. La mayoría de las especies son comestibles en realidad, pero sólo resultan económicas para el mercado las que son grandes (como las ranas toro americanas y asiáticas). Por desgracia, cuando estas especies empezaron a criarse en granjas, solían eliminar a las poblaciones de ranas autóctonas.

Las ranas se han empleado, y se siguen empleando, para enseñar e investigar. Estudios de anatomía, de desarrollo y de psicología en las ranas han contribuido enormemente a nuestro conocimiento de la evolución de los vertebrados. Como animales experimentales, los anuros son importantes para la biomedicina. Los estudios realizados en anuros han aclarado métodos apropiados para transplantes de órganos y los humanos las han utilizado para realizar test de embarazo hasta que se han concebido métodos mejores. También se han creado técnicas para extraer ciertos alcaloides de especies tóxicas con el fin de emplearlos en medicamentos terapéuticos.

A pesar de los beneficios que ha conseguido el ser humano estudiando a las ranas, el efecto de la actividad humana sobre estos animales es negativo en general. El impacto más perjudicial procede de la destrucción del hábitat, seguido de cerca por el calentamiento global resultante de las actividades del ser humano. Más de las tres cuartas partes de todas especies se encuentran en los bosques tropicales húmedos, que se están destruyendo a un ritmo acelerado. Despejar la tierra para construir, drenar pantanos y marismas, poner presas en los ríos para formar lagos, la lluvia ácida y el calentamiento

del agua como parte del proceso de enfriamiento de las plantas de energía nuclear; todas estas actividades han tenido efectos adversos sobre las poblaciones de ranas. El uso de pesticidas y herbicidas sobre las cosechas también ha contribuido a la disminución de algunas poblaciones. Los adultos se ven afectados cuando comen artrópodos contaminados, y las charcas, arroyos y lagos cada vez son menos apropiados para que se desarrollen los renacuajos. Más recientemente se ha descubierto que el hongo quitridio es el responsable de la desaparición de muchas poblaciones de ranas en todo el mundo. El hongo afecta a la piel de las ranas adultas y las bocas de los renacuajos en desarrollo. Se desconocen las razones de esta aparición tan repentina.

Ranas con cola
FAMILIA ASCÁFIDOS

Las dos especies de ranas con cola aparecen en el noroeste de Norteamérica en corrientes de agua de montañas, frías y de rápido movimiento, con fondos de guijarros. Se encuentran entre los anuros vivos más primitivos, tienen nueve vértebras presacrales, un hueso prepúbico, costillas independientes y músculos rudimentarios para mover la cola. Las ranas con cola son nocturnas y muestran varias adaptaciones interesantes a la vida en las corrientes de agua torrenciales. En los machos, la cloaca se ha modificado para formar un órgano de penetración (la llamada «cola») que utiliza para transferir esperma a la hembra. Esta fertilización interna asegura que el esperma no será barrido por la corriente. Los machos también poseen unas patas anteriores que aumentan enormemente en la época de cría para permitirles agarrar a las hembras durante el apareamiento. Los huevos fertilizados se depositan formando una cadena, debajo de las rocas de los arroyos o corrientes. Los renacuajos se desarrollan con lentitud, tardan entre 1 y 4 años en sufrir la metamorfosis y las ranas jóvenes no maduran sexualmente antes de los 7 u 8 años de edad. Los renacuajos poseen discos orales de succión, grandes, provistos de muchas filas de lenticulares. Los discos les permiten agarrarse a la superficie inferior de las rocas de la corriente y raspar alimento en la superficie de la roca.

Ranas de Nueva Zelanda
FAMILIA LEIOPELMATIDAE

Las cuatro especies de ranas de Nueva Zelanda comparten las características morfológicas primitivas de los Ascáfidos, pero carecen del apéndice de la cloaca parecido a la cola. Viven en las laderas de las montañas donde escasean arroyos y estanques de agua. La fertilización es externa y las hembras hacen pequeñas nidadas de 1 a 22

6

⬧ **Arriba** *Especies representativas de cinco familias de ranas y sapos: 1 Sapo de espuelas sirio (Pelobates syriacus) del este de Europa y suroeste de Asia, saltador, Pelobatoideo. 2 Sapo de vientre de fuego oriental (Bombina orientalis); Bombinatoridae. 3 Rana con cola (Ascaphus truei); Leiopelmatidae. 4 Sapo partero ibérico macho (Alytes cisternasii), transportando huevos; Discoglósido. 5 Sapo de Surinam (Pipa pipa), con un joven saliendo de uno de los hoyos del lomo de la hembra; Pípidos. 6 Sapo de espuelas de Couch (Scaphiopus couchii), en amplexo; Pelobatoideos.*

huevos sin pigmentación y con mucho vitelo en grietas húmedas sitiadas debajo de rocas y troncos. El macho se encarga del cuidado parental permaneciendo al lado de los huevos, y en la rana de Hamilton, los renacuajos trepan hasta su lomo, donde se mantienen húmedos.

Sapos de vientre de fuego y Barbourulas
FAMILIA ROMRINATORIDAE

Los sapos de vientre de fuego y los barbourulas habitan en Eurasia. Los sapos de vientre de fuego son pequeños y de piel verrugosa, y el cuerpo es bastante plano. Las marcas de color negro brillante y rojo y amarillo de su superficie inferior avisan a los posibles depredadores de sus secreciones desagradables y ligeramente tóxicas de la piel. Normalmente se encuentra en aguas poco profundas en las orillas de ríos, arroyos, pantanos y canales de drenaje y masas de agua temporales como surcos y pequeños charcos. Tienen voz tenue y crían en el agua dos o tres veces al año. Los machos de todas las especies de esta familia agarran a la hembra por la cintura durante el amplexo y poseen grandes almohadillas nupciales en los dedos durante la época de cría, pero también están presentes en otras partes de su cuerpo (barbilla, vientre y membranas de los dedos en las ranas pintadas; en las patas anteriores de los sapos de vientre de fuego). Las barbourulas son completamente acuáticas, viven en arroyos de las islas de Borneo y Palawan y en Filipinas. Los sapos de vientre de fuego y las barbourulas son acuáticos en su mayoría y crían en el agua.

Sapos parteros y ranas pintadas
FAMILIA DISCOGLÓSIDOS

Los sapos parteros y las ranas pintadas son europeos principalmente. Las ranas pintadas se parecen a las ranas comunes (véase), excepto en que poseen pupilas redondas o triangulares y no horizontales. El tímpano no se ve y la lengua tiene forma de disco. Los machos agarran a las hembras por la cintura durante el amplexo y en la época de cría tienen grandes almohadillas nupciales en los dedos, barbilla y vientre. Estos anuros son activos de día y de noche y a menudo se sientan en aguas poco profundas y dejan sólo la cabeza por encima del agua, en la cual crían. La llamada del macho se describe mejor como una risa arrolladora tranquila.

Los sapos parteros son rechonchos y de piel áspera. El sapo partero común sólo aparece en el oeste de Europa, en bosques, jardines, pedreras y zonas rocosas en altitudes de hasta 2.000 m. Es nocturno principalmente. Durante el día se oculta en grietas situadas bajo los troncos o cava madrigueras poco profundas con sus patas anteriores. Los sapos parteros son terrestres, incluso se aparean lejos del agua. Los machos de todas las especies de esta familia agarran a las hembras por la cintura durante el amplexo y, a excepción de los sapos parteros, todos poseen grandes almohadillas nupciales durante la época de cría. Las hembras expulsan cadenas de huevos grandes que los machos cogen con los pies, enroscándolas después alrededor de sus patas posteriores. Los llevan así durante varias semanas, y los mantiene húmedos visitando de vez en cuando charcos de agua. Cuando los embriones están a punto de eclosionar, el macho los deposita en aguas poco profundas. El sapo partero ibérico

◆ **Arriba** *Una rana pintada del Tirreno (Discoglossus sardus) en una fase avanzada de la metamorfosis. En esta etapa, varias semanas después de la eclosión, tanto las extremidades anteriores como las posteriores están bien* *desarrolladas y los ojos son prominentes, pero la cola todavía no se ha absorbido. Los discoglósidos están confinados en el suroeste de Europa y la franja costera del norte de África. Esta especie es capaz de tolerar el agua salobre.*

excavador se encuentra en zonas arenosas del centro de España y Portugal, y el sapo partero de Mallorca está restringido en Mallorca, en las Islas Baleares. Esta última especie se encuentra en Peligro Crítico.

Ranas y sapos asiáticos
FAMILIA MEGOPHRYIDAE

Los sapos y ranas asiáticos que se encuentran en el sureste de Asia e islas próximas. Algunas de estas ranas habitan en corrientes de agua y tienen renacuajos adaptados a las corrientes con bocas grandes para succionar y aletas bajas. El sapo cornudo malayo y sus parientes tienen «cuernos» carnosos en los párpados superiores y en

▶ **Derecha** *El sapo hoja* (Megophrys nasuta) *de Malasia emplea un camuflaje muy eficaz cuando se sienta a esperar a su presa entre el humus del suelo del bosque húmedo. Sus presas son invertebrados y ranas más pequeñas.*

▼ **Abajo** *Cuando le acosa una serpiente u otro predador, la postura defensiva del sapo de vientre amarillo* (Bombina variegata) *es la de levantar las cuatro extremidades para exponer el brillante colorido de su vientre y plantas. Esta postura se conoce con el nombre de «Unken reflex», procedente del nombre vernáculo alemán para este género de sapos.*

el hocico. El cuerpo es jaspeado, de varios tonos de marrón, y la piel presenta unos cordoncillos que hacen que parezcan hojas muertas. Esta coloración críptica hace que resulte casi imposible verlas cuando están sentadas en el suelo del bosque. Los machos se ven durante las fuertes lluvias cuando se sientan en las corrientes de agua poco profundas y producen unos sonidos metálicos secos y altos. Los renacuajos de muchas ranas cornudas tienen la boca grande, vuelta hacia arriba, y se alimentan en la superficie del agua.

Sapos de espuelas
FAMILIA PELOBÁTIDOS

Los sapos de espuelas están confinados normalmente en zonas secas de suelos arenosos en Europa y oeste de Asia. Utiliza para excavar un tubérculo queratinizado de borde afilado («espuela») situado en cada uno de los pies de las patas posteriores. Los adultos son estrictamente nocturnos, durante el día y durante largos períodos de tiempo secos se ocultan en profundas madrigueras donde pueden tolerar niveles altos de pérdida de agua. Durante las noches cálidas y húmedas del verano, salen en busca de alimento y comen casi toda clase de artrópodos terrestres. Fuera de la época de cría los adultos no se mueven mucho, se sientan a esperar que una presa se acerque a ellos. Los sapos de espuelas del Este consideran «su hogar» una zona que se estima que no ocupa más de 9m².

La cría ocurre en primavera, con el comienzo de las primeras lluvias fuertes seguidas de varios días cálidos. Es entonces cuando algunas veces aparecen los sapos en grandes cantidades. En dos días las hembras terminan de poner los huevos y los sapos desaparecen. La voz es alta, una especie de cloqueo ronco que se puede oír a 2 km de distancia, cuando muchos machos están llamándose para reunirse. Algunas veces los machos luchan por las hembras, que pueden resultar heridas por las afiladas espuelas de las patas posteriores de los machos que luchan. Los huevos se depositan en charcos provisionales y eclosionan al cabo de unos días. Los renacuajos de los sapos de espuelas norteamericanos completan su desarrollo en 1 o 3 semanas, pero los europeos necesitan más tiempo y pueden pasar el inverno en forma de renacuajo. Para alimentarse, los renacuajos nadan normalmente en grandes grupos y se alimentan de material orgánico suspendido. Algunos renacuajos de sapos de espuelas del desierto desarrollan mandíbulas y dientes diferentes a los de los renacuajos que se alimentan de plancton de la misma especie y llegan a ser caníbales. Crecen hasta alcanzar un gran tamaño, a menudo llegan a los 10 cm. Con dos tipos de renacuajo en una charca, los sapos espuela del desierto se preparan para diferentes eventualidades. Si llueve prosperarán los que se alimentan de plancton; si no llueve más, los caníbales se darán un festín de herbívoros inmovilizados.

Sapillos moteados
FAMILIA PELODÍTIDOS

Las dos especies de sapillos moteados que habitan en el oeste de Europa y suroeste de Asia respectivamente, son

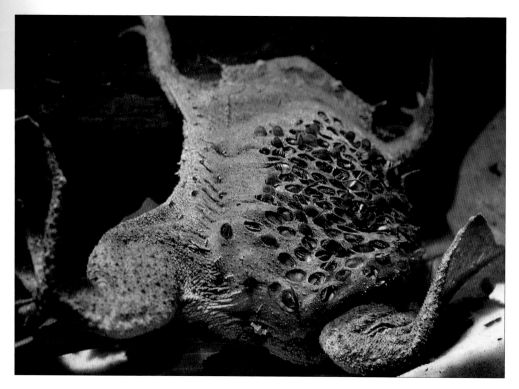

◑ **Arriba** *Sapillos saliendo de los peculiares «bolsillos» del lomo de una hembra de sapo de Surinam. En esta especie el paso de huevo a sapillo es directo, mientras que en otras especies Pipa, las larvas salen y completan su desarrollo en forma de renacuajos.*

◐ **Abajo** *El sapo crucifijo (Notaden bennettii) –un limnodinastido australiano llamado así por el dibujo en forma de cruz de color oscuro que aparece en el lomo– infla el cuerpo y se levanta sobre sus patas cuando le amenazan.*

terrestres y nocturnos, excepto cuando crían, que lo hacen durante la noche y durante el día en primavera y en otoño. Depositan cadenas de huevos pigmentados en las charcas y en corrientes de agua que fluyen con lentitud y eclosionan en renacuajos independientes. En algunas poblaciones los renacuajos pueden soportar el agua salobre.

Ranas de uñas y sapos de Surinam
FAMILIA PÍPIDOS

Las ranas de uñas y los sapos de Surinam son anuros acuáticos muy especializados. De hecho, los adultos de esta familia rara vez se aventuran a salir a tierra. Los pípidos tienen el cuerpo plano y las extremidades se extienden lateralmente desde el cuerpo. Tienen las patas posteriores largas, pies palmeados, y los dedos largos de las patas anteriores giran en el centro. Los ojos son pequeños y miran hacia arriba. Las ranas de uñas africanas han queratinizado las puntas de los dedos de las patas posteriores y el sapo de Surinam y sus parientes poseen unas estructuras sensoriales en forma de estrella en los extremos de los dedos de las patas anteriores. Los pípidos son únicos entre los anuros en lo que se refiere a la ausencia de lengua y tienen un único aparato de voz consistente en una caja parcialmente osificada que contiene dos bastoncillos óseos, cuyo golpeteo produce chasquidos que se transmiten por el agua. Carecen de cuerdas vocales.

La mayoría de los pípidos habitan en charcas y ríos, donde forrajean en el fondo; empujan con los dedos a los artrópodos acuáticos y peces pequeños dentro de la boca. Las extremidades dispuestas lateralmente no proporcionan apoyo en tierra. Cuando las ranas cruzan la tierra «nadan» por el sustrato.

Las ranas de uñas africanas viven normalmente en charcas estancadas donde la concentración de oxígeno es baja; estas ranas tienen pulmones que, proporcionalmente, son grandes respecto al tamaño de su cuerpo y salen a la superficie a tragar aire de un modo regular.

Durante el apareamiento, que tiene lugar en el agua, los machos abrazan a las hembras por la cintura. Las ranas de uñas africanas depositan los huevos en plantas acuáticas. Las parejas amplectantes de otros pípidos africanos realizan maniobras circulares verticales que culminan con la deposición de huevos en la superficie del agua. Maniobras similares caracterizan al sapo de Surinam y a sus parientes del género *Pipa*, pero en su caso los huevos son barridos por la pata posterior del mecho y colocados en el lomo de la hembra, donde se adhieren y se incrustan en la piel. En algunas especies *Pipa*, los huevos eclosionan en dar renacuajos. Después de unas cuatro semanas, los renacuajos salen de los «bolsillos» de la piel y se desarrollan como renacuajos independientes. Sin embargo, los huevos del sapo de Surinam y de otras especies *Pipa* se desarrollan directamente en forma de sapillos. Después de 3 o 4 meses los sapillos salen de los bolsillos y abandonan a la madre. Los renacuajos pípidos tienen barbillas largas (proyecciones parecidas a un tentáculo) alrededor de la boca. Estos animales que se alimentan filtrando el agua tienen una característica cabeza orientada hacia abajo a unos 45°.

Sapo excavador mejicano
FAMILIA RHINOPHRYNIDAE

El sapo excavador mejicano comparte varios rasgos anatómicos con la rana de uñas africana y el sapo de Surinam, pero es terrestre. Estos anuros globulares, de cabeza pequeña y patas cortas se han especializado en excavar. Un gran tubérculo en forma de pala está presente en el borde de los pies de las patas posteriores. Pasa la mayor parte del tiempo bajo tierra, donde se alimenta de termitas principalmente. No saca la lengua deprisa como lo hacen las ranas normalmente. La parte delantera de la lengua no está unida al piso de la boca y, cuando se alimenta, la lengua sobresale hacia delante. Crían en charcas provisionales después de fuertes lluvias. Los machos tienen sacos vocales internos y hacen llamadas mientras flotan en la superficie de la charca. Los huevos se desarrollan rápidamente. Los renacuajos, que tienen barbillas sensoriales, se alimentan filtrando el agua.

Ranas fantasma
FAMILIA HELEOPHRYNIDAE

Las ranas fantasma de Sudáfrica viven en corrientes rápidas de zonas montañosas. Los adultos tienen un pliegue glandular detrás del ojo, los dedos de las patas anteriores no son palmeados y los de las patas posteriores están extendidos y tiene forma de espátula. Los machos son un poco más pequeños que las hembras y poseen pliegues sueltos de piel y espinas corneas en varias superficies del cuerpo, especialmente en las manos y extremidades anteriores. Los huevos grandes y sin pigmentación se depositen en corrientes de agua debajo de rocas o en estanques poco profundos, o también debajo de las rocas sobre el suelo de grava de los orillas de las corrientes. Los renacuajos se han adaptado a vivir en aguas torrenciales. Tienen colas largas y musculosas y bocas grandes parecidas a ventosas. Los renacuajos se alimentan pastando sobre las rocas cubiertas de algas. Por la noche utilizan la boca para trepar por rocas húmedas verticales. Los renacuajos necesitan más de un año para la metamorfosis.

Ranas terrestres australianas
FAMILIA LIMNODINÁSTIDOS

Las ranas terrestres australianas, que también se encuentran en Nueva Guinea, son habitantes de tierra o excavadoras de bosques húmedos, praderas y desiertos. Las *Philoria* y *Kyarranus* habitan en montañas frías y húmedas. Muchas especies de *Limnodynastes* habitan en pantanos y ciénagas, pero algunas formas de excavadoras viven en los desiertos. Estas últimas salen únicamente después de lluvias fuertes. Almacenan agua en su cuerpo y pueden sobrevivir mucho tiempo bajo tierra. Todas tienen renacuajos que nadan independientes. La especie *Mixophyes* pone huevos en el suelo, en las orillas de las corrientes. Las *Neobatrachus* y *Notaden* se aparean en invierno, mientras que otros géneros forman nidos de espuma.

Las ranas de espuelas habitan en los desiertos australianos. Estos limnodinastidos globulares de tamaño medio tienen la piel verrugosa y las extremidades cortas. En los pies tienen tubérculos afilados, en forma de espuelas, para excavar en tierra suelta. La rana de espue-

SAPOS DE CAÑA EN AUSTRALIA

En la década de 1930, los cultivadores de caña de azúcar australianos dieron una entusiasta bienvenida al sapo de América Central y del Sur que se había introducido en los campos de caña de Puerto Rico en 1920. Con una longitud de hasta 23 cm, se le ha llamado sapo marino, gigante o mejicano. Decían que en Puerto Rico se habían comido a numerosas plagas de la caña de azúcar, y aumentó la esperanza de poder controlar de igual modo al escarabajo de caña Grayback (*Dermolepida albohirtum*) que estaba amenazando a la caña de azúcar australiana.

Aunque los biólogos avisaron de que el sapo, sin enemigos naturales y criando durante todo el año, pronto sería como una plaga igual que había ocurrido con los conejos y los cactus que se habían introducido con anterioridad, importaron 100 animales en 1935. De más de un millón y medio de huevos puestos por estos recién llegados, 62.000 alcanzaron la etapa de juventud-madurez y se liberaron en zonas seleccionadas de Queensland, donde se ha llegado a conocer a esta especie con el nombre de sapo de la caña.

A pesar de su voraz apetito, los sapos decepcionaron a los granjeros. Los campos de caña de Queensland no eran adecuados para ocultarse durante el día, así que los sapos pronto se trasladaron a los campos de alrededor y a los jardines. En estos lugares las poblaciones crecieron rápidamente, hasta alcanzar la proporción de una plaga (IZQUIERDA). Hoy en día abundan tanto en algunos sitios que durante la noche los jardines se convierten en un oscuro mar de sapos de movimientos lentos y de arrastre, y por la mañana las carreteras están llenas de cuerpos aplastados que han sido atropellados durante la noche.

Más incómoda es la evidencia de que estos sapos se comen a todas las criaturas beneficiosas para la agricultura, como hacen las plagas (ABAJO). A los naturalistas les preocupa que los sapos sean lo suficientemente numerosos como para dañar a las poblaciones de ranas autóctonas, que contribuyen a su alimentación.

Sin embargo, un beneficio inesperado del sapo de caña introducido es su utilidad en los laboratorios de los colegios, universidades y hospitales. Además, las pieles en bruto del sapo de caña se curten para hacer cuero.

las del Desierto se aprovecha de la hormiga Bulldog (*Myrmecia regularis*) viviendo en los nidos de su insecto anfitrión. Cuando algo les molesta, la rana de espuela australiana infla el cuerpo hasta un tamaño absurdo y se levanta sobre las cuatro patas para enfrentarse al intruso. Todas las especies exudan un veneno de olor fuerte, blanco y espeso cuando se levantan. Al secarse forma una sustancia fuerte y elástica.

Sapillos y ranas de agua australianos
FAMILIA MYOBATRACHIDAE

Los sapillos australianos y las ranas de agua han restringido su distribución a Australia y sur de Nueva Guinea.

Habitan en praderas secas, maleza, sabanas, pantanos, en las orillas de corrientes y lagos y en bosques húmedos. La mayoría de los myobatrachidae tienen huevos acuáticos o terrestres que eclosionan y dan lugar a renacuajos independientes.

Entre los más pequeños se encuentran los miembros parecidos a sapos del género *Pseudophryne*, que rara vez miden más de 3 cm de longitud y con frecuencia presentan vientres de colores vivos. Algunas especies también tienen colores vivos en el lomo. El sapillo de Bibron pone sus huevos en cavidades húmedas debajo de piedras y los machos se encuentran sentados cerca de varias nidadas de huevos normalmente. La cría tiene lugar en cualquier momento durante 6 o 7 meses al año, cuando llueve lo suficiente como para mojar la tierra. Si hay sequía después de poner los huevos, éstos pueden estar sin eclosionar más de tres meses, pero finalmente los renacuajos tienen que nadar y completar su metamorfosis permaneciendo en el agua.

La rana Sandhill (*Arenophryne rotunda*) y la rana tortuga (*Myobatrachus gouldii*) excavan de cabeza en suelos arenosos, donde depositan unos cuantos huevos que se desarrollan directamente en forma de sapillos excavadores. La pequeña rana Hip-pocket (*Assa darlingtoni*) deposita unos cuantos huevos en suelo húmedo. Cuando eclosionan los huevos, los machos permiten que los renacuajos se muevan sobre su cuerpo, y luego los mete en unas bolsas que lleva a cada lado. Aquí los renacuajos completan su desarrollo y salen dos meses después en forma de ranitas. Las hembras de las ranas de incubación gástrica que habitan en corrientes (especies *Rheobatrachus*) son las únicas ranas que se conocen que desarrollen a sus crías en el estómago. La hembra se traga los huevos o los renacuajos y luego se cierran las propiedades digestivas del estómago. Después de 6 o 7 semanas, las ranitas salen por la boca.

Ranas Seychelles

FAMILIA SOOGLOSSIDAE

Las ranas Seychelles sólo aparecen en las islas graníticas del Archipiélago Seychelles, en el Océano Índico. Son terrestres y nocturnas. Los huevos se depositan en pequeñas nidadas sobre suelo húmedo y son atendidos por las hembras. En la eclosión, después de dos semanas de incubación, los renacuajos, que ya tienen unas rudimentarias extremidades posteriores, suben culebreando al lomo de la hembra. Los renacuajos respiran a través de la piel y carecen de branquias

y de espiráculos (tubos que salen de la cámara de la branquia). Después de la metamorfosis, las ranitas permanecen en el lomo de la madre durante un breve período de tiempo. Los huevos de la rana de Gardiner (*Sooglossus gardineri*) necesitan más tiempo para desarrollarse y dar ranitas.

Ranas leptodactílidas

FAMILIA LEPTODACTÍLIDOS

Las ranas leptodactílidas son muy diversas en Sudamérica, en América Central y las Indias Occidentales. Entre ellas se encuentran los grandes sapos de boca ancha carnívoros de la subfamilia Ceratophryinae, muchos de los cuales tienen una especie de hoja que sobresale como un cuerno de los párpados superiores (por ejemplo el sapo cornudo brasileño). Los renacuajos grandes de estas ranas también son carnívoros.

La subfamilia Leptodactylinae incluye a muchas especies que construyen nidos de espuma y tienen rena-

Derecha *Especies representativas de ocho familias de ranas y sapos.* **1** *Rana arborícola japonesa* (Rhacophorus arboreus); *Racofóridos.* **2** *Rana toro sudafricana* (Pyxicephalus adspersus), *Ránidos.* **3** *Rana Seychelles* (Sooglossus seychellensis); *Sooglossidae.* **4** *Rana pintada asiática* (Kaloula pulcra); *Microhílidos.* **5** *Rana hoja* (Phyllomedusa bicolor); *Hílidos.* **6** *Rana cornuda ornada* (Ceratophrys ornata); *Leptodactílidos.* **7** *Sapo marino* (Bufus marinus); *Bufónidos.* **8** *Rana venenosa Koikoi* (Phyllobates bicolor); *Dendrobátidos.* **9** *Rana común* (Rana temporaria); *Ránidos.*

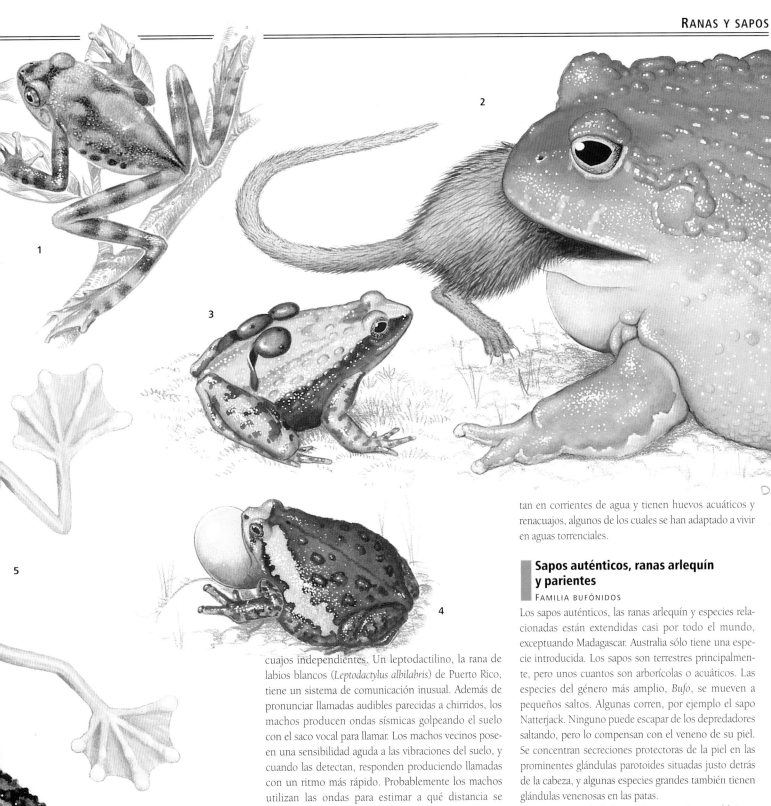

tan en corrientes de agua y tienen huevos acuáticos y renacuajos, algunos de los cuales se han adaptado a vivir en aguas torrenciales.

Sapos auténticos, ranas arlequín y parientes

FAMILIA BUFÓNIDOS

Los sapos auténticos, las ranas arlequín y especies relacionadas están extendidas casi por todo el mundo, exceptuando Madagascar. Australia sólo tiene una especie introducida. Los sapos son terrestres principalmente, pero unos cuantos son arborícolas o acuáticos. Las especies del género más amplio, *Bufo*, se mueven a pequeños saltos. Algunas corren, por ejemplo el sapo Natterjack. Ninguno puede escapar de los depredadores saltando, pero lo compensan con el veneno de su piel. Se concentran secreciones protectoras de la piel en las prominentes glándulas parotoides situadas justo detrás de la cabeza, y algunas especies grandes también tienen glándulas venenosas en las patas.

Las especies de *Bufo* que viven en regiones subhúmedas tienen épocas de cría cortas (en otras palabras, son criadores «explosivos»); los machos llaman desde aguas poco profundas, donde agarrarán a cualquier objeto que se mueve y lucharán vigorosamente por las hembras. En especies con épocas de cría prolongadas como la del sapo Natterjack, los machos llaman con voz muy alta desde la orilla de estanques temporales para atraer a las hembras.

Generalmente la especie *Bufo* deposita muchos huevos pequeños (más de 10.000 por nidada en el sapo marino) en cadenas parecidas a rosarios que normalmente envuelven en vegetación en el agua. Los huevos eclosionan y los renacuajos que nadan libremente sufren

cuajos independientes. Un leptodactilino, la rana de labios blancos (*Leptodactylus albilabris*) de Puerto Rico, tiene un sistema de comunicación inusual. Además de pronunciar llamadas audibles parecidas a chirridos, los machos producen ondas sísmicas golpeando el suelo con el saco vocal para llamar. Los machos vecinos poseen una sensibilidad aguda a las vibraciones del suelo, y cuando las detectan, responden produciendo llamadas con un ritmo más rápido. Probablemente los machos utilizan las ondas para estimar a qué distancia se encuentran los rivales.

Entre las muchas especies de la subfamilia Telmatobiinae están las especies acuáticas *Telmatobius* de los Andes. De ellas, la rana del Lago Titicaca (*T. culeus*) se ha adaptado a vivir en un lago frío donde hay poco oxígeno disuelto. Esta especie tiene la piel muy abolsada que actúa de aparato respiratorio. Unas 700 especies de *Eleutherodactylus* habitan en entornos húmedos y depositan huevos en la tierra que se desarrollan directamente en forma de ranitas. De la rana de Puerto Rico (*E. jasperi*) nacen pequeñas ranitas. Los huevos grandes y en pequeña cantidad se desarrollan en los oviductos.

Los miembros de la subfamilia Hylodinae están restringidos al sureste de Brasil, donde en su mayoría habi-

○ **Derecha** *Durante el día, las ranas arborícolas verdes (Hyla cinerea) que son autóctonas del sur de Estados Unidos, descansan debajo de hojas grandes o en otros lugares húmedos. Ésta se encontró a la sombra en una planta de hoja utricular, Cuerno de cazador.*

la metamorfosis durante un período de 2 a 10 semanas. Los sapos enanos del sureste de Asia ponen pocos huevos, con mucho vitelo, que se desarrollan en pequeñas depresiones llenas de agua del suelo del bosque y eclosionan en renacuajos que no se alimentan. Muchas ranas arlequín (género *Atelopus*) son de un color brillante, rivalizando con el de algunas ranas venenosas en belleza y toxicidad. Una *Atelopus oxyrhynchus*, pasa mucho tiempo en amplexo, algo poco corriente. La pareja que mantiene el record de permanecer en esta posición lo mantuvo durante 125 días. Las ranas arlequín, que viven en América Central y del Sur, y los sapos delgados (género *Ansonia*) del sureste de Asia depositan huevos en cadenas en corrientes de agua que fluyen con rapidez. Los renacuajos tienen la boca grande, parecida a una ventosa, y se adhieren a las rocas de las corrientes. Unos cuantos bufónidos ponen huevos en tierra en los que se desarrollan directamente los sapitos. Una notable transición de fertilización externa y huevos terrestres a fertilización interna y viviparidad tienen lugar en el género africano *Nectophrynoides*.

Sapillos de tres dedos
FAMILIA BRAQUICEFÁLIDOS

La familia de sapillos de tres dedos incluye dos géneros del sureste de Brasil, *Brachycephalus* y *Psyllophryne*, que poseen un escudo óseo sobre la espina dorsal. La rana dorada (*B. ephippium*) tiene el cuerpo de color amarillo dorado brillante. Estos diminutos sapillos viven en el suelo de los bosques, donde ponen los huevos entre el humus del suelo. En los huevos se desarrollan directamente miniaturas de los adultos.

Ranas venenosas
FAMILIA DENDROBÁTIDOS

La familia de ranas venenosas es diurna principalmente, es terrestre y vive en los bosques tropicales de América Central y del Sur. Casi todos los anuros tienen al menos indicios de veneno en las glándulas de su piel (véase Toxinas y Venenos de los Anuros), pero las toxinas se crean hasta alcanzar un grado elevado en las ranas venenosas. Tienen dos escudos parecidos a placas en la parte superior de las puntas de los dedos. Los géneros que no son tóxicos (*Aromobates*, *Colostethus* y *Mannophryne*) poseen colores crípticos, mientras que los géneros tóxicos (*Dendrobates*, *Epipedobates*, *Minyobates* y *Phyllobates*) poseen colores vibrantes para avisar: verde, azul, rojo o dorado con manchas y rayas más oscuras.

Se depositan nidadas pequeñas de huevos grandes en lugares húmedos terrestres. Los huevos de algunas especies *Colostethus* eclosionan en renacuajos que no se alimentan y completan su desarrollo en el nido, pero los huevos de la mayoría de los dendrobátidos eclosionan en renacuajos que suben al lomo del padre que es el que los y los lleva al agua: a arroyos o corrientes, o a las aguas limitadas de bromelias, vainas o troncos. En algunas especies de *Dendrobates* es la hembra que cuida a los

renacuajos. Deposita huevos sin fertilizar para que se alimenten los renacuajos. A muchos dendrobátidos se les conoce por su conducta agresiva que incluye las llamadas y los cambios de color (en machos), exhibición de posturas, persecuciones, ataques y luchas (en ambos sexos). Las luchas prolongadas suceden normalmente entre ranas de la misma especie y sexo.

Ranas que incuban en la boca
FAMILIA RINODERMÁTIDOS

Las dos especies de ranas de los bosques húmedos templados de la Sudamérica austral que incuban en la boca presentan un único tipo de cuidado parental. Las hem-

bras ponen unos 20 huevos en tierra. Cada huevo que eclosiona es atendido por el macho. Los huevos eclosionan a los 20 días aproximadamente, y el macho se mete los renacuajos a la boca. En una especie el macho libera a los renacuajos en el agua, donde se desarrollan. En la rana de Darwin (*Rhinoderma darwinii*), los renacuajos se meten en la bolsa vocal del macho, donde se desarrollan en 50 días y de donde salen las ranitas por la boca.

Ranas arborícolas amero-australianas
FAMILIA HÍLIDOS

Las ranas arborícolas amero-australianas son más diversas en las dos Américas, Australia y Nueva Guinea. Aparecen

algunas en Eurasia. La mayoría tienen almohadillas alargadas y adhesivas en las puntas de los dígitos. Las utilizan para trepar y sujetarse en la vegetación, donde son activas por la noche. La mayor parte de las especies australianas y de Nueva Guinea (subfamilia Pelodryadinae) depositan sus huevos en el agua, pero unos cuantas colocan los huevos en la vegetación que hay sobre el agua. Todos tienen renacuajos que nadan libremente. Lo mismo sucede en la subfamilia Hylinae, muy extendida en América, pero algunas especies depositan sus huevos en bromelias o en huecos de árbol. En algunas de ellas, como la *Anotheca spinosa* de América Central y la *Osteocephalus oophagus* amazónica, los renacuajos se alimentan de otros huevos que les proporciona la hembra.

Las ranas hoja (subfamilia Phyllomedusinae) son en su mayoría animales grandes de colores brillantes, viven en zonas bajas de bosque húmedo y en bosque nuboso montano de América Central y Sudamérica. Los huevos se depositan en hojas encima del agua. Cuando eclosionan, los renacuajos caen al agua y completan su desarrollo nadando libremente. Durante la oviposición, algunas especies *Phyllomedusa* arropan sus huevos con una hoja y los depositan en cápsulas llenas de agua encima. El agua de las cápsulas pasa a los embriones en el transcurso de su desarrollo.

Uno de los modos de reproducción dignos de mención sucede en las ranas que incuban huevos de la subfamilia Hemiphractinae. Los huevos fertilizados se colocan sobre el lomo o en una bolsa del lomo de la hembra. Los huevos quedan envueltos por unas grandes branquias que parecen hojas de papel. En todos los géneros que llevan los huevos en el lomo los huevos desarrollan ranitas directamente, como sucede en casi todas las especies de ranas marsupiales (género *Gastrotheca*), pero en algunas ranas marsupiales que viven en los Andes, los huevos eclosionan en renacuajos. Las hembras de estas especies depositan a los renacuajos en charcas, donde se alimentan y completan su desarrollo en varios meses. Los huevos de *Flectonotus* eclosionan en renacuajos avanzados que se depositan en bromelias o huecos de árboles. Estos renacuajos no se alimentan y completan su desarrollo a los pocos días.

Ranas paradoja
FAMILIA PSEUDIDADE

Las ranas paradoja acuáticas de Sudamérica se han adaptado bien durante su existencia. Tienen los ojos en la parte superior de la cabeza, extremidades posteriores musculosas y dedos largos, delgados y completamente palmeados. La especie más grande y mejor conocida es

◑ Arriba *Un miembro de la familia de rana de cristal relativamente especiosa es la rana de cristal La Palma o reticulada (Centrolenella valerioi). Es una trepadora experta y vive en los bosques nubosos del istmo panameño.*

el epítome de rana paradoja (*Pseudis paradoxa*). Debido a su extraordinario desarrollo el grupo ha recibido su nombre vernáculo. Los renacuajos de la rana paradoja alcanzan con frecuencia un gran tamaño, algunas veces hasta 22 cm de longitud, pero se metamorfosean en adultos de sólo 6,5 cm.

Ranas de cristal
FAMILIA CENTROLENIDAE

La mayoría de las ranas de cristal son anuros verdes, pequeños, de unos 3 cm de longitud que viven principalmente en los bosques húmedos montanos de Sudamérica y América Central. Sin embargo, dos especies de *Centrolene* son robustas y llegan a medir más de 7 cm. En algunas especies, la piel del abdomen es transparente, así que se pueden ver sus órganos. Estas ranas arborícolas y nocturnas han extendido las puntas de sus dígitos y crían en la vegetación que cuelga sobre las corrientes de agua. Los machos territoriales defienden sus lugares de llamada (las superficies superior e inferior de las hojas). Los huevos se depositan en las superficies de las hojas. En algunas especies son atendidos por los machos, que pueden encaramarse en los huevos. Después de la eclosión, los renacuajos caen a la corriente.

Rana de Ruthven
FAMILIA ALLOPHRYNIDAE

La rana de Ruthven (*Allophryne rutheveni*) es una rana arborícola pequeña y delgada, parecida a un sapo, de las Guayanas y de la Cuenca del Amazonas sudamericana. Poco se sabe sobre esta especie. Los machos cantan en la vegetación que rodea a las charcas temporales después de fuertes lluvias.

Ranas auténticas
FAMILIA RÁNIDOS

De todas las familias de ranas, las llamadas ranas «auténticas» son las más extendidas (en casi todas las zonas del mundo, a excepción de las regiones polares de Australia y Sudamérica). En la familia se encuentra la rana más grande conocida, la *Conraua goliath* del oeste de África (hasta 30 cm). Muchas especies tienen patas largas y musculosas, normalmente con pies palmeados en las posteriores, y sus cuerpos de línea aerodinámica son ideales para saltar y nadar. La piel de las especies anfibias es lisa y de color marrón o verde normalmente. Algunas son terrestres y otras excavadoras. Un cuantas son arborícolas. Varias especies son capaces de tolerar el agua salobre y la rana cangrejera (*Rana cancrivora*) habita en manglares salinos.

La mayoría de las especies pone huevos en el agua, y los adultos rara vez se alejan del agua. Algunas especies *Rana* crían durante varios meses al año y los machos fijan territorios para aparearse. No obstante, muchas de las que crían en latitudes templadas lo hacen sólo durante unos días, a principios de año, después de haberse derretido el hielo de las charcas. Durante la época de cría los machos de muchas especies desarrollan unas toscas almohadillas abultadas en los dedos para poder agarrar a las hembras. La rana común europea deposita masas de huevos globulares en grupos comunes, que pueden contener cientos o miles de nidos independientes. Probablemente ese desove en comunidad es una adaptación que les ayuda a evitar que los huevos se congelen duran-

Abajo *En terreno pantanoso, entre las hojas abundantes de jacintos de agua, un adulto de rana toro grande (Rana catesbeiana) lucha con una serpiente cinta (Thamnophis proximus). Otras presas de esta especie norteamericana tan extendida son los cangrejos de río, los pececillos, los insectos y las ranas pequeñas.*

Derecha *Algunas ranas arborícolas racofóridas del sureste asiático, como esta rana voladora de Wallace (Rhacophorus nigropalmatus) de Malasia y Borneo o la rana voladora malaya (R. reinwardtii), planean entre los árboles utilizando de paracaídas las enormes membranas que hay entre sus dedos.*

Abajo derecha *En estado salvaje, la rana tomate (Dyscophus antongilii), de color vivo, microhílida, está confinada al noreste de Madagascar, donde se la ha clasificado de Vulnerable debido a la pérdida de hábitat. Sin embargo, esta especie cría muy bien en cautividad.*

Ranas de árbol afroasiáticas
FAMILIA RACOFÓRIDOS

Las ranas de árbol afroasiáticas varían de color de un modo sensacional, desde el rojo, amarillo o naranja de las mantellas de Madagascar a las especies grandes que habitan en los árboles de África y sur de Asia. La mayoría hacen nidos de espuma en los árboles. En la rana arborícola gris (*Chiromantis xerampelina*, véase Padres Conscientes) del sur de África, varios machos agarran a la hembra y baten la espuma, al parecer compitiendo por fertilizar los huevos mientras la hembra los deposita en el nido. Las mantellas de Madagascar son diurnas y terrestres. Tienen secreciones tóxicas en la piel como las de las ranas venenosas. Sin embargo, a pesar de la similitud superficial que presenta con los dendrobátidos, su color brillante es testimonio de evolución convergente, no de parentesco. Las mantellas ponen huevos con mucho vitelo en lugares húmedos de la tierra, y la mayoría de los renacuajos se desarrollan en corrientes de agua. La reproducción del género *Mantidactylus* de Madagascar varía desde los huevos que se depositan en los árboles y renacuajos viven en corrientes de agua o charcas hasta las especies terrestres con renacuajos que se desarrollan en nidos terrestres o directamente en ranitas.

Ranas de boca estrecha
FAMILIA MICROHÍLIDOS

Las ranas de boca estrecha, muy extendidas por los trópicos del Viejo y del Nuevo Mundo, incluyen especies terrestres y arborícolas. Muchas son excavadoras pequeñas, de cuerpo robusto, con cabezas diminutas y patas cortas. Otras que habitan en los árboles tienen discos en los dedos que le ayudan a trepar. La mayoría de las especies terrestres permanecen bajo tierra hasta que comienza la cría después de las fuertes lluvias. Estas especies ponen huevos en el agua generalmente y eclosionan en renacuajos que carecen de las partes de la boca queratinizadas. Otras especies terrestres depositan pocos huevos con mucho vitelo, en tierra, y se produce un desarrollo directo. Los huevos de las ranas de lluvia africanas globulares (género *Breviceps*) se desarrollan en ranitas dentro de cámaras subterráneas. Algunos géneros arborícolas de Madagascar depositan huevos grandes en huecos de árboles o en axilas de hojas. Estos eclosionan en renacuajos que no se alimentan y a los que cuida el macho.

WED/LT/AA

te la primavera. Los embriones, pequeños y negros, absorben el calor del sol, y la gruesa masa gelatinosa les sirve de aislante. La temperatura en el interior del nido debe estar a 6ºC más que el agua que les rodea.

La *Ceratobatrachus guentheri* terrestre de las Islas Salomón y algunas especies de *Platymantis* de las Filipinas ponen huevos en tierra y en ellos se produce el desarrollo completo. Las especies *Nyctibatrachus* de Sri Lanka depositan los huevos sobre hojas de arroyos. Los huevos del género *Meristogenys* de Borneo se depositan en corrientes de montaña, y los renacuajos tienen una ventosa abdominal para adherirse a las rocas en las corrientes rápidas. El cuidado paternal es limitado pero diverso en los Ránidos. El *Nyctimantis* macho atiende a sus huevos en las hojas de los arroyos. Los machos de la *Rana finchi* de Borneo atienden las nidadas de huevos terrestres. El macho lleva al agua a los renacuajos encima de su lomo. Los machos de la gran rana toro africana (*Pyxicephalus edulis*) guarda los pozos de agua en los que se desarrollan los renacuajos.

Ranas grillo y chirriantes
FAMILIA ARTHROLEPTIDAE

Las ranas grillo y chirriantes son ranas de tamaño medio o pequeño del África Subsahariana. La mayoría son terrestres y algunas viven en arroyos de montaña. Varias especies depositan huevos en tierra que eclosionan en ranitas. Otros tienen huevos acuáticos y renacuajos. Las ranas de pelo machos (*Trichobatrachus robustus*) tiene un vello en la dermis que parece pelo y que ayuda durante la respiración cutánea cuando las ranas cuidan a los huevos depositados en el fondo de los arroyos.

Ranas de hocico de pala
FAMILIA HEMISOTIDAE

Las ranas de hocico de pala se encuentran en casi todas las zonas subhúmedas del Subsáhara africano. Estas ranas tienen el hocico duro, puntiagudo y empiezan a excavar con él. Los machos se adhieren a la hembra mientras ella excava una cámara subterránea cerca de la charca para incubar. Los huevos se depositan e incuban en la cámara, y el macho excava para salir de esa cámara. Cuando los huevos eclosionan, la hembra cava un túnel de salida y guía o transporta a los renacuajos al agua.

Ranas de juncal y de juncias
FAMILIA HYPEROLIIDAE

Las ranas de juncal son principalmente pequeñas trepadoras de tamaño medio que se encuentran en los juncos, arbustos y árboles cerca del agua en África (también se encuentran en Madagascar y en las Seychelles). Unas cuantas especies viven en tierra o son completamente acuáticas. El género *Kassina,* que vive en tierra, corre en vez de saltar. Varias ranas de juncias (especie *Hyperolius*) muestran una amplia variedad de colorido. Además del cambio de color por la geografía, cambian de color con la temperatura, la humedad, la intensidad alta y la tensión. La mayoría de las especies arborícolas ponen los huevos en una masa gelatinosa sobre la vegetación del agua. Para evitar la desecación de los huevos, las hembras de algunas especies pliegan hojas alrededor de los huevos y las pegan con unas secreciones pegajosas de los oviductos. En casi todas las especies, los renacuajos caen al agua que hay debajo de los nidos después de la eclosión, pero los huevos de la *H. obstetricans* se desarrollan directamente y dan ranitas. Las ranas de arbusto del género *Leptopelis* entierran los huevos cerca del agua. Los renacuajos salen de los huevos durante fuertes lluvias y culebrean por el suelo húmedo en busca del agua.

Familias de ranas y sapos

EL ORDEN DE LOS ANUROS TIENE 28 FAMILIAS con 4.750 especies. Las familias se distinguen por la anatomía interna de los adultos, características de los renacuajos y biología de reproducción. Los anuros básicos que han evolucionado se denominan normalmente arqueobatracios, un grupo informal que contiene nueve familias y 146 especies. Las otras 19 familias de anuros son neobatracios.

ARQUEOBATRACIOS

Ranas con cola
Familia Ascáfidos

2 especies en 1 género. Noroeste de Norteamérica. Acuáticas, viven en arroyos montañosos claros, desde el nivel del mar a más de 2.000 m de altitud. Nocturnas. Especies: **rana con cola** (*Ascophus truei*).
LONGITUD: 4 cm.
COLOR: Marrón
FORMA DEL CUERPO: Cabeza y hocico aplastados, ligeramente más ancha que larga. El hocico es redondeado. Dedos anteriores largos, delgados y sin membrana. Dedos posteriores largos y palmeados básicamente. Pupila vertical y elíptica. Los machos tienen un apéndice corto, en forma de cola, en la cloaca.
CRÍA: Amplexo inguinal; fertilización interna. Cadenas cortas de 40 a 60 huevos sin pigmentación que se adhieren a las rocas de las corrientes de agua. Las larvas que nadan libremente tienen grandes discos orales de succión, se alimentan de la superficie inferior de las rocas de las corrientes de agua. El estado larval dura de 1 a 4 años.

Ranas de Nueva Zelanda
Familia Leiopelmatidae

4 especies en 1 género. Norte de Nueva Zelanda. Terrestres, en bosques húmedos; nocturnas. Especies: **rana de Hamilton** (*Leiopelma Hamilton*).

NOTAS   Longitud: longitud desde el hocico al ano.

Equivalentes aproximados no métricos: 10 cm = 4 pulgadas / 1 kg = 2,2 libras

---

LONGITUD: De 3cm a 5 cm.
COLOR: De marrón a gris.
FORMA DEL CUERPO: Con hocico, la cabeza es más ancha que larga; hocico redondeado. Dedos anteriores largos, delgados y sin membrana. Dedos posteriores largos y palmeados básicamente. Pupila vertical y elíptica.
CRÍA: Amplexo inguinal; fertilización externa. Pequeñas nidadas (hasta 23) de huevos sin pigmentación, depositados en cavidades de la tierra. Los machos cuidan a los huevos, que eclosionan en etapas finales de renacuajos y completan su desarrollo en nidos terrestres.
ESTADO DE CONSERVACIÓN: La **rana de Hamilton** es Vulnerable y la *L. archeyi* está en bajo riesgo/casi amenazada.

Sapos de vientre de fuego y barbourulas
Familia Bombinatoridae

7 especies en 2 géneros. Europa, este y sureste de Asia, Borneo, Filipinas (Balawan). Semiacuáticas en marismas (sapos de vientre de fuego) o en arroyos de montaña (barbourulas): nocturnas. Especies y géneros: **sapo de vientre amarillo** (género *Bombina*), **barbourula** (género *Barbourula*).
LONGITUD: De 4 cm a 10 cm.
COLOR: Marrón, gris o verde; en los sapos de vientre de fuego destaca la intensidad del rojo, naranja, amarillo y negro de la parte inferior.
FORMA DEL CUERPO: Deprimida. Cabeza tan ancha como larga. Hocico romo, dedos anteriores cortos y sin membrana. Dedos posteriores moderadamente largos, palmeados; pupila elíptica vertical. Dorso verrugoso en los sapos de vientre de fuego, casi liso en las barbourulas.
CRÍA: Amplexo inguinal. Fertilización externa. La hembra del sapo de vientre de fuego deposita de 60 a 200 huevos pigmentados en numerosos nidos pequeños unidos a la vegetación de las marismas. Después de 4 o 10 días, eclosionan en renacuajos que nadan libremente y pasan de 35 a 45 días en el agua antes de la metamorfosis. La hembra de las barbourulas producen 70 u 80 óvulos grandes, presumiblemente los huevos se depositan en ellos y se desarrollan en su interior, en las corrientes.
ESTADO DE CONSERVACIÓN: **Rana acuática filipina** (*Barbourula busuangensis*) es Vulnerable y **el sapo de vientre de fuego** europeo (*Bombina bombina*) está en Menor Riesgo/Dependiente de Conservación.

Sapos parteros y ranas pintadas
Familia Discoglósidos

10 especies en 2 géneros. Oeste, centro y sur de Europa; noreste de África, Asia Menor. Terrestres (sapos parteros) y orillas de arroyos rocosos (ranas pintadas). Nocturnos. Especies y géneros: **sapo partero común** (*Alytes obstetricans*), **sapo partero ibérico** (*A. cisternasii*), **sapo partero de Mallorca** (*A. muletensis*), **rana pintada europea** (*Discoglossus pictus*), **rana pintada Israel** (*D. nigriventer*).
LONGITUD: De 4 cm a 8 cm.
COLOR: Marrón principalmente.
FORMA DEL CUERPO: Robusto en sapos parteros, delgado en ranas pintadas. La cabeza es tan larga como ancha, o más larga. Hocico romo en sapos parteros, redondeado en ranas pintadas. Dedos anteriores cortos, sin membrana. Dedos posteriores largos, palmeados básicamente. Pupila elíptica vertical.
CRÍA: Amplexo inguinal. Fertilización externa. La hembra del sapo partero produce hasta 100 huevos en cadenas, que el macho fertiliza y enrolla alrededor de sus patas. El macho lleva a los huevos durante 3 o 5 semanas antes de regresar al agua, donde eclosionan los huevos en renacuajos que nadan libremente. Las ranas pintadas depositan entre 500 y 1000 huevos en corrientes de movimiento lento, donde se desarrollan los renacuajos durante 3 u 8 semanas antes de la metamorfosis.

                                                                Arqueobatracios
                                                                Leiopelmatidae
                                                                Bombinatoridae
                                                                Discoglossidae
                                                                Megophryidae
                                                                Pelobatidae
                                                                Pelodytidae
                                                                Pipidae
                                                                Rhinophrynidae
                                                                Heleophrynidae
                                                                Limnodynastidae
                                                                Myobatrachidae
                                                                Sooglossidae
                                                                Leptodactylidae
                                                                Bufonidae
                                                                Brachycephalidae
                                                                Dendrobatidae
                                                                Rhinodermatidae
                                                                Hylidae
                                                                Pseudidae
                                                                Centrolenidae
                                                                Allophrynidae
                                                                Ranidae
                                                                Arthroleptidae
                                                                Hemisotidae
                                                                Hyperoliidae
                                                                Rhacophoridae
                                                                Microhylidae

(Ascaphidae / Neobatracios)

△ **Arriba** *Árbol filogenético que muestra las relaciones entre las 28 familias de anuros. Las familias están organizadas en dos grupos: los arqueobatracios (ranas primitivas) y los neobatracios (ranas avanzadas).*

ESTADO DE CONSERVACIÓN: el **sapo partero de Mallorca** está en Peligro Crítico y una de las otras especies *Alytes* es Vulnerable, como también una especie *Discoglossus*. La **rana pintada Israel** figura en la lista como Extinta.

Ranas y sapos asiáticos
Familia Megophryidae

84 especies en 6 géneros. Sureste de Asia, Filipinas, Borneo, Sumatra, Java. Principalmente terrestres en los bosques. Muchos habitan en las orillas de los arroyos. Nocturnas principalmente. Especies y géneros: **sapo cornudo malayo** (*Megophrys monticola*), **rana de arroyo Himalaya** (*Scutiger boulengeri*).
LONGITUD: De 1 cm a 12 cm.
COLOR: Verde, marrón, amarillo, gris.
FORMA DEL CUERPO: Robusto; de extremidades cortas a largas. Hocico romo a redondeado. Dedos anteriores largos, sin membranas; dedos posteriores largos, con membranas casi completas. Pupila elíptica vertical.
CRÍA: Amplexo inguinal. Fertilización externa. Ponen los huevos en el agua y eclosionan en larvas que nadan libremente. Los renacuajos de muchos habitantes de corrientes de agua tienen una boca grande que succiona y aletas inferiores.

◀ *Izquierda* Un sapo partero común (Alytes obstetricans) bien camuflado saliendo de su madriguera arenosa.

Sapos de espuelas
Familia Pelobátidos

3 géneros. Norte de América, Europa a centro de Asia, noroeste de África. Terrestres y excavadores. Nocturnos. Especies y géneros: **sapo de espuelas oriental** (*Scaphious holbrookii*), **sapo de espuelas de llanura** (*Spea bombifrons*), **sapo de espuelas común europeo** (*Pelobates fuscus*).
LONGITUD: De 5 cm a 8 cm.
COLOR: Marrón, verde, gris
FORMA DEL CUERPO: Robusto; hocico romo; extremidades cortas; dedos anteriores cortos, sin membrana; dedos posteriores largos, palmeados básicamente. «Espuela» prominente, afilada, en pies posteriores. Pupila elíptica vertical.
CRÍA: Amplexo inguinal. Fertilización externa. Los huevos puestos en charcas temporales eclosionan en renacuajos que nadan libremente. El desarrollo larval es rápido (entre 6 y 32 días) en los sapos de espuela del norte de América pero es mucho más lento en el sapo de espuela común europeo, cuyos renacuajos pueden sobrevivir al invierno dos veces antes de metamorfosearse.
ESTADO DE CONSERVACIÓN: El **sapo de espuelas italiano**, una subespecie de *Pelobates fuscus*, está en Peligro.

Sapillos moteados
Familia Pelodítidos

2 especies en 1 género. Suroeste de Europa, suroeste de Asia. Terrestre. Nocturno, excepto para criar. Especies: **sapillo moteado** (*Pelodytes punctatus*).
LONGITUD: De 4 cm a 6 cm.
COLOR: verde
FORMA DEL CUERPO: Robusto, deprimido. Hocico redondeado. Dedos anteriores largos, sin membrana; dedos posteriores largos, palmeados básicamente. Pupila elíptica vertical.
CRÍA: Amplexo inguinal. Fertilización externa. Los huevos acuáticos (hasta 1.600) de las charcas eclosionan en renacuajos que nadan libremente. La metamorfosis dura entre 75 y 80 días.

Ranas de uñas y sapos de Surinam
Familia Pípidos

228 especies en 5 géneros. Sudamérica tropical y África Subsahariana. Acuáticos. Nocturnos y diurnos. Especies: **rana de uñas africana** (*Xenopus laevis*), **sapo de Surinam** (*Pipa pipa*).
LONGITUD: De 3 cm a 17 cm.
COLOR: Marrón, gris, verde. Abdomen blanco.
FORMA DEL CUERPO: Ancho, deprimido. Hocico redondeado. Dedos anteriores largos, sin membrana. Dedos posteriores largos, palmeados casi en su totalidad. Uñas de queratina en los dedos de las ranas de uñas africanas. Pupila redonda.
CRÍA: Amplexo inguinal. Fertilización externa. El apareamiento sucede en el agua y consta de maniobras complejas que dan como resultado la deposición de huevos en la superficie del agua (ranas de uñas) o en el lomo de la hembra (sapos de Surinam). En algunas especies de sapos de Surinam los huevos eclosionan en ranitas, mientras que los renacuajos independientes de las demás especies carecen de queratina en la boca y se alimentan por suspensión.
ESTADO DE CONSERVACIÓN: El **sapo de uñas Cape** (*Xenopus gilli*) es Vulnerable.

Sapo excavador mejicano
Familia Rhynophrynidae

1 especie: *Rhinophrynus dorsalis*. Valle de Río Grande en Tejas (Estados Unidos) hasta Costa Rica. Terrestres, excavadores y nocturnos.
LONGITUD: 8 cm.
COLOR: Gris oscuro con manchas de color rojo anaranjado.
FORMA DEL CUERPO: Globular, cabeza pequeña. Hocico puntiagudo. Extremidades cortas. Dedos anteriores cortos y posteriores largos, ambos palmeados básicamente. «espuela» en pies posteriores. Pupila elíptica vertical.
CRÍA: Amplexo inguinal. Fertilización externa. Los huevos se depositan en charcas temporales. Los renacuajos libres se congregan en bancos.

NEOBATRACIOS

Ranas fantasma
Familia Heleophrynidae

5 especies en 1 género. Sur de África. Corrientes rápidas de agua con rocas. Nocturnos. Especies: **Rana fantasma Cape** (*Heleophryne purcelli*).
LONGITUD: 6,5 cm.
COLOR: Jaspeado verde y marrón.
FORMA DEL CUERPO: Delgado, deprimido. Cabeza plana. Hocico romo. Extremidades largas. Dígitos extendidos desde el centro. Pupila elíptica vertical.
CRÍA: Amplexo inguinal. Fertilización externa. Huevos sin pigmentación adheridos a rocas de corrientes de agua. Los renacuajos tienen bocas grandes para succionar, se adhieren a las rocas. Necesitan de 1 a 2 años para la metamorfosis.
ESTADO DE CONSERVACIÓN: La **rana fantasma de Hewitt** (*Heleophryne hewitti*) está en Peligro y **la rana fantasma de Table Mountain** (*H. rosei*) es Vulnerable.

Rana de suelo australianas
Familia Limnodinástidos

49 especies en 11 géneros. Australia y Nueva Guinea. Terrestres o excavadoras, en bosques lluviosos, en bosques secos y en praderas. Nocturnas. Especies y géneros: **rana baw-baw** (*Philoria frosti*), **rana toro** (*Limnodynastes dumerilii*), **sapo de espuelas del desierto** (*Notaden nichollsi*), **rana Trilling** (*Neobatrachus centralis*), **ranas rayadas** (género *Mixophyes*), **ranas sphagnum** (género *Kyarranus*). Muchas autoridades incluyen a esta familia como subfamilia de *Myobatrachidae*.
LONGITUD: De 2 cm a 10 cm.
COLOR: Principalmente marrón o tostado, con manchas más oscuras en el dorso. Algunas con abdomen de dibujos brillantes.
FORMA DEL CUERPO: La mayoría robustas, con patas relativamente cortas (largas en *Mixophyes*), cabezas romas, algo palmeadas. Pupila elíptica horizontal o vertical.

CRÍA: Amplexo inguinal (axilar en *Mixophyes*). Fertilización externa. Los huevos se depositan en grupos en las orillas de las corrientes (*Mixophyes*), en cadenas dentro de charcas (*Neobatrachus* y *Notaden*), o en nidos de espuma dentro de madrigueras o sobre el agua. En los depositados en nidos de espuma en madrigueras, los renacuajos se desarrollan en esos nidos, mientras que en otras tienen renacuajos independientes.
ESTADO DE CONSERVACIÓN: La **rana baw-baw** está en Peligro y la **rana tartamuda** (*Mixophyes balbus*) es Vulnerable.

Sapillos australianos y ranas de agua
Familia Myobatrachidae

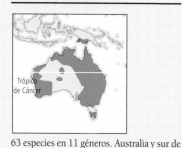

63 especies en 11 géneros. Australia y sur de Nueva Guinea. Terrestres o excavadoras, en bosques lluviosos, praderas y desiertos. Nocturnas, excepto *Taudactylus*. Especies y géneros: **Rana incubadora gástrica** (*Rheobatrachus silus*), **rana zumbadora** (*Neobatrachus pelobatoides*), **rana marsupial** (*Assa darlingtoni*), **rana diurna del sur** (*Taudactylus diurnis*), **rana tortuga** (*Myobatrachus gouldii*), **sapillos** (género *Pseudophryne* y *Uperoleia*).
LONGITUD: 3,5 cm.
COLOR: Muy variable, pero la mayoría con tonos marrones o grises.
FORMA DEL CUERPO: La mayoría robusta, con patas relativamente cortas, cabezas romas y pies un poco palmeados. Pupila elíptica horizontal.
CRÍA: Amplexo inguinal. Fertilización externa. Huevos acuáticos y renacuajos en la mayor parte de las especies. Los excavadores (*Arenophryne* y *Myobatrachus*) depositan los huevos grandes y sin pigmentación en cámaras subterráneas, donde los huevos se desarrollan directamente. *Taudactylus* y *Rheobatrachus* viven en corrientes de montaña. La primera tiene renacuajos que nadan libremente, mientras que los renacuajos de la segunda son tragados por la hembra y se desarrollan en el estómago convirtiéndose en ranitas.
ESTADO DE CONSERVACIÓN: La **rana de incubación gástrica** está en Peligro Crítico y la *Rheobatrachus vitellinus* en Peligro, al igual que la **rana Corrobore** (*Pseudophryne corroboree*). En el género *Taudactylus* la **rana Tinkling** (*T. rheophilus*), la **rana diurna del sur** (*T. diurnus*) y la **rana torrente de hocico afilado** (*T. acutirostris*) están el Peligro Crítico y otras 3 especies son Vulnerables.

Ranas de Capricornio
Familia Sooglossidae

3 especies en 2 géneros, *Neomantis* y *Sooglossus*. Las Islas Seychelles en el Océano Índico. Terrestres, en bosques húmedos. Nocturnas.
LONGITUD: De 2 cm a 5 cm.
COLOR: De tostado a marrón.
FORMA DEL CUERPO: Moderadamente delgado, con extremidades largas que carecen de membranas. Las puntas de los dedos son puntiagudas o romas. Pupila elíptica horizontal.
CRÍA: Amplexo inguinal. Fertilización externa. Los huevos se depositan en tierra. Los huevos eclosionan en ranitas o en renacuajos que no se alimentan y se suben al lomo de la hembra.
ESTADO DE CONSERVACIÓN: Ambas especies *Sooglossus* son Vulnerables.

Ranas leptodáctilas
Familia Leptodactílidos

864 especies en 51 géneros. Extremo sur de Norteamérica, Centroamérica, América del Sur e Indias Occidentales. Terrestres, excavadoras, acuáticas y arborícolas. En su mayoría nocturnas. Especies y géneros: **rana cornuda brasileña** (*Ceratophrys cornuta*), **Rana de ojos falsos** (*Physalaemus nattereri*), **rana del lago Titicaca** (*Telmatobius coleus*), **coquí dorado de Puerto Rico** (*Eleutherodactylus jasperi*), **rana toro sudamericana** (*Leptodactylus pentadactylus*), **rana de labio blanco** (*L. albilabris*), **sapos de espuelas sudamericanos** (género *Odontophrynus*), **escuerzos cornudos** o **de boca ancha** (género *Ceratophrys*).
LONGITUD: De 1 cm a 18 cm.

COLOR: Muy variable.

FORMA DEL CUERPO:Parecido al del sapo, con «espuelas» en patas posteriores (*Odontophrynus*), cabeza ancha y cuerpos cortos (*Ceratophrys*). Cabezas y cuerpos planos con pies grandes palmeados casi en su totalidad (*Telmatobius*): cuerpos moderadamente delgados con extremidades largas y sin membranas (*Leptodactylus*). Cuerpos robustos o delgados con las puntas de los dedos largas, en punta o extendidas (*Eleutherodactylus*). Pupila elíptica horizontal en la mayoría de las especies.

CRÍA: Amplexo axial normalmente. Fertilización externa (excepto en algunas especies *Eleutherodactylus*, de las cuales el *E. jasperi* tiene jóvenes). Los huevos se depositan en el agua o en nidos de espuma acuáticos (*Leptodactylus* y géneros relacionados), eclosionan en larvas que nadan libremente. Huevos depositados en nidos de espuma terrestres; renacuajos que no se alimentan y se desarrollan en nidos (*Adenomera*), o huevos terrestres y desarrollo directo (*Eleutherodactylus* y géneros relacionados).

ESTADO DE CONSERVACIÓN: 5 especies: *Eleutherodactylus karlschmidti, Holoaden bradei, Paratelmatobius lutzii, Thoropa lutzi* y *T. petropolitana*, están en Peligro Crítico. Además una especie está en Peligro y 13 son Vulnerables.

Sapos auténticos, ranas arlequín y parientes
Familia Bufónidos

Ecuador

376 especies en 33 géneros. En todos los continentes a excepción de Australia y la Antártida. El sapo marino se introdujo en muchas islas y en el oeste de Australia. La mayoría son terrestres, pero unos cuantos son acuáticos o arborícolas. Nocturnos o diurnos. Especies y géneros: **sapo americano** (*Bufo americanus*), **sapo común europeo** (*B. bufo*), **sapo dorado** (*B. periglenes*), **sapo marino, gigante** o de caña (*B. marinus*), **sapo africano** (*Nectophrynoides occidentalis*), **ranas arlequín** (género *Atelopus*), **sapos delgados** (género *Ansonia*).

LONGITUD: De 2 cm a 23 cm.

COLOR: La mayoría de los sapos auténticos tienen tonos marrones. Muchas especies diurnas de *Atelopus* y *Melanophryniscus* presentan una combinación de colores brillantes: amarillo, rojo y negro.

FORMA DEL CUERPO: Robusto y patas cortas con piel verrugosa en la mayoría de los sapos. Piel lisa, cuerpos delgados y extremidades largas en muchas ranas arlequín. Pupila elíptica horizontal.

CRÍA: amplexo axilar generalmente. Fertilización externa excepto en *Mertensophryne* y algunas especies *Nectophrynoides*. Los huevos se depositan formando cadenas en el agua normalmente y eclosionan en renacuajos que nadan libremente. Otras (Por ejemplo *Osornophryne*) ponen huevos en tierra que eclosionan en sapillos. Estas especies con fertilización interna paren unos cuantos jóvenes.

ESTADO DE CONSERVACIÓN: El **sapo dorado** está en Peligro Crítico. Además 6 especies están en Peligro y la misma cantidad son Vulnerables.

Sapillos de tres dedos
Familia Braquicefálidos

Trópico de Capricornio

3 especies en 2 géneros. Sureste de Brasil. Terrestres, viven en bosques lluviosos. Diurnos. Especies: **rana dorada** (*Brachycephalus ephippium*).

LONGITUD: De 1 a 2 cm.

COLOR: Marrón opaco o naranja amarillento brillante.

FORMA DEL CUERPO: Robusta, con hocico romo. Extremidades cortas. Sólo 2 o 3 dígitos en patas anteriores y 3 dígitos en patas posteriores. Pupila elíptica horizontal.

CRÍA: Amplexo inguinal inicialmente, cambiando a axilar. Fertilización externa. Huevos terrestres que eclosionan en ranitas.

Ranas venenosas
Familia Dendrobátidos

Ecuador

170 especies en 9 géneros. Zona tropical del sur de América, parte baja de Centroamérica. Principalmente terrestres, de bosques húmedos. Diurnos excepto los *Aromobates*. Especies: **rana de punta de flecha** (*Dendrobates pumilio*), **rana de arroyo** (*Colostethus trinitatus*).

LONGITUD: De 1,2 cm a 6 cm.

COLOR: Rojo, amarillo, azul o verde, normalmente con manchas negras. Varios tonos de marrón (*Colostethus* y parientes).

FORMA DEL CUERPO: Delgado, con cabezas cortas y extremidades delgadas. Dedos anteriores sin membrana; dedos posteriores con o sin membrana. Puntas de los dígitos ligeramente extendidas, con dos escudos en la superficie dorsal. Pupila elíptica horizontal. Los géneros de colores brillantes (*Dendrobates, Epipedobates, Minyobates* y *Phyllobates*) producen fuertes toxinas en la piel.

CRÍA: Ausencia de amplexo. Fertilización externa. Los huevos se depositan en el suelo y los cuidan el macho o la hembra. En la mayoría de las especies eclosionan en renacuajos que suben al lomo de los padres y son llevados a corrientes de agua, o al agua de bromelias o de otras bases llenas de agua donde nadan libremente, pero en algunas especies *Colostethus* se desarrollan en nidos terrestres renacuajos que no se alimentan. En algunas especies *Dendrobates* la hembra proporciona huevos sin fertilizar para alimentar a los renacuajos en las bromelias.

Ranas que incuban en la boca
Familia Rinodermátidos

Trópico de Capricornio

2 especies en 1 género. Sur de Sudamérica. Terrestres en bosques lluviosos templados. Diurnas. Especies: **Rana de Darwin** (*Rhinoderma darwinii*).

LONGITUD: 3 cm.

COLOR: Marrón o verde por encima, crema por debajo.

FORMA DEL CUERPO: Delgado, con hocico puntiagudo y filas de tubérculos en los bordes del cuerpo y extremidades. Dígitos largos, ligeramente palmeados en patas posteriores y sin membrana en patas delanteras. Pupila elíptica horizontal.

CRÍA: Amplexo axilar. Fertilización externa. Huevos terrestres que atiende el macho durante unos 20 días. Los machos recogen a los renacuajos con la boca. Diferentes estrategias para cuidar: los renacuajos de *Rhinoderma rufum* son transportados hacia el agua, donde nadan libremente, mientras que los renacuajos de *R. darwinii* se desarrollan en ranitas en los sacos vocales de los machos.

🔊 **Izquierda** *Las dendrobátidas son el grupo de ranas que más colores presentan con diferencia, incluso muestran diferentes morfos de color dentro de la misma especie (aquí dos variantes de Dendrobates histrionicus). Las ranas venenosas están muy extendidas por los bosques lluviosos de América Central y norte de Sudamérica.*

Ranas de árbol amero-australianas
Familia Hílidos

Ecuador

777 especies en 40 géneros. De norte a sur en América, Indias Occidentales, Eurasia, norte de África, Australia, Nueva Guinea. Principalmente arborícolas y nocturnas. Algunas (*Cyclorana*, por ejemplo) son terrestres o excavadoras. Especies y géneros: **Rana de árbol** que come huevos (*Osteocephalus oophagus*), **rana de árbol** *Hyla miliaria*, **rana gladiador de Rosenberg** (*H. rosenbergi*). **Rana de árbol coronada** (*Anotheca spinosa*), **ranas de árbol de Nueva Guinea y Australia** (géneros *Litoria, Nyctimystes*), **ranas de árbol que retienen agua** (género *Cyclorana*), **ranas de árbol con cabeza de yelmo** (géneros *Aparaspenodon, Corythomantis, Trachycephalus, Triprion, Pternohyla*), **ranas coro** (género *Pseudacris*), **ranas grillo** (género *Acris*), **ranas de hoja** (géneros *Agalychnis, Phyllomedusa* y parientes), **ranas marsupiales** (géneros *Flectonotus* y *Gastrotheca*).
LONGITUD: De 1,2 cm a 14 cm.
COLOR: En su mayoría verde, amarillo o marrón. Muchas con colores brillantes en flancos o extremidades.

FORMA DEL CUERPO: Normalmente delgado y ligeramente deprimido, con extremidades largas y pies palmeados. Las puntas de los dígitos tienen discos adhesivos extendidos. En algunos géneros ha cambiado el cráneo, con piel adherida a los huesos subyacentes. *Cyclorana* y *Pternohyla* son robustas con extremidades cortas, pies poco palmeados y discos pequeños. Pupila elíptica horizontal en la mayoría, elíptica vertical en *Phyllomedusa* y *Nyctimystes*.
CRÍA: Amplexo axilar. Fertilización externa. La mayoría de las especies depositan los huevos en el agua, pero otras los depositan sobre la vegetación que hay en las charcas o corrientes de agua, y algunas dejan los huevos en bromelias o en cavidades de árboles que haya en el agua. Todos tienen renacuajos que nadan libremente. Los machos de la rana gladiador (por ejemplo *Hyla boans*) construyen y defienden nidos parecidos a jofainas en los cuales se desarrollan los renacuajos. Los renacuajos de *Anotheca spinosa, Osteopilus brunneus* y algunas especies de *Osteocephalus* se desarrollan en huecos de árboles o en bromelias y se alimentan de huevos sin fertilizar depositados por las hembras. En la subfamilia Hemiphractinae, la hembra lleva a los huevos sobre su lomo (*Cryptobatrachus, Hemiphractis* y *Stefania*) o en bolsas dorsales (*Flectonotus* y *Gastrotheca*). En los tres primeros géneros y en alguna especie *Gastrotheca*, los huevos se desarrollan directamente en ranitas, mientras que en otros *Gastrotheca* los renacuajos independientes completan su desarrollo en charcas. Los *Flectonotus* colocan a los renacuajos avanzados en bromelias o cavidades de árboles y bambúes.
ESTADO DE CONSERVACIÓN: 3 especies: *Litoria flavipunctata, L. lorica* y *L. nyakalensis* se encuentran en Peligro Crítico. Además, cuatro especies están en Peligro y 4 son Vulnerables.

Ranas paradoja
Familia Pseudidae

Trópico de Capricornio

7 especies en 2 géneros. Sur de América. Acuáticas, principalmente en aguas permanentes. Nocturnas. Especies: **rana paradoja** (*Pseudis paradoxa*). Algunas autoridades la consideran subfamilia dentro de los Hílidos.
LONGITUD: Adultos de 2 a 6 cm, renacuajos de *Pseudis* hasta 22 cm.
COLOR: Verde jaspeado y marrón, con manchas amarillas o negras.
FORMA DEL CUERPO: Robusta y aerodinámica. Hocico puntiagudo. Ojos prominentes. Extremidades posteriores largas y musculosas. Dedos posteriores largos, puntiagudos, palmeados totalmente. Pupila elíptica horizontal.
CRÍA: Amplexo axilar. Fertilización externa. Los huevos se depositan en el agua y eclosionan en renacuajos que nadan libremente.

Ranas de cristal
Familia Centrolenidae

Ecuador

104 especies en 3 géneros: *Centrolene, Cochranella* e *Hyalinobatrachium*. Centro y sur de América. Arborícolas de bosques húmedos (principalmente en montañas). Nocturnas.
LONGITUD: De 2 cm a 8 cm.
COLOR: Verde Principalmente, con o sin puntos más oscuros o más pálidos. La piel del abdomen es casi transparente.
FORMA DEL CUERPO: Delgada, cabeza grande con ojos prominentes. Dedos posteriores y anteriores parcialmente palmeados. Discos adhesivos extendidos en los dígitos. Pupila elíptica horizontal.
CRÍA: Amplexo axilar. Fertilización externa. Pequeñas nidadas de huevos que se depositan sobre la vegetación de las corrientes de agua. Cuando eclosionan caen al agua y se desarrollan en la corriente.

🗘 **Abajo** *La rana de hoja rayada (Phyllomed tomopterna) tiene las extremidades largas y delgadas típicas de los hílidos. Las ranas de ho como ésta son unas saltadoras extraordinarias pero suelen andar por las ramas.*

NOTAS Longitud: longitud desde el hocico al ano.
Equivalentes aproximados no métricos: 10 cm = 4 pulgadas / 1 kg = 2,2 libras

Rana de Ruthven
Familia Allophrynidae

Trópico de Capricornio

1 especie: *Allophryne ruthveni*. Noreste y sur de América. Arborícolas en bosques tropicales húmedos. Nocturnas.
LONGITUD: 3 cm.
COLOR: Tostado por arriba, con manchas negras.
FORMA DEL CUERPO: Delgada, deprimida. Cabeza plana. Hocico redondeado. Extremidades largas. Dedos anteriores y posteriores con discos terminales extendidos y truncados. Dedos anteriores sin membranas, dedos posteriores palmeados básicamente. Pupila elíptica horizontal.
CRÍA: Crían en charcas temporales. Amplexo axilar. Fertilización externa. Renacuajos desconocidos.

Ranas auténticas
Familia Ránidos

Ecuador

643 especies en 44 géneros. En todo el mundo excepto en Groenlandia, Antártida, Madagascar, Nueva Zelanda y la mayor parte de Australia. Acuáticas, orillas del agua, terrestres y unas cuantas arborícolas (por ejemplo algunas *Platymantis*) o excavadoras (*Tomopterna*), desde bosques lluviosos y sabanas hasta elevadas altitudes de temperaturas frías. Principalmente nocturnas. Especies y géneros: **rana toro americana** (*Rana catesbeiana*), **rana cangrejera** (*R. cancrivora*), **rana comestible** (*R. esculenta*), **rana común europea** (*R. temporaria*), **rana guardiana verrugosa** (*R. finchi*), **rana parda** (*R. sylvatica*), **rana toro asiática** (*Hoplobatrachus tigerinus*), **rana Goliat** (*Conraua goliath*), **rana toro sudafricana** (*Pyxicephalus adspersus*), **ranas cornudas de las Islas Salomón** (género *Ceratobatrachus*), **ranas de árbol indias** (género *Nyctibatrachus*), **platimantidas** (género *Platymantis*), **ranas torrente** (género *Meristogenys*).
LONGITUD: De 1,5 cm a 35 cm. La rana Goliat del oeste de África es la más grande del mundo. Mide hasta 35 cm y pesa 3,100 kg.
COLOR: La mayoría son verdes o marrones, con manchas más oscuras.
FORMA DEL CUERPO: Desde parecida a la del sapo (por ejemplo *Discodeles*) a aerodinámica, con cabezas puntiagudas y extremidades largas, con o sin membrana entre los dígitos. Pupila elíptica horizontal.

CRÍA: Amplexo axilar. Fertilización externa. La mayoría pone huevos en el agua y tienen renacuajos que nadan libremente, pero las *Arthroleptella* ponen pequeñas nidadas de huevos en cavidades húmedas. Los renacuajos, que no se alimentan, se desarrollan en nidos. Otros géneros (por ejemplo *Ceratobatrachus*, *Arthroleptides* y *Platymantis*) depositan huevos terrestres en los que se produce un desarrollo directo.
ESTADO DE CONSERVACIÓN: 7 especies *Platymantis*, entre ellas las ranas del bosque de piel lisa (*P. levigatus*) y la rana de cueva negros (*P. spelaeus*) se encuentran en Peligro Crítico. Además otras 7 especies de Ránidos están en Peligro y 15 son Vulnerables.

Ranas chirriantes y ranas grillo
Familia Artholeptidae

Ecuador

75 especies en 8 géneros. África subsahariana. Terrestres o acuáticas, en bosques lluviosos y bosques húmedos montanos. Nocturnas. Especies y géneros: **rana de pelo** (*Trichobatrachus robustus*), **chirriantes** (género *Arthroleptis*).
LONGITUD: De 1 cm a 18 cm.
COLOR: Predominantemente gris, tostado o marrón.
FORMA DEL CUERPO: La mayoría delgados con extremidades largas, palmeados o no palmeados. Algunos con cabeza ancha. Pupila elíptica horizontal o vertical.
CRÍA: Amplexo axilar. Fertilización externa. Muchas depositan los huevos en el agua y tienen renacuajos que nadan libremente, pero los *Arthroleptis* y *Coracodichus* ponen pequeñas nidadas de 10 a 30 huevos en la tierra que eclosionan en ranitas.

Ranas de hocico de pala
Familia Hemisotidae

Ecuador

8 especies en 1 género. África subsahariana. Excavadoras terrestres, principalmente en sabanas y bosques de matorrales. Nocturnas. Géneros: **ranas de hocico de pala africanas** (género *Hemisus*).
LONGITUD: De 3 cm a 8 cm.
COLOR: Verde aceituna o marrón, normalmente con manchas amarillas o naranjas.
FORMA DEL CUERPO: Robusta, con hocico puntiagudo. Ausencia de tímpano, extremidades cortas: «pala» en las patas posteriores. Pupila elíptica vertical.
CRÍA: Amplexo inguinal. Fertilización externa. Los huevos se depositan en

madrigueras junto al agua y los guarda la hembra. Los huevos eclosionan en renacuajos y la hembra excava un túnel de salida hacia el agua, donde se desarrollan los renacuajos nadando libremente.

Ranas de juncal y de juncia
Familia Hyperoliidae

Ecuador

234 especies en 19 géneros. África subsahariana, Madagascar, Islas Seychelles. La mayoría son arborícolas (algunas terrestres) en bosques lluviosos y sabanas. Nocturnas. Especies y géneros: **Rana de hoja dorada** (*Afrixalus brachycnemis*), **rana de juncal jaspeada** (*Hyperolius marmoratus*), **rana de las Islas Seychelle** (*Tachycnemis seychellensis*), **ranas de arbusto** (género *Leptopelis*), **ranas de juncia** (género *Hyperolius*).
LONGITUD: De 1,7 cm a 8,7 cm.
COLOR: Muy variable, en tonos verdes o marrones. Muchas tienen manchas de colores brillantes (amarillo, rojo, naranja).
FORMA DEL CUERPO: Normalmente delgada, con extremidades de tamaño moderado y discos extendidos en los dígitos. Pupila elíptica horizontal.
CRÍA: Amplexo axilar. Fertilización externa. Los huevos se depositan en el agua, en hojas, en nidos de espuma sobre vegetación o en cavidades hechas en la tierra cercanas al agua. Todas tienen renacuajos que nadan libremente.
ESTADO DE CONSERVACIÓN: 3 especies: **la rana auténtica de las Islas Seychelle**, **la rana de juncal de Pickersgill** (*Hypeolius pickersgilli*) y **la rana de árbol de dedos largos** (*Leptopelis xenodactylus*) son Vulnerables.

Ranas auténticas afroasiáticas
Familia Racofóridos

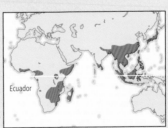

Ecuador

276 especies en 14 géneros. África subsahariana, Madagascar, India, Sri Lanka, sureste de Asia, sur de Japón e Indonesia. La mayoría de ellas arborícolas y nocturnas. Las mantellas son terrestres y diurnas. Las *Buergeria* terrestres o semiacuáticas y nocturnas. Especies y géneros: **rana de nido de espuma** (*Chiromantis xerampelina*), **ranita malaya** (*Philautus vermiculatus*), **rana voladora malaya** (*Rhacophorus reinwardtii*), **rana voladora de Wallace** (*R. nigropalmatus*), **mantellas** (género *Mantella*), **mantidáctilas** (género *Mantidactylus*). Algunas autoridades

sitúan a los géneros de Madagascar *Aglyptodactylus*, *Mantella*, *Mantidactylus* y *Laurentomantis* en una familia aparte: Mantellidae.
LONGITUD: De 1,5 cm a 10 cm.
COLOR: Taxones arborícolas de color verde o marrón principalmente, algunos con membranas de colores brillantes. Las mantellas tienen dibujos y colores vivos.
FORMA DEL CUERPO: Los taxones arborícolas son delgados normalmente, con extremidades largas y pies palmeados. Las mantellas son pequeñas y moderadamente delgadas, con extremidades cortas y sin membranas. Pupila elíptica horizontal.
CRÍA: Amplexo axilar (ausente en las mantellas). Fertilización externa. La mayoría de los taxones arborícolas depositan huevos en nidos de espuma arbóreos. Cuando eclosionan caen al agua y se desarrollan los renacuajos en libertad. Los huevos se depositan en hojas sobre corrientes de agua en los *Mantidactylus* y en tierra cercana al agua en las *Mantella*. Al eclosionar caen al agua, o culebrean hacia el agua, donde se desarrollan los renacuajos nadando libremente.
ESTADO DE CONSERVACIÓN: la **rana de árbol Mindoro** (*Philautus schmackeri*) está en Peligro, y **la rana de árbol coronada** (*Nyctixalus spinosus*) es Vulnerable.

Ranas de boca estrecha
Familia Microhílidos

Ecuador

414 especies en 70 géneros. Sureste y norte de América, centro y sur de América, África subsahariana, Madagascar, sureste de Asia, Indonesia, Nueva Guinea, norte de Australia. En su mayoría terrestres o excavadoras, en bosques lluviosos, sabanas y bosques templados y montanos. Algunas son arborícolas. Nocturnas. Especies y géneros: **rana tomate** (*Dyscophus antongilii*), **sapos de boca estrecha** (géneros *Gastrophryne*, *Microhyla*), **ranas de lluvia** (géneros *Breviceps*, *Kaloula*).
LONGITUD: De 0,9 cm a 8,8 cm.
COLOR: Principalmente gris o marrón, pero algunas tienen dibujos que contrastan de color negro y rojo o amarillo.
FORMA DEL CUERPO: Las formas terrestres tienen el cuerpo robusto y la cabeza pequeña, con hocicos puntiagudos o romos. Los dedos posteriores son un poco palmeados. Pupila elíptica horizontal.
CRÍA: Amplexo axilar o inguinal. Fertilización externa. Ponen los huevos en tierra, eclosionan en ranitas o en renacuajos que no se alimentan. Otros géneros depositan los huevos en el agua y tienen renacuajos que nadan libremente.
ESTADO DE CONSERVACIÓN: **Microhílido negro** (*Melanobatrachus indicus*) y la **rana de boca estrecha de Camiguin** (*Oreophryne nana*) están en Peligro; otras 4 especies son Vulnerables.

SALTOS Y BRINCOS

Mecanismos de locomoción de los anuros

1

2

EN EL LENGUAJE CORRIENTE, LAS RANAS SALTAN Y LOS sapos dan brincos. Aunque la locomoción de los anuros es, en realidad, mucho más diversa que lo de saltar o dar brincos solamente. No obstante, no hay una verdadera diferencia entre dar brincos y saltar. La diferencia entre estos dos niveles de función locomotora se registra por la distancia del viaje, largo contra corto. Un brinco es un salto de corta distancia, que mide sólo unas cuantas veces la longitud del cuerpo del anuro. Un salto es un salto de larga distancia, y mide muchas veces la longitud del cuerpo.

Los sapos americanos, los sapos marinos y otras especies *Bufo* (los sapos «auténticos») saltan una media de tres a cinco veces la longitud de su cuerpo, no importa que sean diminutos como el sapo roble (*B. quercicus*), que mide sólo 2 o 3 cm del hocico al ano, o gigantes como el sapo marino (*B. marinus*) que mide de 10 a 15 cm. Además, la gama de brincos y saltos individuales que completa la media es estrecha. Rara vez menos de dos o más de seis veces la longitud del cuerpo. Por el contrario, saltadoras prodigiosas

como la rana cohete de Papúa (*Litoria nasuta*) en Australia cubre una media de 25 veces la longitud de su cuerpo en cada salto, y un único salto puede medir más de 50 veces la longitud de su cuerpo. Hay otras ranas que pueden lograr este salto olímpico, aunque el salto de muchas ranas auténticas (*Rana*) y ranas arborícolas (*Hyla*, *Litoria*) mide normalmente 10 o 20 veces la longitud de su cuerpo.

Por supuesto, varias ranas, entre ellas las especies de rana auténtica y ranas arborícolas, se encuentran a medio camino entre los insectos saltadores y los grandes saltadores. Además, unas cuantas ranas (una pequeña parte del total) no saltan exactamente. Algunas especies caminan de un modo regular en vez de saltar o brincar, e incluso los saltadores también

andarán cortas distancias alguna vez. Como otros vertebrados de cuatro patas, las ranas caminan con una secuencia diagonal de movimientos de las extremidades: a la extremidad anterior derecha le sigue la posterior izquierda, luego la anterior izquierda y la posterior derecha. Esta secuencia de movimientos proporciona máxima estabilidad, el centro de gravedad del cuerpo siempre se encuentra dentro de un trípode de extremidades de apoyo.

Unas cuantas especies son estrictamente acuáticas. Su comportamiento al nadar, como la de la mayor parte de las demás ranas cuando están en el agua, es diferente al de cualquier otro vertebrado, a excepción de los humanos cuando utilizan el golpe de pecho.

3

4

Los vertebrados que utilizan las extremidades para nadar emplean normalmente la misma secuencia de movimientos que cuando caminan sobre las cuatro extremidades: moviendo alternativamente las posteriores. Sin embargo, en las ranas, las extremidades posteriores se mueven sincronizadamente, como en el salto. Pero en vez de estirar las patas formando un ángulo recto con el cuerpo y echar el cuerpo hacia arriba y hacia delante, las ranas, cuando nadan, estiran las extremidades posteriores hacia atrás y en paralelo con el cuerpo, empujándolo hacia delante. Las extremidades anteriores se presionan contra los costados.

Cuando las extremidades posteriores empujan hacia atrás, los pies grandes y palmeados se abren en forma de paracaídas por la presión que ejerce el agua. Cuando las patas posteriores se encuentran totalmente extendidas, se doblan. Los pies posteriores se pliegan y

se alzan hacia delante como los remos de un bote. De ese modo, el movimiento natatorio de las ranas es «de avance rápido» cuando se extienden las extremidades, seguido de una «deriva rápida» cuando se doblan. Aunque este movimiento puede parecer ineficaz, las ranas nadan con rapidez en realidad. Las ranas de uñas africanas (*Xenopus*) están tan adaptadas para nadar que no pueden colocar las extremidades en la posición vertical necesaria para ejecutar el salto normal de la rana. En tierra se resbalan y brincan por la superficie, nunca se elevan sobre ella y las extremidades posteriores la propulsan hacia delante como cuando nada.

Una forma menos corriente de locomoción acuática es rozando el agua, y la maestra de este modo es la *Rana cyanophlyctis* india. Literalmente la rana roza o brinca por la superficie del agua en una serie de saltos rápidos. El rozar el agua puede

◑ **Arriba** *Salto de una rana.* **1** *Las extremidades anteriores se levantan y dirigen la parte anterior de la rana. Los tobillos levantan del suelo a las extremidades posteriores.* **2** *Despegue: las extremidades posteriores se balancean desde la cadera. Se extienden las patas y propulsan a la rana hacia delante y hacia arriba. Los tobillos y los pies posteriores propulsan desde el suelo.* **3** *Al vuelo le sigue una curva de 45º aproximadamente. Los ojos están cerrados y se encogen hacia la cavidad bucal.* **4** *Aterrizaje: las extremidades anteriores interrumpen la caída y el pecho toca el suelo, seguido del resto del cuerpo. Las extremidades posteriores se doblan y presionan contra el cuerpo, preparándose así para un nuevo salto.*

empezar en tierra o ya en el agua. Es necesario que la rana mantenga un elevado nivel de flotación y aterrice sobre la superficie del agua. Las extremidades posteriores la propulsan, como en el salto terrestre, pero los pies posteriores se mantienen en posición vertical mientras nada con el fin de empujar el agua y levantar la rana de la superficie ligeramente. Este modo de rozar el agua se ha observado en menos de una docena de especies (se encuentran otros ejemplos en la especie *Acris* norteamericana y en la *Occidozyga* asiática), aunque es posible que la empleen muchas otras.

Continúa a la vuelta ▷

◖ **Izquierda** *Una rana rubeta (Hyla meridionalis) completamente estirada se lanza desde una rama con un potente impulso de sus extremidades posteriores. Con su constitución delgada y ágil y sus almohadillas adhesivas en los extremos de los dígitos, las ranas hílidas son unas saltadoras y trepadoras consumadas.*

◑ **Abajo** *Los pies posteriores palmeados y grandes que caracterizan a las especies de anuros parcial o totalmente acuáticos se ven claramente en este sapo común (Bufo bufo). La superficie aumentada de los pies posteriores ancla a la rana en el agua, más que un ancla a la deriva parece un bote, y el cuerpo se impulsa hacia delante desde este ancla.*

Entre las especies arborícolas que viven en árboles o arbustos bajos, el salto les sirve para escapar normalmente y también para cruzar zanjas alguna vez. Las ranas que trepan a los árboles utilizan la misma secuencia de movimientos de las extremidades que cuando caminan por el suelo, pero el movimiento es más lento y la colocación de los pies es más metódica. A cada paso la rana tiene que agarrar la rama y averiguar si soportará su peso. Cuando van de árbol en árbol, o de rama en rama, las ranas arborícolas utilizan el modo de salto estándar, aunque saltar por los árboles requiere determinar con más precisión el lugar de aterrizaje para evitar una caída. Desde la perspectiva de una rana, una caída es peligrosa no por el riesgo de sufrir heridas al chocar contra el suelo, sino porque queda expuesta a los predadores. En un bosque lluvioso de Puerto Rico, una pequeña rana llamada coqui (*Eleutherodactylus coqui*) sube a los árboles por la noche. Cuando amanece y cae la humedad, muchas coqui descienden al suelo simplemente dando un salto hacia fuera y dejándose caer. Su postura de águila la mantiene estable y crea la suficiente resistencia al aire para evitar un duro aterrizaje.

Las ranas arborícolas poseen extremidades y cuerpos delgados normalmente, así como también dígitos con discos «de succión». La fuerza de agarre de estos discos procede de la fricción y la adhesión húmeda. La succión, si está presente, es sólo un componente menor. Las amplias almohadillas de los dedos tienen una capa de piel exterior especializada que es una superficie fibrosa dividida en canales dentro de bloques regulares. Esta almohadilla produce mejor agarre en superficies ásperas y secas por la fricción, la disposición de las fibras y la irregularidad de la superficie. En superficies lisas y húmedas, el moco que cubre las almohadillas de los dedos crea una adhesión por la fuerza de tensión de la superficie.

La combinación de fricción adhesión húmeda permite a muchas especies de ranas arborícolas agarrarse a superficies muy inclinadas. También permite agarrarse a algunas especies de peso ligero, de menos de 10 gr. de peso, o incluso andar hacia arriba o hacia abajo, en superficies lisas.

Varias especies de ranas de árbol, entre las que no existe parentesco, tienen los pies palmeados, tanto los anteriores como los posteriores. El palmeado, sobre todo de los pies anteriores, parece una morfología peculiar de las ranas no acuáticas, pero como aparece en varios grupos no emparentados de ranas arborícolas tropicales tiene que representar un papel funcional en estos anuros. Es posible que la membrana mejore el movimiento de la rana en el aire. Ciertamente puede servir para hacer más lento el aterrizaje de una rana.

A unas cuantas especies *Rhacophorus* asiáticas se las conoce como ranas voladoras, incluso aunque no vuelen en realidad y ni siquiera sean unas planeadoras que convenzan. Su "vuelo" se controla

realmente cayendo en ángulo inclinado y no en línea recta hacia abajo cuando se mueven de una rama de árbol a otra, o para escapar de los predadores. Esta forma de locomoción requirió la evolución de un protocolo de conducta en particular para aumentar la estabilidad en el vuelo. Entre sus características se encuentra mantener el cuerpo rígido y plano, las extremidades extendidas y los dedos muy extendidos que le sirven de paracaídas y timones.

Las ranas excavadoras son mucho menos numerosas que las arborícolas, y la mayoría de las especies excavan hacia atrás. Las ranas cavan arrastrando lateralmente los pies posteriores. El movimiento de la extremidad se confina a la parte más inferior, desde la rodilla al talón y el talón de la mayoría de las ranas que excavan hacia

◐ Arriba *Para interrumpir la caída cuando salta de un árbol a otro en su hábitat de bosque lluvioso tropical, la rana voladora malaya (*Rhacophorus reinwardtii*) del sudeste de Asia extiende los dedos palmeados tanto de los pies anteriores como de los posteriores.*

◑ Izquierda *Junto con otros miembros de su género, la rana de nariz de cerdo africana (*Hemisus marmoratum*) utiliza su hocico puntiagudo de herramienta para excavar. El cartílago le sirve para endurecer el hocico contra los rigores de hacer el túnel.*

◑ Derecha *Las extremidades posteriores grandes y musculosas de la especie europea* Rana esculenta *le ayudan a propulsarse de un modo efectivo en el agua. Estos mismos atributos le han llevado a ser muy apreciada como delicia culinaria, especialmente en Francia. Su nombre científico traducido es «rana comestible».*

atrás posee un tubérculo abultado en el metatarso, en forma de media luna. Este tubérculo les sirve de raspador y de cuchara. Para cavar colocan el talón en el suelo y después empujan hacia atrás y hacia un lado. De este modo desplazan la tierra lateralmente, y al arrastrar los pies de lado a lado con rapidez, la rana se hunde en la tierra.

Excavar hacia atrás tiene la ventaja de permitir a la rana inspeccionar los alrededores en busca de predadores y saltar hacia delante para capturar a una presa. Todas las ranas, tanto si son excavadoras como si no lo son, poseen un prehallux óseo (un hueso de más en el pie posterior, enfrente del primer dedo) debajo del tubérculo del metatarso. Pocas ranas empiezan a excavar con la cabeza, aunque los miembros de una

familia, los Hemisotidae, cavan de esa manera exclusivamente. Estas ranas de nariz de cerdo utilizan el hocico para cavar túneles, empujándolo hacia delante en la pared del túnel y levantándolo y bajándolo para comprimir la tierra del techo y del suelo.

¿Por qué han perdido la cola las ranas?

Con pocas excepciones, todas las ranas pueden dar un brinco o saltar y esta habilidad se refleja en su morfología. Los anuros están diseñados para saltar e incluso los anuros más antiguos, *Prosalirus bitis* del Jurásico temprano (hay ranas más antiguas –Salientia–) muestran la mayor adaptación para el salto que se ha visto en un ser vivo. Entre estas adaptaciones se encuentra una columna vertebral más corta, una cintura pectoral y un esqueleto de extremidad anterior más robustos. Una única cintura

pélvica con isquión y pubis muy reducidos y, de modo excepcional, un alargamiento del ilion. Alargamiento de los huesos de las extremidades posteriores, especialmente de los huesos de los tobillos, y ausencia de cola externa. La cola existe en el interior y es una especie de vara ósea (una serie de vértebras caudales en *Prosalirus*) entre los íliones. Estos huesos, las vértebras del sacro y sus músculos son elementos importantes en la orientación postural para el salto.

Se desconocen los factores que produjeron la evolución de salto y la anatomía especializada que conlleva. Saltar es un medio eficaz a la hora de atrapar una presa que se acecha, y también un método rápido de distanciarse uno mismo de un predador que se acerca, pero es pura especulación pensar que una de estas conductas, o las dos, forzaran la evolución.

Dos corrientes de pensamiento diametralmente opuestas ofrecen explicaciones sobre el modo en el que ha evolucionado la locomoción a saltos de la rana. La hipótesis más antigua es la de que la sincronización de las extremidades posteriores fue una adaptación al movimiento acuático, permitiendo avanzar a las ranas de un modo repentino y rápido en el agua para poder coger una presa o para escapar de los predadores. Con el desarrollo y refinamiento de este tipo de respuesta se postuló después que las ranas se habrían adaptado previamente al salto cuando se trasladaron a tierra.

La hipótesis contraria indica que el salto tiene un origen terrestre, considerando demasiado improbable la sustitución de la cola por extremidades posteriores para la propulsión acuática. En vez de ello, sugiere que el salto evolucionó como un modo rápido de escapar, y especialmente para permitir que los animales pudieran trasladarse rápidamente del lugar de descanso en tierra a un lugar oculto en el agua.

No importa cuál de las dos hipótesis es la correcta (o si lo es alguna realmente), en ambas sucede que fue necesario que la cola se acortara para permitir un efecto propulsor de las extremidades posteriores. Como este tipo de movimiento rápido se fue haciendo más importante, la cola molestaba durante el movimiento de las extremidades y el roce o fricción daría como resultado la tendencia a la reducción.

La extensión sincronizada de las extremidades posteriores es la que conduce el salto de los anuros. Desde una postura de descanso, agachada normalmente, la rana levanta la cabeza y parte delantera del cuerpo por medio de una extensión de las extremidades anteriores. Simultáneamente las extremidades posteriores se tensan y los tobillos se elevan en vertical. El movimiento de los tobillos levanta el muslo y la tibio fíbula y la posición de los tobillos detrás de la línea media del cuerpo proporciona un punto de enfoque para la fuerza del salto. Esta fuerza procede de abrirse de golpe el muslo y la tibio fíbula, conduciendo a la rana hacia delante y hacia arriba poniéndose rígidos también el lomo y la cintura pélvica. La fuerza de las extremidades extendidas lanza a la rana literalmente levantándola del suelo y transportándola hacia delante. Cuando la rana empieza su trayectoria de bajada, las extremidades delanteras se mueven hacia delante para disminuir el impacto. Aún así, el pecho y la barbilla de las ranas que saltan (aunque no de los insectos saltadores) golpean el suelo con fuerza. Las extremidades anteriores también detienen la parte anterior del cuerpo, por tanto la rana que está aterrizando se dobla por la articulación sacro pélvica, y la levantan para el salto siguiente.

Puede que una rana saltadora no tenga la gracia de un canguro, pero el estilo de los anuros ha demostrado ser un éxito de la historia de la evolución, sobreviviendo durante más de 200 millones de años. Continúa sirviendo a más de 4.000 especies vivas de la actualidad.   GRZ

DECODIFICACIÓN DEL CANTO DE LA RANA

Comunicación oral de ranas y sapos

EN MUCHAS ZONAS TROPICALES Y SEMITROPICALES MILES de machos de al menos dos docenas de especies de ranas se pueden llamar al mismo tiempo y en el mismo lugar. Estos «coros» se encuentran entre los fenómenos biológicos más impresionantes y se pueden oír a más de 1 km de distancia. Las llamadas las emiten los machos, y su principal función es atraer y estimular a las hembras. Ya que las hembras de la mayoría de las especies ponen los huevos en el agua, los coros se producen normalmente en los alrededores de aguas permanentes o temporales. Esta actividad se produce por la noche generalmente, aunque machos de varias especies llaman durante el día.

Hay dos tipos principales de coros de rana. Los machos de las especies con «cría explosiva» se congregan y llaman durante un breve período de tiempo, normalmente durante una o dos noches, y las hembras llegan sincronizadamente. El resultado es que en una noche hay tantas hembras como machos presentes en el lugar de cría, con la consecuencia de que la mayoría de los machos se aparean. Los criadores explosivos se caracterizan algunas veces por la conocida competición de «lucha», donde los machos agarran simplemente a todo lo que se mueve y abandonan la llamada.

En el extremo opuesto se encuentran las especies de la categoría «criadores continuos». Los machos de estas especies se congregan y llaman durante períodos de hasta 6 meses en la estación de lluvias. Los coros se oyen casi todas las noches durante este período de tiempo, normalmente empiezan al anochecer y continúan hasta el amanecer. En estos coros varía la asistencia individual del macho al lugar de cría. Algunos machos acuden al coro y llaman todas las noches durante esa estación, mientras que es posible que otros sólo llamen durante unas cuantas noches. En los criadores continuos, la llegada de la hembra no es sincrónica y, como consecuencia de ello, hay una proporción relativamente pequeña de hembras presentes en una noche. Las hembras ponen generalmente 2 o 3 nidadas en una estación y acuden al coro únicamente cuando están preparadas para aparearse y desovar. Por tanto, en una noche los machos superan en número a las hembras normalmente, y se produce una fuerte competición por atraerlas. Sólo un pequeño porcentaje de machos se aparea con éxito. Otra consecuencia es que los machos pueden variar considerablemente de cantidad de hembras con las que se aparean durante toda la estación. Aunque los machos se limitan a aparearse una vez por noche, algunos machos tienen éxito en atraer a hembras durante varias noches, mientras que otros nunca consiguen atraerlas. A pesar de la competencia, los criadores continuos rara vez recurren a perseguir a las hembras de un modo activo. En vez de ello compiten oralmente para intentar atraer la atención de una posible pareja.

Después de llegar la hembra a un coro de varias especies, se enfrenta a una tarea formidable. Tiene que identificar y localizar al macho apropiado de su propia especie extrayendo el sonido adecuado de un entorno lleno de ruidos intensos y complejos. El reto es especialmente agudo en las especies de cría continua, donde los machos permanecen estacionarios y esperan a que las hembras se acerquen a ellos. La vista y el olfato pueden proveer información a la hembra, pero los sonidos pregrabados de vocalizaciones de machos que salían de unos altavoces han demostrado que la llamada por sí sola es suficiente para que una hembra seleccione a su pareja. Esto es posible porque cada especie de un coro produce llamadas con cualidades peculiares que reconoce la hembra.

Una vez que la hembra localiza al macho de su especie, se acerca a él, haciendo una pausa de vez en cuando para reorientar la llamada. El amplexo se inicia normalmente cuando la hembra toca al macho, momento en el que él la agarra. La pareja permanece en el mismo lugar de llamada del macho durante varias horas antes de trasladarse al agua, donde el macho fertiliza los huevos mientras la hembra los libera.

Las llamadas de las ranas no sólo atraen a las hembras de la misma especie, también se utilizan en disputas territoriales entre machos. En algunas

Arriba *La rana posee una gran variedad de tamaños y formas de saco vocal. El más común es el saco único, situado en la parte inferior de la garganta, en el centro (saco subgular mediano). No obstante, varias especies tienen dos sacos subgulares. Aquí se muestra la rana comestible (Rana esculenta), una criadora explosiva que habita en regiones templadas.*

Izquierda *En los bosques lluviosos brasileños, dos machos de ranas arborícolas de patas rojas (Hyla bipunctata) buscan la mejor posición de llamada para atraer a las hembras. La competición para poder aparearse es feroz entre las especies de criadores continuos de las zonas tropicales.*

especies los machos cantan por territorios de cría que contienen desoves y/o lugares de alimentación, que defienden de cualquier intrusión de otros machos. En otras especies los machos simplemente defienden el área que rodea al lugar de llamada, incluso aunque no contenga los recursos que necesita la hembra para reproducir. Muy a menudo la defensa de territorios y los lugares de llamada se facilitan con la misma llamada que emplean para atraer a las hembras, y por tanto sirve para indicar la posición y disposición del macho no sólo para parejas potenciales sino también para machos rivales. Por esta razón lo que antes se denominaba llamada de «apareamiento» ahora se ha

cambiado por llamada de «anuncio». En al menos dos especies de ranas territoriales (la rana toro americana, *Rana catesbeiana*, y las ranas verdes, *Rana clamitans*) se sabe que los machos son capaces de reconocer las llamadas de anuncio de sus vecinos, reduciéndose así el coste asociado a las repetidas interacciones agresivas con vecinos que no amenazan.

En el caso de una disputa entre machos rivales, una rana podría añadir más notas a su anuncio o podría dar una clase de llamada completamente diferente. Estas otras llamadas se han denominado de muchas maneras «territoriales» o «de encuentro» o «agresivas». Parece ser que informan de un ataque inminente a un rival o, en las primeras etapas del conflicto, pueden servir principalmente para interrumpir la llamada de un competidor, probablemente haciéndole menos atractivo a las hembras. En las especies que se han examinado, las hembras son atraídas por llamadas agresivas únicamente cuando ningún macho está haciendo llamadas de anuncio. De hecho, ellas pueden abandonar la comunidad de machos que están disputando oralmente para aparearse con un macho distante que está realizando llamadas de anuncio.

Hay otros dos tipos de llamada que son comunes en los repertorios de muchas clases de ranas y sapos.

Las llamadas de «liberación», que normalmente da un macho a otro macho que le agarra, tienen con frecuencia una estructura acústica similar a la de las llamadas agresivas descritas anteriormente. Las hembras no receptivas también pueden dar una llamada de «liberación», normalmente se parece a la del macho pero se distingue bien. Una llamada de liberación es suficiente generalmente para conseguir que un macho que está agarrado deje a su pareja sexual.

Las llamadas de «angustia» difieren de otras llamadas porque las dan con la boca abierta. Normalmente se producen cuando un predador atrapa a una rana, y muchas suenan como gritos. Al parecer las demás ranas ignoran las llamadas de angustia, por tanto es posible que su función sea asustar al predador, que con frecuencia deja caer a la rana.

Elección de pareja por su llamada

Aunque está bien establecido que las llamadas permiten a la hembra identificar a los machos de su propia especie, algunas investigaciones han indicado que también es posible que les permita evaluar a los

Continúa a la vuelta ▷

machos de un modo individual con el fin de elegir al más adecuado. Por ejemplo, en la mayoría de las especies las llamadas en frecuencias más bajas las producen normalmente los machos más grandes, y las hembras podrían salir ganando, en teoría, al aparearse con estos machos. Los machos grandes pueden ser más viejos, por ejemplo, y su longevidad se puede deber a ventajas determinadas genéticamente que les permiten obtener alimento y evitar a los predadores mejor que los machos pequeños que han vivido menos. Estas ventajas, producidas por su genética y por tanto hereditarias, podrían pasar a la descendencia de la hembra.

Es una hipótesis verosímil, pero en realidad existen pocos testimonios de que las hembras prefieran a los machos grandes porque produzcan llamadas más atractivas. En casi todas la especies en las que se ha visto que los machos más grandes tienen más compañeras que los pequeños, se ha demostrado que los animales grandes tienen esa ventaja porque han excluido a los machos pequeños de los territorios en los que las hembras han puesto sus huevos, o les han desplazado de sus hembras. De hecho, en varias especies parece que no existe correlación entre la llamada y el éxito en el apareamiento.

Sin embargo, además de la frecuencia de la llamada, la elección de un compañero por parte de una hembra puede estar influenciada por otras características de la llamada como el ritmo o la duración. Las características de estas llamadas varían mucho en los machos de la misma especie de un coro. Parece ser que las hembras prefieren normalmente llamadas producidas a un ritmo más rápido y llamadas de duración más larga. Estos dos factores indican que la rana macho posee «buenos genes» porque la llamada es una actividad que precisa mucha energía. Por tanto es posible que sólo estos machos que son eficaces en apoderarse y en utilizar reservas de energía puedan permitirse el lujo de llamar enérgicamente (y al aparearse con estos machos, las hembras pasan estas características a su descendencia).

Testimonios recientes indican que las preferencias de las hembras por los machos que emitan llamadas largas indicaría en realidad una preferencia por machos de cualidades genéticas elevadas. En al menos una especie (la rana arborícola gris, *Hyla versicolor*) en la que las hembras prefieren aparearse con machos de llamadas largas, se ha demostrado que la descendencia de esas parejas son de una calidad fenotípica significativamente superior a la de descendencia de parejas con machos que emiten llamadas relativamente cortas.

Aunque hay muchos testimonios que indican que las hembras prefieren ciertas características en la llamada, numerosos estudios han demostrado también que estas preferencias no siempre se manifiestan en los grandes coros naturales. Parece ser que las hembras capaces de distinguir llamadas de machos, y por tanto capaces de aparearse con los machos preferidos, depende en gran medida de las

condiciones sociales y del entorno. En algunos coros los machos con llamadas preferidas se aparean con más frecuencia, mientras que en otros estos machos no tienen más éxito en atraer a las hembras que los machos con llamadas menos atractivas.

No obstante, hay un factor que parece tener una influencia general a la hora de determinar el éxito que tendrá un macho en atraer a las hembras: el número de noches que pase en el coro. Cuantas más noches asista el macho, más veces se podrá aparear en la época de cría. Esta relación no es difícil de comprender, ya que un macho sólo se puede aparear

si está presente. Sin embargo, surge la importante cuestión de por qué algunos machos asisten al coro más noches que otros. Debido a la gran relación que existe con el éxito de apareamiento, se debería esperar que todos los machos asistieran al coro todas las noches durante esa época. Es probable que un factor importante influya en la asistencia del macho, y es lo eficiente que sea en la actividad de llamar, la cual exige energía.

En algunas especies de rana los machos están presentes en el coro pero no vocalizan para atraer a las hembras. Estos machos «satélites» toman posición cerca

sonido producido por las cuerdas vocales, sino que, de un modo efectivo, ayuda a unir esas vibraciones a las del aire que les rodea. El saco puede modificar también el espectro de frecuencias de llamada que tienen armónicos (componentes de frecuencia múltiples) enfatizando algunos y filtrando otros. Las llamadas de la rana varían de duración, desde un sonido único y breve que dura entre 5 y 10 milésimas de segundo, como los que produce la rana moteada de Australia, a gorjeos de varios minutos de duración, como el que realiza el sapo de las Grandes Llanuras de Norteamérica. En este caso la llamada larga se mantiene por medio del aire que va hacia atrás y hacia delante en la laringe, entre los pulmones y el saco vocal.

Respecto a la calidad del sonido, las llamadas de la rana varían desde los silbidos puros de la rana Spring Peeper (Pseudacris crucifer) a los ruidosos graznidos parecidos a los de un pato de la rana ardilla arborícola. En las ranas que producen gorjeos, hay dos mecanismos. La corriente de aire de los pulmones se puede pulsar mediante contracciones rápidas de la musculatura de la pared del cuerpo (pulso «activo»); o de un modo alternativo la misma laringe, mediante un mecanismo sensible a la presión, puede convertir una corriente rápida de aire de los pulmones en una serie de pulsos (pulso «pasivo»).

La mayoría de las ranas tienen membranas timpánicas (tímpanos) visibles en cada uno de los lados de la cabeza, justo detrás de los ojos. Las ondas sonoras desplazan cada tímpano directamente desde el exterior e indirectamente por el oído contrario y una trayectoria que une los dos oídos en el interior. Los movimientos del tímpano se transfieren por medio de huesos del oído medio a una cápsula llena de fluido (cápsula ótica), que contiene dos órganos de audición, las papilas anfibias y las basilares.

El primero de estos órganos es único en los anfibios. Las ondas sonoras hacen que se doblen los cilios en los órganos del oído interno y éstos a su vez generan impulsos nerviosos que se envían al cerebro por el nervio auditivo. La frecuencia de las llamadas de una especie en particular coincide vagamente con la sensibilidad de frecuencia de uno o de otro de los dos órganos del oído interno. De hecho, en algunas especies hay dos frecuencias que destacan en la llamada, una excita más las papilas anfibias, la otra las basilares. Por tanto, para cada especie, la sensibilidad del oído de la hembra coincide con las frecuencias que contienen las llamadas del macho de la misma especie. El reconocimiento se complementa, en parte, con esta coincidencia, pero hay también señales de tiempo que son importantes, como los ritmos del gorjeo, y el órgano auditivo de la hembra tiene que decodificarlo.

de los individuos que llaman e intentan interceptar a las hembras que se acercan. Varios autores han sugerido que los satélites representan a los machos que no tienen habilidad para atraer a parejas y se convierten en satélites como un medio de hacer «mejor un mal trabajo». No obstante, en la mayoría de las especies en las que esto sucede, la conducta satélite no es una estrategia fija. Los machos cambian de una conducta de llamada a la de satélite, y cual de las dos estrategias adopta un macho durante una noche puede depender de varios factores, entre los que se encuentran las reservas de energía y algunas variables como el tamaño

del coro, las pautas de llegada de la hembra y el riesgo de depredación.

Cómo se realizan las llamadas

Las llamadas de la rana las generan vibraciones de las cuerdas vocales situadas en la laringe. La mayoría de las llamadas se producen cuando la rana o el sapo exhalan un gran volumen de aire. La excepción notable es el sapo de vientre de fuego, que produce sonidos durante la inhalación o durante la inhalación y la exhalación.

Cuando una rana vocaliza, infla un saco vocal o más. El saco no amplifica directamente (añade energía) el

MD/HCG

DE RENACUAJO A RANA

3

2

❶ *Ranas comunes europeas (Rana temporaria) en amplexo, el modo de agarrar que emplean los machos en el apareamiento. La fertilización es externa: la hembra libera cientos de huevos y el macho rocía esperma sobre ellos. Esta pareja está a punto de desovar sobre una nidada de huevos puestos con anterioridad por otra pareja. Cuando hacen lo mismo muchas parejas, se produce una masa de huevos que pueden formar un montón. En el interior la temperatura es un poco más alta que en el agua que les rodea, acelerando el desarrollo de los embriones.*

❷ *Los renacuajos recién salidos se agrupan alrededor de burbujas de aire. En esta etapa tienen branquias externas de aspecto plumoso; mantenidos por los restos del vitelo de los huevos, se mueven sólo de vez en cuando, agitando el agua que les rodea para liberar su contenido de oxígeno. El color negro, debido a la melanina de la piel, protege el desarrollo de los órganos internos de los efectos nocivos de la radiación ultravioleta.*

❸ *Los renacuajos son herbívoros en su mayoría, sobreviven de algas microscópicas pero cuando surge la oportunidad alguna vez, buscan entre los restos de animales muertos o que se están muriendo, como el gusano que se ve aquí. En esta etapa, los renacuajos de la Rana temporaria tienen el cuerpo redondeado, bien desarrollado, proporcionando espacio para el largo intestino enrollado que necesita para digerir su dieta principalmente vegetariana. Las yemas de las extremidades posteriores están empezando a aparecer.*

4 Las extremidades posteriores del renacuajo se desarrollan antes que las anteriores, crecen en un pliegue membranoso llamado opérculo que crece sobre las branquias externas. A medida que se hacen más grandes, las patas se ven obligadas a salir de esta envoltura protectora, arrastrándolas hacia atrás cuando nada el renacuajo, y conducidas hacia delante por los golpes de su cola grande y fuerte.

5 Una vez que las patas anteriores se han desarrollado también, el renacuajo puede salir del agua. La cola ha disminuido mucho de tamaño. En esta etapa de desarrollo es muy vulnerable al tiempo atmosférico y a los depredadores. Lo que queda de la cola estorba en sus movimientos así que busca lugares húmedos y seguros donde poder sentarse fuera de peligro.

6 Las ranitas que han completado su metamorfosis han perdido la cola, la cual ha sido absorbida en su totalidad por el cuerpo. Ahora ya dependen por completo de sus extremidades posteriores para saltar. Las ranas recién metamorfoseadas son carnívoras, se alimentan de diminutos insectos y de otros animales que detectan por medio de sus grandes ojos vigilantes.

TRH

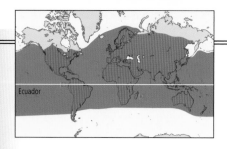

REPTILES

aLGUNAS PERSONAS SIENTEN REPUGNANCIA *por las serpientes, los cocodrilos y los lagartos. Con frecuencia se les consideran criaturas frías, furtivas, reliquias antiguas de un grupo que desaparece y es sustituido por aves y mamíferos. A pesar de su mala reputación, sus parientes extintos, los dinosaurios y otros «monstruos prehistóricos», son los animales del pasado más conocidos, que ocupan un lugar estable en la fantasía popular.*

Sin embargo, los reptiles han tenido más éxito del que se cree normalmente, y las serpientes poseen una historia de evolución reciente de gran diversificación. En algunos hábitats, desiertos principalmente, los reptiles son un grupo dominante. Tienen una enorme ventaja sobre las aves y los mamíferos. Al depender menos de mantener una temperatura corporal constante, pueden sobrevivir con una parte del alimento que necesitan las aves y los mamíferos. De ese modo son capaces de explotar entornos donde las provisiones de alimentos son escasas o esporádicas.

La característica más obvia de los reptiles es que están cubiertos de escamas secas y córneas que no poseen los anfibios. Se parecen a los anfibios y a las aves en que tienen un único hueso en el oído, la columela o estribo, para conducir vibraciones sonoras y poseen varios huesos a cada lado de la mandíbula inferior. Los mamíferos, por otra parte, tienen tres pequeños huesos en el oído y un único hueso en la mandíbula inferior que corresponde al soporte de los dientes en los reptiles, el dentario.

Los reptiles también se diferencian de los anfibios y de las aves en que tienen un único cóndilo occipital, la superficie de la parte posterior del cráneo que se articula con la columna vertebral. A diferencia de aves y mamíferos, los reptiles dependen mayormente de fuentes externas de calor, como los rayos del sol, para mantener la temperatura de su cuerpo (véase Relaciones de Temperatura de los Reptiles).

Los reptiles se reproducen depositando huevos con cáscara en la tierra o llevando a los jóvenes vivos. No pasan por una fase larval como la mayoría de los anfibios. Sus embriones, como los de las aves y mamíferos, están provistos de membranas especiales (amnión, corión y alantoides) que son muy importantes en la reproducción terrestre. La posesión de estas membranas unifica a los reptiles, aves y mamíferos en un grupo de tetrápodos mayor, el de los amniotas.

◼ Cómo surgieron los reptiles
◼ ORÍGENES Y CLASIFICACIÓN

Los amniotas surgieron de tetrápodos parecidos a los anfibios, pero los detalles de su historia más antigua no se comprenden con claridad y hay una afluencia de ideas en la actualidad.

Es posible que el antiguo *Westlothiana* del Carbonífero (de hace 340 millones de años) se encuentre cerca del punto de partida.

Pero en una etapa muy temprana (a principios del Carbonífero Superior, hace unos 310 millones de años), los amniotas básicos se dividieron en dos linajes principales, uno conduciría finalmente a los mamíferos (Sinápsidos) y el otro a las aves y los reptiles vivos (Reptiles). Se han encontrado restos de los primeros reptiles conocidos dentro de tocones de árbol fosilizados. Eran criaturas pequeñas, terrestres, que en su aspecto exterior se parecían a los lagartos.

Combinados con otros caracteres, la «mejilla» o región temporal del cráneo situada detrás de las órbitas (cuenca de los ojos) se ha utilizado durante mucho tiempo para clasificar a los amniotas. En los amniotas más primitivos, la región temporal presenta una cápsula ósea entera sin aberturas o «ábsides» (hueco arqueado). Esta es la condición anápsida, y se mantiene hoy en día, con una forma modificada, en tortugas acuáticas y terrestres. En la línea que llega a los mamíferos, aparece una única abertura con una barra ósea por debajo de ella, lo que podría estar asociado a cambios en la colocación de los músculos de la mandíbula. Estos amniotas son los sinápsidos, un grupo de animales que inicialmente eran grandes carnívoros y herbívoros y de los cuales surgieron los primeros mamíferos diminutos a finales del período Triásico, hace unos 210 millones de años. Durante el Carbonífero Tardío (hace 300 millones de años) apareció otro grupo de amniotas con dos aberturas temporales a cada lado del cráneo, cada una con una barra ósea o «arco» por debajo. Estos son los Diápsidos.

Las dos líneas principales de Diápsidos (Lepidosaurios y Arcosaurios) eran muy numerosas y diversas a finales del Triásico, cuando estaban desapareciendo los grandes sinápsidos primitivos. Los Lepidosaurios (el nombre significa sencillamente «reptiles con escamas»)

constan de la mayoría de los reptiles vivos: el tuatara de Nueva Zelanda (miembros del subgrupo de Rincocéfalos extinto hace tiempo) y los Escamosos (lagartos, serpientes, culebrillas ciegas o anfisbénidos, un grupo de excavadores especializados). Los Arcosaurios («reptiles dominantes») incluyen a los cocodrilos, a los pterosaurios, a los dinosaurios y a sus descendientes, las aves.

Los tuataras vivos tienen un cráneo parecido al de los primeros diápsidos, con dos aberturas temporales distintas. Como este rasgo se considera primitivo, se ha descrito al tuatara como «fósil vivo», pero ahora sabemos que se ha vuelto a adquirir esa condición. Los primeros rincocéfalos tenían el cráneo más parecido al de un lagarto, en el cual la abertura temporal superior estaba rodeada de hueso, pero la barra ósea inferior había desaparecido.

Se han recuperado rincocéfalos en depósitos fósiles del Triásico (de hace 220 millones de años), Jurásico y Cretácico temprano en todo el mundo (en Europa, en Norteamérica, en América del Sur y Central, en India, en África, en Madagascar y en China). Testimonios recientes indican que se extinguieron en el norte de los continentes a mediados del Cretácico, hace unos 100 millones de años, pero la historia de su supervivencia en las regiones del sur sigue sin conocerse prácticamente.

A diferencia de los rincocéfalos, los restos fósiles de los escamosos son relativamente escasos. Los testimonios indirectos indican que los lagartos surgieron y empezaron a diversificarse antes de terminar el Triásico,

○ **Arriba** *Un camaleón pantera (Furcifer pardalis) de los bosques húmedos de Madagascar. Esta familia de lagartos arborícolas muy especializados posee una historia geológica relativamente reciente. Los primeros fósiles de camaleón datan de mediados del Mioceno, hace 20 o 15 millones de años.*

CLASE: REPTILIA
Cuatro grupos vivos: Testudínidos, Escamosos, Rincocéfalos, Crocodilios.
60 familias: 1012 + géneros, con 7.776 + especies.

TESTUDÍNIDOS (QUELONIOS, TESTUDINATA)

TORTUGAS ACUÁTICAS Y TERRESTRES p118

293 especies en 99 géneros y 14 familias.
Incluyen **tortuga caparazón blando** (*Carettochelys insculpta*), **tortugas mordedoras** (familia *Quelídridos*), **tortugas marinas** (familia *Quelónidos*), **tortuga laúd** (*Dermochelys coriacea*), **tortugas de agua** (familia Emídidos), **galápagos** (familia Testudínidos), **tortugas de cuello corto** (Quélidos, Pelomedúsidos, Podocnemídidos).

ESCAMOSOS

LAGARTOS p138

Unas 4.560 especies en 442 géneros y 20 (27) familias.
Incluye: **agamas** (familia Agámidos), **camaleones** (familia Camaleónidos), **gecos o salamanquesas** (Eublefarinos, Gecónidos, Diplodáctilos), **eslizones o escincos** (familia Escíncidos), **lagartos cordilos** (familia Cordílidos), **lagartos monitores o varanos** (familia Varánidos), **lagartos venenosos** (familia Helodermátidos), **lagarto sordo de Borneo** (*Lanthanotus borneensis*).

CULEBRILLAS CIEGAS p176

140 especies en 24 géneros y 4 familias. Familias Anfisbénidos, Trogonófidos, Bipédidos, Rineúridos.

SERPIENTES p178

2.718 especies en 438 géneros y 18 familias. Incluyen **serpientes ciegas** (familia Tiflópidos), **pitones** (familia Pitoninos), **boas** (familia Boidos), **serpiente irisada asiática** (familia Xenopéltidos), **víboras y crótalos** (Familia Vipéridos), **culebras** (familia Colúbridos), **cobras, kraits y serpientes marinas** (familia Elápidos).

RINCOCÉFALOS

TUATARAS Familia Esfenodóntidos p210

2 especies *Sphenodon punctatus, Sphenodon guntheri*.

COCODRILOS

CROCODILIANS p212

23 especies en 8 géneros y 3 familias. Especies: **aligátor americano** (*Alligator mississippiensis*), **caimán negro** (*Melanosuchus niger*), **cocodrilo del Nilo** (*Crocodylus niloticus*), **gavial** (*Gavialis gangeticus*).

○ **Izquierda** *Los antiguos diápsidos presentaban una gran variedad de formas:* **1** *El placodus pertenecía a un grupo hermano (los Placodontos) de los plesiosaurios marinos y vivieron a mediados del Triásico, hace 220 millones de años.* **2** *El arqueopterix, el ave más antigua que se conoce, de finales de Jurásico (hace 147 millones de años) era esencialmente un pequeño dinosaurio terópodo (carnívoro) con plumas y cierta capacidad para volar.* **3** *El gigantosaurio terrestre era un enorme dinosaurio saurisquio que prosperó a finales del Cretácico (hace 70 millones de años).*

pero los fósiles de lagarto más antiguos son del Jurásico Temprano o Medio (de hace unos 185-165 millones de años). Las serpientes se conocen desde mediados del Cretácico. De todos los grupos principales de reptiles, son las que han evolucionado más recientemente, y en lo que se refiere a cantidad de familias y especies han tenido un éxito espectacular. Surgieron de los lagartos anguimorfos, pero si sus antepasados eran excavadores o nadadores es cuestión que se debate todavía en la actualidad. No existen registros de los anfisbénidos (culebrillas ciegas) anteriores al período de finales del Cretácico (hace 75 millones de años).

La otra línea principal de diápsidos, los Arcosaurios, tuvieron mucho éxito durante los períodos Jurásico y Cretácico (hace 205-65 millones de años), la cumbre de la «Era de los Reptiles». Los arcosaurios más espectaculares eran los dinosaurios, famosos especialmente por su gran tamaño, aunque algunos no eran un poco más grandes que un faisán. Los expertos reconocen dos grupos principales de dinosaurios, los Saurisquios, en los cuales los huesos de la cadera están dispuestos del mismo modo típico que en los reptiles, y los Ornitisquios, o formas de «aves con caderas».

Los Saurisquios contienen a todos los bípedos carnívoros (terópodos), culminando en el *Tyrannosaurus,* con una longitud total de 12 m y el *Gigantosaurus,* de hasta 14,5 m, pero también comprende a inmensos herbívoros cuadrúpedos (saurópodos) con cabezas diminutas y largos cuellos y colas. Uno de ellos, el *Seismosaurus,* con una longitud aproximada de 40 a 50 m se encontraba

CRÁNEOS AMNIOTAS

Los huecos arqueados (ábsides) de la región temporal situados detrás de las cuencas de los ojos se han utilizado para distinguir cuatro tipos de cráneos amniotas principales, y a partir de ahí los grupos de reptiles: Anápsidos, en los que no hay ábsides, o si hay un agujero en la región temporal, como es el caso de muchas tortugas acuáticas y terrestres, su anatomía es diferente a la de los demás grupos. Sinápsidos, en el cual hay un único ábside con una barra ósea por debajo. Este tipo de cráneo caracteriza a los pelicosaurios del Pérmico Inferior y a sus descendientes de aspecto de mamíferos, los terápsidos, a partir de los cuales evolucionaron los mamíferos a finales del Triásico. En los diápsidos hay dos ábsides, los Diápsidos comprenden dos grupos: Lepidosaurios (serpientes, lagartos y sus antepasados) y Arcosaurios (dinosaurios, pterosaurios y crocodilios). Aunque los cráneos de las aves poseen una única abertura temporal, también están incluidos en este último grupo, ya que se cree que esa abertura procede de la fusión de dos huecos diápsidos. La categoría euryápsida, o parápsida, se utilizaba anteriormente para describir el cráneo de los reptiles marinos del Mesozoico (por ejemplo, plesiosaurios e ictiosaurios). Tiene un ábside alto en el cráneo. Hoy en día se piensa que estos reptiles derivan de los diápsidos.

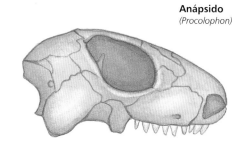

Anápsido
(Procolophon)

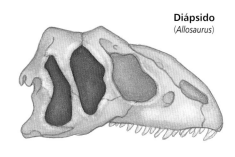

Diápsido
(Allosaurus)

🔊 **Abajo** *Presencia geológica de amniotas extintos y vivos. Antes se creía que el Westlothiana con forma de reptil era el amniota más antiguo del mundo, pero ahora se ha reconocido que está cerca de sus antepasados.*

entre los más largos, mientras que el *Argentinosaurus,* con un peso de 70 a 100 toneladas, era uno de los animales terrestres más pesados que han existido. La primera ave auténtica más antigua que se conoce es el *arqueopterix* del Jurásico Tardío de Alemania (hace 147 millones de años), pero a pesar de sus plumas este pequeño animal posee una estructura clara de dinosaurio. Hoy en día se está de acuerdo en que las aves descienden de pequeños dinosaurios terópodos, y recientemente se han recuperado en depósitos del Cretácico de China terópodos gráciles con plumas en parte de su cuerpo.

Los Ornitisquios también constaban de los tipos bípedos y cuadrúpedos, pero todos eran herbívoros y ninguno alcanzó las proporciones de los saurópodos más grandes. Entre los bípedos se encuentran el famoso *Iguanodon,* con una espuela en el pulgar y los hadrosaurios pato, algunos de los cuales poseían una curiosa cresta en la parte superior de la cabeza, seguramente para bramar. Entre los cuadrúpedos ornitisquios se encontraba el *Stegosaurus* de movimientos pesados, con enormes placas óseas en el lomo, y los dinosaurios con un cuerno parecido al del rinoceronte, como los *Triceratops.*

Otros grupos de arcosaurios que tuvieron éxito fueron los reptiles voladores (Pterosaurios) y los cocodriliformes que, igual que los dinosaurios, tuvieron su origen en el Triásico. Los pterosaurios se parecían a las aves en ciertos aspectos, como el de la quilla en el esternón para sujetar los músculos para volar y la presencia de espacios de aire entre los huesos para reducir el peso. Probablemente eran de sangre caliente ya que se han hallado restos de una cubierta de pelo en algunos especimenes. Sin embargo, las alas del pterosaurio se parecían más a las de los murciélagos que a las de los pájaros, al ser membranosas y sujetarse en los huesos extendidos del cuarto dedo.

Millones de años desde la actualidad								
443	417	354	295	248	205	144		65
PALEZOICO					MESOZOICO			CENOZOICO
SILÚRICO	DEVÓNICO	CARBONÍFERO	PÉRMICO	TRIÁSICO	JURÁSICO		CRETÁCICO	TERCIARIO

Westlothiana ■ Casi amniota — CUATERNARIO

SYNÁPSIDOS — Mamíferos
Archaeothyris

Protorothyris

QUELONIOS
Proganochelys

Petrolacosaurus

ICTIOSAURIOS
Grippia

PLESIOSAURIOS
Pistosaurus

Arcosaurios
COCODRILIFORME
Hesperosuchus

PTSOSAURIOS
Preondactylus

ORNITISQUIOS
Pisanosaurus

SAURISQUIOS
Herrerasaurus

AVES
Arquopterix

RINCOCÉFALOS
Brachyrhinodon

IGUANIOS
(India – nuevo género)

ESCINCOMORFOS
Bellairsia

GECOTOS
Hoburogekko

ANGUIMORFOS
Parviraptor

SERPENTES
Coniophis

ANFISBENIOS
Sineoamphisbaena

AMNIOTA · REPTILIA · DIAPSIDA · ARCOSAURIOS · DINOSAURIOS · LEPIDOSAURIOS · ESCAMOSOS

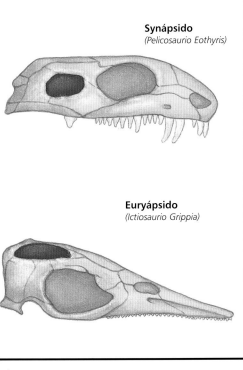

Synápsido
(Pelicosaurio Eothyris)

Euryápsido
(Ictiosaurio Grippia)

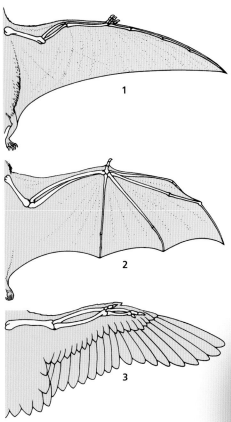

Los cocodriliformes más antiguos que se conocen eran pequeños reptiles terrestres, pero sus descendientes, los Crocodilios, se han adaptado maravillosamente a un modo de vida anfibio y predotorio. Junto a las aves, los cocodrilos son los únicos arcosaurios que sobreviven, pero la continuidad de su existencia está amenazada por las actividades humanas, por el ejemplo el comercio de la piel.

Los grandes reptiles marinos del Jurásico, los ictiosaurios con forma de pez y los plesiosaurios de cuello largo han resultado siempre difíciles de clasificar. En el pasado se pensaba que poseían una única abertura temporal en la parte superior del cráneo y se agruparon en una cuarta categoría de cráneos, la euryápsida. Sin embargo, ahora se consideran generalmente derivaciones de diápsidos, aunque no se ha resuelto todavía la relación precisa que existe entre ellos.

Finalmente están los Quelonios, tortugas acuáticas y terrestres, en los dos casos son los reptiles que resultan más familiares y los más singulares. Aparecieron en el Triásico (*Proganochelys*, 215 millones de años) y esto ha dado origen a muchas especulaciones sobre su origen. En unas cuantas formas, como en el caso de las tortugas marinas, el cráneo se parece al modelo del anápsido primitivo, pero en muchas otras, ciertos huesos parecen haberse «encogido» o recortado desde atrás o desde debajo para crear una forma de abertura temporal que difiere de la anatomía de otros amniotas. Algunos estudios moleculares y anatómicos han colocado a los quelonios en la categoría de derivados diápsidos, pero muchos paleontólogos consideran que han surgido de reptiles anápsidos del Pérmico (parareptiles).

Debajo de las escamas
PIEL

La piel es un órgano fascinante con muchas funciones. Además de actuar de barrera entre los tejidos más profundos del animal y el mundo exterior, pueden representar un papel en la defensa, en el ocultamiento, en el apareamiento y en la locomoción. En los reptiles, como en otros vertebrados, consiste de dos capas principales: la epidermis en el exterior y la dermis en el interior.

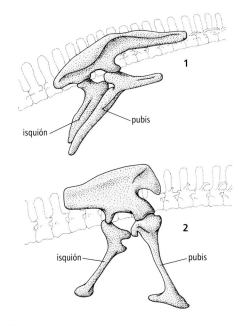

Arriba *La cadera une las dos líneas de dinosaurios.* **1** *En los dinosaurios ornitisquios («ave con cadera»), el pubis y el isquión están en paralelo.* **2** *en los dinosaurios saurisquios el pubis va hacia delante.*

La epidermis se subdivide a su vez en varias capas, la más externa está compuesta de un material córneo llamado queratina. Las escamas del reptil están formadas de una capa de queratina de un mayor grosor localizado, unidas por un material más delgado, y a menudo plegadas hacia atrás de modo que se solapan unas a otras. A diferencia de las escamas de los peces, no son estructuras desechables o que se puedan quitar sino que son una lámina epidérmica continua. La cantidad precisa y las formas que presentan en diferentes partes de la cabeza y del cuerpo son de gran valor para la clasificación de los reptiles, especialmente para distinguir especies diferentes.

Periódicamente mudan la capa de queratina de la epidermis y se sustituye gracias a la actividad de las capas de células más profundas. La queratina puede salir fragmentada o en grandes escamas. No obstante, las ser-

Arriba *Estructura del ala de* **1** *pterosaurios,* **2** *murciélagos y* **3** *aves. El ala del pterosaurio, al igual que la del murciélago, posee una membrana entre los huesos de los dedos extendidos, pero el dedo más largo era el cuarto en vez del tercero.*

Derecha *La cabeza de una mamba verde (Dendroaspis viridis) muestra el intricado mosaico de escamas que compone la piel de una serpiente. Las células de pigmentación de la piel dan a cada especie su coloración distintiva.*

pientes la mudan generalmente pelándose desde el interior al exterior después de frotársela con el hocico. En estos reptiles la capa de queratina vieja de la superficie no se muda hasta que se ha formado por completo la de abajo. Después aparece una zona de hendiduras traslúcidas entre la capa vieja y la nueva para que se puedan separar con facilidad.

La cobertura del ojo de la serpiente, parecida a una lente y formada por párpados modificados y soldados, adquiere un color azul y opaco un tiempo antes de la muda. Justo antes de que suceda, sin embargo, el brillo vuelve de nuevo; al parecer esta claridad coincide con la creación de la zona de hendiduras. La muda de piel en las serpientes puede ocurrir varias veces al año, siendo más frecuente en los animales jóvenes que en los viejos. El proceso está influenciado por la actividad de la glándula tiroidea.

La dermis consta principalmente de tejido conectivo y contiene muchos vasos sanguíneos y nervios. No participa en el proceso de muda de la piel. En algunos reptiles, incluyendo a cocodrilos y lagartos, la dermis contiene placas óseas llamadas osteodermos que se encuentran debajo y refuerzan las escamas córneas de la epidermis. En los lagartos anguimorfos, como el lución, y en algunos escincomorfos como los cordílidos, estos osteodermos forman una cobertura ósea flexible para el cuerpo.

Tanto la epidermis como la dermis participan en la importante estructura que es el caparazón de la tortuga. El escudo córneo de la superficie es una formación epidérmica de queratina con una capa de células vivas debajo de ella, la capa más gruesa del caparazón está formada de placas dérmicas óseas.

En los reptiles la dermis también contiene la mayoría de las células de pigmentación. Muchas de ellas, los melanóforos, contienen pigmento negro, pero también podrían ser células de pigmentación blancas, amarillas o rojas. La dispersión o concentración del pigmento dentro de los melanóforos y los efectos ópticos que crea cuando se ven a través de células coloreadas, son responsables de los cambios de color por los cuales se puede advertir la presencia de los camaleones y ciertos lagartos. El cambio de color en los reptiles se podría deber a una actividad nerviosa, por las secreciones hormonales de glándulas del tipo pituitaria, o por una combinación de ambas. En los camaleones la acción de los nervios parece ser el factor dominante.

La piel de los reptiles contiene pocas glándulas si la comparamos con la de muchos peces, anfibios y mamíferos. Los crocodilios poseen un par de glándulas debajo de la garganta que producen una secreción almizclada. Podría representar un papel en la conducta sexual. Algunas tortugas de agua dulce tienen glándulas en la barbilla o en bolsas de las extremidades posteriores. En las tortugas almizcladas éstas producen un fuerte olor. Unas cuantas serpientes no venenosas tienen glándulas debajo de las escamas del cuello o en el lomo que segregan una sustancia irritante y podrían utilizarse para defenderse contra predadores y/o representar algún papel en la conducta del cortejo. En algunos gecos del género *Strophurus*, hay una serie de glándulas grandes debajo de las escamas de la cola.

Cuando amenazan a un lagarto, éste lanza filamentos de una materia pegajosa que puede detener a enemigos tales como arañas grandes. Muchos lagartos poseen una serie de estructuras curiosas parecidas a glándulas en la parte interior del muslo y algunas veces delante de la cloaca. Se ha debatido mucho sobre su función. Parece ser que están relacionadas con el apareamiento ya que en ciertos lagartos lacértidos machos disminuyen cuando son castrados. Lo más probable es que sus secreciones puedan ayudar a reconocer especies o sexos.

Historia en los huesos
ESTRUCTURA DEL ESQUELETO

Comparado con el de otros reptiles vivos, el esqueleto del tuatara se acerca más a los primeros reptiles probablemente, aunque existen diferencias importantes en los detalles. Otros reptiles se han alejado en mayor o menor medida del modelo básico, y ese alejamiento se debe normalmente a la naturaleza de las adaptaciones a formas de vida especiales.

Una de las mayores tendencias en la evolución de los escamosos ha sido el desarrollo de más articulaciones y charnelas dentro del cráneo, dando mayor flexibilidad y eficacia a la mandíbula superior e inferior cuando se alimentan (cinesis craneal). Esta movilidad del cráneo se ha desarrollado más en las serpientes, en parte debido a la pérdida de cualquier unión firme entre los dos lados de la mandíbula inferior. Sobre todo es una adaptación para capturar y tragar una presa grande. Una segunda tendencia en los escamosos se ha dirigido hacia la evolu-

Abajo *El caparazón de la tortuga (aquí una tortuga de patas rojas, Geochelone carbonaria) es una compleja estructura compuesta de huesos y escamas (conocidas como escudos) que se desarrollan en la epidermis.*

CUERPO DE REPTIL

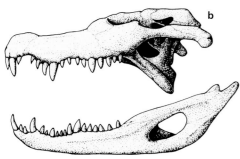

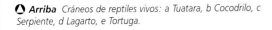

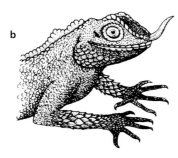

⬣ **Arriba** *Cráneos de reptiles vivos: a Tuatara, b Cocodrilo, c Serpiente, d Lagarto, e Tortuga.*

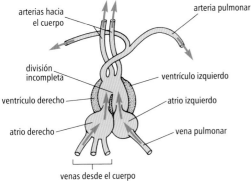

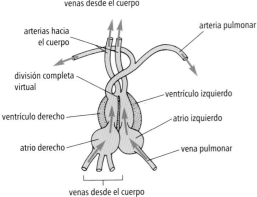

⬣ **Arriba:** *Corazones de reptiles. **a** En la mayoría de los reptiles las cámaras de los ventrículos están separadas de un modo incompleto. **b** En los crocodilios existe separación completa, aunque hay una pequeña conexión, el foramen de Panizza, entre los vasos de salida. Incluso en el ventrículo que no está separado, un sistema de válvulas y diferencias de presión de la sangre asegura una escasa mezcla de sangre arterial y venosa en condiciones normales. Sin embargo, en todos los reptiles existe una desviación potencial de sangre de un lado del corazón al otro. Esto es adaptable, especialmente en animales acuáticos, ya que la sangre se puede reciclar cuando se interrumpe la respiración.*

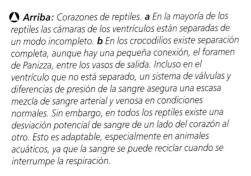

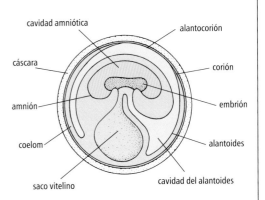

⬣ **Arriba** *Huevo en desarrollo. Se muestran las capas de membranas entre la cáscara y el embrión. El corión y el alantoides están soldados parcialmente en la superficie interior de la cáscara y son ricos en vasos sanguíneos, permitiendo respirar al embrión a través de los poros de la cáscara. El alantoides también actúa de depositario de productos de deshecho del embrión. El amnión es un saco lleno de fluido que rodea al embrión y evita que se seque. El saco vitelino contiene el alimento, rico en proteínas y grasas. Los huevos de este tipo, incluyendo los de las aves, se llaman huevos cleidoicos («caja cerrada»), ya que aparte de la respiración y de cierta absorción de agua del entorno, son autosuficientes. La absorción de agua que realizan los huevos de muchos reptiles, especialmente los tipos de cáscara más frágiles, es más elevada que la de los huevos de ave.*

⬣ **Abajo** *Diagrama de corte transversal de la piel de un lución. Todos los anguimorfos como este poseen armadura y en la mayoría las escamas no están solapadas con los osteodermos que hay debajo.*

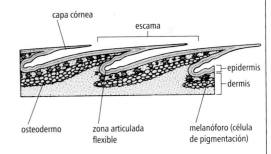

⬣ **Izquierda** *Modificaciones de la piel. La piel, especialmente la epidermis, muestra muchas modificaciones en los reptiles. **a** Pueden salir tubérculos de ella, como en el lagarto Ceratophora stoddarti, o púas defensivas, como en las colas de ciertos lagartos. **b** Se pueden formar crestas en el cuello, lomo o cola, con frecuencia más desarrolladas en los machos y quizás sirve de ayuda en el reconocimiento sexual, como en el Lyriocephalus scutatus. **c** El cascabel de la serpiente de cascabel, compuesto de segmentos córneos entrelazados, es una estructura epidérmica única. Se forma un segmento nuevo en cada muda aunque los segmentos finales suelen romperse cuando el cascabel se hace muy largo. En la mayoría de las serpientes las escamas de debajo del cuerpo se amplían para formar una serie de placas anchas, solapadas, que ayudan en la locomoción, especialmente en formas como las de las boas que pueden arrastrarse estirándose casi en línea recta. **d** Las escamas modificadas, o lamela, en los dedos almohadillados de los gecos tienen cerdas finas (setas) que les permite subir por superficies lisas.*

ción de un cuerpo alargado, serpentiforme con extremidades reducidas.

Se estima que este desarrollo ha sucedido de un modo independiente más de 60 veces, culminando en la evolución de serpientes y anfisbénidos. Como adaptación ha tenido un éxito extraordinario, permitiendo a la serpiente «nadar como un pez y trepar como un mono», como escribió el zoólogo inglés Sir Richard Owen con cierta exageración que se puede perdonar. La importante posición de los anillos óseos o cinturas en las extremidades de tortugas acuáticas y terrestres, que están situados hacia el interior de las costillas, es otra sorprendente especialización asociada a la incorporación de las costillas en las placas dérmicas del caparazón.

El esqueleto de los reptiles contiene huesos que no se encuentran en los mamíferos, al menos como elementos independientes. Algunos de ellos, como el supratemporal, aparecen en el cerebro. Al igual que las aves, los tuataras, lagartos y tortugas poseen una serie de placas óseas pequeñas alrededor del ojo, osículos esclerales, para ayudar a enfocar. En el anillo óseo del hombro, la mayoría de las reptiles mantienen un hueso medio interclavicular. Entre los mamíferos sólo lo mantienen los monotremas que ponen huevos. En los tuataras, cocodrilos y la mayoría de reptiles extintos, la pared ventral está reforzada por una serie de costillas abdominales o gastralia. Muchos lagartos poseen un sistema de ejes cartilaginosos llamados parasternales en la misma posición, pero tienen un origen embriológico distinto.

En segundo lugar los centros de osificación (epífisis ósea) se encuentran en la mayoría de los lepidosaurios (escamosos y rincocéfalos) pero faltan en los huesos de tortugas y cocodrilos. En los mamíferos, al igual que en los humanos, la fusión de estos epífisis con el eje principal del hueso a principios de la vida adulta limita al máximo el tamaño. La ausencia de epífisis óseas es quizás una de las razones por las que ciertos reptiles, como los cocodrilos y tortugas gigantes, puedan ser capaces de crecer durante toda su vida, aunque en una proporción menor. Si un individuo tiene la suerte de evitar los peligros de la vida, podría convertirse en un gigante al final, con un tamaño muy superior al de su especie. Sin embargo, muchos reptiles, entre ellos los lagartos y tortugas más pequeños, dejan de crecer normalmente cuando han llegado a un tamaño más o menos definido.

Por otra parte, los reptiles no pierden los dientes cuando envejecen como sucede en los mamíferos. La mayoría realizan un cambio continuo de dientes durante toda la vida, mientras que las tortugas, que no tienen dientes desde una etapa muy primitiva de su historia, han desarrollado un pico córneo que crece permanentemente. Esta característica elimina una longevidad forzada y por tanto también el tamaño último en potencia que alcanza una especie.

Ovíparos y vivíparos
REPRODUCCIÓN

En la mayoría de los reptiles existen diferencias entre los dos sexos, diferencias de tamaño, forma o color en los adultos. Los machos de muchos lagartos y tortugas, y todos los cocodrilos, son más grandes que las hembras, mientras que en la mayoría de las serpientes y en algunas tortugas acuáticas son más grandes las hembras.

Las diferencias entre sexos sorprenden especialmente en los lagartos iguanios, que son animales visuales predominantemente. Los machos suelen ser de colores más vivos, especialmente en la época de cría, y algunas especies poseen crestas eréctiles y abanicos en la garganta que representan su papel en el cortejo y manifestación territorial.

Todos los reptiles practican la fertilización interna, el esperma se introduce directamente en la cloaca de la hembra, una abertura común que expulsa productos de deshecho y huevos o esperma. En las tortugas, galápagos y cocodrilos machos hay un solo pene, mientras que los escamosos machos poseen un par de órganos llamados hemipenes (sólo utilizan uno cada vez. Véase Lagartos). El tuatara posee estructuras hemipeniales rudimentarias, pero se logra la fertilización por contacto de las cloacas. Las hembras de algunas serpientes y de algunos quelonios tienen la capacidad de almacenar esperma en el tracto reproductor, y se han observado casos de hembras aisladas que han puesto huevos fertilizados después de estar un año o más en cautividad.

La cría en los reptiles está muy influenciada por factores medioambientales, como la temperatura y la duración de la luz del día. Algunas especies tropicales pueden criar en ciertos intervalos de tiempo durante todo el año, pero en la mayoría la cría tiene lugar una única vez al año, o quizás dos. De hecho, entre los reptiles que viven en climas relativamente severos, como la víbora del norte de Europa, una hembra solamente puede criar una vez cada dos años, o incluso menos a veces.

La reproducción sexual es la norma general de los vertebrados, pero al menos ocho familias de escamosos poseen una especie o más de hembras únicamente (partenogénesis). Esto sucede en las lagartijas nortea-

◐ Arriba *Una pitón saliendo del huevo rompe las membranas amnióticas y la cáscara con el diminuto diente puntiagudo de la punta del hocico. Esta proyección ya no la utilizan más los reptiles una vez que ha eclosionado el huevo y se cae al cabo de unos días.*

◑ Derecha *La diferencia de tamaño y color entre los lagartos machos y hembras es extrema en el agama común (Agama agama). Los colores vivos del macho y el verde iridiscente de la cabeza de la hembra resaltan más con la luz y el calor, y se atenúan por la noche.*

◓ Abajo *La mayor parte de los reptiles no muestran cuidado parental después de haber construido el nido para depositar los huevos. Sin embargo, las especies de crocodilios son la excepción. Las hembras (aquí un cocodrilo del Nilo) transportan a sus crías y las atienden y protegen de la depredación.*

mericanas, y se ha observado en algunas poblaciones de lagartos de roca del Caúcaso. Todos los miembros de una población partenogenética son idénticos genéticamente, ya que descienden de una única hembra. El bajo índice de variabilidad genética en estas especies les confina a una zona geográfica limitada y probablemente limita su futuro respecto al tiempo de evolución debido a esta reducida capacidad (comparada con una especie sexual) de adaptarse a condiciones medioambientales cambiantes (véase Unisexualidad: ¿Redundancia de machos?).

La mayoría de los reptiles modernos ponen huevos que, a diferencia de los huevos de los anfibios, son resistentes a la sequedad. Se han descubierto huevos fosilizados de dinosaurios y reptiles extintos más primitivos. Los huevos de los reptiles poseen una cáscara que puede tener una textura flexible o parecida a un pergamino, como la de muchos lagartos, serpientes y quelonios acuáticos, o puede ser dura y bien calcificada, como la de las tortugas, cocodrilos y muchos gecos. La eclosión del huevo se facilita por la presencia de un diente puntiagudo en los lagartos y serpientes jóvenes, que más tarde se desprende. En los tuataras, tortugas y galápagos, cocodrilos y aves una excrescencia córnea realiza la misma función.

La sustitución de huevos anfibios acuáticos por huevos amnióticos con cáscara representó un papel importante en el éxito de la colonización de la tierra firme. Los huevos de reptil se depositan en agujeros normalmente, entre la vegetación podrida, o se entierran en el suelo. Las tortugas marinas cavan nidos en la arena de las playas y depositan grupos de 100 huevos o más. Recurren a playas tradicionales para hacer los nidos, y las tortugas marinas verdes pueden emigrar a cientos de kilómetros en busca de ellas. Entre los crocodilios, el cocodrilo del Nilo también cava nidos en la arena, mientras que otros, como el aligátor americano, construyen nidos más elaborados amontonando vegetación. Bajo el sol ardiente,

estos refugios hacen de incubadoras muy efectivas para los huevos. Los restos de vegetación encontrados en los nidos de dinosaurios excavados sugieren que debían emplear estrategias similares.

En los mamíferos y en las aves, el sexo se determina en la fertilización al poseer la combinación necesaria de cromosomas. Muchos reptiles, sin embargo, utilizan la temperatura para determinar el sexo, ya que el sexo de las crías depende de la temperatura que prevalezca durante un período crítico de la incubación. De este modo, en el lagarto americano, por ejemplo, las temperaturas inferiores a 30 °C entre el 7º y 21º días de incubación producirán hembras solamente, mientras que si es superior a 34ºC se producen machos (véase Temperatura y Sexo).

La mayoría de los reptiles abandonan los huevos después de depositarlos, pero en ciertos lagartos, por ejemplo en algunos eslizones, y también en algunas serpientes como las cobras, la hembra permanece con los huevos e intentará alejar a los intrusos del nido. Las pitones hembras se enroscan alrededor de los huevos durante varias semanas, y en algunas especies la temperatura del huevo puede aumentar activamente. A esta incubación pueden ayudar las contracciones musculares del cuerpo de la madre. Durante los últimos años se han observado formas muy complejas de cuidado parental en los crocodilios (véase Cuidado Parental en los Crocodilios).

Un buen número de lagartos y serpientes han renegado a poner huevos y son vivíparos. Los jóvenes salen de sus membranas al nacer o un poco después. En estos reptiles la cáscara del huevo se ha perdido o reducido, mientras que es posible que se haya desarrollado una especie de placenta a partir del corion y alantoides fusionados y del saco vitelino. Este desarrollo permite el intercambio de productos de deshecho y sustancias nutricionales, así como de agua y gases, entre el embrión y la madre. La mayoría de las especies vivíparas son «ovovivíparas» –el vitelo permanece y es todavía la principal fuente de alimentación para el embrión– pero en unas cuantas especies con placentas bien desarrolladas, el vitelo es reducido.

La mayor parte de las serpientes marinas se han hecho vivíparas, y por tanto no tienen que salir a tierra a depositar los huevos, como hacen las tortugas. Lo mismo se podría decir prácticamente de los reptiles marinos extintos, como el ictiosaurio, ya que se han hallado embriones conservados dentro del cuerpo de la madre. Hoy en día este método de reproducción es el que prevalece en los reptiles que viven en condiciones climáticas muy severas, como en elevadas altitudes o latitudes. Se ha descubierto en tres de las seis especies de reptiles británicos. Bajo esas condiciones, la viviparidad parece ser beneficiosa para la madre al permitirle ser una incubadora móvil, capaz de buscar fuentes de calor óptimas para el desarrollo de los embriones.

SEE/ADB

LA ERA DE LOS REPTILES

Cuando los dinosaurios vagaban por la Tierra

LA ERA DE LOS REPTILES DURÓ UNOS 215 MILLONES de años, más del triple del tiempo que los mamíferos llevan existiendo. Hace de 280 a 65 millones de años, una multitud de reptiles ocupaban espacios ecológicos comparables a los que ocupan los mamíferos y las aves hoy en día.

Aunque se han encontrado restos de reptiles que datan del período Carbonífero, la «Era de los Reptiles» se abrió realmente a principios del período Pérmico (hace 295-248 millones de años) y continuó durante los períodos Triásico y Jurásico (hace 248-205 y 205-144 millones de años respectivamente) terminando al acabar el Cretácico (hace 144-65 millones de años). Los pelicosaurios y terápsidos, los llamados reptiles parecidos a mamíferos, fueron los amniotas dominantes durante el Pérmico y gran parte del Triásico. Cuando sufrieron el declive, su lugar lo ocupó un grupo de reptiles diápsidos llamados rincosaurios, y cuando desaparecieron de repente hacia finales del Triásico, sus parientes los Tecodontos (orden ancestral de la subclase Arcosaurios) se extendieron rápidamente y ocuparon la mayoría de los lugares ecológicos. Los tecodontos engendraron a los crocodilios, a los pterosaurios (reptiles voladores) y a los dinosaurios que iban a dominar durante la mayor parte del Mesozoico. Sobrevivieron unos cuantos

terápsidos, y a finales del Triásico evolucionaron hacia los primeros mamíferos. La definición actual de los dinosaurios incluye a muchas criaturas pequeñas además de los gigantes tradicionales. Evolucionaron, junto a los demás tecodontos, como carnívoros, pero pronto se diversificaron también en herbívoros. Los cambios sufridos en extremidades y anillos óseos dieron como resultado que los dinosaurios pudieran andar como los mamíferos, las extremidades soportaban el peso del cuerpo desde abajo. Los primeros dinosaurios eran bípedos, corrían y andaban con las patas posteriores, pero muchos tipos posteriores, especialmente los herbívoros más pesados, pasaron a andar con las cuatro patas.

Hay tres líneas principales en la evolución del dinosaurio: una de ellas, los terópodos, eran carnívoros, mientras que las otras dos eran ornistiquios y sauropodomorfos herbívoros. Estos grupos se consideran algunas veces tres órdenes independientes, pero es costumbre clasificar a los terópodos y a los sauropodomorfos en un único orden, los Saurisquios, definidos así por la disposición de los huesos de la cadera parecida a la del lagarto. El orden de los Ornitisquios tenía una disposición de huesos de la cadera parecida a la de las aves, aunque esta estructura también evolucionó de un modo

independiente en algunos miembros del grupo terópodo, especialmente en los enigmáticos segnosaurios, así como también en las aves mismas: las descendientes de los terópodos. Los pterosaurios voladores comprenden un orden separado de los Arcosaurios, mientras que los ictiosaurios acuáticos y los plesiosaurios, prominentes en el Jurásico, están relacionados de un modo incluso más lejano, perteneciendo a la subclase de Euryápsidos.

El dinosaurio más pequeño que se conoce, el terópodo *Compsognathus,* no era más grande que un pollo, aunque hay huellas de ejemplares aún más pequeños. Durante un siglo aproximadamente, el carnívoro más grande conocido era el *Tyrannosaurus* de 12 m de longitud, pero en la década de 1990 se descubrieron terópodos más grandes todavía, como el *Carcharodontosaurus.*

El esqueleto completo más grande que se conoce es el de *Brachiosaurus.* Mide 12,6 m de altura, pero los huesos del cuello del *Sauroposeidon* muy relacionado con él, muestran que este animal era un 20 por ciento más largo, y unos cuantos huesos conocidos del *Argentinosaurus* de Sudamérica indican que era un animal que pesaba 100 toneladas o más. Un tamaño tan asombroso tenía que presentar muchos problemas de apoyo,

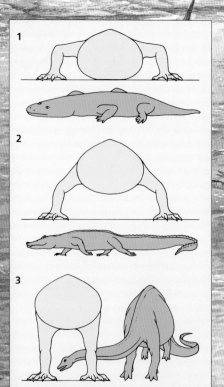

⟨ **Izquierda** *Postura de las extremidades en reptiles extintos y vivos.* **1** *Postura extendida de los primeros reptiles y lagartos vivos.* **2** *Postura «mejorada» de los primeros tecodontos y de crocodilios vivos.* **3** *Postura «perfeccionada» de los dinosaurios, que evolucionaron de forma independiente hacia los mamíferos.*

⟩ **Derecha** *Paisaje de finales del Jurásico que muestra la diversidad de vida animal:*
1 Rhamphorhyncus (pterosaurio);
2 Kentrosaurus (estegosaurio);
3 Elaphrosaurus (dinosaurio terópodo);
4 Ceratosaurus (dinosaurio terópodo);
5 Dicraeosaurus (dinosaurio saurópodo);
6 Brachiosaurus (dinosaurio saurópodo).

nutrición y crecimiento. Estos gigantes eran sauropodomorfos, herbívoros de cuello largo.

Entre los ornitisquios herbívoros, los ornitópodos tenían una postura básica sobre dos patas. El estegosaurio tenía placas y púas en el lomo, mientras que los anquilosaurios poseían coraza. A menudo se clasifican juntos a estos dos con el nombre de tireóforos. Los ceratopsios, que tenían un cráneo muy ancho y cuernos en la cara, y los paquicefalosaurios, con gruesas bóvedas óseas en la parte superior de la cabeza, se clasifican juntos bajo el nombre de marginocéfalos.

La mayoría de las especies de dinosaurios prosperó sólo durante un breve período de tiempo, por tanto los dinosaurios de finales de Cretácico eran muy diferentes de sus antepasados del Triásico. Al finalizar el Cretácico (hace unos 65 millones de años) los dinosaurios se extinguieron, al igual que muchos otros grupos de organismos. La causa más probable fue el importante cambio medioambiental que vino a continuación del impacto de un asteroide en Chicxulub, en la Península del Yucatán (Méjico). Cuando desaparecieron los dinosaurios, los mamíferos pequeños que habían estado escabulléndose bajo sus pies pudieron evolucionar a nuevas formas para ocupar su propio lugar en tierra firme. Más tarde, de un modo irónico, los descendientes de los terápsidos que habían llegado a la cumbre mucho tiempo antes de evolucionar ellos mismos, sustituyeron a los dinosaurios. No obstante los propios descendientes de los dinosaurios todavía prosperan hoy en día en forma de aves y crocodilios. AJC/DD

CONTROL DE TEMPERATURA EN LOS REPTILES

Modo en el que los reptiles dependen del entorno para regular el calor del cuerpo

LA TEMPERATURA AFECTA PRÁCTICAMENTE EN todos los procesos de vida cambiando las propiedades físicas y los índices de reacción química. Todas las especies de reptiles (en realidad todos los organismos) pueden sobrevivir dentro de una escala específica de temperatura corporal, normalmente desde el grado de congelación, o 0ºC, hasta los 40ºC. En general, las especies de climas más fríos toleran temperaturas bajas mejor que aquellos que habitan en climas más cálidos y viceversa. Algunas tortugas pueden permanecer congeladas temporalmente, mientras que ciertos lagartos del desierto pueden sobrevivir a temperaturas de 42ºC. Dentro de la escala de tolerancia, varios procesos vitales aumentan en proporción o intensidad con el aumento de temperatura, dándose los índices más elevados cerca del extremo superior de la escala térmica (Véase el gráfico de la derecha). El metabolismo se acelera, afectando por tanto a la energía que utiliza un animal y a su capacidad de realizar actividades, como el movimiento de los músculos y la locomoción. De este modo, dentro de unos límites, un cuerpo caliente vive más deprisa.

Para estabilizar los índices de reacción química y los procesos del cuerpo, la mayoría de los vertebrados regulan la temperatura de su cuerpo. A diferencia de las aves y de los mamíferos, los reptiles no están aislados con pelaje o plumas y su metabolismo no produce grandes cantidades de calor. En consecuencia, dependen de fuentes externas del entorno para calentar el cuerpo (una condición llamada «ectotermia», en contraposición a la «endotermia» que caracteriza a aves y mamíferos). Una excepción interesante es la pitón, que contrae los músculos para producir calor corporal. Las hembras que incuban emplean esta «endotermia facultativa» enroscándose alrededor del grupo de huevos y generando calor muscular con el fin de elevar y estabilizar la temperatura de los huevos que están incubando.

Varios testimonios indican que algunos dinosaurios eran endotérmicos. Este tópico resulta polémico, pero es muy probable que los dinosaurios más grandes lo fueran debido a su gran masa y a la baja proporción existente entre superficie y volumen. Posiblemente la temperatura corporal de estos «gigantotermos» era más elevada que la del entorno, hasta de 10ºC o más, por la dificultad que experimentaban al perder calor. Por razones similares algunas tortugas marinas actuales tienen temperaturas corporales superiores en varios grados a la del agua que les rodea cuando nadan.

La mayor parte de los reptiles controlan la temperatura del cuerpo por conducta, moviéndose discriminadamente dentro de la compleja estructura termal de su hábitat. Los lagartos son ejemplos bien estudiados. En hábitats templados, a menudo se mueven entre el sol, que calienta el cuerpo por medio de la radiación, y la sombra, donde el calor del cuerpo se disipa lentamente, por conducción y radiación, al entorno más frío que le rodea. Si ese entorno a la sombra se aproxima a la temperatura del cuerpo del lagarto, ésta puede permanecer estable durante un tiempo. Un sistema neural controla los movimientos de la sombra al sol (o calor), este sistema está regulado por un «punto establecido de temperatura corporal baja», mientras que el movimiento contrario está regulado de un modo similar por un «punto establecido de temperatura corporal alta». Muchos reptiles terrestres pueden regular la temperatura de su cuerpo de un modo muy preciso, en una escala estrecha, por medio de este aparato de control que se encuentra en el cerebro.

La temperatura corporal necesaria para la locomoción, la búsqueda de alimento y otras conductas es relativamente elevada (normalmente entre 30º-37ºC) en muchas especies. Pero las llamadas «temperaturas de actividad» únicamente se pueden lograr a ciertas horas del día. Así, en primavera y en otoño, los lagartos de los climas templados están activos a medio día, mientras que durante el verano evitan el calor de mediodía y son más activos por la mañana y al caer la tarde. Aumentar la temperatura corporal tomando el sol es beneficioso especialmente para los juveniles, ya que les ayuda en la digestión y maximiza su crecimiento. Quizás resulte sorprendente que muchos reptiles prefieran tener una temperatura corporal algo más alta durante un breve período de tiempo después de ingerir un alimento. La temperatura más elevada también es importante para el desarrollo de las estructuras reproductoras y el funcionamiento del sistema inmunológico de varias especies.

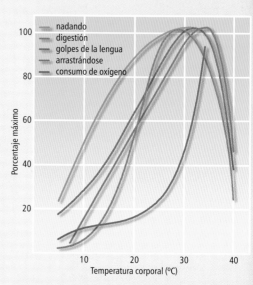

⬤ Arriba Este gráfico muestra cómo varias actividades y funciones de la serpiente de jarretera terrestre occidental (Thamnophis elegans) se ven afectadas por cambios de temperatura corporal.

◗ Derecha En el oeste de Australia, un varano de Gould (Varanus gouldii) toma el sol sobre un árbol caído para aumentar la temperatura de su cuerpo, de ese modo refuerza sus niveles de energía.

◗ Derecha El calor pasa de objetos calientes a fríos. La ilustración muestra las principales avenidas de intercambio de calor entre los reptiles y su entorno. Para regular la temperatura del cuerpo se aprovechan del factor de que en el entorno hay diversidad térmica. Como indica el gráfico, la temperatura corporal de los lagartos es relativamente alta y constante durante el día, pero disminuye cuando se refugia por la noche. Los registros de temperatura corporal se han recogido en unos pequeños radiotransmisores sensibles a la temperatura que se tragaron los lagartos. El ritmo del pulso de las señales de transmisor aumenta cuando se eleva la temperatura.

◖ Izquierda Muchas serpientes, como esta serpiente de cascabel del bosque (Crotalus horridus) asumen una postura plana para aumentar la absorción de calor del sol o subsuelo durante los períodos de calentamiento.

⬤ Arriba Para incubar sus huevos, una pitón hembra se enrosca alrededor de ellos, flexionando los músculos cuando es necesario para generar más calor corporal vital para mantener a la nidada a una temperatura óptima.

Temperatura del cielo radiante 20°C

Radiación solar directa

Viento – convección

Temperatura del aire 30°C

Radiación solar reflejada

Conducción

Radiación termal

Roca 40°C

Sombra 32°C

Temperatura corporal (°C)

40 · Se retira al árbol
36
32 · Llega a nivel del suelo
28
24 · Empieza a tomar el sol en el tronco
20 · Sale del árbol
16

6a.m. 8a.m. 10a.m. 12p.m. 2p.m. 4p.m. 6p.m. 8p.m.

En regiones más calurosas, como los desiertos, muchas especies de serpientes y algunos lagartos son nocturnos, permaneciendo encerrados durante el intenso calor del día. En el invierno, en temporadas cálidas o secas y en otros momentos de inactividad, las especies más pequeñas se refugian en grietas de rocas, madrigueras de roedores u otros lugares donde las condiciones se mantienen relativamente constantes y tolerables. Las tortugas acuáticas o semiacuáticas pueden pasar todo el invierno «hibernando» bajo el agua.

Además de hacer viajes cortos entre el sol y la sombra, los reptiles emplean ciertos ajustes posturales que alteran el ritmo de intercambio de calor con el entorno. Por ejemplo, una postura tumbada con el cuerpo extendido y orientado hacia el sol de la mañana maximiza la zona del cuerpo que absorbe el calor de los rayos, mientras que en posición levantada evita que el cuerpo esté en contacto con el sustrato caliente, permitiendo que la convección elimine calor. En las Islas Galápagos, las famosas iguanas marinas asumen esta postura erigida en las horas del mediodía, cuando el sol tropical calienta las rocas de lava sobre las que viven. Las brisas de la costa enfrían por tanto a estos animales y evitan que la temperatura corporal alcance niveles letales.

El nivel de temperatura corporal seleccionada y la precisión y tiempo de regulación varían en relación al entorno, la historia filogenética (linaje) y los requisitos de cualquier especie dada. Los animales que viven en entornos de temperatura relativamente constante,

como en bosques tropicales o hábitats acuáticos, muestran poca tendencia a la termorregulación. De este modo, varias especies de lagarto que viven en bosques tropicales son «termoconformados» y la temperatura de su cuerpo se acerca a la del aire que le rodea. Además los requisitos de la termorregulación pueden limitar la distribución de especies. En los Andes tropicales, la cantidad de especies de lagartos disminuye con más relatividad que la de los anfibios. Mientras que los lagartos suelen regular la temperatura por medio de conductas y no pueden lograr la temperatura corporal necesaria en altitudes más elevadas, los anfibios son más plásticos y pueden sobrevivir con temperaturas corporales más bajas.

Los efectos térmicos en la conducta, energía y digestión son sólo unos cuantos ejemplos de las interacciones entre temperatura y psicología. Tener presentes estas conexiones es importante para la cría de reptiles y para comprender sus respuestas a entornos dinámicos o retadores. El progreso futuro dependerá de los estudios que armonicen los trabajos en el campo y en el laboratorio. Posiblemente la zona más importante de investigación de integración concernirá al modo en el que se puedan relacionar temas como el de la biología termal para comprender y mitigar las pérdidas de biodiversidad. Los herpetólogos, especialmente, desearán predecir el impacto potencial de la sequía localizada y los cambios de temperatura relacionados con el calentamiento global y cambio climático.

HBL

REPTILES EN PELIGRO

Necesidad de mantener controlada la explotación de poblaciones vulnerables

LOS REPTILES SE HAN EXPLOTADO PARA LA ALIMENTACIÓN desde que los seres humanos empezaron a compartir sus espacios vitales, y ellos o sus productos también se han utilizado para otros fines: para objetos de culturas indígenas (como los tambores de piel de lagarto de Nueva Guinea), como objetos decorativos (utilizando caparazón de tortuga), para prendas de vestir y otros artículos en los países desarrollados (calzado, chaquetas, correas de reloj, bolsos), como mascotas y curiosidades, para controlar a los roedores, y para fines médicos o investigación médica.

Estos usos tan variados no se excluyen mutuamente necesariamente. Las serpientes se pueden comer por los supuestos beneficios medicinales de su carne, por ejemplo, así como por su valor nutritivo. En realidad, creer en las propiedades curativas o afrodisíacas de los huevos de la tortuga marina y de los órganos de las serpientes conduce gran parte de la explotación comercial de reptiles en Asia. Los factores culturales también pueden representar su papel. Por ejemplo, los rodeos de serpientes de cascabel tienen un significado ritual anacrónico en el suroeste rural de Estados Unidos.

Durante miles de años, mientras el número de personas era bajo y la capacidad tecnológica limitada, el empleo de reptiles para la subsistencia local tenía poco impacto en las especies que eran objetivos. Sin embargo, a medida que las poblaciones humanas se han ido extendiendo y se han ido desarrollando los mercados, este uso se ha transformado con frecuencia en un mercado más sistemático que en algunos casos ha llevado a la explotación a unos límites más allá de la sostenibilidad. Normalmente resulta difícil estimar los niveles sostenibles, pero en un principio se encuentran aquellos que se pueden mantener de un modo indefinido sin dañar a la población que se toma como objetivo. Una de las razones por las que resulta difícil medir la sostenibilidad es que con frecuencia las poblaciones se ven afectadas al mismo tiempo por cambios de su hábitat.

Durante siglos, muchas poblaciones de reptiles de todo el mundo han sufrido un exceso de explotación. Los declives de población históricos y actuales de las tortugas marinas sirven para ilustrar los efectos adversos del comercio internacional. En el siglo XVII se empezaron a transportar por barco tortugas verdes vivas desde el Caribe hasta Londres, donde se utilizaban para hacer sopa, mientras que desde principios a mediados del siglo XX las poblaciones que anidaban en muchas partes del mundo abastecían a las ciudades, especialmente de Europa, de productos de tortuga para el

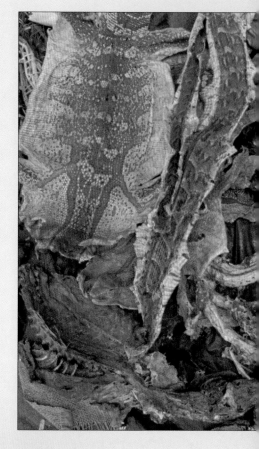

🐊 *Abajo Juveniles de aligátor americano en una granja de Florida. Animados por la UICN (Unión Internacional para la Conservación de la Naturaleza), el uso sostenible de crocodilios como recurso renovable ayuda a conservar las poblaciones en estado salvaje. La cría de cocodrilos y lagartos en países tan diversos como Estados Unidos, Egipto, Papúa Nueva Guinea y Australia es ahora un gran negocio que genera más de 200 millones de dólares estadounidenses al año. Solo en Florida más de 300 granjas producen 136.000 Kg. de carne y 15.000 pieles al año.*

Izquierda *La piel de serpiente y de reptil para remedios medicinales tradicionales se ve con frecuencia en los mercados de los países en desarrollo. Estas pieles se muestran en un mercado del distrito de Newtown de Johannesburgo (Sudáfrica).*

El empleo de reptiles en la alimentación ha afectado a poblaciones locales en todo el mundo, pero otros factores como el de la pérdida del hábitat o la colección de mascotas o el comercio de piel han sido mucho más significativos a la hora de precipitar su declive. Los pueblos rurales de los trópicos rara vez guardan tortugas u otros reptiles, pero esta actividad está muy extendida en países desarrollados, especialmente en Norteamérica y Europa. Mientras se mantiene alta la demanda, los países menos ricos tienen unos fuertes incentivos económicos por responder a ella, incluso aunque algunos puedan carecer de voluntad política o de medios administrativos para mantener la explotación dentro de unos límites sostenibles. Por ejemplo, se recogieron cientos de miles de tortugas en países mediterráneos y se exportaron al norte y al centro de Europa durante la década de 1970, y el impacto sobre las poblaciones fue tan grande que la CITES y la leyes locales prohibieron su comercio como consecuencia.

Entre los especialistas en el mantenimiento de reptiles, existe a menudo una demanda particular de especies que resultan raras en estado salvaje o tienen una distribución limitada, o de aquellas que resultan atractivas por su forma o su veneno.

Algunas especies, entre ellas las víboras de Turquía y suroeste de Asia, combinan todas estas propiedades y muchas se han coleccionado excesivamente.

En los últimos años existe una mayor preocupación por la enorme diversidad de tortugas de tierra y tortugas de agua dulce o terrapenes de Asia. Existen testimonios de un declive de la extensa población de muchas especies, e incluso de extirpación local, como resultado de la intensiva recogida para la alimentación y para fines médicos. El comercio no está regulado, por tanto los registros no son perfectos, pero parece ser que miles de toneladas de tortugas vivas han estado entrando en China anualmente procedentes del sur y del sureste de Asia (véase Crisis de la Tortuga Asiática). La misma preocupación existe por algunas especies de tortuga de África y de América, por ejemplo las tortugas mordedoras Aligator de Estados Unidos.

Al mismo tiempo, la evolución de la medicina ha dado un nuevo empuje a la explotación de reptiles por el interés de la investigación médica. Se han investigado aspectos de la anatomía y psicología de los reptiles, entre ellos el aparato circulatorio e inmunológico, y los investigadores interesados en el metabolismo vitamínico, transmisión neuromuscular, regulación de la presión sanguínea y coagulación de la sangre en los humanos, han examinado las propiedades del veneno de la serpiente (así como el de los lagartos helodermátidos). El aislamiento de componentes venenosos críticos ha llevado en algunos casos al desarrollo de drogas importantes y nuevas herramientas de bioensayo. BG

mercado de la alimentación. Además de la carne, el cartílago y los huevos, las tortugas marinas también proporcionan aceite y piel, o se venden en materia prima como curiosidad.

La demanda local e internacional de estos productos, principalmente de las hembras que anidan, provocarán un amplio declive en las poblaciones de tortugas con el tiempo. Debido a que las hembras maduran tarden, viven mucho tiempo y rara vez se trasladan a playas nuevas, las poblaciones que se agotan no se recuperan con facilidad. En algunas partes del Caribe y del Mediterráneo occidental, todavía no se han recuperado a pesar de que la mayoría de las tortugas marinas figuran en la lista de la Convención sobre Comercio Internacional de Especies en Peligro (CITES) que entró en vigor en 1975 y ha sido efectiva a la hora de ayudar a conservar algunas poblaciones.

Al contrario del destino de las tortugas marinas, las listas de CITES han facilitado enormemente el tráfico de productos de cocodrilos, caimanes y lagartos, permitiendo que el comercio de poblaciones se gestionen adecuadamente. Estas especies maduran relativamente pronto, se pueden mantener en cautividad y se pueden vigilar en estado salvaje. El uso controlado de estas especies ha contribuido al desarrollo rural en varios lugares, entre ellos Papúa Nueva Guinea.

Derecha *Iguanas verdes tumbadas y atadas listas para la venta en el mercado Starbroak de Georgetown, capital de Guayana en Sudamérica. Estos desafortunados animales están destinados a ser cocinados. Su carne, comercializada como «pollo de bambú», es utilizada con frecuencia en guisos y salsas en esta parte del mundo.*

EL JUEGO DE LOS REPTILES

¿Consienten el juego las tortugas, los lagartos y los cocodrilos en beneficio propio?

AUNQUE LOS REPTILES CAUSEN FASCINACIÓN EN LAS personas, normalmente no tienen en cuenta su inteligencia, sus habilidades cognitivas o sus emociones. Sin embargo, este punto de vista ha empezado a cambiar en los últimos años, ya que se está reconociendo cada vez más la capacidad que poseen los animales para aprender muchas cosas, entre ellas las rutas de huída y de migración y la conducta en la búsqueda de alimento, e incluso reconocer a individuos de su misma especie y a cuidadores.

Aún así, la ciencia ignora en gran medida las dimensiones psicológicas de los reptiles, aunque existe mucha información anecdótica que indican varias líneas de investigación a seguir. Entre ellas una conducta clave que nos cautiva en gatos o perros, igual que cautivan los mamíferos a los visitantes de un zoo: el juego.

«Juguetón» no es un término típico que se pueda emplear para describir a los reptiles, una aparente discontinuidad que parecería hacer surgir la pregunta de cuáles son las diferencias entre los vertebrados ectodérmicos y los endotérmicos (es decir, reptiles por un lado y aves y mamíferos por otro) que pudieran explicar la diferencia. De hecho, aunque la mayoría de los reptiles no juega del mismo modo constante y vigoroso de muchos mamíferos, parece ser que algunos sí que lo hacen realmente.

Pero, ¿Cuál es el juego y cómo podemos reconocerlo? Una definición útil la resume así: una conducta repetitiva, intrínsecamente remuneradora pero no completamente funcional, diferenciándose de otras actividades más serias en estructura, contexto u ontogenética, y que se inicia cuando el animal está relajado y sin tensiones. La conducta del juego en los animales pertenece a una de estas tres categorías: locomotora, objetiva o social. El juego locomotor incluye correr, saltar o rodar. El juego objetivo se ve en los animales cuando empujan, golpean, agarran, muerden o sacuden objetos. Estas actividades se relacionan a menudo con conductas predatorias, como en el caso de los gatos que repetitivamente atacan de repente a objetos inanimados en movimiento o agarran y sueltan a una presa viva. El juego social implica normalmente la persecución o lucha con miembros de su especie, por ejemplo con sus compañeros de camada o sus padres, pero también podrían implicar a humanos que les resultaran familiares, como en el juego interactivo que existe entre los humanos y los perros.

¿Hay algo en las tortugas, lagartos, serpientes o cocodrilos que se pueda comparar a los modos de juego descritos? Cuando suceda, las tortugas de caparazón blando del Nilo (Trionyx triunguis) golpearán con su hocico las botellas de plástico o las cestas que se encuentren flotando en la superficie de sus albercas, y también pasarán nadando por aros y jugarán al juego de la cuerda con sus cuidadores. Se han observado estas actividades en animales del zoológico de Toronto y en el Zoológico Nacional de Washington DC.

También se ha visto a la tortuga marina boba y a la verde manipular objetos, mientras que a las tortugas de bosque (Clemmys insculpta) se las ha observado deslizándose el agua por toboganes, como hacen las nutrias en los ríos. La conducta de deslizarse y nadar podría compararse a la conducta de los mamíferos, pero hay pocas comparaciones próximas.

Los dragones de Komodo (Varanus komodoensis), y quizás también otras especies de lagartos monitores, pueden jugar con objetos incluso con más fuerza y más repetidamente. Un dragón del zoo de Londres empujó alrededor de la jaula una pala que se había dejado su cuidador, aparentemente encantado por el sonido que hacía cuando rozaba el fondo de roca. Un joven hembra de Komodo del Zoo Nacional agarraba y agitaba varios objetos diferentes, como muñecos, latas de bebida, anillos de plástico y mantas. No confundía estos objetos con comida, porque habría intentado tragárselos si hubieran estado cubiertos de sangre de rata (en cuyo caso también habría estado más a la defensiva, incluso con su cuidadora, a la que estaba muy unida por otra parte). También metía repetidamente la cabeza en cajas, zapatos, mantas y otros objetos, al parecer estimulada por la experiencia que le ofrecía aquello. El juego social quedó demostrado por su interacción con objetos que le llevaba la cuidadora, jugando a juegos de cuerda y actuando de un modo parecido al de un perro. Al ver vídeos a más velocidad de su comportamiento, se podría comparar con el juego de los mamíferos.

Debido al avanzado cuidado parental y su cercana relación con las aves, se debería esperar que los cocodrilos jugaran. En realidad se ha observado en el campo a un aligátor americano (Alligator mississippiensis) que realizaba círculos repetidamente alrededor de gotas de agua que caían de una espita en el estanque, y de repente se movía hacia el interior e intentaba morder. La conducta no se realizaba con el fin de obtener comida, sino que más bien parecía una estimulación de la conducta predatoria, como en el caso de un gato.

El juego social entre los reptiles no está tan bien documentado con el juego con objetos. El rudimentario meneo de cabeza que muestran las crías de la lagartija de cerca oriental (Sceloporus undulatus) se ha comparado con el juego, al igual que la conducta de lucha de los camaleones de dos líneas recién nacidos (Chamaeleo bitaenatus). Sin embargo, el juego social mejor documentado podría ser el precoz cortejo visto en muchas tortugas emidas norteamericanas, como la Pseudemys nelsoni. Esta conducta implica a animales inmaduros sexualmente de ambos sexos que hacen vibrar las garras anteriores hacia otros e incluso hacia objetos, algo que normalmente sólo se ve en los machos durante el

cortejo. Al igual que se ha registrado que gran parte de este «juego de lucha» en los mamíferos es de naturaleza sexual y no agresiva, la existencia de esta conducta sexual precoz en estas tortugas podría ser una forma de juego. Hasta la fecha, no se han observado clases típicas de juegos en ninguna especie de serpientes, que no son tan sociables, ni siquiera tan activas, como muchos lagartos.

Los ejemplos de juego que se han podido documentar más suceden con más frecuencia en

especies grandes, de larga vida, o en aquellas que muestran una conducta relativamente social o predatoria compleja. Aunque los adultos la realizan con frecuencia, no se puede considerar que sea simplemente una práctica de los adultos. El juego puede prevalecer en animales bien alimentados en cautividad, en entornos bastante espartanos, como respuesta al hastío y la falta de estímulo. Sin embargo, aunque este fuera el caso, no significa de ningún modo que la actividad no sea importante. De hecho,

igual que proporciona enriquecimiento a los mamíferos y aves en cautividad, podría ser que muchos reptiles tuvieran unas necesidades de conducta parecidas. En realidad nuestra falta de comprensión empática de los reptiles podría evitar que advirtiéramos características comunes con otros vertebrados, así como darnos cuenta de la importancia de proporcionar entornos en los que se desarrollen y cumplan los potenciales y necesidades psicológicas y de conducta de los animales.   GMB

⬥ **Arriba** *En el hábitat natural de Indonesia, dragones Komodo se alimentan de un venado que han matado. Las investigaciones realizadas con Komodos en cautividad han proporcionado testimonios convincentes de que estos reptiles se involucran en el juego en beneficio propio y no tratan a todos los objetos como sustitutos de presas, a pesar del contexto.*

EYACULACIÓN PRECOZ, FURTIVISMO Y MACHOS HEMBRAS

Estrategias alternativas de apareamiento en los reptiles

LAS ESTRATEGIAS ALTERNATIVAS DE APAREAMIENTO HAN EVO-lucionado en varias ocasiones en el reino animal y generalmente implican morfologías, psicologías y conductas especializadas que permiten el éxito de la reproducción en más de un tipo de macho. Entre los reptiles, los casos mejor documentados se encuentran en los escamosos (lagartos y serpientes). Al contrario de los sistemas en los que se defienden recursos o parejas, los sistemas de apareamiento con estrategias alternativas hacen posible que los machos «menores» se apareen y tengan descendencia a pesar de su desventaja competitiva. No debe sorprender que las estrategias alternativas para aparearse hayan fascinado a los biólogos que estudian la evolución. Un sistema en el que todos los machos no son iguales en cuanto a atributos físicos y utilizan medios tramposos para competir por el éxito en la reproducción, es cierto que llama la atención de cualquier historiador natural. Un resultado de esta fascinación es la terminología colorista que se aplica a menudo a las diferentes estrategias de apareamiento: «furtivismo», «machos dominantes», «satélites», «parásitos reproductores», «piratas» y «machos hembras» representan la competición más básica por el éxito en la reproducción.

Los determinantes genéticos y medioambientales de los sistemas alternativos de apareamiento varían según las especies. En algunas existen estrategias alternativas porque los individuos con pocas probabilidades de éxito adoptan repertorios de conducta nuevos para aumentar sus oportunidades de reproducirse. En estos casos, las estrategias son de condición-dependiente, y aumenta las aptitudes individuales de un macho que de otro modo no tendría éxito. En otros casos, las estrategias alternativas se pueden determinar genéticamente. Es la relativa aptitud de los individuos que adoptan cada estrategia la que estimula la existencia continuada de un polimorfismo morfológico o de conducta dentro de una única población.

Tres ejemplos de estrategias alternativas de apareamiento subrayan los contextos ecológicos variables en los cuales pueden evolucionar o mantenerse las estrategias. Durante la época de apareamiento, las iguanas marinas machos (Amblyrhyncus cristatus) forman agrupamientos de territorios individuales llamados «lek». Los machos grandes tienen ventaja en la competición y logran los mejores territorios del lek, así como la mayoría de las cópulas. De ese modo, una pequeña cantidad de machos son los padres de la descendencia cada año. No obstante, los machos territoriales más pequeños también intentan copular con las hembras. Durante la cópula, los machos tardan aproximadamente 3 minutos en eyacular, y los machos pequeños rara vez logran ese tiempo por el acoso de los machos más grandes. La solución a este problema es una estrategia alternativa de conducta: los machos pequeños eyaculan precozmente y mantienen el esperma en sus sacos hemipeniales hasta que tienen

oportunidad de copular con una hembra. De este modo, incluso aunque la duración de la cópula se véase reducida, los machos pequeños pueden transferir el esperma de forma inmediata a cualquier hembra que se encuentren. Esta táctica compensa su desventaja en la competición y aumenta su éxito en la reproducción.

También se han observado estrategias alternativas de apareamiento en machos de especies que no tienen lek. En la lagartija común de costado manchado (Uta stansburiana) de Norteamérica, la mayoría de los machos defienden territorios basados en recursos que coinciden parcialmente con los lugares en los que habita una hembra o más con las cuales copulan durante la época de cría. Los machos de algunas poblaciones de esta especie varían en fisiología, coloración y grado de cerco territorial. Los machos de garganta naranja son poliginios y mantienen grandes territorios con muchas hembras. Los machos de garganta azul defienden a su pareja. También mantienen territorios, pero copulan con

menor cantidad de hembras y las defienden después de la cópula. Finalmente, los machos de garganta amarilla «furtivos» no son territoriales e imitan a las hembras, haciendo correrías por los territorios de otros machos y copulando con sus hembras. Este sistema persiste en la naturaleza en parte porque, de un modo parecido al juego de «piedra-papel-tijeras», cada tipo de macho tiene ventajas que le permiten competir con otro morfo, pero tiene debilidades que le hacen vulnerable a las tácticas de un tercero. Los machos amarillos furtivos tienen éxito en particular cuando compiten con los machos naranjas territoriales y poliginios, pero sus travesuras tienen menos éxito contra los guardianes de garganta azul. Los machos azules guardianes de sus parejas tienen éxito en detener a los furtivos, pero son vulnerables al desplazamiento de los machos naranjas más agresivos. Por tanto, no hay una estrategia ganadora y los tres tipos de macho comparten el éxito en la reproducción.

> **Derecha** *Serpientes de jarretera de flanco rojo en apareamiento. Los estudios realizados han demostrado que, en estas congregaciones, la confusión que siembra la liberación de estrógenos de los «hembras machos» les da el doble de oportunidades de lograr el éxito en el apareamiento como los machos normales. Sin embargo, la contrapartida es que el estrógeno reduce la cantidad de esperma.*

> **Abajo** *Las iguanas marinas de las Islas Galápagos son especies de lek. En él se congregan una gran cantidad de machos cada estación, se exponen y compiten para atraer a parejas. Aunque los machos más grandes, más imponentes (que también toman un color rojo o azul durante la época de cría) tienen más éxito, los machos más pequeños aprovechan la oportunidad de aparearse por medio de la estrategia de la eyaculación precoz.*

El furtivismo puede ser una estrategia que resulte muy cara, ya que con frecuencia requiere el acercamiento a un macho más grande y más competitivo. Un tema recurrente en las estrategias alternativas de apareamiento de los machos es imitar a las hembras con el fin de reducir la posibilidad de ser detectado y evitar competir con machos dominantes. Esta estrategia la lleva al extremo la serpiente de jarretera de flancos rojos (Thamnophis sirtalis parietalis). A principios de la primavera las serpientes de jarretera Manitoba se reúnen por miles para criar. Los machos superan en número a las hembras y la competición de macho contra macho es intensa. De 10 a 100 machos cortejan y forman «bolas de apareamiento» simultáneamente alrededor de hembras receptivas. Con este sistema, una pequeña proporción de machos, a los que los científicos han denominado «machos hembras», liberan un feronoma que atrae a otros machos, como si fueran hembras. Confundidos por estas señales, los machos normales agotan su esfuerzo reproductor sin fruto alguno en las falsas hembras. Además, como ellos consideran hembra al macho hembra, no intentan interferir en su cortejo. De este modo los machos hembras se aseguran una clara ventaja en los grupos de cortejo. En los procesos de apareamiento competitivo, se aparean con hembras más a menudo de lo que lo hacen los machos normales, demostrando dos cosas: la competencia en la reproducción y una posible ventaja selectiva para los machos con este feronoma parecido al de la hembra.

La selección sexual funciona únicamente en sistemas en los que los individuos varían de fenotipo, dando como resultado un éxito diferencial en la reproducción. Los tres ejemplos anteriores ilustran que el «mejor»≠ macho en apariencia no siempre es el que consigue la victoria. El éxito de las estrategias alternativas fomenta el mantenimiento del polimorfismo en las poblaciones tanto si la estrategia del macho viene determinada genéticamente o por el entorno.

KRZ

TEMPERATURA Y SEXO

Modo en el que ligeras variaciones de calor determinan el sexo de algunos embriones reptiles

LA TEMPERATURA Y EL SEXO SON TÓPICOS QUE DESPIERTAN la atención de los biólogos igual que al resto del mundo. Como la reproducción sexual es un aspecto tan fundamental en los organismos, deberíamos asumir que los medios que determinan el sexo se habrían mantenido relativamente constantes en el curso del cambio evolutivo. Sin embargo, resulta sorprendente que esta suposición sea incorrecta. En realidad el sexo se determina de varias maneras, y los reptiles son ejemplos clásicos.

El sexo se fija en los reptiles de dos maneras. La primera y más familiar es la determinación genotípica del sexo (DSG), en la cual el sexo se determina en la concepción, por los cromosomas del sexo por ejemplo, como en el caso de los humanos. El otro sistema es más digno de mención: la determinación del sexo dependiendo de la temperatura (DST), en la que un descendiente nacerá macho o hembra según la temperatura que haya experimentado durante dos terceras partes del desarrollo embrionario aproximadamente. Los biólogos interesados en comprender tales mecanismos han hecho mucho hincapié en el estudio de los reptiles, en parte porque ofrecen una diversa variedad de mecanismos que determinan el sexo pero también teniendo presente que así sabemos más sobre el modo en el que están relacionados ancestralmente los principales grupos de reptiles. Estas características permiten la exploración biológica de mecanismos poco corrientes, como el DST.

Los mecanismos para determinar el sexo no están distribuidos de un modo uniforme en los vertebrados. Los anfibios, serpientes, aves y mamíferos, así como casi todos los peces, siguen la ruta del sexo genotípico. Por el contrario todos los tuataras y cocodrilos dependen de la temperatura, mientras que los lagartos y las tortugas muestran ambos mecanismos en diferentes especies. La determinación genotípica del sexo sucede con mucha más frecuencia en los lagartos

que en las tortugas, mientras que en el caso contrario se da DST. Los análisis filogenéticos indican que la determinación genotípica es probablemente el mecanismo ancestral de los vertebrados (es posible que los dinosaurios tuviera DSG) pero esos mecanismos de dependencia de la temperatura han evolucionado independientemente en los reptiles en varias ocasiones.

Ningún tipo de determinación de sexo se ajusta a un modelo único. En muchas tortugas las bajas temperaturas producen una descendencia de machos y las altas temperaturas producen hembras, una situación que se categoriza como Modelo 1a DST; pero se cree que el caso inverso (Modelo 1b DST) es cierto en algunos lagartos, y quizás también en algunos tuataras. Finalmente, se producen hembras en temperaturas altas y bajas (y machos en temperaturas intermedias) en los cocodrilos, en muchas especies de lagarto que muestran DST y en unas cuantas tortugas (Modelo 11 DST). Resultados recientes indican que este último modelo es el estado ancestral de los reptiles, quizás con un único origen subsiguiente de Modelo 1a en las tortugas.

De mayor interés es la importancia de la adaptación de DST. Resulta bastante fácil establecer el vínculo entre DSG y proporciones de sexo 1:1, pero las proporciones de sexo desvirtuadas implícitas en la DST resultan más difíciles de explicar. ¿Por qué un rasgo tan fundamental en cualquier organismo como es el sexo se deja a los caprichos del entorno? Comprender este enigma ha planteado un gran reto.

Una línea de investigación que promete es la de investigar si algunas temperaturas de desarrollo mejoran la salud de los machos más que la de las hembras, y viceversa. Por ejemplo, las tortugas mordedoras jóvenes que se crían con temperaturas de incubación que producen ambos sexos son más activas que las del mismo sexo procedentes de temperaturas que producen un sólo sexo, y como resultado parecen sufrir una mayor mortalidad por parte de los predadores que se orientan

Arriba *Investigaciones realizadas en el geco leopardo, que posee un Modelo II DST, demuestran que la aplicación tópica de estrógeno neutraliza la predisposición hacia una descendencia de machos a temperaturas intermedias. Esta técnica se puede utilizar para detener el declive de algunas especies en peligro, inclinando la proporción de sexos hacia más hembras que puedan criar.*

Izquierda *Gráficos que muestran la proporción de cada género producido por los tres modelos diferentes de determinación de sexo dependiendo de la temperatura y de determinación genotípica del sexo. Las curvas de DST y la línea de DSG están dibujadas sobre un eje horizontal de temperatura de incubación del huevo, mientras que el eje vertical muestra la frecuencia de crías machos, expresada en porcentaje de toda la descendencia.*

Derecha *Un embrión de cocodrilo un poco antes de la eclosión. El Modelo II DST es ubicuo en los crocodilios. Por ejemplo, un estudio realizado en cocodrilos del Nilo en el Lago Sta. Lucía de la reserva de KwaZulu-Natal (Sudáfrica), demostró que la mayoría de las crías hembras se produjeron a temperaturas inferiores a 31,7 °C y por encima de 34,5 °C. Entre estas dos temperaturas predominó la descendencia de machos.*

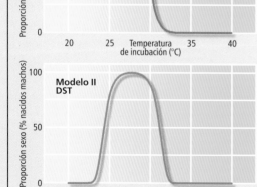

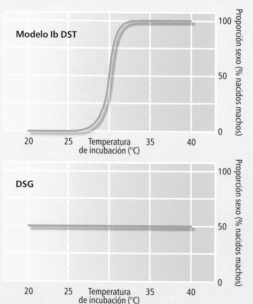

visualmente. No obstante, en la actualidad no hay pruebas suficientes que indiquen con qué extensión podrían aplicarse estos hallazgos. En ciertas especies de lagartos, por ejemplo, se ha demostrado que ciertas temperaturas de incubación favorecen la descendencia de machos y otras la de hembras, pero estas especies tenían DSG. A pesar del gran esfuerzo realizado, todavía no tenemos una respuesta a por qué existe la DST en los reptiles. Aún así, los resultados obtenidos han proporcionado más información sobre ciertos aspectos de la DST, entre ellos algunos efectos maternales fascinantes. En el laboratorio se ha visto cómo individuos de algunas especies de geco con DST buscaban un sitio para anidar con unas condiciones térmicas en particular. Las tortugas no sólo muestran una conducta hogareña cuando se preparan para depositar sus huevos; algunas especies, como las tortugas pintadas, también eligen de un modo regular lugares para anidar con unas características que están relacionadas con una proporción de sexo en particular en la descendencia, así sus crías podrían presentar una predisposición firme durante su vida. Las tortugas, y posiblemente otros reptiles que tienen DST, podrían ser capaces de manipular el sexo de su descendencia alterando los niveles de hormonas que distribuyen a ¡los vitelos de sus huevos!

Por supuesto la peculiar sensibilidad de esta forma de determinación de sexo hace que los animales que presentan DST sean muy vulnerables a perturbaciones medioambientales, especialmente si ya están en riesgo, como es el caso de muchas tortugas marinas, crocodilios y tuátaras. Si la proporción de un sexo en la descendencia se ve profundamente afectada en un laboratorio en cuanto se produce el mínimo cambio de temperatura de incubación, ¿qué ocurre en el mundo exterior cuando el clima se calienta unos cuantos grados o se despeja una zona boscosa que antes proporcionaba sombra a una zona de nidos? Recíprocamente, ¿cuál es el impacto cuando se plantan árboles que dan sombra, o se construye un bloque de pisos cerca de ese lugar? Toda investigación realizada sobre estas cuestiones revela porcentajes de sexo desvirtuados en la descendencia de reptiles con DST. Al mismo tiempo, también se sabe que el desarrollo sexual embrionario de los lagartos y las tortugas resbaladoras de orejas rojas americanos es mucho más susceptible a sustancias químicas que imitan a las hormonas y que son productos que aparecen en algunos herbicidas y pesticidas muy utilizados. Aunque los reptiles con DST han sobrevivido a trastornos medioambientales sustanciales durante cientos de millones de años, la velocidad de los cambios actuales y la diversidad de amenazas que afectan a los porcentajes de sexo de sus jóvenes no tienen precedentes. FJJ

Tortugas acuáticas y terrestres

LAS TORTUGAS SON QUIZÁS LOS ANIMALES DE ESPINA *dorsal más reconocibles del planeta. Son los únicos vertebrados con una coraza de costillas y hueso dérmico, dentro de la cual se encuentran los huesos del hombro. Esta crítica innovación apareció durante el período Triásico, hace más de 220 millones de años, antes de que hubiera mamíferos, aves, lagartos, serpientes, cocodrilos o plantas con flores, pero al mismo tiempo que los primeros dinosaurios. Esta insólita adaptación cuenta probablemente (al menos en parte) en el éxito posterior de los quelonios durante la Era de los Dinosaurios y más adelante.*

Todas las tortugas vivas poseen muchas características en común. Carecen de dientes, poseen fertilización interna, ponen huevos con cáscara (amnióticos) en un nido que construye la hembra, y comparten varias características históricas (por ejemplo la maduración tardía, extrema longevidad y baja mortalidad de adultos) que les hace especialmente vulnerables a las actividades humanas, el único organismo que reta su existencia en más de 200 millones de años. En realidad el impacto humano sobre estos animales ha aumentado hasta el punto de que más del 44 por ciento de las especies de tortugas conocidas se consideran oficialmente en peligro crítico, en peligro o vulnerables.

Esta situación es muy desafortunada por la extraordinaria diversidad de las tortugas.

Hay especies que emigran a más de 4.500 km de distancia para anidar, ayudándose de las corrientes oceánicas

Abajo *El plastrón y espaldar de las tortugas de caparazón blando están cubiertos de una piel curtida más que de escudos córneos. Como formas acuáticas que son, están equipadas de largos cuellos y hocicos en forma de tubo que les permiten respirar sin salir a la superficie. Aquí se muestra una tortuga de caparazón blando espinosa (Apalone spinifera).*

Derecha *Llamada así por el dibujo del espaldar, la tortuga leopardo (Geochelone pardalis) es una especie grande del sur y este de África.*

y el campo magnético terrestre para navegar. Hay especies que sienten predilección por anidar en masa, hasta 200.000 hembras pueden anidar en la misma playa pequeña en un período de tiempo de menos de 48 horas; y hay especies que pueden poner hasta 11 puestas de más de 100 huevos cada una en una sola estación (otras pueden poner hasta 258 huevos en una sola puesta).

La unicidad de los quelonios también se extiende más allá de su conducta en la reproducción. Algunas pueden sobrevivir a su primer invierno a unas temperaturas que pueden descender hasta –12°C en el nido. Otras se pueden hibridizar y producir una descendencia viable a pesar de pertenecer a géneros muy diferentes. Algunas pueden sobrevivir indefinidamente debajo del agua sin tener acceso al aire o pueden sumergirse a más de 1.000 m de profundidad, mientras que otras viven en altitudes superiores a 3.000 m. Su tamaño puede variar, desde tener un caparazón de una longitud de 8,8 cm a tener uno de 244 cm. ¿Cómo es posible que podamos permitir la pérdida de esta variedad tan rica?

Coraza en las patas
EL CAPARAZÓN DE LA TORTUGA

Ningún vertebrado ha desarrollado en su evolución una coraza como la del caparazón de la tortuga. Generalmente está comprendida por un total de unos 50 a 60 huesos. La coraza consta de dos partes: un caparazón que cubre el lomo del animal y un plastrón (compuesto de 7 a 11 huesos) que cubre la parte inferior. Los dos están unidos en los costados por un puente óseo formado por extensiones de los costados del plastrón.

El caparazón está compuesto de huesos que nacen en la capa dérmica de la piel y están soldados entre sí y unidos a las costillas y vértebras del animal. Las escamas grandes, o escudos, que salen de la capa epidérmica de la piel cubren y refuerzan los constituyentes óseos del caparazón. El plastrón nace de ciertos huesos de la cintura del hombro (clavícula e interclavícula), el esternón y el gastralia (costillas abdominales, como las que se encuentran en los crocodilios y tuataras actuales). La parte que queda de la cintura del hombro se ha desplazado al interior de las costillas de la tortuga, característica única que no se encuentra en ningún otro vertebrado, ni del presente ni del pasado.

Esta coraza protectora ha tenido tanto éxito que se ha convertido en la piedra angular de la arquitectura de la tortuga. Se han producido otras adaptaciones a su alrededor, y tiene que ver con la longevidad de la línea y su limitada variación en la locomoción. A causa del caparazón, las opciones de correr, saltar o volar no han sido viables en la evolución de la tortuga, pero ha habido una

radiación adaptativa moderada dentro del grupo. Empezaron siendo habitantes semiacuáticos de zonas pantanosas, algunas evolucionaron hasta convertirse en terrestres exclusivamente, habitando en bosques, praderas y desiertos. Otras se hicieron más acuáticas e invadieron lagos, ríos, estuarios y el mar.

Resulta irónico que el enorme caparazón que les llevó al éxito en un principio sea mucho más reducido en la mayoría de las líneas modernas. Las tortugas más grandes han mantenido un caparazón grande, pero ha disminuido mucho su peso al hacerse más delgados los huesos. La resistencia la produce una cubierta parecida a una tablilla de escudos perennes y de peso ligero y la forma arqueada de la coraza, más que producirse por medio de huesos más pesados. En algunas tortugas, especialmente

Derecha *Estructura del caparazón de un quelonio:* **1** *Sección transversal;* **2** *Sección longitudinal, que muestra la disposición de las cinturas pélvicas y pectorales.*

TORTUGAS ACUÁTICAS Y TERRESTRES

Orden: Testudines (Quelonios y Testudinata)

Al menos 293 especies en 99 géneros y 14 familias.

DISTRIBUCIÓN Regiones templadas y tropicales, en todos los continentes, excepto en la Antártida, y en todos los océanos.

Ecuador

HÁBITAT Acuático y semiacuático, marino o de agua dulce, terrestre.

TAMAÑO Longitud (medida máxima del caparazón en línea recta) 11-244 cm.

COLOR Muy variable, varía desde los colores insípidos, oscuros y crípticos de los habitantes del fondo a los dibujos brillantes de las formas visibles. Marrón, verde aceituna y tonos grises o negros predominan en las superficies superiores, con dibujos amarillos, rojos o naranjas. Los amarillos con marrón, blanco o negro predominan en las superficies inferiores.

REPRODUCCIÓN Fertilización interna. Todas ponen huevos en tierra. Cuidado parental en una especie.

LONGEVIDAD En alguna ocasión más de 150 años en cautividad (el record documentado está en 200 años). Algunas tortugas de caja americana se cree que viven hasta 120 años en estado salvaje. Las especies acuáticas viven menos tiempo probablemente.

ESTADO DE CONSERVACIÓN Casi la mitad de todas las especies de tortugas y galápagos se consideran en riesgo. La UICN tiene en la lista actualmente a 24 especies en Peligro Crítico, a 48 en Peligro y a 60 en Vulnerables. Además 7 especies recientes, entre ellas la tortuga de caja Yunnan, se han extinguido.

1

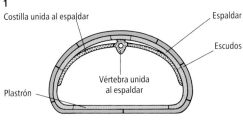

Costilla unida al espaldar — Espaldar — Escudos — Vértebra unida al espaldar — Plastrón

2

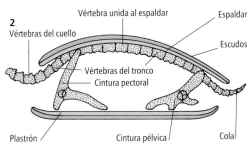

Vértebra unida al espaldar — Vértebras del cuello — Espaldar — Escudos — Vértebras del tronco — Cintura pectoral — Plastrón — Cintura pélvica — Cola

en las formas más acuáticas como es el caso de las tortugas de caparazón blando o las marinas, los huesos han disminuido de tamaño, dejando grandes espacios (fontanelas) entre ellos. El caso más extremo es el de la tortuga laúd marina, que cuando es adulta carece de escudos epidérmicos y sólo tiene pequeñas placas óseas incrustadas en su piel. Las principales ventajas de la disminución de tamaño parecen ser, en primer lugar, el menor coste fisiológico asociado a la construcción y mantenimiento del pesado caparazón, y en segundo lugar el menor coste de energía en la locomoción dentro de las especies terrestres y mayor flotación en las formas acuáticas.

Las diferentes formas de vida y ecologías han producido otras alteraciones en la estructura del caparazón. Las tortugas de tierra poseen normalmente caparazones muy abovedados para defenderse de las mandíbulas de sus predadores. Las tortugas marinas poseen unos caparazones más bajos, más aerodinámicos que ofrecen menor resistencia al agua cuando nadan. Un aplana-

miento extremo se encuentra entre las tortugas de caparazón blando, que les ayuda a ocultarse debajo de la arena o del barro del fondo de su entorno acuático. No obstante, existen excepciones en ambas categorías. El caparazón de la tortuga panqueque de África oriental no es abovedado, es extremadamente plano por el contrario, y le permite comprimirse en grietas estrechas dentro de su hábitat rocoso. Con la fuerza que generan sus patas y la elasticidad natural de los huesos del caparazón, resulta muy difícil sacar a esta tortuga una vez que se ha metido entre las rocas. Por otra parte, las especies acuáticas, como la tortuga terrapene de río de Asia o la tortuga de Annam (*Mauremys annamensis*) y la tortuga de vientre rojo de Florida, que cohabitan con grandes cocodrilos voraces, han perdido parte de la línea aerodinámica y han desarrollado unos caparazones más abovedados y más reforzados para protegerse.

El caparazón está menos desarrollado en las tortugas jóvenes, los huesos no se han formado todavía en su

LA EDAD DE UNA TORTUGA

Todas las tortugas, a excepción de la tortuga de nariz de cerdo, la tortuga de caparazón blando y la tortuga laúd marina, poseen un caparazón óseo y un plastrón cubierto de escamas epidérmicas llamadas escudos, con una estructura muy similar a la de las uñas de los humanos. A medida que crece la tortuga durante la estación activa, los escudos crecen hacia el exterior, normalmente desde una esquina. Sin embargo, cuando se detiene el crecimiento durante el invierno (o para algunas especies tropicales durante la estación seca), se desarrolla un anillo que marca el período de no crecimiento. Estos anillos se ven mejor en las tortugas jóvenes porque generalmente están separados por una banda ancha de color más claro. En la mayoría de las tortugas los anillos se ven con más facilidad en los escudos centrales (abdominales) del plastrón.

Cuando la tortuga llega a la madurez, es más lento el crecimiento del cuerpo y del escudo. Los anillos ya no están separados por las bandas anchas del crecimiento. Están situados unos junto a otros y resulta difícil contarlos. Además, a medida que envejece la tortuga, el roce continuo del plastrón contra el sustrato puede ocasionar que se alisen los escudos y se oscurezcan los anillos. Finalmente un período inusual de frío, o calor y sequedad, durante la estación de crecimiento pueden causar que cese prácticamente el crecimiento del escudo, dando como resultado la formación de un anillo «falso» más débil. Por tanto, saber la edad de las tortugas contando los anillos del escudo es más preciso para los juveniles, especialmente aquellos que tienen unas estaciones de crecimiento y no crecimiento que se alternan. El único modo seguro de saber la edad de una tortuga con exactitud es capturarla varias veces durante su vida de un modo regular.

La fotografía muestra el plastrón de una tortuga de fango amarilla de un campo situado en Nebraska (Estados Unidos) que fue fotografiado el 4 de mayo de 2000 cuando tenía 9 inviernos de edad (u 8 estaciones de crecimiento) y el caparazón medía menos de 7,1 cm de longitud. Esta tortuga se capturó por primera vez el 15 de mayo de 1993, cuando sólo medía 3 cm y estaba saliendo del letargo después de su segundo invierno de vida (o después de una estación de crecimiento). Se le hicieron diminutas marcas únicas y permanentes en el caparazón (se ve una en el borde del plastrón en la parte inferior de la fotografía).

Las zonas del escudo marcadas con «H» muestran el tamaño del escudo cuando nació esta tortuga en otoño de 1991.

Las flechas indican los períodos de crecimiento en verano de cada año. El crecimiento fue mínimo en 1993, al igual que en 1994. Sin embargo 1995 y 1996 fueron años de crecimiento muy buenos. De nuevo casi no hubo crecimiento en 1997 y 1998, dando como resultado lo que parece un único anillo, pero en realidad hay tres. Durante la fría primavera de 1998 la tortuga (que entonces tenía siete inviernos de vida) no salió de la hibernación hasta el 28 de mayo. El nivel de agua de la tierra en la que vive era bajo, de un modo inusual, y cuando bajó aún más con el calor del verano, la tortuga abandonó la zona el 23 de junio (después de una estación de actividad plena que sólo duró 26 días), se enterró en la arena y no salió de nuevo hasta el 19 de mayo de 1999, sin apenas crecer en ese tiempo. Como resultado de ello los anillos 7º y 8º no se pueden distinguir del 6º de un modo individual. Por tanto, aunque parezca que esta tortuga tiene 7 anillos, en realidad tiene 9.

La prueba de contar anillos, durante más de 20 años de recapturas, indica que muchas tortugas de fango amarillas superan los 35 años en estado natural. Sin embargo, se sabe que algunas tortugas viven más de un siglo. Es difícil obtener información fiable sobre tortugas mascotas que hayan vivido más que sus propietarios. Existe cierta información dudosa sobre una tortuga radiada que supuestamente le dio el Capitán James Cook al Rey de Tonga en 1773 o 1777. La tortuga fue tesoro preciado para varios gobernantes de Tonga posteriores. Después de sobrevivir a dos incendios forestales y otras desgracias, murió en 1966, después de haber pasado al menos 189 años en cautividad. Por desgracia no hay ningún registro del regalo en los diarios del Capitán Cook.

La llamada tortuga «de Marion» está mejor documentada. Cinco tortugas recogidas por el explorador francés Marion de Fresne en 1776 en las Seychelles fueron llevadas a Mauricio. La última de ellas murió en 1918, después de caer en una cañonera de los barracones en los que vivían. Presumiblemente la tortuga ya era adulta cuando la cogieron, por tanto tendría casi 200 años cuando murió.

● *Derecha* La tortuga de cuello de serpiente (Chelodina rugosa) del norte de Australia, protege la cabeza y el largo cuello recogiéndolos horizontalmente dentro del borde exterior de su caparazón. Esta capacidad, común en todos los miembros del suborden Pleurodiros, les han hecho ganarse la denominación de «tortugas de cuello torcido».

totalidad. Sin embargo, la importancia del caparazón óseo como protección mejora con la edad. Las jóvenes de ciertas especies pequeñas, de huesos blandos, han desarrollado unas prominentes espinas epidérmicas, la mayor parte de ellas rodea el borde del caparazón para desanimar a los predadores. Un ejemplo extremo de esta adaptación se encuentra en la tortuga espinosa del sureste de Asia. Casi con un perfil circular, con escudos marginales que terminan en una espina, los juveniles de esta especie se parecen a una rueda dentada de dientes afilados. Los caparazones de las tortugas mordedores matamata y aligator o caimán se disfrazan con protuberancias y crestas que les dan un aspecto inanimado.

Algunas tortugas han desarrollado caparazones que no son rígidos y que poseen varios grados de movimiento (cinesis) entre los huesos. Una modificación común es el plastrón de charnela. Varias tortugas, entre ellas la tortuga plana india, las tortugas de fango americanas y africanas, las tortugas de caja asiáticas y americanas y las tortugas de Madagascar y Egipto, han desarrollado una o dos charnelas en el plastrón. Las tortugas bisagra africanas poseen una charnela en el caparazón y no en el plastrón. Las charnelas ofrecen a estas tortugas la posibilidad de cerrar el caparazón guardando en su interior sus partes más vulnerables. Aunque no hay duda de que proporciona protección frente a los predadores, la protección contra la pérdida de humedad es probablemente una función de igual importancia. Pocas especies con charnelas son completamente acuáticas.

Un menor grado de movimiento se encuentra entre ciertas tortugas de estanques y ríos. Algunas, como la tortuga hoja asiática, la tortuga plana del sudeste de Asia y la tortuga de bosque neotropical, poseen un plastrón parcialmente articulado y uniones de ligamentos, y no de huesos, entre el plastrón y el caparazón. Pueden mover los plastrones pero no pueden cerrarse. Parece ser que esta flexibilidad es necesaria para permitir a las tortugas poner sus enormes huevos de cáscara quebradiza, que de otro modo no podrían caber por la abertura del caparazón. En varias especies asiáticas, entre ellas la tortuga del bosque de Cochin, la tortuga espinosa y la tortuga tricarinada, sólo las hembras maduras desarrollan el plastrón cinético.

Ciertas especies de cabeza grande, agresivas, como las tortugas mordedoras y las tortugas almizcladas neotropicales, también poseen plastrones móviles debido a la reducción de los huesos y una unión de ligamentos con el caparazón. En estas especies la flexibilidad del plastrón permite a la tortuga retraer su gran cabeza dentro del caparazón con las mandíbulas entreabiertas, proporcionando así una defensa formidable y casi inexpugnable.

Desde el principio, las tortugas desarrollaron dos mecanismos independientes para retraer el cuello dentro de la abertura anterior, entre el caparazón y el plastrón. Todas las tortugas tienen ocho vértebras cervicales

1999
1996
1995
1994
1993
1992
H
H

(cuello), pero un grupo importante (el Pleurodiro, o tortugas de cuello torcido) retrae la cabeza horizontalmente, dejando cuello y cabeza expuestos en parte por la parte frontal del caparazón. Este grupo incluye a las tortugas de cuello de serpiente, algunas de las cuales tienen un cuello que supera la longitud del caparazón. El otro grupo (los criptodiros, o tortugas de cuello escondido) retraen la cabeza plegando el cuello hacia atrás en una forma de «S» vertical. La mayoría de estas tortugas pueden recoger la cabeza completamente en el interior del caparazón e incluso poner los codos delante de la nariz para proteger aún más la cabeza.

Las tres cuartas partes de las tortugas vivas pertenecen a este último grupo, incluyendo a todas las que hay en Norteamérica, Europa y Asia continental.

🜲 *Derecha* *A modo de remos, las potentes extremidades anteriores de la tortuga de carey marina (Eretmochelys imbricata) le permiten «volar» con gracia por el agua. Las esponjas y los corales blandos forman la mayor parte de la dieta de esta especie.*

Demostración de su edad
CRECIMIENTO

La mayoría de las tortugas acuáticas y terrestres que han crecido completamente alcanzan un tamaño de al menos 13 cm de longitud de caparazón. Entre las excepciones se encuentran la tortuga manchada, la tortuga almizclada plana y la tortuga de Mühlenberg, que son las especies más pequeñas del mundo con una longitud máxima de caparazón de menos de 12 cm. El gigante de las tortugas vivas es la tortuga laúd marina, que alcanza una longitud de caparazón de 244 cm y puede pesar hasta 867 kg. Otras especies grandes son la tortuga mordedora aligator de 80 cm y 113 kg, la tortuga de río sudamericana de 107 cm y 90 kg, la asiática de caparazón plano y cabeza estrecha de 120 cm y más de 150 kg, y la tortuga gigante de Aldabra de 140 cm y 255 kg.

El ritmo de crecimiento de las tortugas varía considerablemente incluso en miembros de la misma puesta. El hábitat, la temperatura, la lluvia caída, el sol, el tipo de alimentación y su disponibilidad, y el sexo se han asociado al ritmo de crecimiento. Generalmente una especie crece con más rapidez hacia la maduración sexual. Luego disminuye considerablemente. En los últimos años las especies pequeñas podrían dejar de crecer, pero las tortugas grandes pueden crecer durante toda su vida. No debe sorprender que las tortugas que viven tanto tiempo también tarden más en alcanzar la madurez sexual.

El crecimiento se puede estudiar mejor en las tortugas que en la mayoría de los reptiles porque muchas especies guardan registros de crecimiento en sus escudos córneos (véase La Edad de una Tortuga). El ritmo de crecimiento de una tortuga también se refleja en las capas de crecimiento depositadas en sus largos huesos (especialmente el fémur y húmero). Igual que sucede en los árboles, anillos distintivos se van añadiendo a estos huesos a medida que el crecimiento se hace más lento durante el invierno o la estación seca. Sin embargo, debido a la remodelación natural del hueso, las capas de crecimiento interior (más joven) se eliminan constantemente. Como resultado de este origen natural de error potencial y porque la técnica requiere la destrucción de pruebas, no se ha aplicado de un modo extenso.

No es tan lenta en el agua
LOCOMOCIÓN

Las tortugas tienen fama de ser animales lentos. Ciertamente la mayoría de las tortugas, con la movilidad muy limitada debido a su gran caparazón incómodo, son lentas. La tortuga del desierto se mueve a una velocidad de 0,22 a 0,48 km/h. Charles Darwin cronometró a una tortuga gigante de las Galápagos, recorrió 6,4 km en un día. Sin embargo, las tortugas marinas pueden moverse en el agua con la misma rapidez con la que los humanos pueden correr en tierra, a velocidades que superan los 30 km/h.

Las extremidades de una tortuga son buenos indicadores de su hábitat y medios de locomoción. Las tortugas terrestres, el grupo más adaptado a tierra, poseen pies elefantinos con dedos muy cortos y ausencia de todo indicio de membrana. En la tortuga terrestre de Gopher, excavadora consumada, las extremidades anteriores son mucho más planas y le sirven para cavar.

Los pies de las tortugas acuáticas son diferentes por tener dedos más largos unidos entre sí por medio de una membrana de tejido o de carne que le proporcionan un mayor empuje en el agua. Las tortugas acuáticas se mueven andando por el fondo o nadando. Las que caminan por el fondo sobre el lecho del agua lo hacen igual que cuando caminan en tierra. La matamata, la tortuga de caja

del sureste de Asia, las tortugas mordedoras y las de fango, todas emplean como principal medio de locomoción andar por el fondo. Las especies que nadan, como la tortuga lisa de caparazón blando, la terrapene de río y la tortuga de río de Centro América pueden andar por el fondo, pero normalmente reman por el agua, utilizando las cuatro extremidades en una secuencia alternativa. Gran parte del poder de empuje se logra mediante una retracción simultánea de los pies anteriores y posteriores contrarios, lo que proporciona el impulso mientras mantiene la dirección del animal.

Las tortugas marinas y la tortuga de nariz de cerdo son las nadadoras más especializadas. Sus extremidades anteriores, modificadas en forma de aletas, se mueven sincronizadamente y con gracia en lo que se debería denominar mejor como «vuelo acuático». Los pies posteriores proporcionan poco impulso y sirven de timón principalmente.

Respiración profunda
RESPIRACIÓN

Como descendientes de antepasados terrestres que son, no debe sorprender que las tortugas respiren con pulmones. Debido a su rígido caparazón, su respiración es diferente a la de otros vertebrados. Los cambios de presión en los pulmones de la mayoría de las tortugas los crean los músculos que se extienden y luego se contraen en las cavidades de las extremidades anteriores y posteriores. Para la espiración tienen la ayuda de los músculos abdominales que comprimen los pulmones presionando los órganos internos contra ellos. Los movimientos de las extremidades y de las cinturas aumentan estas acciones.

Los pulmones no son los únicos órganos para respirar de las tortugas. Las especies acuáticas también respiran a través de la piel, el revestimiento de la garganta y a través de los sacos de paredes finas, o bolsas, de la cloaca. El grado en el que las especies utilizan estos recursos varía de unas a otras. En las de caparazón blando del Nilo, que carecen de bolsas en la cloaca, el 70 por ciento del oxígeno sumergido lo toman por la piel y el 30 por ciento por el revestimiento de la garganta. Al depender de la respiración debajo del agua, las tortugas de caparazón blando suelen ser más sensibles a la rotenona (un veneno selectivo para los vertebrados que respiran por branquias) que las especies que cohabitan con ellas. Las bolsas de la cloaca son comunes en otras muchas especies acuáticas, entre ellas las tortugas de estanque, mordedoras y de cuello torcido. Estas estructuras están bien desarrolladas especialmente en la tortuga del río Fitzroy. Esta tortuga

◑ **Izquierda y arriba** *Especies representativas de tortugas acuáticas y terrestres.* **1** *Tortuga almizclada gigante de la costa del Pacífico (Staurotypus salvinii); Quinostérnidos.* **2** *Tortuga de vientre rojo Alabama (Pseudemys alabamensis), Emídidos.* **3** *Tortuga de nariz de cerdo y caparazón blando (Carettochelys insculpta); Caretoquélidos.* **4** *Tortuga laúd marina (Dermochelys coriacea); Dermoquélidos, se alimentan de medusas.* **5** *Tortuga de río de América Central (Dermatemys mawii); Dermatemídidos.* **6** *Tortuga marina verde (Chelonia mydas); Quelónidos, comiendo.* **7** *Tortuga jaspeada amarilla del Amazonas (Podocnemis unifilis); Podocnemídidos.* **8** *Tortugas de tierra (Gopher polyphemus), Testudínidos, apareándose.* **9** *Tortuga macrocéfala (Platysternon megacephalum); Platisternídidos, de visita en tierra firme.* **10** *Tortuga de fango amarilla (Kinosternon flavescens); Quinostérnidos.*

australiana de cuello torcido, que vive en corrientes de agua bien oxigenadas, mantiene abierto continuamente un orificio en la cloaca y rara vez emerge.

Las tortugas toleran de un modo excepcional los niveles de oxígeno bajos, y hay individuos que han sobrevivido hasta 20 horas en una atmósfera de nitrógeno puro. El tiempo que pueda permanecer sumergida una tortuga depende de la especie, de la temperatura y de la cantidad de oxígeno disuelto en el agua. Las tortugas resbaladoras de estanques pueden sobrevivir sumergidas en el agua saturada de oxígeno durante un máximo de 28 horas, mientras que las tortugas almizcladas bobas parece ser que son capaces de sobrevivir indefinidamente en condiciones similares. Las especies que hibernan bajo el agua en estado de letargo pueden sobrevivir durante semanas o meses sin salir a la superficie.

Cazadores sin prisa

DIETA

Muchas tortugas (las marinas y especies tropicales) son activas, y por tanto se alimentan durante todo el año, mientras que otras especies de latitudes más elevadas pueden estar inactivas más de la mitad del año en un estado de letargo invernal debajo del agua o debajo de tierra. Unas cuantas especies de entornos extremadamente áridos (por ejemplo algunas tortugas de fango americanas) podrían estar activas únicamente durante tres meses o menos al año. Durante este tiempo tienen que alimentarse, crecer, aparearse y poner huevos, todo antes de que termine la corta estación «lluviosa».

Pocas tortugas relativamente poseen la velocidad y agilidad para coger a una presa de movimientos rápidos. De ahí que la mayoría se alimente de vegetación o de animales más sedentarios (moluscos, gusanos o larvas de insectos, por ejemplo). Sin embargo, acontecimientos oportunistas como la muerte de un animal o una fruta madura caída de un árbol de la orilla son explotados rápidamente y con frecuencia atraen a un gran número de tortugas.

La dieta de las especies omnívoras cambia con la edad por lo general. Normalmente los juveniles suelen ser más insectívoros, mientras que los adultos son más herbívoros (por ejemplo, la tortuga resbaladora de estanque y la pintada) o explotan una dieta más especializada como la de los moluscos (la tortuga almizclada boba o la tortuga comedora de moluscos (Malayemys subtrijuga). En especies donde existe una gran diferencia de tamaño entre los machos y las hembras, las dietas pueden diferir también. Las hembras de las tortugas mapa de Barbour (*Graptemys barbouri*) comen moluscos principalmente, mientras que los machos mucho más pequeños consumen artrópodos en su mayoría.

Generalmente las tortugas se alimentan de un modo sencillo y directo. Sin embargo, unas cuantas poseen unas técnicas y estrategias especiales para conseguir alimento, como métodos de emboscada, boqueada y succión, y reclamo. Las tortugas que emplean la emboscada permanecen a la espera generalmente y no persiguen a la presa. No obstante, muchas especies emplean varias estrategias. De un modo común, los que se alimentan por emboscada poseen coloración críptica y/o formas crípticas, además de unos cuellos largos y musculosos que pueden golpear

a una presa a cierta distancia. La tortuga mordedora, con su cuello largo cubierto de tubérculo, piel del color del barro y caparazón festoneado con algas, ilustra bien estas características. La tortuga de cabeza estrecha y caparazón blando del sureste de Asia se alimenta por medio de esta estrategia de emboscada y posee un caparazón liso de dibujos brillantes. Sin embargo, cuando yace en el fondo de su hábitat acuático, cubierta en parte con arena o barro, las rayas y manchas oscuras de la tortuga se mezclan bien con las sombras del lecho accidentado del río.

La mayoría de las especies acuáticas emplean en mayor o menor medida la técnica de boqueada y succión. Abriendo rápidamente la boca y expandiendo la garganta simultáneamente, crean una zona de baja presión que logra empujar pequeños alimentos al esófago, junto con una cantidad de agua que expulsa posteriormente.

El practicante más adepto de esta técnica es la extraña matamata, que se camufla extraordinariamente bien. El caparazón es plano, con estrías desiguales y normalmente cubierto de algas. La cabeza ancha, poco frecuente, y el largo cuello musculoso están adornados con una serie de solapas y proyecciones irregulares. Los ojos diminutos y redondos están situados muy por delante y flanquean un hocico atenuado parecido a un tubo. La boca es ancha de un modo extravagante y las mandíbulas carecen de la cubierta córnea de otras tortugas.

La matamata practica también la técnica de la emboscada para alimentarse. Espera pasivamente en el fondo de su guarida acuática a que se acerquen los peces. Los experimentos realizados han demostrado que ciertas solapas de la piel que tienen en la barbilla y en el cuello sirven para algo más que para camuflarse. Ricas en terminaciones nerviosas, responden a ligeros disturbios en el agua, alertando a la tortuga de la llegada de una presa, incluso en aguas almizcladas. También se ha sugerido que los movimientos pasivos de las solapas de piel producidos por las corrientes del agua podrían servir de reclamo para atraer a los peces. Una vez que se ha aproximado el pez, la tortuga golpea rápidamente mientras dilata la boca y la garganta, consiguiendo así la cena de ese día.

También se ha observado en las matamatas cómo reúnen a peces de un modo activo en aguas poco profundas, donde los pueden capturar con más facilidad.

De aspecto un poco menos críptico y ocupando un lugar similar solamente, la tortuga mordedora aligator de Estados Unidos utiliza un reclamo o señuelo para atraer a los peces. La mordedora aligator tiene una proyección pequeña en la lengua, parecida a un gusano, que adquiere un color rosa vivo cuando se llena de sangre. El resto de la cavidad oral posee una pigmentación oscura para exagerar el color del señuelo aún más. Moviendo los músculos inferiores, la tortuga puede hacer culebrear al señuelo. Cuando va a pescar, la mordedora permanece estática en el fondo con las mandíbulas abiertas y moviendo el señuelo. Un pez que se acerque nadando y pase entre las mandíbulas córneas afiladas para investigar, rara vez escapará de la rápida respuesta de la mordedora. Si la presa es lo suficientemente pequeña, se la tragará entera; si es demasiado grande, la tortuga empleará sus mandíbulas para sujetar al pez mientras utiliza los pies anteriores de modo alternativo para desgarrarlo. El señuelo se oscurece con la edad y puede ser menos importante en los adultos.

Otra adaptación para buscar alimento que merece la pena mencionar es la hendidura alveolar ancha, o paladar secundario, que aparece en la mandíbula superior de ciertas tortugas. Especies que comen caracoles y almejas (por ejemplo las tortugas mapa, las tortugas que comen caracoles y algunas tortugas almizcladas americanas) emplean esta hendidura para aplastar las conchas calcáreas de sus presas. Una hendidura similar está presente también en ciertas especies herbívoras, entre ellas las tortugas americanas del género Chrysemys y las tortugas terrapene de río y tortuga de visera asiática. Estas tortugas poseen una o dos cadenas aserradas en esta hendidura, así como bordes aserrados en las mandíbulas, que se utilizan conjuntamente para cortar y aplastar tallos y frutos.

Conservación de los huevos
APAREAMIENTO Y REPRODUCCIÓN

Conocer el sexo de las tortugas resulta difícil a menudo. Normalmente los machos poseen colas más largas y más gruesas, con el ano situado un poco más atrás que en las hembras. En muchas especies acuáticas nadadoras, los machos son de un tamaño mucho menor, pero los machos de las formas terrestres o semiacuáticas suelen ser tan grandes como las hembras o más. Para adaptar el caparazón abovedado de la hembra durante la cópula, el plastrón del macho es cóncavo. Las garras anteriores alargadas, los hocicos atenuados, escamas detrás de las rodillas o una cola con punta espinosa distinguen a los machos de ciertas especies.

El color se puede emplear para distinguir sexos en una especie, pero, en la mayoría, ambos sexos son del mismo color. Incluso en las especies sexualmente dicromáticas, las diferencias son sutiles con frecuencia. El macho de la serpiente de caja oriental tiene los ojos rojos, la hembra los tiene marrones. La hembra de la tortuga moteada tiene la barbilla amarilla y los ojos naranjas. El macho tiene la barbilla de color tostado y los ojos marrones. Sin embargo, ciertas tortugas de río tropicales de Asia son excepcionales porque los machos muestran un colorido espectacular durante la época de cría, al contrario que las hembras que son de color pardo.

Todas las especies ponen huevos con cáscara en tierra. Las puestas son anuales y estacionales, aunque algunas hembras puede que no reproduzcan cada año. Las tortugas marinas anidan normalmente cada dos o tres años. En las tortugas de zonas templadas, el cortejo puede suceder en otoño o en primavera, pero anidan generalmente sólo en primavera. En las especies tropicales el cortejo y la puesta pueden ocurrir tanto en la estación húmeda como en la seca. Se han descubierto unas cuantas especies tropicales y subtropicales que anidan casi durante todo el año, aunque no es probable que haya alguna tortuga con una reproducción realmente continua. Las hembras de muchas especies (por ejemplo la tortuga de dorso de diamante y la tortuga de caja oriental) pueden almacenar esperma durante años y no necesitan aparearse todos los años. Además, análisis de paternidad en los que se han utilizado técnicas de ADN han demostrado que huevos diferentes de la misma puesta pueden ser de padres distintos.

La mayoría de las tortugas anidan en las proximidades de las zonas en las que consiguen el alimento. Sin embargo, algunas tortugas marinas y de río emigran a gran distancia con el fin de anidar.

Abajo *La matamata (Chelus fimbriatus) con su extraña forma habita en lagos y arroyos de la cuenca amazónica. Emplea el eficaz método de «boqueada y succión» para alimentarse. Abre la boca creando un vacío que arrastra a la presa hacia adentro.*

Las tortugas marinas verdes que habitan en la costa brasileña de Sudamérica pueden emigrar a más de 4.500 km de distancia para anidar en la Isla Ascensión. Ciertas especies migratorias anidan en grandes cantidades durante un breve período de tiempo, el ejemplo más espectacular es la nidada en masa («arribada») de las tortugas marinas oliva. En una de las mayores arribadas que se producen en Orissa (India) se reúnen más de 200.000 tortugas oliva en 5 km de playa durante un período de uno o dos días. Unas cuantas tortugas de agua dulce, como la tortuga de río sudamericana y la terrapene de río del sureste de Asia, anidan en masa de un modo similar. Una ventaja de anidar en grupo es que los predadores se ven abrumados por tal volumen de producción y evitan que sean detectados muchos de los nidos.

En muchas especies acuáticas nadadoras, entre ellas algunas tortugas de estanque y de río, tortugas de cuello torcido y tortugas marinas, los machos son más pequeños que las hembras en general y tienen una conducta compleja en el cortejo. En las especies semiacuáticas que andan por el fondo (por ejemplo, las tortugas de fango y las mordedoras) donde los machos son tan grandes como las hembras o más, el cortejo es mínimo generalmente. Entre los machos de tortugas terrestres las luchas territoriales y por las hembras son comunes.

En las tortugas de estanque y de río de las zonas templadas (la tortuga pintada, la resbaladoras y las tortugas mapa), los machos emplean sus largas garras de los pies

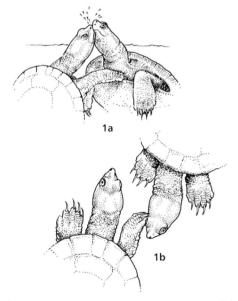

◗ **Arriba y derecha** *Cortejo de la tortuga.* **1** *Meneo de la cabeza en superficie* **a** *y golpe de la cabeza debajo del agua* **b** *durante el cortejo de la tortuga de cuello torcido Emydura macquarii;* **2** *El macho de la tortuga de tierra menea la cabeza y gira alrededor de la hembra, luego la muerde en el caparazón y en las extremidades;* **3** *Posturas de apareamiento en las tortugas de caja orientales:* **a** *el macho muerde la cabeza de la hembra y* **b** *se agarra a su caparazón con los pies posteriores.*

anteriores en su exhibición de cortejo. Mientras nadan hacia atrás delante de la hembra (o encima de ellas en algunas especies), el macho abre sus garras en abanico frente al hocico y barbilla de la hembra siguiendo unos modelos muy estereotipados. Cuando está receptiva, la hembra se hunde hasta el fondo. Entonces el macho levanta el espaldar y, utilizando sus garras para agarrarse al borde anterior del caparazón, fuerza su cola por debajo de la hembra, uniéndose los anos. La penetración se logra por medio del pene único del macho. La cópula puede durar una hora o más, durante ese tiempo los participantes salen de vez en cuando a la superficie en busca de aire.

El cortejo de las tortugas consiste principalmente de un meneo de cabeza por parte del macho, el macho topetea y muerde a la hembra para inmovilizarla, y finalmente se monta encima del caparazón de ella por la parte posterior. El cortejo y monta de algunas tortugas gigantes va acompañado de unos bramidos que darían envidia a los elefantes.

Con el fin de lograr la penetración, los machos pueden inclinar el cuerpo y ponerlo en posición vertical. Los ejemplos más extremos son las tortugas de caja americanas, que se inclinan hacia atrás superando la verticalidad durante el apareamiento.

Los huevos se pueden depositar debajo de vegetación que se está pudriendo o bajo humus (por ejemplo, la tortuga manchada *Rhinoclemmys punctularia* y la tortuga almizclada común Stinkpot); en nidos de otros animales

◑ **Arriba** *Las guaridas de las terrapenes de dorso de diamante (Malaclemys terrapin) son las ciénagas y estuarios de la costa este y sur de Estados Unidos. Allí toman el sol sobre las marismas habitualmente y excavan nidos cercanos a la orilla del agua.*

(como es el caso de las tortugas de vientre rojo de Florida que los depositan en nidos de caimanes); en madrigueras excavadas especialmente (la tortuga de fango amarilla) o en un nido construido mientras la hembra se encuentra bajo el agua (la tortuga de cuello de serpiente del norte de Australia), pero generalmente en un nido en forma de frasco o ampolla, construido con sumo cuidado, excavado en la superficie del suelo con las patas traseras de la tortuga. Algunas especies (por ejemplo, la mayoría de las tortugas de caparazón blando y las terrapene pintadas) cubren rápidamente los huevos y abandonan la zona, pero otras pasan mucho tiempo escondiendo el nido. Las tortugas laúd marinas pueden pasar una hora o más recorriendo la zona, golpeando la arena en todas direcciones antes de volver al mar. La terrapene de río cava a menudo un nido falso a cierta distancia del primero y en ciertas zonas divide el grupo en dos o tres nidos, que sirven para confundir a los predadores. El cuidado parental

es raro en los reptiles y las tortugas carecen de él por completo, pero la tortuga gigante asiática, que tiene costumbre de hacer un nido sobre un montón de humus, defenderá a sus huevos de los posibles predadores durante varios días después de la deposición.

La fecundidad corresponde generalmente al tamaño del cuerpo en las especies. Las más pequeñas ponen de 1 a 4 huevos por puesta, mientras que las tortugas marinas grandes ponen regularmente más de cien huevos de una vez. El record lo tiene una tortuga Hawksbill que puso ¡258 huevos en una puesta! La mayoría de las especies ponen el doble o incluso más en cada estación de cría. La tortuga marina verde es el reptil más prolífico que se conoce. En Sarawak pone hasta 11 puestas de más de 100 huevos cada una en intervalos de 10 días y medio durante una única estación de cría. También existe en las especies la tendencia general de producir más huevos (y más pequeños) en latitudes más elevadas.

Los huevos de las tortugas son de dos formas. Las tortugas de estanque, las de río, las de bosque y las tortugas almizcladas y de fango americanas ponen huevos alargados, mientras que las tortugas de caparazón blando, las mordedoras y las marinas ponen huevos más esféricos. Los miembros de otros grupos diversos como las tortugas terrestres y tortugas de cuello torcido austral-americanas tienen miembros que ponen huevos de las dos formas. Las tortugas que ponen las nidadas más grandes (50 huevos o más) tienen huevos esféricos, indicando que esta forma es más eficaz para colocar una cantidad tan grande en un espacio limitado. La forma esférica tiene una proporción superficie-volumen lo más inferior posible, y de ahí que también estén menos sometidos a la deshidratación. Posiblemente esto explica por qué muchas tortugas ponen esos huevos.

La cáscara del huevo también varía. Aunque existen algunas excepciones y tipos intermedios, las tortugas de río y de estanque de zonas templadas, las mordedoras, las marinas y las de cuello torcido africanas y americanas suelen tener huevos más flexibles, cáscaras más correosas (que se mellan por la presión de un pulgar), mientras que las cáscaras de los huevos de las tortugas tropicales de estanque y de río, las almizcladas y las de fango americanas, las de caparazón blando y las tortugas de cuello torcido austral-americanas son más inflexibles y se quiebran con frecuencia.

Los huevos de cáscara quebradiza suelen estar más independientes en el entorno, perdiendo y absorbiendo menos agua que los huevos de cáscara flexible. Sin embargo, los que tienen cáscara flexible se desarrollan más deprisa normalmente. Las especies que no excavan nidos sofisticados o anidan en suelos particularmente secos o muy húmedos suelen poner huevos de cáscara quebradiza. Recíprocamente los nidos de las playas son propensos a inundaciones, o en zonas con estaciones de crecimiento limitadas donde el rápido desarrollo del huevo es importante, es más probable que los huevos tengan cáscaras flexibles.

El tamaño del huevo suele aumentar con el tamaño del cuerpo en todas las especies, pero hay excepciones. La enorme tortuga laúd marina y la tortuga Galápagos ponen los huevos esféricos más grandes, con diámetros de 5 o 6 cm y pesan hasta 107 g. Los huevos esféricos más pequeños son los de la tortuga de caparazón blando china, de 2,1 cm y 5,1 g.

⬣ **Arriba** *Cubiertos por la oscuridad, una hembra de tortuga marina verde (Chelonia mydas) pone sus huevos en una playa de Sabah, al norte de Borneo. Se sabe que esta especie emigra a más de 4.500 km con el fin de anidar. Después de enterrar los huevos, regresa al mar y no interviene en su desarrollo. Los huevos, hasta 100 en una puesta, eclosionan a los 2 meses aproximadamente.*

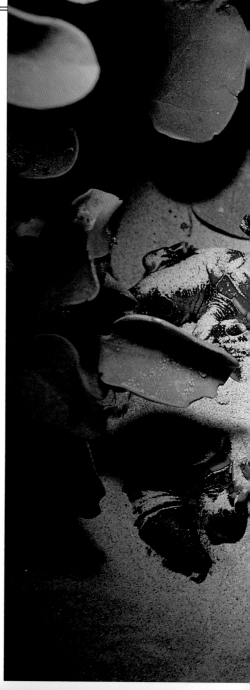

⬣ **Derecha** *Tortugas marinas verdes recién nacidas en las islas Galápagos. Una vez que han salido del nido excavando, las tortugas recién nacidas se enfrentan a una peligrosa carrera corta hacia el mar. El índice de desgaste es elevado. Las que sobreviven regresan a su playa «hogar» después de muchos años en el mar.*

⬣ **Abajo** *Una hembra de tortuga boba (Caretta caretta) buscando un lugar para anidar en una isla situada frente a la costa de Australia.*

tugas de fango tropicales americanas, algunas de cuello torcido austro-americanas, la tortuga de caparazón blando y la tortuga de bosque. Estos fascinantes modelos de desarrollo siguen estando muy poco estudiados en la mayoría de las tortugas.

La temperatura durante el período de incubación también determina el sexo de las crías en la mayor parte de las tortugas. En las especies que determinan el sexo según la temperatura (DST), la temperatura durante aproximadamente las dos terceras partes de la incubación conlleva un desarrollo gonadal que dirige finalmente el sexo de las crías. Se han descrito dos modelos de DST en las tortugas: En el Tipo I (hallado en las tortugas de estanque del Nuevo Mundo, tortugas de bosque neotropicales, tortugas marinas, tortugas terrestres y tortuga de caparazón blando) se encuentran especies que muestran una pequeña diferencia de temperatura fundamental (normalmente entre 27° y 32°C), por encima de esta temperatura se producen hembras y por debajo resultan machos. El Tipo II (tortugas almizcladas y de fango americanas, tortugas de cuello torcido africanas, tortugas de río americanas, tortugas mordedoras y tortugas de estanque y de río euroasiáticas) incluye especies que muestran dos temperaturas fundamentales: los machos predominan a temperaturas intermedias y las hembras en ambos extremos. Sin embargo, la determinación del sexo parece estar determinada genéticamente en las tortugas de caparazón blando, las tortugas de cuello torcido austro-americanas, la tortuga de bosque, las dos tortugas gigantes almizcladas, la tortuga marrón de visera (*Kachuga smithii*) y la tortuga negra de los pantanos. Además, sólo las últimas cuatro especies tienen cromosomas sexuales dimórficos; todas las demás tienen cromosomas sexuales idénticos. Las ventajas de la evolución de esta misteriosa diversidad de determinación del sexo sigue siendo un enigma (véase Temperatura y Sexo).

Cuando están completamente desarrolladas, las crías utilizan un pequeño tubérculo córneo de origen epidérmico (carúncula) del pico superior para rasgar o romper las membranas embrionarias y la cáscara. Después de la eclosión, los neonatos excavan en el nido y se dirigen directamente a cubrirse de agua o de vegetación. Sin embargo, algunas crías demoran la salida del nido. Después de la eclosión, unas cuantas especies de zonas templadas entre las que se encuentra la tortuga de caja ornada y la tortuga de fango amarilla evitan las inminentes temperaturas invernales letales en aguas o suelo poco profundos. Las crías de otras especies de zonas templadas (por ejemplo, la tortuga pintada) permanece en el nido durante todo el invierno, donde están expuestas a temperaturas de –12°C o inferiores. Aunque son capaces de sobrevivir a una helada a temperaturas bajo cero (por ejemplo a –4°C), tienen que sobre enfriarse (sin que se congelen los tejidos) con el fin de sobrevivir a temperaturas más bajas. El mecanismo preciso por el cual lo logran no se conoce todavía. Aún hay otras tortugas (especialmente en entornos tropicales estacionales) que tienen que permanecer en el nido hasta que la lluvia ablanda el suelo y les permita así excavar. En un informe anecdótico figuraba que unas tortugas jóvenes de cuello de serpiente y caparazón ancho quedaron atrapadas en su nido 664 días durante la sequía australiana ¡y aún así sobrevivieron!

Los huevos alargados más grandes, sin embargo, aparecen en las tortugas de estanque tropicales, muchas son de un tamaño medio o moderado cuando son adultas. La tortuga gigante malaya, la más grande de las tortugas de río y de estanque, con una longitud de caparazón de 80 cm pone huevos de hasta 4,4 por 8,1 cm. Sin embargo, la tortuga negra (*Rhinoclemmys funerea*) con menos de la mitad de la longitud máxima de caparazón (32,5 cm) pone únicamente huevos más pequeños (de hasta 3,9 × 7,6 cm). La tortuga almizclada común (Stinkpot) pone los huevos más pequeños que se conocen, algunos sólo miden 1,4 × 2,4 cm y pesan 2,6 g.

La rapidez de la incubación tiene correlación con la temperatura dentro de las especies. No obstante, se necesitan normalmente dos o tres meses en las especies de zonas templadas, pero de cuatro meses a un año en las especies tropicales. La incubación más breve que se conoce es la de la tortuga de caparazón blando china (23 días) y la más larga la de la tortuga leopardo (420 días). Parece

ser que los huevos de incubación más larga pasan por períodos de desarrollo detenido, e incluso dentro de la misma puesta los tiempos de incubación pueden variar mucho. El que se detenga el desarrollo se puede deber a un entorpecimiento causado por el frío (cuando las temperaturas son demasiado bajas para que prosiga el desarrollo, un fenómeno común en las especies de zonas templadas) o a un período de letargo, cuando cesa el primer desarrollo embrionario a pesar de existir condiciones normales para la incubación. Esta condición se encuentra en las tortugas pollo, varias tortugas subtropicales americanas almizcladas y de fango, algunas de caparazón blando, algunas tortugas de estanque asiáticas, algunas neotropicales, algunas tortugas de cuello torcido austro-americanas y quizás algunas tortugas terrestres. También retrasan la eclosión o estivación, cuando los embriones están completamente desarrollados en el huevo pero no eclosionan hasta que no existen condiciones favorables, como es el caso de algunas tor-

Construcción gradual de biomasa
BIOLOGÍA DE POBLACIÓN

En términos de masa corporal por zona de hábitat (por ejemplo, biomasa de cultivo) las tortugas son, por lo general, los vertebrados que dominan en ecosistemas tranquilos. La máxima biomasa conocida para las tortugas es de 584 kg/hectárea para la tortuga de Aldabra, aunque la media en las poblaciones de tortugas es de 100 kg/ha. Estos valores son iguales que los de otros vertebrados acuáticos de sangre fría, pero tienen un orden de magnitud más elevado que el de los mamíferos, y dos órdenes de magnitud más altos que el de las aves. Por desgracia, debido a que el crecimiento de la tortuga es muy lento, esta biomasa se acumula literalmente a paso de tortuga. De este modo, puede durar décadas, o siglos incluso, la recuperación de una población de tortugas de un incidente tan sencillo como el de un exceso de recogida, ya que normalmente se cogen adultos grandes reproductores.

Las tortugas son capaces de vivir tanto tiempo porque la tasa de mortalidad en poblaciones autóctonas es bastante baja por lo general, especialmente en los adultos. La supervivencia de un adulto excede a menudo el 80 por ciento al año, algunas veces el 99. Sin embargo, la mayor mortalidad en poblaciones autóctonas se produce durante

SUPERVIVIENTES NATURALES

En cautividad, las tortugas de espuelas africanas han vivido más de 54 años, las tortugas del desierto casi 57, las tortugas de las Galápagos más de 62 y las de Aldabra casi 64 años, mientras que la tortuga mora ha sobrevivido alguna vez durante más de un siglo. Las especies de agua dulce viven casi el mismo tiempo, las de caparazón blando del Nilo han sobrevivido más de 50 años, las almizcladas comunes (Stinkpot) 54, las tortugas de bosque 58 y las tortugas de estanque y mordedoras aligator europeas durante 70 años. Al menos otras seis especies más de agua dulce (entre ellas emídidas, quinostérnidas, geoemídidas y pelomedúsidas) han vivido entre 30 y 40 años en cautividad. La longevidad máxima en cautividad de las tortugas marinas es de 33 años, tanto para las tortugas bobas como para las verdes.

La longevidad estimada en estado salvaje es considerablemente inferior a la de los animales en cautividad, en parte se debe a que hay muy pocos estudios de tortugas realizados en el campo a largo plazo. En Norteamérica se encuentran a menudo tortugas de caja orientales con iniciales y fechas grabadas en los caparazones. El record más verídico indica que algunas tortugas de caja podrían sobrevivir en estado salvaje más de 100 años. Sin embargo, otros estudios de las mismas especies realizados en el campo estiman que la longevidad natural es de 60 años solamente, y nadie ha vuelto a capturar un individuo en un intervalo superior a unos 32 años. Una tortuga mordedora (41 años cuando se escribió) que se capturó cuando aún era una cría en el lago Wisconsin, se liberó en el mismo lugar siete años después y se ha estado capturando todos los años desde entonces.

Basados en la cuenta de anillos de escudos y en largas historias de recapturas, se ha estimado que algunas tortugas de Blanding viven hasta los 77 años en estado salvaje. Sin embargo, en otros estudios realizados a largo plazo en el campo, se han cogido tortugas después de 20 o 30 años, pero no hay pruebas de que superen los 50 años. Serán necesarios otros 20 o 30 años de trabajo en el campo para establecer la longevidad actual de las tortugas en estado salvaje.

el primer año de vida (en otras palabras, cuando está en el huevo o acaba de nacer). Las especies terrestres y marinas experimentan una mortalidad menor (una media del 50-55 por ciento) que las especies de agua dulce (80 por ciento de media). Ya que la mortalidad es tan elevada al principio de la vida de una tortuga, muchos protectores de la fauna han creado programas para proteger los huevos y las tortugas jóvenes. Los programas llamados «headstart» protegen e incuban los huevos y cuidan de los jóvenes hasta que son lo suficientemente grandes como para evitar los peligros de los alterados entornos de hoy en día. Aunque a menudo es un paso práctico (y viable) para la conservación, los biólogos que estudian la población han demostrado que, si únicamente se les da esta protección, la mayoría de las poblaciones de tortugas continuarán su declive. Se pueden proteger a tortugas casi adultas y a hembras adultas para dar marcha atrás al declive de muchas poblaciones de tortugas.

Nuestra comprensión de la biología (y taxonomía) de la población de tortugas se ha complicado recientemente por el descubrimiento de una serie de especies de tortugas poco relacionadas de estanque asiáticas que son capaces de hibridizar y producir una descendencia híbrida única y, además, esos híbridos pueden producir jóvenes viables idénticos a sus padres híbridos. Ahora se sabe que algunos de estos híbridos se producen accidentalmente y/o intencionadamente en granjas de cría de tortugas de Asia, pero se ha afirmado que otras se han recogido en estado salvaje y pueden representar acontecimientos híbridos naturales. Varias de las formas híbridas resultantes han recibido incluso nombres científicos. Porque sabemos tan poco sobre la biología de la población de la mayoría de las tortugas asiáticas, este fenómeno de hibridización complica los esfuerzos por la conservación de la tortuga. Existe mucha incertidumbre sobre qué formas representan a las especies naturales (y por tanto sobre la protección que necesitan) y cuáles se producen de un modo artificial para alimentar la lucrativa demanda del comercio de mascotas.

Las tortugas ocupan prácticamente todo hábitat imaginable excepto aquellos que permanecen congelados de

un modo permanente o casi permanente. Han explotado con éxito casi todos los entornos acuáticos así como la mayoría de los terrestres, entre ellos los desiertos más secos de la tierra. La tortuga boba puede sumergirse incluso a más de 1.000 m de profundidad en el mar y la tortuga bisagra de Bell (*Kinixys belliana*) vive en África en altitudes de hasta 3.000 m sobre el nivel del mar.

Las tortugas alcanzan su mayor diversidad de especies en la cuenca más baja de los ríos Ganges y Brahmaputra, donde se entrecruzan al menos 19 especies. La cuenca baja del río Mobile de Alabama (Estados Unidos) se encuentra en segundo lugar con 18 especies. La diversidad de especies en todo el mundo está relacionada de un modo más intenso con las precipitaciones. En general, cuanto más lluviosa es la zona mayor es la diversidad de tortugas.

Cuándo interactúan las tortugas
CONDUCTA SOCIAL

Hay pocos testimonios que indiquen que las tortugas defiendan sus territorios. Muchas parecen tener su hogar en lugares determinados y algunas especies, especialmente las terrestres y semiacuáticas que coinciden parcialmente, podrían desarrollar relaciones de dominio. La tortuga de Galápagos establece jerarquías de dominio basadas en la altura que pueda alcanzar la cabeza extendida. Las razas geográficas de ciertas islas han desarrollado un caparazón estrecho, con espaldar de silla, con un corte anterior elevado que permite una mayor extensión vertical de la cabeza y el cuello. En los grupos de tortugas de Galápagos en cautividad, las de espaldar de silla establecen normalmente un dominio sobre razas de otras islas que tienen caparazones abovedados más restrictivos.

Aunque no son muy sociables, las tortugas acuáticas también se reúnen e interactúan con fines como el del apareamiento y el de la puesta de huevos. Algunas especies se congregan para sobrevivir al invierno (por ejemplo, las tortugas marinas verde y boba); otras, entre ellas las tortugas pintadas, las resbaladoras de estanque, las tortugas mapa y las tortugas indias, se pueden congregar en lugares expuestos para tomar el sol. Es discutible si lo hacen porque son sociables o simplemente porque eligen el lugar más favorable.

Las resbaladoras jóvenes de los trópicos del Nuevo Mundo buscan algunas veces a miembros de su especie para limpiarse mutuamente. Una tortuga utiliza sus mandíbulas para quitar algas (y trozos de escudo) del caparazón de otro, colocándose en ángulo recto. Luego invierten las posiciones. Una conducta similar se ha observado en tortugas de visera en cautividad y en tortugas de río sudamericanas. Existen informes incluso sobre las tortugas de casco de África que limpian de ectoparásitos a los rinocerontes que entran en sus madrigueras del agua.

Impacto humano
CONSERVACIÓN Y ENTORNO

Casi todos los aspectos biológicos de las tortugas les hacen vulnerables al impacto humano, y muy pocas especies se encuentran ahora libres de sus efectos. Muchas poblaciones locales han sido extirpadas. Además, sus tasas de crecimiento lento y su longevidad, tanto de los individuos como de las poblaciones, hacen que su recuperación sea muy difícil.

La mayoría de las tortugas anidan en zonas restringidas y en épocas regulares, y de ahí que los hombres y los animales salvajes abusen de la explotación tanto de los huevos como de las hembras que están criando. La población humana que retoña en países en desarrollo exacerba este problema ya que luchan por la supervivencia destruyendo el hábitat de las tortugas, criando competidores de las tortugas (por ejemplo, cabras, vacas y burros) o predadores (por ejemplo, gatos, perros y cerdos) en su propio beneficio, contribuyendo indirectamente al crecimiento de poblaciones de predadores naturales como los mapaches, o directamente consumiendo huevos, juveniles o adultos para alimentación o para medicinas tradicionales. Los países desarrollados también representan su papel proporcionando mercados de artículos de lujo, como las joyas de caparazón de tortuga de la tortuga carey o artículos de piel de la tortuga oliva, así como para mascotas (algunas valen más de 1.000 dólares).

Todos estos factores han creado una particular crisis de tortugas asiáticas (véase Crisis de la Tortuga Asiática). De hecho, la situación es tan horrible que en 2001 se estableció una Alianza internacional por la Supervivencia de la Tortuga entre conservadores, biólogos de campo, demógrafos, genetistas, conservadores de parques zoológicos, criadores privados, autoridades legales, educadores públicos y conservadores de la vida salvaje para intentar ralentizar o incluso dar marcha atrás a lo que de otra manera significaría la eliminación sistemática de las tortugas de todo el sudeste asiático. Este esfuerzo ha sido más difícil por la falta de conocimiento de la historia natural más básica incluso de muchas especies involucradas, como el caso de los híbridos mencionado anteriormente. Sin este tipo de intervención, los 220 millones de años de legado de las tortugas bien podrían terminar durante este siglo.

JI/EOM

⬓ **Arriba** *Varias razas geográficas de la tortuga gigante de Galápagos (Geochelone nigra) viven aisladas geográficamente unas de otras en diferentes islas del archipiélago de las Galápagos frente a Sudamérica. La correlación entre las diferentes condiciones que* *prevalecen en cada isla y la notable divergencia de la forma de los caparazones de las tortugas ayudaron a Charles Darwin a formular sus ideas sobre la evolución. Todas las subespecies se encuentran en peligro en la actualidad.*

Familias de tortugas acuáticas y terrestres

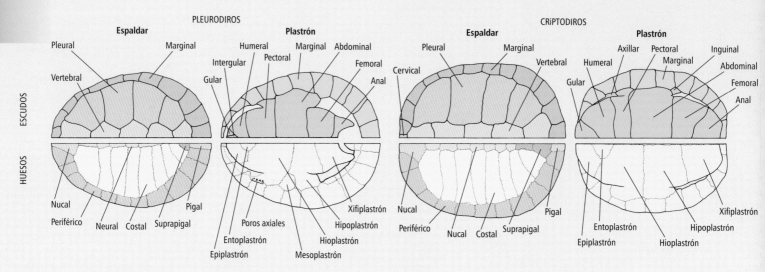

PLEURODIROS

Espaldar

Pleural, Marginal, Vertebral

ESCUDOS

HUESOS

Nucal, Periférico, Neural, Costal, Suprapigal, Pigal

Plastrón

Humeral, Marginal, Abdominal, Intergular, Pectoral, Femoral, Gular, Anal

Poros axiales, Entoplastrón, Epiplastrón, Mesoplastrón, Hioplastrón, Hipoplastrón, Xifiplastrón

CRIPTODIROS

Espaldar

Pleural, Marginal, Cervical, Vertebral

Nucal, Periférico, Nucal, Costal, Suprapigal, Pigal

Plastrón

Axillar, Pectoral, Inguinal, Humeral, Marginal, Abdominal, Gular, Femoral, Anal

Entoplastrón, Epiplastrón, Hioplastrón, Hipoplastrón, Xifiplastrón

◐ **Arriba** *Estructura del caparazón de la tortuga.*

EL ORDEN DE LOS TESTUDÍNIDOS ESTÁ DIVIDIDO en 14 familias agrupadas en dos subórdenes: las tortugas de cuello corto (suborden Criptodiros) y las tortugas de cuello torcido (suborden Pleurodiros). Las tortugas de cuello corto retraen la cabeza dentro del caparazón doblando el cuello en una curva vertical en forma de «S». Tienen 11 o 12 escudos plastrales y 8 o 9 huesos plastrales. Las tortugas de cuello torcido retraen la cabeza debajo del borde del caparazón doblando el cuello lateralmente en un plano horizontal. Tienen 13 escudos plastrales y de 9 a 11 huesos plastrales. La pelvis está soldada al caparazón.

SUBORDEN CRIPTODIROS

Tortuga de caparazón blando
Familia Caretoquélidos

Carettochelys insculpta
Tortuga de caparazón blando o tortuga boba papuana.

Trópico de Capricornio

1 especie, sur de Nueva Guinea, norte de Australia. Ríos, lagos, lagunas.
TAMAÑO: Hasta 56 cm de longitud.
COLOR: Gris sin dibujos, oliva grisáceo o marrón grisáceo por arriba. Blanco, amarillento o crema por debajo. Raya pálida o mancha blanca entre los ojos.
FORMA DEL CUERPO: Caparazón cubierto de una piel suave con hoyos. Extremidades en forma de aletas. El hocico es una probóscide carnosa, parecida a la del cerdo.

HUEVOS: Esféricos, quebradizos, de unos 4 cm de diámetro. Puestas de 7 a 20.
DIETA: Crustáceos, insectos, moluscos, peces, plantas acuáticas y frutas.
ESTADO DE CONSERVACIÓN: Vulnerable.

Tortugas mordedoras
Familia Quelídridos

Trópico de Cáncer

2 especies en 2 géneros. Desde sur de Canadá por todo el este de Estados Unidos al noroeste de América del Sur. Fondos de agua dulce.
Especies: **tortuga mordedora aligator** o **caimán** (*Macroclemys temminckii*), **tortuga mordedora** (*Chelydra serpentina*).
TAMAÑO: Desde 49 cm de longitud de la tortuga mordedora a los 80 cm de la tortuga mordedora aligator. Peso entre 10 y 113 kg.
COLOR: Pardo con gris, negro o marrón por arriba.
FORMA DEL CUERPO: Cabeza grande, con mandíbulas de gancho fuertes. Caparazón con tres quillas abultadas. Cola larga. Plastrón reducido, en forma de cruz. Escudos abdominales muy separados, principalmente confinados en el puente. 24 escudos marginales.
HUEVOS: Esféricos, gruesos y correosos. De 2,3 a 3,6 cm. Puestas de 6 a 80 (máximo 109) en la tortuga mordedora. De 3 a 5 cm, de 30 a 40 (máximo 52) en la mordedora aligator.
DIETA: Carroña, insectos, peces, tortugas, moluscos, plantas.
ESTADO DE CONSERVACIÓN: La tortuga mordedora aligator es Vulnerable.

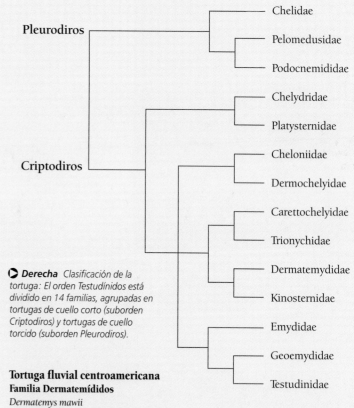

◐ **Derecha** *Clasificación de la tortuga: El orden Testudínidos está dividido en 14 familias, agrupadas en tortugas de cuello corto (suborden Criptodiros) y tortugas de cuello torcido (suborden Pleurodiros).*

Pleurodiros
- Chelidae
- Pelomedusidae
- Podocnemididae

Criptodiros
- Chelydridae
- Platysternidae
- Cheloniidae
- Dermochelyidae
- Carettochelyidae
- Trionychidae
- Dermatemydidae
- Kinosternidae
- Emydidae
- Geoemydidae
- Testudinidae

Tortuga fluvial centroamericana
Familia Dermatemídidos

Dermatemys mawii

Trópico de Cáncer

1 especie. Desde Veracruz, Méjico, de sur a noreste de Honduras. Ríos y lagos.
TAMAÑO: Hasta 65 cm de longitud.
COLOR: Gris oscuro sin dibujos a marrón grisáceo por arriba. Cabeza gris oliva en las hembras. Parte posterior de la cabeza de los machos de amarillenta a marrón rojiza.
FORMA DEL CUERPO: Caparazón bien desarrollado, aerodinámico, cubierto de escudos delgados que se fusionan con la edad en uniones borrosas. 24 escudos marginales, de 4 a 5 inframarginales. Cabeza relativamente pequeña, con un hocico tubular vuelto hacia arriba moderadamente.
HUEVOS: Alargados, quebradizos, de una media de 6,4 cm × 3,2 cm. Puestas de hasta 20.
DIETA: Los juveniles son omnívoros. Los adultos herbívoros principalmente. Se alimentan de frutas, hojas caídas y plantas acuáticas.
ESTADO DE CONSERVACIÓN: En peligro.

NOTAS — Longitud = longitud máxima del caparazón en línea recta.
Equivalentes aproximados no métricos: 10 cm = 4 pulgadas / 1 kg = 2,2 lb.

Tortugas marinas
Familia Quelónidos

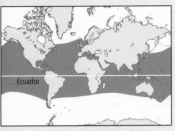

6 especies en 5 géneros. Alrededor de los trópicos, extendidas en océanos subtropicales y templados. Entre las especies se encuentran: **tortuga bastarda** (*Lepidochelys kempii*), **tortuga oliva** (*L. olivacea*), **tortuga plana** (*Natator depressus*), **tortuga verde** (*Chelonia mydas*), **tortuga carey** (*Eretmochelys imbricata*), **tortuga boba** (*Caretta caretta*).
TAMAÑO: Desde 75 cm de longitud de la tortuga de Kemp a los 213 cm de la tortuga boba. Más de 450 kg de peso en la boba.
FORMA DEL CUERPO: Caparazón bajo, aerodinámico, cubierto de escudos. Extremidades en forma de aleta o pala. Cráneo con visera, no puede retraerse dentro del caparazón.
HUEVOS: Esféricos, correosos. Normalmente entre 50 y 150 (máximo 258), puestos en múltiples nidos (7 o más) en intervalos de tiempo de 10 a 30 días. Ambos sexos emigran entre las zonas de alimentación y de cría, la hembra reproduce en un ciclo de 1 a 3 años.
DIETA: Principalmente carnívoras (excepto la tortuga verde adulta que pasta en las hierbas marinas), esponjas, medusas, moluscos, cangrejos, percebes, erizos de mar y peces.
ESTADO DE CONSERVACIÓN: Las tortugas carey y de Kemp se encuentran en Peligro Crítico. Otras 3 especies están en Peligro y la sexta –la plana– es Vulnerable.

Tortuga marina laúd
Familia Dermoquélidos
Dermochelys coriacea

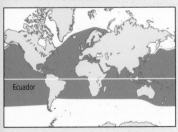

1 especie. Aguas tropicales, con salidas periódicas a mares templados y subárticos.
TAMAÑO: La tortuga viva más grande: 244 cm de longitud, 867 kg de peso.
COLOR: negro.
FORMA DEL CUERPO: Caparazón de adultos sin escudos, cubierto de piel grasa, reducido a un mosaico de pequeñas placas óseas incrustadas en la piel: espaldar con 7 estrías prominentes, plastrón con 5. Las extremidades anteriores modificadas en forma de aletas anchas. Puede mantener la temperatura corporal a varios grados por encima del agua que le rodea, incluso en el subártico.
HUEVOS: Esféricos, de 5 a 6 cm. Varias puestas de 50 a 170 en intervalos de tiempo de unos 10 días en playas tropicales. Las hembras reproducen en un ciclo de 2 a 3 años.
DIETA: Medusas y otros invertebrados blandos.
ESTADO DE CONSERVACIÓN: En Peligro crítico.

Tortugas de estanque
Familia Emídidos

46 especies en 10 géneros. Principalmente en zonas templadas de Norteamérica, la tortuga de estanque europea se extiende por casi toda Europa, oeste de Asia y noroeste de África, y las resbaladoras de sur a norte y de sureste a sur de América. Especies totalmente acuáticas en estuarios y aguas costeras o en ríos y lagos. Especies semiacuáticas en charcas y corrientes de bosques, marismas y ciénagas. También hay especies completamente terrestres. Entre las especies y géneros se encuentran: **Tortuga de Blanding** (*Emydoidea blandingii*), **tortuga de Mühlenberg** (*Clemmys muhlenbergii*), **tortuga manchada** (*C. guttata*), **tortugas de caja** (género *Terrapene*), **tortuga de caja de las Carolinas** (*T. carolina*), **tortuga pollo** (*Deirochelys reticularia*), **tortugas resbaladoras** (*Trachemys scripta*), **terrapene de dorso de diamante** (*Malaclemys terrapin*), **galápago europeo** (*Emys orbicularis*), **tortuga de vientre rojo de Florida** (*Pseudemys nelsoni*), **de vientre rojo del norte** (*P. rubriventris*), **de río Cooter** (*P. concinna*), **tortugas mapa** (género *Graptemys*), **tortuga pintada** (*Chrysemys picta*).
TAMAÑO: Desde 10 cm de longitud de la tortuga de Mühlenberg a 43 cm de la tortuga de río Cooter.
COLOR: Variable. Marrones, verdes aceituna y sombras grises y negras por arriba, a menudo con marcas amarillas, naranjas, rojas o blancas. Amarillo, blanco, marrón y negro por debajo normalmente. Rayas o manchas en las partes blandas.
FORMA DEL CUERPO: Caparazón bien desarrollado, con 24 escudos marginales y 12 plastrales, los pectorales y abdominales se encuentran con los marginales. Los pies tienen algunas veces membrana entre los dedos. Algunas poseen plastrón articulado. Doble articulación entre las vértebras cervicales quinta y sexta. Los escudos marginales posteriores no se extienden sobre el hueso suprapigal.
HUEVOS: Alargados, de 3 a 5 cm. Todos menos uno son correosos. Generalmente 2 puestas o más al año de 1 a 2 huevos en especies pequeñas, hasta de 27 en las formas ribereñas grandes.
DIETA: Las especies grandes herbívoras en su mayoría, otras omnívoras principalmente, incluyendo insectos, moluscos, vertebrados acuáticos y plantas.
ESTADO DE CONSERVACIÓN: 6 especies están en Peligro y 7 son Vulnerables.

Tortugas de río y de estanque euroasiáticas, tortugas de bosque neotropicales
Familia Geoemídidos

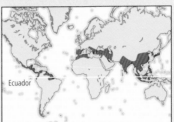

62 especies (excluyendo las posibles formas híbridas) en 27 géneros. Asia tropical y subtropical, norte de África, sur de Europa y América tropical. Especies completamente acuáticas en ríos, arroyos, lagos y charcas. Algunas se encuentran en estuarios y aguas costeras. Otras especies son semiacuáticas o completamente terrestres. Las especies incluyen: **tortuga hoja asiática** (*Cyclemys dentata*), **tortuga negra de los pantanos** (*Siebenrockiella crassicollis*), **tortuga de pecho negro** (*Geoemyda spengleri*), **tortuga de estanque gigante asiática** (*Heosemys grandis*), **tortuga espinosa** (*H. spinosa*), **tortuga de caja del sureste de Asia** (*Cuora amboinensis*), **tortuga plana malaya** (*Notochelys platynota*), **tortuga gigante malaya** (*Orlitia borneensis*), **tortuga comedora de moluscos** (*Malayemys subtrijuga*), **tortuga mediterránea** (género *Mauremys*), **galápago leproso** (*M. leprosa*), **tortugas neotropicales** (género *Rhinoclemmys*), **tortugas de visera** (género *Kachuga*), **tortuga pintada de visera** (*K. kachuga*), **galápago pintado de Borneo** (*Callagur borneensis*), **tortuga de Reeves** (*Chinemys reevesii*), **terrapene de río** (*Batagur baska*), **tortuga de caja china** (*Cuora trifasciata*), **tortuga tricarinada** (*Melanochelys tricarinata*).
TAMAÑO: Desde 11 cm de la tortuga de pecho negro a los 80 cm de la tortuga gigante malaya. La gigante malaya pesa hasta 50 kg.
COLOR: Muy variable: marrones, verde aceituna, grises o negro por arriba, algunas manchas amarillas, naranjas, rojas o negras. Generalmente amarillo, blanco, marrón o negro por debajo, con marcas más oscuras. Las partes blandas tienen rayas o manchas uniformes, a menudo de colores llamativos.
FORMA DEL CUERPO: Caparazón bien desarrollado, con 24 escudos marginales y 12 plastrales; pectorales y abdominales se encuentran en los marginales. Los pies suelen tener membranas entre los dedos. Algunas especies poseen plastrón articulado. Una sola articulación entre las vértebras cervicales quinta y sexta. Los escudos marginales posteriores se extienden sobre el hueso suprapigal. La hibridización entre especies es común, haciendo que resulte difícil identificarlas.
HUEVOS: Alargados, de 3 a 8 cm, cáscaras de correosas a quebradizas. De 1 o 2 a 35 huevos por puesta, generalmente correlacionados con el tamaño del cuerpo. Es típico que haya varias puestas al año (hasta 9).
DIETA: De estrictamente herbívora a estrictamente carnívora, incluyendo insectos, moluscos, vertebrados acuáticos, semillas y hojas. De especializados a generalizados.
ESTADO DE CONSERVACIÓN: 13 especies están en Peligro Crítico, 18 están en Peligro y 10 son Vulnerables.

Tortugas de fango y tortugas almizcladas
Familia Quinostérnidos

25 especies en 4 géneros y 2 subfamilias. Desde el este de Canadá hasta Argentina. En aguas dulces permanentes o temporales. Entre las especies y géneros se encuentran: **Morrocoy gigante de la costa del Pacífico** (*Staurotypus salvinii*), **morrocoy gigante mejicano** (*S. triporcatus*), **morrocoy común** (*Kinosternon subrubrum*), **morrocoy de agua** (*K. scorpioides*), **morrocoy amarillo** (*K. flavescens*), **tortuga almizclada plana** (*Sternotherus depressus*), **tortuga almizclada de quilla** (*S. carinatus*), **tortuga almizclada boba** (*S. minor*), **tortuga almizclada común** (*S. odoratus*), **morrocoy de pecho estrecho** (*Claudius angustatus*).
TAMAÑO: Desde 11 cm de longitud de la tortuga almizclada plana a los 38 cm de la morrocoy de pecho estrecho mejicana.
COLOR: Predominantemente marrón pardo, amarillo, verde aceituna, negro por arriba, con manchas blancas, amarillas, rojas o naranjas en la cabeza de algunas especies. Plastrón desde blanco y amarillo hasta marrón o negro.
FORMA DEL CUERPO: Espaldar con 22 escudos marginales y escudo cervical. Barbilla pequeña y carnosa. Glándulas olfativas que producen secreciones malolientes, situadas en la piel cerca del puente. 11 escudos plastrales o menos, en forma de cruz, con presencia de entoplastrón.
HUEVOS: Alargados, con cáscaras quebradizas. Puestas múltiples de 1 a 12 huevos, desde 2,3 × 1,4 a 4,4 × 2,6 cm.
DIETA: Principalmente carnívoros. Insectos, moluscos, artrópodos, anélidos, peces y también plantas acuáticas (especialmente semillas).
ESTADO DE CONSERVACIÓN: 4 especies son Vulnerables.

Tortugas terrestres
Familia Testudínidos

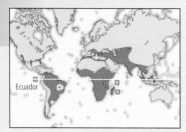

47 especies en 12 géneros. Principalmente subtropicales y tropicales, en todas las masas terrestres principales excepto en Australia y la Antártida.

Entre las especies terrestres se encuentran: **Tortuga de Aldabra** (*Aldabrachelys elephantina*), **tortuga angonoka** (*Geochelone yniphora*), **tortuga radiada** (*Geochelone radiata*), **tortuga hindú** (*G. elegans*), **tortuga de las Islas Galápagos** (*G. nigra*), **tortuga castaña** (*Manouria emys*), **tortuga de la Florida** (*Gopherus polyphemus*), **tortuga mejicana** (*G. flavomarginatus*), **tortuga de California** (*G. agassizii*), **tortuga egipcia** (*Testudo kleinmanni*), **tortuga alargada** (*Indotestudo elongata*), **tortugas de bisagra** (*género Kinixys*), **tortuga araña de Madagascar** (*Pyxis arachnoides*), **tortuga de panqueque** (*Malacochersus tornieri*), **tortuga manchada** (*Homopus signatus*).

TAMAÑO: Desde 9 cm de longitud en la tortuga manchada hasta 140 cm en la tortuga de Aldabra. La tortuga de Aldabra pesa más de 255 kg.

COLOR: Predominantemente tonos de marrón, verde aceituna, amarillo y negro por arriba. Predominantemente amarillo, marrón y negro por debajo. Escudos lisos o con dibujos de rayos brillantes o anillos concéntricos normalmente. La cabeza y el cuello rara vez tienen rayas o manchas.

FORMA DEL CUERPO: Patas posteriores columnares, elefantinas. Extremidades anteriores algo planas, provistas de escamas grandes y núcleo óseo. Dedos cortos y sin membrana, cada uno de los cuales no tiene más de dos falanges. La mayoría tienen caparazones abovedados de arco alto.

HUEVOS: De alargados a esféricos, el mayor diámetro está entre 3 y 6 cm, cáscaras de correosas a quebradizas. De 1 a 51 por puesta. En algunas especies se conocen múltiples puestas.

DIETA: Herbívoros principalmente. Unas cuantas formas son omnívoras.

ESTADO DE CONSERVACIÓN: La tortuga estrellada birmana (*Geochelone platynota*) está en Peligro Crítico, además 7 especies están en Peligro y 15 son Vulnerables.

Tortugas de caparazón blando
Familia Trioníquidos

25 especies en 14 géneros y 2 subgrupos: las de caparazón solapado y las típicas de caparazón blando. Muy extendidas desde las zonas templadas a las tropicales, Norteamérica, África, Asia y el Archipiélago Indo-australiano. De agua dulce, pero la gigante de Asia entra a los estuarios y algunas veces se ha encontrado en el mar. Entre las especies se encuentran: **tortuga de caparazón blando gigante asiática** (*Pelochelys cantorii*), **tortuga de caparazón blando de cabeza estrecha asiática** (*Chitra chitra*), **tortuga de caparazón blando hindú negra** (*Aspideretes nigricans*), **tortugas centroafricanas** (género *Cycloderma*), **tortuga de caparazón blando china** (*Pelodiscus sinensis*), **tortuga de caparazón blando hindú** (*Lissemys punctata*), **tortuga de caparazón blando africana** (*Trionyx triunguis*), **tortuga de caparazón blando lisa** (*Apalone mutica*), **tortuga de caparazón blando espinosa** (*A. spinifera*), **tortugas subsaharianas** (género *Cyclanorbis*).

TAMAÑO: De 25 cm de longitud de la tortuga de caparazón blando china a los 120 cm (y 150 kg o más) de la de cabeza estrecha asiática.

COLOR: Predominantemente tonos de marrón, verde aceituna o gris por arriba. Algunas con manchas blancas, negras, amarillas, rojas o naranjas. Blancas, amarillas o grises por debajo.

FORMA DEL CUERPO: Se caracteriza por un caparazón plano y reducido que carece de huesos periféricos (excepto en las planas hindúes) y están cubiertas de piel en vez de escudos. Cuello alargado y retráctil. Extremidades con forma parecida a aletas con 3 garras por pie. En el hocico probóscides alargadas. Plastrón reducido, normalmente con espacios grandes (fontanelas) entre los huesos, y se unen al caparazón mediante ligamentos y cartílagos en vez de mediante huesos. El subgrupo de las de caparazón solapado se llama así por un par de solapas cutáneas carnosas en la parte posterior del plastrón que cubre las extremidades posteriores cuando se retrae.

HUEVOS: Esféricos, con cáscara dura o quebradiza, de 2,5 a 3,5 cm de diámetro. Puestas de 4 a 107. Comunes las puestas múltiples.

DIETA: Principalmente carnívoros, algunos omnívoros. Comen normalmente insectos, crustáceos y peces.

ESTADO DE CONSERVACIÓN: 4 especies están en Peligro Crítico, 5 en Peligro y 6 son Vulnerables.

Tortuga macrocéfala
Familia Platisternídidos
Platysternon megacephalum

1 especie, algunas veces incluida como subfamilia de la familia Quelídridos. Sur de China, Indochina, Tailandia, Sureste de Myanmar: Corrientes frías de montaña. Activa por la noche, con excepcional habilidad para trepar.

TAMAÑO: Hasta 20 cm de longitud.

COLOR: Espaldar de color verde aceituna-marrón; plastrón de color crema, amarillo, naranja o rojizo, con manchas oscuras o sin ellas. Cabeza marrón por arriba, algunas veces con manchas de rojas a naranjas o raya pálida detrás de los ojos.

FORMA DEL CUERPO: Se distingue por una larga cola musculosa, mandíbulas fuertes de gancho, plastrón grande y cráneo grande con visera que no se puede retraer en el caparazón plano.

HUEVOS: Alargados (3,7 × 2,2 cm), quebradizos en apariencia. De 1 a 2 huevos por puesta.

DIETA: Carnívora.

ESTADO DE CONSERVACIÓN: En Peligro.

SUBORDEN PLEURODIROS

Tortugas de cuello torcido austro-americanas
Familia Quélidos

50 especies en 16 géneros. Zona tropical y templada de Sudamérica, Australia, Nueva Guinea. La familia incluye especies acuáticas y semiacuáticas. Entre las especies se encuentran: **tortuga de cuello de serpiente australiana** (*Chelodina longicollis*), **tortuga del río Fitzroy** (*Rheodytes leukops*), **tortugas de cuello de serpiente y caparazón ancho** (*Macrochelodina expansa*), **tortuga común de cabeza sapo** (*Batrachemys nasuta*), **tortuga de Gibba** (*Mesoclemmys gibba*), **Matamata** (*Chelos fimbriata*), **tortuga mordedora de Nueva Guinea** (*Elseya novaeguineae*), **tortuga de cuello retorcido** (*Platemys platycephala*), **tortuga de cabeza de sapo de Vanderhaege** (*Bufocephala*

vanderhaegei), **tortuga de los pantanos occidental** (*Pseudemydura umbrina*).

TAMAÑO: Desde los 14 cm de longitud de la tortuga de los pantanos a los 48 cm de la tortuga de cuello de serpiente y caparazón ancho.

COLOR: Variable. Predominantemente marrón, verde aceituna y negro por arriba, con manchas amarillas, rojas y naranjas en algunas especies. Plastrón amarillo o blanco normalmente, algunas veces rojo o naranja, a menudo con manchas negras.

FORMA DEL CUERPO: Se distingue por las vértebras cervicales quinta y octava biconvexas. Caparazón sin huesos mesoplastrales. Escudo cervical presente. El escudo intergular rara vez está unido al borde del plastrón. Cráneo y mandíbula sin huesos quadratojugal ni esplenio.

HUEVOS: De alargados a esféricos, de 3 a 6 cm de diámetro máximo: puestas de 1 a 25; o más puestas por año en algunas especies.

DIETA: De omnívoros a totalmente carnívoros.

ESTADO DE CONSERVACIÓN: 3 especies están en Peligro Crítico, 7 en Peligro y 3 son Vulnerables.

Tortugas de cuello torcido
Familia Pelomedúsidos

18 especies en 2 géneros. Sur del Sahara en África, Madagascar, Seychelles. Acuáticas y semiacuáticas. Las especies incluyen: **Tortuga de fango enana** (*Pelusios nanus*), **tortuga de fango serrada** (*P. sinuatus*), **tortuga de fango africana occidental** (*P. castaneus*), **tortugas de casco** (*Pelomedusa subrufa*).

TAMAÑO: Desde 12 cm de longitud de la tortuga de fango enana africana a los 47 cm de la tortuga serrada de África occidental.

COLOR: Marrón, verde aceituna o negro por arriba. Cabeza verde aceituna, marrón, gris o negra, vermiculaciones amarillas o cremas presentes con frecuencia. El plastrón es amarillo, gris o marrón generalmente.

FORMA DEL CUERPO: Caparazón con huesos mesoplastrales. Ausencia de escudo cervical. El escudo intergular toca el borde posterior del plastrón. Segunda vértebra cervical biconvexa. Hueso quadratojugal presente en el cráneo y esplenio en la mandíbula. Cinco garras en las patas traseras.

HUEVOS: Alargados, con cáscaras correosas; de 3 a 4 cm de longitud, de 6 a 48 por puesta.

DIETA: Carnívoras principalmente.

ESTADO DE CONSERVACIÓN: 2 especies son Vulnerables.

NOTAS   Longitud = longitud máxima del caparazón en línea recta.

Equivalentes aproximados no métricos: 10 cm = 4 pulgadas / 1 kg = 2,2 lb.

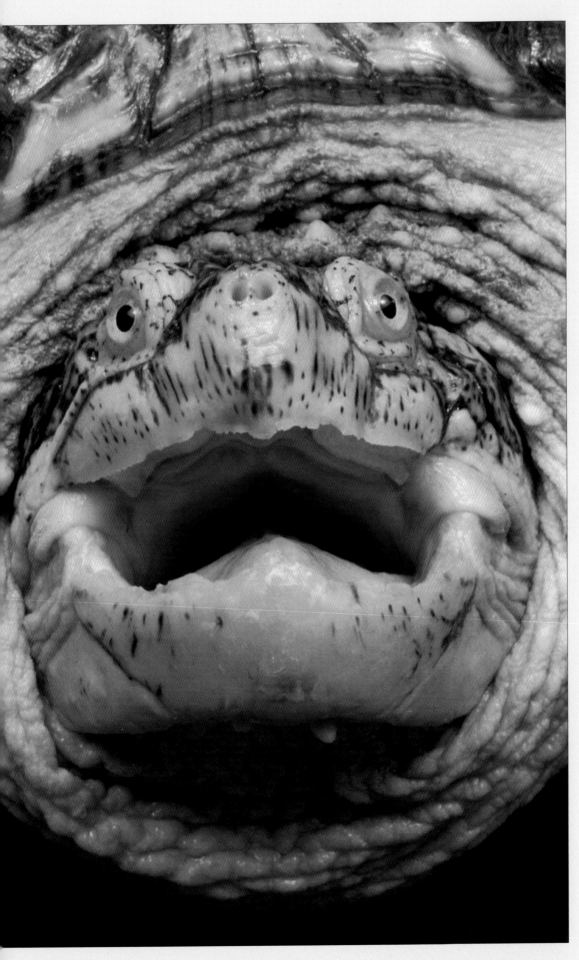

Tortugas de río de cuello torcido americanas y tortuga cabezona de Madagascar
Familia Podocnemídidos

8 especies en 3 géneros. Sudamérica tropical y oeste de Madagascar. Acuáticas, sobre todo ribereñas. Entre las especies y géneros se encuentran: **tortuga cabezona amazónica** (*Peltocephalus dumerilianus*), **tortuga cabezona de Madagascar** (*Erymnochelys madagascariensis*), **tortuga arraú** (*Podocnemis expansa*), **tortuga de río de pintas rojas** (*P. erythrocephala*).

TAMAÑO: Desde 25 cm de longitud de la tortuga de río de pintas rojas a 107 cm de la tortuga arraú.

COLOR: Marrón, verde aceituna, gris o negro por arriba. La cabeza tiene manchas normalmente de color amarillo, naranja o rojo. Plastrón amarillo, gris o marrón, a veces con manchas amarillas, naranjas, rosas o rojas.

FORMA DEL CUERPO: Caparazón con huesos mesoplastrales. Ausencia de escudo cervical. El escudo intergular toca el borde posterior del plastrón. Segunda vértebra cervical biconvexa. Hueso quadratojugal presente en el cráneo y esplenio en la mandíbula. 4 garras en pies posteriores.

HUEVOS: De esféricos a alargados, con cáscaras correosas, 3,2-6,1 cm de longitud. De 5 a 136 huevos por puesta. Son comunes puestas múltiples.

DIETA: Principalmente herbívoras, pero son carnívoras oportunistas.

ESTADO DE CONSERVACIÓN: 2 especies están en Peligro y 4 son Vulnerables.

◁ *Izquierda* De carácter agresivo y capaz de dar un fuerte mordisco, la tortuga mordedora (Chelydra serpentina) del este de Norteamérica impone respeto a todo el que la conoce. Alcanza una longitud de 49 cm y en su dieta incluye otras tortugas.

CRISIS EN LA TORTUGA ASIÁTICA

El tráfico internacional está amenazando la supervivencia de algunas especies

◀ *Izquierda* *La tortuga de caparazón blando china fue la base de un enorme crecimiento de la industria de cría de tortugas en el este de Asia durante las décadas de 1980 y 1990.*

LOS QUELONIOS REPRESENTAN UN PAPEL SIGNIFICATIVO EN LA cultura del este de Asia. La tortuga es una de las cuatro criaturas espirituales, asociada al elemento agua, al color negro y a la dirección norte. Los animales son símbolos de longevidad, fortaleza, buena suerte y resistencia. Las tortugas vivas se regalaban a los emperadores chinos, y las tortugas de agua dulce eran habitantes famosos de los estanques del templo, así como objeto de pinturas clásicas. En rituales de adivinación que se remontan a más de 4.000 años se utilizaban caparazones de tortuga. El aprecio por las tortugas se extiende más allá del simbolismo y la estética, ya que poseen un uso práctico, tanto en la medicina tradicional como en productos de alimentación cuyos beneficios van más allá de meras proteínas y calorías (la carne de tortuga se considera un alimento «caliente» que estimula la circulación y calienta el cuerpo). Los huesos de tortuga, preferiblemente el plastrón, se utilizan en preparados de medicina tradicional, mientras que la gelatina de tortuga se ha hecho muy popular últimamente en la región de Hong Kong como sustancia desintoxicante y cura para el cáncer.

Tradicionalmente, la recogida y explotación de tortugas asiáticas y de agua dulce eran cuestión de subsistencia que se utilizaba en un modesto comercio regional, muy restringido por factores económicos. En regiones donde el comercio era menos restringido, relativamente, y donde los consumidores tenían un poder adquisitivo importante, como en Taiwan y Hong Kong, el abastecimiento de tortugas autóctonas para consumo local aumentó por las importaciones. La relajación de restricciones a las empresas privadas y la introducción de moneda extranjera convertible como parte de las reformas económicas de Deng Xiaoping a finales de la década de 1980, también abrió la puerta a la importación masiva de tortugas en la China continental.

Al principio estas importaciones procedían de Vietnam y de Bangladesh, un país que promocionó activamente la exportación de tortugas como fuente de ingresos. Como el comercio fue aumentando hasta llegar a cientos de toneladas al año, las poblaciones de tortugas de estos países quedaron exhaustas y había que explorar nuevas fuentes. Los comerciantes vietnamitas empezaron a abastecerse en los países adyacentes, Laos y Camboya, y las exportaciones de Bangladesh incluían tortugas cogidas en otras regiones de la llanura del Ganges. Se crearon nuevas rutas comerciales directas entre la provincia de Yunnan en China y Myanmar, y por aire hacia Indonesia y Malasia, así como también a Tailandia con su creciente producción de acuacultura.

Gran parte del comercio implicaba a tortugas que cogían en estado salvaje los cazadores profesionales u obreros de plantaciones. La cadena continuó hasta crearse una extensa red bien organizada de estaciones de recogida, comerciantes intermediarios y exportadores.

A medida que aumentaba la explotación de poblaciones salvajes, los empresarios también revivían técnicas para criar la tortuga de caparazón blando china (*Pelodiscus sinensis*). Pioneras en Japón en la década de 1860, estas prácticas se pulieron allí y en Taiwan, y se adaptaron a las condiciones tropicales de Singapur, Tailandia y Malasia durante la década de 1980. Debido a las condiciones tropicales, los productores disfrutaban de un crecimiento y maduración más rápidos y una producción de huevos y descendencia durante todo el año. Al abrirse en Asia oriental unos mercados aparentemente insaciables, la cría de tortuga en granjas aumentó rápidamente y se convirtió en un destacado componente de la industria de la acuacultura. La producción alcanzó unos niveles de unos 6 millones de animales en Tailandia en 1996 y

1,4 millones en Malasia en 1999. También se intentó criar en granja otras especies como la tortuga de caparazón blando asiática autóctona (*Amyda cartilaginea*), pero resultó ser menos rentable. A medida que se iban extendiendo las granjas en China unos años después, las exportaciones de Tailandia y Malasia disminuyeron y las granjas redujeron su producción y perdieron rentabilidad.

Un componente, pequeño pero muy visible y relativamente valioso del tráfico de tortugas asiáticas, fue el mercado internacional de mascotas, abasteciendo de una amplia variedad de especies a aficionados de Europa, América, Japón y otros lugares. Para trasportarlos con más facilidad por barco, los exportadores de mascotas seleccionaban generalmente juveniles pequeños para el masivo comercio de alimentación y los embarcaban con destino a importadores de ultramar. Gran parte de este comercio implicaba a especies muy conocidas y comunes en el lugar, pero unos cuantos comerciantes se especializaron en la búsqueda y abastecimiento de tortugas menos corrientes de zonas menos exploradas. Cuando varias de estas tortugas poco familiares se convirtieron en especies nuevas, aumentó la demanda, llegando a precios excepcionales, de miles de dólares por un solo ejemplar. Tal golpe de suerte inesperado impulsó aún más al comercio y proporcionó incentivos a los mayoristas para explorar nuevas regiones, extendiendo también el comercio masivo a zonas que no habían resultado afectadas anteriormente.

Debido a su crecimiento y maduración lentos y al bajo rendimiento anual en reproducción, las tortugas no son animales apropiados para mantener una explotación masiva, especialmente cuando los objetivos de este tráfico son los adultos maduros, reproductores, que sufren una tasa de mortalidad natural muy baja. La recogida intensiva de tortugas para la exportación ha ocasionado el hundimiento de poblaciones locales en pocos años. A medida que el comercio se desplazaba a zonas nuevas cuando disminuían las fuentes establecidas, países enteros fueron «vaciados» progresivamente de sus poblaciones de tortugas, así como de pangolines, serpientes, loris y todo lo que resultara valioso para el comercio de vida salvaje.

La preocupación por el impacto del comercio, que empezó a expresarse a principios de la década de 1990, era ya muy extensa a finales de esa década. Un seminario de Phnom Penh (Camboya) reunió en diciembre de 1999 recortes dispares de información para crear un cuadro reconocible, aunque incompleto: «Las poblaciones de tortugas salvajes de Asia están disminuyendo rápidamente en todo el continente, y varias especies están en grave peligro de extinción inminente. El comercio había alcanzado un volumen de unas 8.000 toneladas en 1999, y las

67 de 90 especies supervivientes de galápagos y tortugas de agua dulce asiáticas se consideraron amenazadas, 18 están clasificadas en Peligro Crítico. A estos y otros hallazgos se les dio toda la publicidad que el asunto permitía (las tortugas asiáticas no son tema de noticia si se compara con los elefantes, los vertidos de petróleo o la política nacional).

A medida que aumentaba la preocupación se empezó a actuar. Se incluyó al galápago pintado de Borneo (*Callagus borneoensis*) en el Apéndice II de la Convención del Comercio Internacional de Especies en Peligro en Fauna y Flora (CITES) en 1997 y a todo el género *Cuora* de tortugas de caja asiáticas en el Apéndice II de CITES en el año 2000.

Las leyes de protección de la vida salvaje nacional y las regulaciones del comercio estaban actualizadas, se impusieron o afinaron cuotas y se incrementó la imposición de regulaciones. Se confiscaban cargamentos de barcos de mercancías ilegales. Además, China creó una reserva en la provincia de Xinjiang para la protección específica de la tortuga rusa (*Testudo horsfieldii*) y numerosos parques nacionales, refugios de vida salvaje y otras zonas protegidas por todo Asia que ahora proporcionan una protección más o menos efectiva para muchas, aunque no para todas, las especies de tortuga asiáticas.

En vista de la presión ejercida por el exceso de explotación, algunas personas piensan que es necesaria la cría en cautividad para que sobrevivan algunas especies, y muchos más piensan que esos programas pueden proporcionar «poblaciones seguras» que actúan de soporte a otras medidas. Un seminario de Forth Worth (Tejas), en enero de 2001, reunió a los responsables de los numerosos esfuerzos que, de un modo individual y a menudo aislado, se estaban realizando para criarlos y así conservarlos, y se unieron para formar la Alianza por la supervivencia de la Tortuga.

Hasta el momento de escribir este libro se ha logrado un progreso significativo, no obstante los retos continúan desanimando. Probablemente resulta imposible eliminar por completo el comercio de tortugas, tanto si es para alimentación, para medicinas o para mascotas, y ni siquiera sería deseable. El reto consiste en reducir, hasta unas cantidades que resulten sostenibles, el número de tortugas en estado salvaje que se trasladan, respondiendo a gran parte de la demanda del mercado con tortugas criadas en cautividad y controlando las poblaciones salvajes, y combinando a su vez una protección efectiva de los hábitat en los que viven. Las tortugas terrestres y las tortugas de agua dulce han formado parte de los ecosistemas asiáticos durante 200 millones de años, y se merecen continuar su extraordinario curso de evolución.   PPvD

◁ **Izquierda** *Una vendedora china muestra su mercancía (tortugas acuáticas y terrestres) vivos para alimentos y remedios tradicionales) en un mercado al sur de la ciudad de Guangzhou. La liberalización económica de la República Popular estimuló una explotación insostenible de poblaciones de quelonios salvajes.*

TORTUGAS LAÚD: NACIMIENTO EN LA PLAYA

① La tortuga laúd (*Dermochelys coriacea*) es una especie antigua que ahora corre peligro de extinción. La UICN cataloga a estos animales en Peligro Crítico, y estima que ha habido un declive del 70 por ciento de la población global en menos de una generación. La cantidad total en todo el mundo puede ser ahora de 20.000 o 30.000 solamente. Los adultos pasan su vida en el mar, donde muchas mueren accidentalmente por las embarcaciones pesqueras, pero las hembras preñadas regresan brevemente a las playas donde crían para depositar sus huevos; normalmente regresan cinco o seis veces cada estación, con un intervalo de tiempo de nueve a diez días entre las visitas. Aquí vemos a una hembra en una playa cercana al pueblo de Yalimapo en la Guayana francesa utilizando las patas posteriores para excavar un agujero en la arena. Los nidos pueden estar a 80 cm de profundidad.

② Cuando el nido en forma de ampolla está preparado, la tortuga pone de 60 a 120 huevos. Curiosamente una tercera parte de ellos son más pequeños y no tienen vitelo, no están fertilizados y pueden servir de espaciadores o para ayudar a regular la humedad. Blancos como bolas de billar, los huevos son esféricos, como los de todas las especies de tortuga de grandes puestas. La forma, evidentemente, maximiza el espacio utilizado mientras disminuye el riesgo de deshidratación.

③ Cuando ya ha realizado la puesta, la madre pasa una hora agitando arena para esconder el lugar antes de su regreso al mar. Después los huevos se incuban en un período de 50 a 90 días, al final salen las crías utilizando unos pequeños picos del hocico para penetrar las cáscaras correosas. El género de la tortuga laúd depende de la temperatura: por debajo de 29,5 °C nacen machos en su mayoría. Si está por encima nacerán hembras (tipo 1a DTS, véase Temperatura y Sexo). La eclosión está sincronizada, todas las crías abandonan los huevos al mismo tiempo prácticamente.

4 El instinto lleva a las crías a excavar para salir hacia la superficie, un proceso que dura cuatro o cinco días. Durante ese tiempo se endurecen los caparazones de las crías. Poco antes de salir, las tortugas hacen una pausa y esperan a que baje la temperatura, señal de que llega la noche. La exposición al calor del sol podría ser fatal para ellas en esta etapa y correrían un riesgo mucho mayor de ser atrapados por un depredador si salieran a la luz del día.

5 Cuando anochece las crías se lanzan a la playa abierta y se dirigen al mar lo más rápidamente posible. Nunca están más expuestas que en este momento, cuando podrían atacarlas perros, mapaches y varias aves. Los estudios realizados indican que los nidos de tortuga que están situados en una zona más alta de la playa sufren la mayor mortalidad a causa de los depredadores.
Sin embargo, los que se encuentran más cerca del mar, tienen más peligro de resultar dañados por las olas y la marea.

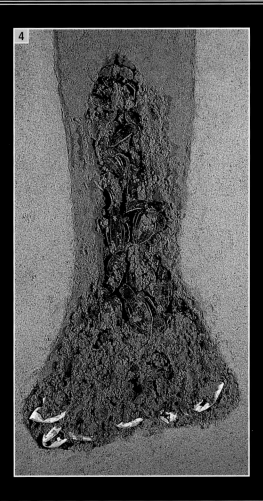

6 Los peligros a los que se enfrentan las crías no terminan cuando llegan al agua. Varios depredadores marinos, como este pez gato (familia Ariidae) están esperando en aguas poco profundas. La amenaza de la depredación es tan grande que se estima que poco más de una cría entre mil llega al estado adulto. Ahora que los adultos están también en peligro por las técnicas de pesca modernas, el futuro parece poco prometedor para esta especie gigante.

Lagartos

dE TODA LA FAUNA DE VERTEBRADOS, LOS LAGARTOS *son animales casi omnipresentes. Aunque la mayoría son tropicales, pueden encontrarse en climas templados. En el Nuevo Mundo se encuentran en zonas situadas muy al norte, como en el sur de Canadá, y muy al sur, como en Tierra del Fuego, en la punta de Sudamérica. En el Viejo Mundo, una especie, el lagarto vivíparo, aparece en el Círculo Polar Ártico, en Noruega. Otras se encuentran muy al sur, como en la Isla Stewart (Nueva Zelanda). Las especies se encuentran desde el nivel del mar hasta altitudes de 5.000 m.*

Los lagartos son los reptiles que más éxito han tenido si tenemos en cuenta la cantidad de especies derivadas. También superan a otros reptiles en diversidad anatómica, de conducta y de reproducción y en la extensión de su distribución geográfica. Aunque todas las especies de tortugas y serpientes han adoptado una forma del cuerpo muy especializada, los lagartos como grupo han mantenido la construcción tetrápoda que después se ha ido modificando un poco en cada una de las 20 familias vivas (algunas veces cuentan 27). De este modo, aunque la mayoría de los lagartos son diurnos, hay también variantes nocturnas y crepusculares. Aunque prefieren el calor normalmente, han adaptado conductas de termorregulación y modelos de actividad estacional que les permiten tener éxito en los climas más severos.

Muchos lagartos, al igual que nosotros, habitan en tierra y son activos durante el día. Incluso los gecos nocturnos forman parte de la vida de muchas personas: en los países tropicales algunos de estos insectívoros, con sus ojos saltones sin párpados, son comunes y miembros bien recibidos en el hogar. El geco de Brook de África occidental, por ejemplo, anuncia por medio de su vientre transparente cuántas moscas ha cazado en su carrera precipitada, y aunque le faltan dedos para agarrarse, sube y baja por las paredes y ventanas e incluso se coloca al revés en los techos.

Ágiles y de piel gruesa
FORMA Y FUNCIÓN

Una de las características más peculiares de los lagartos es su piel, formada de escamas. La capa exterior está compuesta de queratina, una proteína insoluble y resistente que reduce la pérdida de agua y permite que muchos lagartos ocupen incluso los desiertos más secos. El aspecto de las escamas varía enormemente, desde las escamas pequeñas y granulares a las grandes parecidas a placas. Pueden tocarse una a otra (en otras palabras, yuxtaponerse) o solaparse (imbricarse). Pueden ser lisas o poseer una estría o más (quillas). La piel escamosa de los lagartos es gruesa y resistente normalmente y no es fácil rasgarla. Ciertas escamas se han modificado en forma de espinas afiladas que pueden disuadir a los atacantes. Algunas están reforzadas con placas óseas internas llamadas osteodermos.

Una característica curiosa de los lagartos es el desarrollo del cuerpo pineal. El filósofo francés del siglo XVII René Descartes afirmó que el cuerpo pineal del cerebro humano era el punto en el que la mente y el cuerpo interaccionaban. Vio al pineal como un ojo del alma inmortal, comunicándose con él la parte sensorial del cuerpo material. En los lagartos al menos, parece ser que esta parte del cerebro termina unida a un especie de «tercer ojo», pero conecta al animal sólo con el mundo físico. Un hueso craneal está perforado en este punto para permitir una extensión del tejido nervioso desde el cerebro al disco transparente, sensible a la luz, de la parte superior de la cabeza.

Investigaciones realizadas indican que el pineal puede estar implicado en la regulación del «reloj biológico» del animal, influenciado por la pauta periódica del día y de la noche.

El cráneo del lagarto es cinético (móvil). Los lagartos son capaces de mover el hocico en mayor o menor grado respecto a la caja del cráneo, permitiendo tanto una boqueada ancha como una acción de las mandíbulas parecida a la de unas tenazas. Las dos mitades de la mandíbula inferior del lagarto están unidas firmemente a la parte frontal en los adultos, lo que limita el tamaño de las presas que se pueden tragar a algo menos de la anchura de su cabeza. La lengua está bien desarrollada y está adherida a la parte posterior de la cavidad oral. Sin variaciones, hay dientes en la cavidad oral, y puede haber más dientes en el paladar. Los dientes del lagarto son normalmente pleurodontos: en otras palabras, poseen raíces largas que están unidas débilmente a los márgenes interiores de las mandíbulas, y las bases de las raíces no están soldadas a la mandíbula. Unos cuantos grupos son acrodontos. Generalmente son cortos pero unidos firmemente a las mandíbulas por la base, por los

⬇ **Derecha** *Las iguanas verdes (Iguana iguana) poseen escamas pequeñas, granulares y una cresta dorsal que recorre toda la longitud de su cuerpo y cola. La prominente papada situada debajo de la barbilla nos demuestra que este individuo joven es un macho.*

⬇ **Abajo** *La muda de la piel es común en los reptiles y anfibios. Aquí un camaleón alfombra (Chamaeleo lateralis) se desprende de su piel en grandes trozos, característica de los lagartos (las serpientes la mudan de una sola pieza).*

LAGARTOS

Orden: Escamosos *

4.560 especies en 442 géneros y 20 (27) familias.

DISTRIBUCIÓN En el Nuevo Mundo desde el sur de Canadá hasta Tierra del Fuego. En el Viejo Mundo desde el norte de Noruega hasta la isla Stewart (Nueva Zelanda). También en islas de los Océanos Atlántico, Pacífico e Índico.

Ecuador

HÁBITAT Terrestres, habitan en rocas y en árboles. Son excavadores o semiacuáticos.

TAMAÑO Longitud (del hocico al ano) 1,5-150 cm, pero la mayoría se encuentran entre los 6 y 20 cm.

COLOR Muy variable. Verde, marrón, negro y algunas especies de colores llamativos.

REPRODUCCIÓN Fertilización interna. La mayoría depositan huevos en tierra, pero en algunos los huevos se desarrollan hasta una etapa avanzada en el interior de la madre. Algunas especies poseen una auténtica placenta.

LONGEVIDAD 50 años en cautividad en algunas especies.

ESTADO DE CONSERVACIÓN 15 especies figuran en Peligro Crítico y la misma cantidad están en Peligro, mientras que 69 especies son vulnerables.

*Lacertilio o saurio ya no se aplica de un modo sistemático al lagarto, ya que no representa un grupo de evolución natural. Las serpientes y anfisbénidos evolucionaron a partir de los lagartos, por tanto el término «lagarto» describe únicamente a los reptiles escamosos que carecen de las características especiales de las serpientes o de los anfisbénidos.

laterales, o por ambos. En la mayoría de las especies los dientes se sustituyen con frecuencia.

La abertura externa del oído es visible normalmente y existe un párpado móvil en casi todas las especies. Generalmente los lagartos tienen dos pulmones bien desarrollados, una vejiga urinaria y la arteria subclavia sale de la arterial sistemática. Los dos riñones son simétricos normalmente y se encuentran en la parte posterior de la cavidad del cuerpo. La abertura anal se une al tracto urogenital en una cámara común, la cloaca, que sale por medio de una hendidura transversal. Los lagartos machos poseen dos órganos de penetración llamados hemipenes (singular: hemipenis).

⊙ **Derecha** Los dedos del geco se han modificado de un modo sofisticado. Permite a esta familia de lagartos trepar y adherirse incluso a las superficies más lisas. El que vemos aquí es el más ágil de todos, el geco tokay (Gekko gecko).

Carreras precipitadas y excavaciones
LOCOMOCIÓN

Las famosas carreras precipitadas de los lagartos no son posibles en algunas especies, porque en algunos habitantes de superficie y en muchos excavadores las extremidades han disminuido o carecen de ellas. Las hembras de los lagartos ciegos, algunos anguidos y algunos eslizones o escincos carecen por completo de patas; únicamente quedan cinturas o anillos óseos internos rudimentarios que corresponden a las extremidades perdidas. En los lagartos sin patas, lagartos ciegos machos y varios lagartos cordilos y con placas, no hay extremidades anteriores y únicamente existen extremidades posteriores rudimentarias, aunque en un microteido son las extremidades posteriores las que se han perdido por completo. La reducción de extremidades es una ventaja especial en hábitat que poseen aberturas estrechas, como es el caso de una vegetación espesa o tierra y rocas rotas. Estas especies logran moverse realizando ondulaciones laterales como las serpientes manteniendo las extremidades rudimentarias próximas al cuerpo.

Sin embargo, la mayoría de las especies tienen cuatro patas, cada una de ellas con cinco dedos. Estos saurios muestran el modelo más típico de locomoción del lagarto: las extremidades se mueven en una marcha simétrica ondulando el cuerpo lateralmente con las patas extendidas. El cuerpo puede ser cilíndrico, deprimido (plano contra el suelo) o comprimido (plano verticalmente). Las patas pueden ser largas o cortas, robustas o delgadas. Los lagartos excavadores suelen ser cilíndricos, mientras que los habitantes de las grietas son deprimidos generalmente. La forma comprimida del cuerpo es típica de especies acuáticas y arborícolas. Las especies de patas cortas y robustas, como el varano de Gould australiano, son corredores que viven normalmente en praderas abiertas y desiertos. Especies arborícolas como los anolis e iguanas tienen patas largas y delgadas, útiles para saltar entre las ramas. Otros factores, como el de excavar o luchar, han sido importantes también en la evolución de las extremidades.

Algunos lagartos son parcialmente acuáticos. La mayoría de ellos, como el lagarto cocodrilo de Sudamérica, poseen una potente cola, comprimida lateralmente, que ayuda a propulsar al animal en el agua. El lagarto sordo de Borneo que forma una familia por sí mismo (Lantanótidos) es buen nadador, se propulsa con sus pequeñas extremidades anteriores y ondula su cuerpo lateralmente como una serpiente. La iguana marina, que tiene pies palmeados, es uno de los únicos lagartos especializados para vivir en el océano. Los basiliscos tienen un pliegue de piel en los laterales de los dedos que aumenta la superficie del pie y le ayudan a cruzar las superficies de las charcas y pequeños arroyos. La lagartija arenera y la lacerta arenera han sufrido modificaciones en los dedos para correr sobre arena suelta, mientras que el geco de pies palmeados tiene unos pies totalmente palmeados que le sirven de pala en la arena.

Los lagartos que viven en los árboles muestran algunas de las adaptaciones más impresionantes para la locomoción. Los dragones voladores del sudeste de Asia planean de árbol a árbol gracias a una membrana unida a las

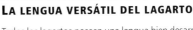

Izquierda *Los basiliscos, como este de cresta doble (Basiliscos plumifrons), tienen un modo de locomoción ortodoxo cuando huyen del peligro: son capaces de correr como un bípedo y cruzar la superficie de las charcas y arroyos. Esa habilidad de «andar sobre el agua» ha hecho que se les llame coloquialmente lagartos Jesucristo.*

Abajo *Utilizando las membranas laterales fortalecidas por las costillas extendidas, el dragón volador común (Draco volans) del sudeste de Asia puede planear a distancias de 60 m aproximadamente en su hábitat de bosque húmedo. Los sutiles ajustes de la cola y membrana permiten a este lagarto controlar el descenso con excelente precisión.*

costillas que se encuentra entre las extremidades anteriores y las posteriores. En algunos gecos y lacertas aparecen otras modificaciones para poder planear. Al igual que las aves, los camaleones han mejorado su agarre a los árboles con unos pies diseñados para agarrarse como si fueran perchas. Algunos dedos miran hacia delante y otros hacia atrás. De un modo específico, los tres dígitos interiores y los dos exteriores de los pies anteriores están unidos y opuestos uno a otro, mientras que los dos interiores y los tres exteriores de los pies posteriores están opuestos (condición conocida por cigodáctila). Las modificaciones de los dedos que permiten a muchos

gecos y anolis trepar por superficies escarpadas pueden ser muy complicadas.

Varias especies de lagartos poseen colas prensiles que pueden enroscar alrededor de la vegetación para afianzarse cuando se mueven por el entorno. En realidad, tienen cinco «extremidades». Los camaleones son los lagartos más conocidos con esta adaptación. No obstante sucede con mucha más frecuencia entre lagartos arborícolas y terrestres de muchas familias. Algunas especies de gecos han modificado las escamas de la superficie inferior de sus colas prensiles igual que las de los dedos, de ese modo se pueden agarrar con firmeza a la vegetación. En

LA LENGUA VERSÁTIL DEL LAGARTO

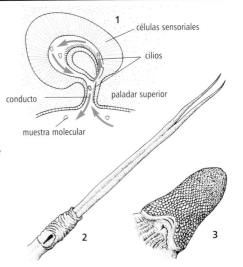

Todos los lagartos poseen una lengua bien desarrollada que pueden extender. Muchas especies «sienten» constantemente el mundo que les rodea gracias a este órgano, cogen muestras moleculares del entorno con la boca y obtienen información química de alimentos, parejas, territorios y depredadores.

El lugar donde se produce esa sensación química se llama órgano vomeronasal, o de Jacobson. Aparece en varios vertebrados, entre ellos anfibios, lagartos, serpientes y algunos mamíferos. En los lagartos consta de pequeñas cavidades parejas alineadas con células sensoriales que se localizan en el techo de la boca, cerca del hocico. **1** Las moléculas cogidas por la lengua del lagarto son transportadas a unos conductos estrechos que llegan a estas células, y la información registrada se envía al cerebro por medio del nervio vomeronasal. Este tipo de sensación química es diferente a la del olfato o a la del gusto, de los que también son capaces los lagartos.

Los lagartos con lenguas largas y dentadas, como los lagartos venenosos, los de cola de látigo y varanos **2** poseen órganos de Jacobson más desarrollados que sus parientes de lengua ancha y corta. Como el agama chupasangre **3** que utiliza la lengua para capturar presas más que para la quimiorrecepción.

La lengua tiene otras funciones. En muchas especies de gecos y parientes, se utiliza con frecuencia para limpiar sus ojos sin párpados (ABAJO *Uroplatus henklei*), mientras que el eslizón de las Grandes Llanuras la madre

lame a sus huevos con regularidad. En varias especies de eslizones de lengua azul australianos, la lengua de color llamativo se utiliza probablemente para asustar a las aves y a los mamíferos. Las lenguas extremadamente largas, pegajosas y muy extensibles de los camaleones son versiones modificadas de las lenguas carnosas de los agamas que utilizan para capturar insectos distantes.   AGK/GS

COLA PRESCINDIBLE

Cuando un lagarto se enfrenta a una serpiente o a otro depredador, algunas veces se deshace de la cola en uno o más trozos de un modo voluntario (autotomía). Antes de esa autotomía, algunos lagartos como el geco de Tejas ondulan lentamente la cola de lado a lado erigida en vertical. Se cree que este movimiento hace que el predador evite enfocar partes más vulnerables en sus ataques, como la cabeza o el tronco. La cola desprendida se mueve convulsivamente durante varios minutos, distrayendo al depredador y dando más oportunidad de huir sin sufrir daños al lagarto sin cola. La capacidad de la autotomía aparece en lagartos de casi todas las familias, pero carecen de ella los agamas, los camaleones, los varanos, los lagartos venenosos, los xenosauros y el lagarto sordo de Borneo.

Las especies que son capaces de esta hazaña (ABAJO un eslizón Cyan, *Emoia cyanura*) tienen una cola «frágil», con fracturas en una o más vértebras. Una pared de tejido conectivo pasa a través de esas vértebras, creando un punto débil donde los músculos y los vasos sanguíneos también se modifican para permitir una fácil rotura. Al lagarto le crece una cola nueva lentamente, y nunca es como la original. La nueva no tiene vértebras óseas con fracturas, pero además de la autotomía posee las mismas funciones que la original, le ayudan a correr, a nadar, a equilibrarse o a trepar, a camuflarse, a cortejar, a aparearse y almacenar grasa. Si la cola se rompe en un punto que no es el de la fractura, la regeneración es leve.

Aunque la pérdida de la cola pueda salvarle la vida al dueño, la autotomía tiene sus costes. Por ejemplo, desaparece la grasa almacenada en la cola que emplea para crecer y mantenerse cuando escasea o no hay alimento, especialmente en el invierno o durante la sequía. Se sabe que una especie de geco, el geco jaspeado australiano, vive más tiempo cuando tiene cola. Además, la grasa almacenada en la cola de las hembras parece ser importante a la hora de producir vitelo. Los individuos que carecen de cola producen huevos de menor masa y menos energía, y la descendencia tiene menos oportunidades de sobrevivir.

En la regeneración de la cola se emplea una energía que podría utilizarse para la reproducción, quizás para hacer huevos más grandes. Se sabe que en el geco de Tejas la reproducción tiene prioridad energética respecto a la regeneración de la cola. El mismo caso podría darse en otras especies de vida corta, especialmente cuando la probabilidad de producir descendencia es pequeña.

Un complemento de la autotomía de la cola llamada pérdida integumentaria regional sucede en algunos gecos y posiblemente en algunos eslizones. En estos casos hay zonas débiles en la piel del cuerpo. Cuando les agarran los predadores, estos lagartos pueden escapar haciendo que se rasgue su piel. El coste fisiológico y energético para el lagarto es muy alto seguramente, pero algunos gecos pueden sobrevivir a la pérdida del 40 por ciento de su piel dorsal. AMB/AGK/GS

La agilidad y rapidez de los lagartos son muy conocidas. Cuando en el ataque la mayoría de las especies intentan escapar, los eslizones australianos lentos, de lengua azul, amenazan casi invariablemente al predador con una boqueada, unas fuertes mandíbulas, una llamativa lengua azul y ataques de silbidos. Los lagartos venenosos, de movimientos lentos generalmente, también boquean y silban. Esta conducta parece ser muy efectiva y los adultos de estas especies tienen pocos enemigos.

El lagarto de gorguera australiano muestra un gran cuello de piel suelta e infla el cuerpo cuando le asusta un depredador. Los varanos emplean su velocidad, sus potentes mandíbulas, sus extremidades y su cola parecida a un látigo para detener a los atacantes. Los basiliscos utilizan sus extremidades posteriores largas y fuertes y sus dedos extendidos para correr por la superficie del agua y escapar de los depredadores terrestres. También son buenos nadadores y pueden permanecer sumergidos durante largos períodos de tiempo. Las modificaciones de la piel y del esqueleto de los dragones voladores les permiten planear de árbol en árbol o alejarse a otro lugar en tierra. Sin embargo son incapaces de luchar con fuerza como las aves, los murciélagos o los insectos. Muchas especies de lagartos escapan de los predadores trepando a los árboles, rocas o estructuras hechas por el hombre. Algunos, entre los que se encuentran los lagartos cordilos, se meten en grietas, o las lagartijas de más de 50 cm de largo (chuckwallas), que pueden inflar el cuerpo para evitar que las saquen los depredadores. Las modificaciones especiales de pies y cola de los gecos y anolis les permiten trepar por casi cualquier superficie. Varias especies de gecos se mueven con facilidad por casi todas las superficies, incluso al revés.

Muchos lagartos viven la mayor parte de su vida bajo tierra, y así evitan a los predadores. Las especies subterráneas se encuentran en familias tan diversas como la de los eslizones, lagartos ciegos y anguidos. Las que se encuentran en actividad de vez en cuando en la superficie, escapan sumergiéndose con rapidez, excavando o escondiéndose en suelo blando. Muchas son más activas por la noche, cuando sus predadores potenciales no están por los alrededores.

Otra estrategia para evitar la depredación es «hacerse el muerto», o de un modo alternativo, quedarse muy rígido («inmovilidad tónica»). Algunos depredadores detienen el ataque cuando la presa cojea o se queda rígida como si estuviera muerta. Confían en señales de conducta para realizar el ataque y un lagarto «muerto» no se los proporciona.

Los lagartos cornudos de Norteamérica y el moloc de Australia son espinosos especialmente y ofrecen a los atacantes unas afiladas escamas nada agradables al paladar. Los lagartos cornudos también han desarrollado mecanismos para echar chorros de sangre a los ojos de

algunas especies la escama de la punta de la cola parece una garra incluso y puede funcionar como tal.

Estrategias para su seguridad
DEFENSA

Una modificación de la cola mucho más característica de los lagartos da como resultado el importante fenómeno de la autotomía o pérdida voluntaria de la cola (véase Cola Prescindible), pero el camuflaje, o cripsis, es sin duda el medio más eficaz de evitar la depredación. Muchos lagartos muestran dibujos y colores que armonizan con los del entorno. Los agamas y los camaleones pueden cambiar en cuestión de segundos a un color de camuflaje por medio del movimiento y de la expansión del pigmento de su piel. La cripsis es mayor si el lagarto se mantiene inmóvil, pero cuando se enfrenta directamente a los predadores, tanto si son mamíferos o aves como si son otros reptiles, pueden emplear otras estrategias de defensa tanto físicas como de conducta.

◁ **Izquierda** *Si le molestan los coyotes, el lagarto cornudo del suroeste de Estados Unidos (aquí el lagarto real, Phrynosoma solare) lanza un chorro de sangre de sabor desagradable desde los senos de los ojos, haciendo que el depredador abandone el ataque.*

▷ **Derecha** *Un lagarto gigante australiano (Chlamydosaurus kingii) erige un cuello de piel parecido a una gorguera alrededor del cuello, aumentando enormemente su tamaño y haciéndole más temido ante los adversarios.*

los predadores. Parece ser muy efectivo contra los zorros y coyotes, que encuentran desagradable ese fluido.

Predadores la mayoría
CONDUCTA EN LA ALIMENTACIÓN

Muchos lagartos son predadores. Se alimentan principalmente de insectos y de otros invertebrados terrestres, pero los lagartos más grandes comen con frecuencia mamíferos, aves y otros reptiles. El dragón Komodo es un depredador carroñero que vence a cabras e incluso a búfalos de agua. Sus dientes están comprimidos lateralmente, poseen bordes aserrados que se parecen a los de los tiburones que comen carne. El dragón corta trozos gruesos de carne de su presa grande. Su cráneo flexible le permite tragar animales grandes. El lagarto caimán come caracoles. Su cráneo robusto, los potentes músculos de las mandíbulas y unos dientes que parecen molares proporcionan la base para romper conchas o caparazones.

Sólo un dos por ciento de las especies conocidas de lagartos son herbívoros principalmente. Las iguanas consumen una amplia variedad de plantas, especialmente cuando son adultos. El ser herbívoro alcanza su cenit en la iguana marina de las Islas Galápagos. Esta especie se sumerge a 15 m o más de profundidad para alimentarse de algas y otras plantas marinas que crecen cerca de las costas rocosas en las que habita. Los lagartos que comen hojas y tallos tienen normalmente unas estructuras especializadas en el conducto alimentario que albergan bacterias simbióticas y ayudan a digerir los tejidos de las plantas, pero muchos gecos, eslizones, lacértidos y otros lagartos complementan su dieta insectívora de un modo regular con frutos de la época, que son mucho más digestivos. Muchas especies de lagartos cambian la dieta en la madurez y con los cambios de estación.

Amenazas y acicalamientos mutuos
CONDUCTA SOCIAL

Muchos lagartos amenazan, tanto a los de su propia especie como a las de otras para indicar propiedad territorial o agresividad. Los cambios de color, la inflamación del cuerpo, la boqueada, el movimiento de ondulación de la cola y los movimientos de cabeza específicos de cada especie son todos signos importantes. El abanico de color de la garganta o papada de los anolis se abre cuando los machos se encuentran entre sí o con sus enemigos. Mantener un territorio es beneficioso por varias razones, pero tiene su coste, como el del aumento del riesgo de ser cogido por un depredador mientras se muestra repetidamente en el mismo lugar. Los predadores visuales, como las serpientes, se alimentan con más frecuencia de anolis machos que de hembras discretas.

El combate suele empezar cuando los lagartos están consiguiendo o defendiendo un territorio o una pareja. Las iguanas marinas machos consiguen territorios al

Abajo *Un camaleón velado (Chamaeleo calyptratus) dispara su lengua protráctil para coger un grillo. El pobre insecto se adhiere a la punta de la lengua pegajosa. La lengua de un camaleón se puede extender hasta el doble de la longitud que existe entre el hocico y el ano del animal.*

principio de la época de apareamiento y luchan feroz-
mente contra los machos intrusos. Cuando un territorio
se ha defendido repetidamente, los machos vecinos se
ven menos involucrados en disputas por los límites. Los
machos más grandes suelen conseguir territorios más
extensos y mejores normalmente. La conducta en el cortejo es una parte importante del ritual del apareamiento.
Las hembras de algunas especies también son territoriales y luchadoras.

Los lagartos recién nacidos y crías suelen salir juntas
del agujero del nido (es el caso, por ejemplo, de la iguana verde común), una estrategia contra los depredadores en la que muchos ojos ven mejor que dos y al ser
más cantidad de individuos, es menos probable la captura de uno.

⬤ **Derecha** *Lucha entre dos varanos de Gould machos
(Varanus gouldii), una especie autóctona del norte y este de
Australia. La lucha tiene lugar en la época de cría por la
posesión de hembras, y el dominio se establece expulsando
al rival.*

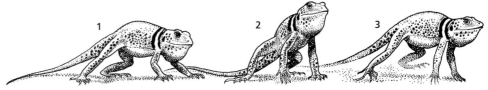

Las iguanas jóvenes se mantienen en grupo con frecuencia, y una de ellas puede comportarse como líder
temporalmente. Se comprometen lamiéndose mutuamente con la lengua y acicalándose, extienden la papada
y frotan cuerpo y barbilla. Por la noche duermen juntas
en ramas de árboles.

La comunicación social de los lagartos implica algunas veces sustancias químicas. Aunque la piel de los
lagartos carece por completo de glándulas mucosas, se
pueden encontrar otros tipos de glándulas en el vientre,
las superficies inferiores de los muslos (glándulas femorales) y en la zona de la cloaca (glándulas perianales). Estas
glándulas suelen ser más grandes en los machos que ya

han madurado sexualmente. Se cree que sus secreciones
atraen a las hembras y marcan territorios. En las especies
de algunas familias las hembras también las tienen.

Tomar el sol, o exponerse voluntariamente al sol, es
muy común en los lagartos, aunque los nocturnos o sigilosos consiguen el calor de un modo indirecto de los
sustratos sobre los que viven, una estrategia que se
conoce como tigmotermia.

⬤ **Arriba** *Agresión del lagarto: se preparan para la lucha
con el rival, un lagarto de collar común (Crotaphytus collaris)
1 ve a su oponente; **2** se mueve hacia arriba y hacia abajo
vigorosamente, sus pies dejan de tocar el suelo y **3** empieza
el ataque.*

Copulación
REPRODUCCIÓN

Unos cuantos lagartos de varias familias poseen un único sexo (véase Unisexualidad: ¿Redundancia de machos?). En especies con machos y hembras, hay copulación y la fertilización es interna. Los machos logran entrar al tracto reproductor de la hembra con uno de sus dos hemipenes, cada uno parte de un tracto reproductor independiente con un único testículo, que está localizado dentro o cerca del centro de la cavidad del cuerpo. Un hemipenis no se puede comparar en estructura con el pene de los mamíferos, al ser una bolsa membranosa (a menudo ornamentada con espinas específicas de cada especie, espirales o pliegues) que sale hacia el exterior a través de la abertura de la cloaca del macho durante la cópula. Un hemipenis se podría utilizar tres o cuatro veces antes de emplear el otro, probablemente porque el suministro de esperma maduro se agota en el primero.

◖ **Derecha** *Basiliscos de cresta doble recién nacidos, después de un período de incubación que dura de 2 a 3 meses. Este género de lagarto produce puestas de 8 a 18 huevos y cría durante todo el año.*

◗ **Abajo** *Un camaleón de Parson (Calumma parsonii) llevando a su cría. Esta especie, la mayor de camaleones, es autóctona de los bosques húmedos del este de Madagascar, donde su supervivencia se encuentra amenazada por la pérdida de hábitat y la exportación de mascotas. Está en la lista de CITES, y en 1995 se suspendió la exportación comercial legal.*

La fertilización de uno o más huevos sucede en el interior de los oviductos de la hembra, y el embrión logra cierta madurez antes de la puesta. En algunas especies, entre las que se encuentra el camaleón de Jackson, el esperma se almacena en los oviductos durante largos períodos de tiempo, de ahí que sea difícil establecer una paternidad. La hembra pone sus huevos normalmente debajo de un tronco o de una roca, donde la humedad es relativamente alta. Otras especies retienen a los huevos hasta que los embriones están bien desarrollados y los jóvenes salen completamente desarrollados de las gruesas membranas. Este modo de reproducción es común en grupos como el de los xenosaurios, anguidos, lagartos nocturnos, cordilos y eslizones, y rara vez aparece en otras cuantas familias.

En el eslizón brasileño, el joven se desarrolla dentro del oviducto y posee una placenta que le une a la madre. La placenta del lagarto, como la de los mamíferos, es importante a la hora de proporcionar alimento y eliminar los productos de deshecho. Pocos nutrientes, o ninguno, se obtienen del vitelo del huevo, como es típico en la mayoría de los reptiles.

La cantidad de huevos o de recién nacidos es fija en algunas familias, como en la de los lagartos ciegos (1 huevo) y en los gecos (1-2 huevos o recién nacidos), pero puede variar enormemente en otros grupos. Las puestas de huevos más grandes (hasta de 50 en algunas especies) se encuentran en los varanos. En general, los lagartos más grandes tienen puestas y crías más grandes que las especies más pequeñas.

La mayoría de los lagartos muestran poco cuidado maternal, excepto a la hora de encontrar y excavar un lugar apropiado para la puesta de huevos. Sin embargo, hay varias especies en las que la hembra incuba o guarda a sus huevos. Algunas limpian y rotan a sus huevos. En muy pocas especies, entre ellas el eslizón de las Grandes Llanuras, el lagarto nocturno del desierto y algunos lagartos aligator, la madre puede ayudar a salir a las crías de las membranas fetales o huevo y las defiende de los depredadores.

Algunos lagartos tienen un período anual bien definido para reproducirse, mientras que otros se reproducen en todas las estaciones. La mayoría de las especies de climas templados son cíclicas, mientras que muchas formas tropicales son criadoras continuas. Las condiciones medioambientales: temperatura, lluvia y humedad, disponibilidad de alimentos y ciclos de luz son factores muy importantes para todas las especies.

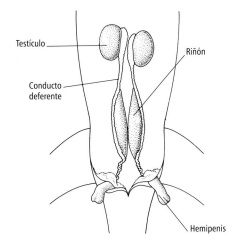

⊲ **Izquierda** Órganos de reproducción y urinarios. Los hemipenes de un lagarto macho son bolsas que salen al exterior durante la copulación. Sólo se utiliza un hemipenis en cada apareamiento.

VIVIR EN EL HUMUS

Alicia, en sus aventuras en el País de las Maravillas, encontró una botella con una etiqueta que decía «Bébeme», bebió y se hizo pequeña. Por suerte para ella no tuvo que vivir las consecuencias de tener un tamaño pequeño permanente. El Jaragua sphaero (*Sphaerodactylus ariasae*) no tiene tanta suerte. Este diminuto geco fue descrito en 2001, después de encontrar especimenes en el humus de la Isla Beata, una pequeña isla frente a las costas de la República Dominicana. Los adultos tienen una longitud media de 16 mm (máximo 18 mm) con una cola de longitud similar y un peso de unos 0,13 gr, calificando a este geco como el lagarto más pequeño del mundo. A esta escala, las arañas y otros artrópodos predatorios son predadores potenciales en vez de presas potenciales, sin embargo la amenaza más grande para la existencia de este geco podría ser la desecación. Debido a la gran superficie de su cuerpo comparada con su volumen, el Jaragua suele perder agua rápidamente, lo que le obliga a vivir en los confines húmedos del humus. Además de tener que conformarse con sus problemas de enanismo, esta especie también está amenazada por la pérdida de su hábitat debido a la deforestación, incluso dentro de parques nacionales.

Para situar en un contexto al Jaragua, mide menos del 7 por ciento de la longitud (y un 0,05 por ciento del peso)

⊲ **Derecha** Un Jaragua adulto colocado sobre una moneda de diez centavos de dólar. No es únicamente el lagarto más pequeño, también es el más pequeño de todos los reptiles, aves o mamíferos.

del miembro más grande de su propia familia, los Gecónidos. Pero los gecos no son lagartos especialmente grandes en general. Comparado con el lagarto vivo más grande, el dragón Komodo, el Jaragua sólo mide un 1 por ciento de su longitud y pesa un 0,0001 por ciento del peso. Resulta interesante que ambas especies, la más grande y la más pequeña, sean especies isleñas. Tanto el gigantismo como el enanismo son resultado común de la evolución en las islas, donde factores como el de la ausencia de depredadores y la limitación de recursos alimenticios puede promocionar una selección por medio del cambio de tamaño.   AMB

Poblaciones en riesgo
CONSERVACIÓN Y ENTORNO

Abundan las fábulas y el folklore que tiene que ver con lagartos. Muchas especies inofensivas, especialmente gecos y eslizones, son temidas por personas que no están informadas y creen firmemente que son venenosas. Aunque los venenosos son venenosos de verdad, creer que poseen una cola venenosa y que son capaces de escupir veneno es falso. Una antigua superstición dice que los lagartos muerden las sombras de las personas que no son supersticiosas, y así las condenan a muerte. Las colas de lagarto forman parte de la receta de una poción amorosa de los indios Salish de Norteamérica, y algunas culturas asiáticas creen que el geco garantiza una vida larga y próspera si sale del dormitorio de los recién casados.

La humanidad ha explotado despiadadamente a los lagartos para alimentación o para sus necesidades sociales. En los trópicos del Nuevo Mundo, la iguana verde común se mata por su carne y sus huevos. Las iguanas de roca de la India occidental, muchas de las cuales se encuentran en grave peligro, sufren un destino parecido. El teyú sudamericano y los varanos del Nilo y comunes asiáticos son cogidos a millones anualmente por su piel. Los varanos vivos se utilizan en la India en ritos de fertilidad, o en festivales de serpientes. No hay duda de que estos ritos les causan daños.

Probablemente el comercio de mascotas ha tenido un efecto menor en el declive de la mayoría de las poblaciones de lagartos, pero ciertas especies han desaparecido prácticamente debido a esta industria. Las formas raras o poco comunes, como el eslizón de cola prensil de las Islas Salomón y los gecos de cola de hoja de Madagascar, son muy buscados por los coleccionistas.

La mayor amenaza para las poblaciones de lagartos es la constante alteración o destrucción de su hábitat, especialmente en las regiones complejas y poco comprendidas de los trópicos y subtrópicos. En el sur de Florida, por ejemplo, hay un hundimiento ecológico que se debe por completo a la acción humana. Aunque la introducción de especies de lagartos exóticas a la región ha sido la responsable del declive de ciertos lagartos autóctonos, no hay testimonios firmes que sostengan estas declaraciones (las exóticas suelen ocupar los entornos que crean los humanos, lugares nuevos a los que las formas autóctonas son incapaces de trasladarse).

No obstante, no hay duda de que la introducción de especies no reptiles causa mucho daño a muchas formas de lagartos en cualquier hábitat. Entre otros las iguanas de roca de las Indias Occidentales han sufrido la presencia de mangostas, perros salvajes, gatos, cabras y ganados. En las Islas Canarias, el lagarto gigante de la Gomera, en Peligro Crítico, casi se ha extinguido por la introducción de predadores, y todos los individuos conocidos se mantienen en cautividad ahora para asegurar su supervivencia. El descubrimiento de nuevas especies de gecos en Madagascar, en zonas diminutas de bosques, y de anguidos en América Central, hace destacar la inquietante verdad de que la destrucción de ciertos tipos de hábitat está causando la extinción casi segura de algunas especies de lagarto antes de conocer su existencia incluso.

HABITANTES AUTÓCTONOS DEL DESIERTO
La adaptación de los reptiles a climas áridos

GENERALMENTE SE PIENSA QUE LOS REPTILES REPRESENTAN la cumbre de la adaptación al desierto de todos los animales vertebrados. Todos los desiertos del mundo poseen faunas diversas de reptiles, y muchas especies son bien conocidas por ser capaces de sobrevivir en hábitat tan inhóspitos. Por ejemplo el chuckwalla (*Sauromalus obesus*) en el desierto de Mojave de Estados Unidos, el lagarto de cola espinosa (*Uromastyx acanthinurus*) del Sahara y el lagarto dragón (*Ctenophorus nuchalis*) del desierto central australiano. Todos estos animales son capaces de sobrevivir en regiones donde las temperaturas por el día superan los 40ºC y las lluvias son raras.

Varios estudios realizados sobre la conducta y fisiología de estas especies durante las últimas décadas han revelado muchos de los secretos de su supervivencia. Primero, son ectodermos, es decir, animales que dependen de fuentes externas de calor para regular su temperatura corporal. Se benefician plenamente del calor que les proporciona el sol y pueden mantener una temperatura corporal constante durante todo el día. Las pequeñas variaciones de postura y el ángulo que presente el cuerpo bien para que le dé el sol o para evitarlo, les permite aumentar o disminuir la temperatura corporal cuando es necesario. Levantar el cuerpo del sustrato caliente y permanecer en posición vertical a medio día también es una estrategia termorreguladora muy efectiva, como lo es trepar por las ramas durante la parte más calurosa del día. Después, de nuevo el bajo ritmo de su metabolismo (una décima parte del de las aves o mamíferos del mismo tamaño) significa que sus necesidades materiales son muy limitadas. Los porcentajes de producción de agua y de nutrientes esenciales como proteínas e hidratos de carbono son muy bajos, y esta frugalidad les permite sobrevivir en regiones donde la falta de alimentos adecuados excluye a los grandes consumidores de energía como son las aves y los mamíferos.

Otra característica útil es la extrema tolerancia de los reptiles a las perturbaciones que haya en su entorno. Todos los animales vertebrados regulan la concentración en sangre de elementos vitales como el sodio o el potasio, los reptiles, y los lagartos en particular, son capaces de tolerar grandes desviaciones de la norma general. Los niveles de sodio pueden aumentar así hasta 300 mmol.l-1 (milimoles por litro) y potasio hasta 12 mmol.l-1 en verano, concentraciones que resultarían mortales para un ave o un mamífero. Lagartos como el dragón ornado (*Ctenophorus ornatus*) del oeste de Australia tolera estas alteraciones durante muchos meses antes de que lleguen las tormentas. Durante las tormentas beben gotas de lluvia y rápidamente recuperan su equilibrio natural de electrolitos.

Los reptiles pueden conservar grandes cantidades de agua excretando ácido úrico, en vez de urea, como producto final del catabolismo proteico. El ácido úrico tiene una solubilidad muy baja en agua, y se precipita en

⬖ **Arriba** *En Australia, un lagarto dragón barbudo* (Pogona barbata) *se estira al máximo encima de las ramas más altas de un árbol. Trepar a los árboles durante el calor del día permite a los lagartos escapar del sustrato caliente, aprovechándose también de cualquier brisa que pase.*

◁ **Izquierda** Con el telón de fondo del Gran Cañón, un chuckwalla toma el sol. Como la mayoría de los lagartos, esta especie toma el sol cada mañana. Una vez que su cuerpo ha alcanzado los 38 °C, comienza a buscar hojas, brotes y flores de lis que constituyen su dieta herbívora.

verano metidos en grietas profundas de las rocas, esperando la llegada de la lluvia y condiciones más favorables. También hay testimonios de que en condiciones desfavorables, como deshidratación y exceso de sal, pueden «reajustar» el punto térmico de los animales, de manera que mantienen la temperatura corporal 1 o 2°C más bajo de lo normal cuando están activos. Este ajuste efectivamente da como resultado la reducción del ritmo de pérdida de agua corporal vital por evaporación, y así puede aumentar su supervivencia.

Todos estos factores apuntalan el éxito de la invasión y utilización de hábitat desiertos a largo plazo por parte de los reptiles. Sin embargo, cuando hablamos de adaptaciones, nos referimos normalmente a las modificaciones heredables de un fenotipo de animal (morfología, conducta o fisiología) que han surgido como resultado de una selección natural en ese entorno. Para responder a la pregunta de si todas las características que se han visto en los reptiles del desierto han surgido como resultado de una selección natural (en otras palabras, por la supervivencia diferencial de jóvenes que están tan dotados para los hábitat del desierto) necesitamos realizar comparaciones con reptiles que viven en regiones templadas y tropicales y que nunca se han expuesto a los rigores del desierto. Sorprendentemente al hacerlo se revela poca diferencia en la capacidad de los reptiles para tolerar los extremos que se encuentran en el desierto, sin tener en cuenta si ocurren o no. Este hecho nos lleva a la conclusión de que los reptiles parecen estar muy bien adaptados, o preadaptados, para sobrevivir en el desierto por la naturaleza de su fisiología y conducta. Decimos por tanto que son «adaptados externos», una adaptación que ha surgido en algún entorno que no es en el que se utiliza.   SDB

◁ **Izquierda** En las dunas de arena caliente del desierto de Namib, un lagarto de hocico de pala (Aporosaura anchietae) practica la «danza termal», levantando las extremidades para mantenerse frío.

▷ **Derecha** Un camaleón de Namaqua (Chamaeleo namaquensis) muestra una postura de «zancuda» (eleva el cuerpo al máximo posible para alejarlo del sustrato caliente).

los túbulos renales y en la cloaca, para ser evacuados finalmente en forma de una masa sólida blanca. Grandes cantidades de agua son reabsorbidas por la cloaca y la parte posterior del intestino (colon) cuando se precipita el ácido úrico. En lagartos como el varano Varanus gouldii, estudios realizados en laboratorio demuestran que hasta el 90 por ciento del fluido que entra en la cloaca procedente de los riñones es reabsorbido por el cuerpo.

Otra característica destacable de los reptiles que habitan en el desierto es su capacidad de reducir toda actividad vital cuando se exponen a temperaturas extremas o a la falta de agua. Lagartos como el chuckwalla pueden pasar meses de inactividad en el

Iguanas
FAMILIA IGUÁNIDOS

Las iguanas son uno de los tres grupos principales de los lagartos iguanios. Al igual que los agamas y los camaleones, son activos durante el día y poseen extremidades bien desarrolladas. Las casi 700 especies son muy diversas en cuanto a forma, tamaño y color. Aunque muchas especies son crípticas mezclando sus colores con los del entorno, otros utilizan complejos adornos del cuerpo y colores llamativos para advertir su presencia a parejas y rivales potenciales. Las iguanas son la familia de lagartos dominante en la mayor parte del Nuevo Mundo, desde el sur de Canadá a Tierra del Fuego, en el extremo sur de Sudamérica. Un grupo, los anolis, poseen una gran radiación en las Indias Occidentales. Otros grupos aparecen en Madagascar, en las Islas Galápagos y en Fiji y en los archipiélagos vecinos del Pacífico occidental tropical.

Las iguanas son terrestres normalmente, saxícolas (que viven en rocas) o arborícolas. Unas cuantas son excavadoras o semiacuáticas. Algunas iguanas terrestres, como la lagartija de cola de cebra (*Callisaurus draconoides*), tiene las patas y dedos de los pies largos y son veloces corredoras. Por el contrario, los lagartos cornudos de cuerpo ancho y extremidades cortas confían en sus escamas espinosas y en su habilidad única de escupir sangre desde un seno situado detrás del ojo para detener a los depredadores. Muchas formas que viven en las rocas tienen extremidades robustas y garras fuertes para trepar. Las iguanas que viven en grietas poseen cuerpos deprimidos generalmente, que en algunas especies como la de los chuckwallas (género *Sauromalus*) pueden inflar y apretarse en un lugar, lo cual le sirve para defenderse de un depredador.

⬇ **Abajo** *En las Islas Galápagos, las iguanas marinas (Amblyrhynchus cristatus) se reúnen para tomar el sol y aumentar la temperatura de su cuerpo antes de sumergirse en el mar frío en busca de alimento.*

Los cuerpos de las iguanas arborícolas son comprimidos por lo general, y sus extremidades suelen ser largas y delgadas. Algunas especies poseen colas prensiles que les ayudan a moverse por las ramas. Los anolis se encuentran entre los trepadores más especializados. Tienen almohadillas extendidas en los dedos de los pies y utilizan estructuras microscópicas, parecidas a pelos (setae) para adherirse a las superficies, incluso a las lisas, igual que los gecos. Muchas iguanas arborícolas son de movimientos relativamente lentos, se quedan inmóviles, agarradas a los troncos de los árboles, a veces durante días, esperando a que alguna oruga u otros insectos grandes se coloquen a una distancia de tiro.

Otro grupo de iguanas arborícolas, los basiliscos, son muy versátiles. En tierra pueden correr a gran velocidad sobre sus patas posteriores. Cuando los persiguen, pueden correr incluso por encima de la superficie de charcas y arroyos, «caminando» sobre el agua con la ayuda de filas de uñas que poseen a lo largo de los dedos de los pies. Las lagartijas areneras utilizan las escamas puntiagudas de los pies para correr sobre arena suelta. También excavan, moviéndose de lado a lado para hundirse en la arena y evitar así las altas temperaturas del desierto. Tienen valvas en los orificios nasales y una mandíbula inferior avellanada para que no entre la arena.

La mayoría de las iguanas son insectívoras, pero algunas son carnívoras u omnívoras, y muchas de las especies más grandes son herbívoras y se alimentan de plantas principalmente. La iguana verde es una de las típicas especies grandes, se alimenta de hojas y frutos. La iguana marina se encuentra entre los lagartos más especializados. Utiliza sus pies palmeados y cola comprimida para nadar en las frías aguas que rodean a las Islas Galápagos, donde su hocico romo le permite pacer sobre las algas de la marea que crecen sobre rocas, y posee glándulas especializadas

⬆ **Arriba** *Los chuckwallas (Sauromalus obesus) están muy extendidos en los áridos terrenos de maleza del suroeste de Estados Unidos y Méjico. Como habitan en las rocas, huyen del desierto abierto, viviendo en afloramientos aislados en distintas poblaciones, entre las cuales hay poca relación.*

Agamas

FAMILIA AGÁMIDOS

Los agamas son los dobles de las iguanas en el Viejo Mundo. Como ellos, son activos durante el día, tienen extremidades completas y con frecuencia espinas, crestas o solapas en la cabeza y en el lomo. Difieren en la disposición de los dientes, sin embargo. Los dientes de la mayoría de los lagartos están unidos vagamente a lo largo de los márgenes internos de las mandíbulas (condición de los pleurodontos), pero los agamas (y sus parientes cercanos, los camaleones) están unidos firmemente a los huesos de las mandíbulas (condición de los acrodontos). En la mayor parte de la familia los dientes de la parte frontal de la cabeza están comprimidos y se pueden soldar unos a otros. Pueden ser parecidos a colmillos o a cinceles, parecidos a los incisivos de los mamíferos.

Casi todas las especies son insectívoras o carnívoras, pero el lagarto de cola espinosa egipcio, de cuerpo grande, y sus parientes son herbívoros. El diablo espinoso o moloc de Australia se ha especializado en alimentarse de hormigas. Su cuerpo ancho se ha adaptado para que haya sitio para miles de hormigas a la vez, a las que sube a lengüetazos. Está cubierto de espinas que le protegen de los depredadores. La piel se pliega formando canales diminutos que dirigen el agua hacia las esquinas de la boca (una especialización conveniente para la escasez de lluvias en el desierto donde habita).

Aunque con 420 especies no haya tantos agamas como iguanas, son más diversos en estructura. Son muy numerosos en Australia y Asia tropical, pero también están extendidos en Oriente Medio y en zonas áridas de Asia Central, así como también en África, excepto Mada-

que se encuentran en la cavidad nasal y concentran y eliminan el exceso de sal ingerida. La digestión de la materia de las plantas requiere una bacteria que rompa las paredes celulares de la planta. En las iguanas herbívoras, estas bacterias se encuentran en el conducto alimentario, que sirve de gran cámara de fermentación. La necesidad de esa cámara tan grande explica por qué estos lagartos se hacen tan grandes, hasta 75 cm en el caso de algunas iguanas de roca de las Indias Occidentales.

Todas las iguanas son activas durante el día, y aunque algunas especies que habitan en bosques húmedos prefieren las temperaturas más frescas de la sombra, la mayoría adoran el sol y toman el sol con regularidad. La temperatura corporal preferida de las iguanas es de hasta 40 °C o más, y al menos algunas especies pueden tolerar temperaturas de hasta 47 °C. Muchas iguanas que viven en el desierto son más oscuras cuando están frías con el fin de absorber más radiación solar, y se blanquean cuando están demasiado calientes. También se emplean colores en las complejas exhibiciones visuales de muchas iguanas. Los machos suelen ser más grandes que las hembras y llevan crestas, espinas o abanicos en las gargantas (papadas) que llaman la atención. Los anolis emplean movimientos de cabeza estereotipados, empujones y otros movimientos, que en combinación con el color de la papada, señalan su presencia tanto a las posibles parejas como a los rivales potenciales. Otras iguanas emplean el color rojo o azul en la garganta y en el abdo-

*◊ **Arriba*** *Uno de los lagartos más extraordinarios de las especies de los agámidos es el Moloch horridus, el diablo espinoso, que vive en el interior seco de Australia. Está cubierto de protuberancias espinosas y verrugosas. Los estrechos canales que hay entre las escamas recogen las preciadas gotas de lluvia o de rocío que llegan a la boca por medio de una acción capilar*

men y lo combinan con el inflamiento del cuerpo, compresión o inclinación para lograr el mismo efecto.

La mayoría de las iguanas ponen huevos. El tamaño de la puesta varía de uno en el anolis a 45 en la iguana verde. No obstante, en algunos grupos es común el nacimiento, por ejemplo en los lagartos espinosos y en los lagartos cornudos. Algunas iguanas de zonas templadas producen normalmente una única puesta o camada por año, las especies tropicales pueden poner huevos durante la mayor parte del año. Las iguanas no muestran cuidado parental, y la mayoría de las crías actúan y parecen adultos en miniatura, en general se parecen a las hembras más que a los machos. En algunas especies herbívoras, los jóvenes son insectívoros al principio y cambian la dieta posteriormente. Los lagartos manchados tienen pocas oportunidades de reproducirse, ya que rara vez viven más de un año.

Los seres humanos explotan varias especies de iguanas. Las iguanas verdes se cogen o se crían por su carne («pollo de bambú»), huevos y piel. Otros, como el lagarto leopardo de California, están en peligro por la pérdida de hábitat.

*◊ **Arriba*** *El dragón barbado (Pogona vitticeps) se llama así por el borde de espinas blandas que rodean el cuello. Una bolsa inflable que se encuentra en la garganta levanta las espinas para amenazar o cortejar. Esta especie vive en grupos con una estructura social relativamente compleja.*

Casi todos los agamas son ovíparos. Hasta 35 huevos pueden depositar en una puesta, pero son típicas las puestas más pequeñas de 4 a 10 huevos en la mayoría de las especies. El período de incubación varía de 6 a 8 semanas. El nacimiento parece haber evolucionado en dos linajes muy diferentes: en los lagartos de cabeza de sapo de las zonas templadas de Asia y en los lagartos de cola prensil de Sri Lanka. Tres especies de lagartos mariposa del sudeste de Asia tienen poblaciones de hembras únicamente y se reproducen por partenogénesis (véase Unisexualidad: ¿Redundancia de machos?).

Muchos agamas son tropicales, pero aparecen algunos en las montañas y en las estepas y mesetas altas de Asia Central. Estos lagartos son activos durante breves períodos de tiempo solamente y pasan el resto del tiempo inactivos, metidos en grietas o en madrigueras para evitar las duras condiciones de la superficie.

Camaleones
FAMILIA CAMALEÓNIDOS

Los camaleones se encuentran entre los lagartos más peculiares, poseen muchas características para moverse y alimentarse en árboles y arbustos. Sus cuerpos comprimidos, extremidades espigadas con pies para agarrarse, colas prensiles y ojos que se mueven de un modo independiente los separa de todos los demás lagartos, pero sus dientes unidos con firmeza muestran un parentesco cercano con los agamas. Al igual que ellos, los camaleones están restringidos estrictamente al Viejo Mundo. Son muy numerosos en África Subsahariana y en Madagascar, pero también se extienden de norte a sur de Europa y al este de India y Sri Lanka.

La mayoría de los camaleones hacen su vida en los árboles, caminando lentamente por las estrechas ramas y ramitas. En cada pie grupos opuestos de dos y tres dedos soldados (cigodáctilos) aseguran un agarre firme en las ramas estrechas. El cuerpo comprimido, combinado con las extremidades largas y articulaciones de los hombros con mucha movilidad, ayuda a mantener el centro del peso del animal sobre la rama y así se mantiene estable. La cola prensil proporciona un punto de anclaje adicional cuando el camaleón tiene que dejar su agarre para llegar a otra rama.

gascar. En los bosques de Asia muchos agamas arborícolas son de color verde o marrón para armonizar con los árboles en los que se cuelgan. Muchos de estos lagartos poseen crestas y espinas impresionantes. Un habitante del bosque, el lagarto de vela, alcanza una longitud de 35 cm y además de una gran cresta en el lomo y en la cola lleva aletas en los dedos de los pies que le ayudan a nadar en arroyos y ríos.

Los agamas de Asia tropical más extraños son los dragones voladores. Estos lagartos poseen costillas extremadamente largas que pueden plegar hacia atrás o extender hacia un lado. Las costillas sujetan una delgada membrana de piel «para volar» que va desde las extremidades anteriores a las posteriores. Los dragones voladores se lanzan desde los troncos de los árboles o desde las ramas y extienden estas alas de piel para planear hacia nuevas perchas. La larga cola le sirve de timón de dirección al lagarto. Las alas de piel poseen colores y dibujos diferentes en cada especie de dragón y probablemente sirven para indicar encuentros sexuales o sociales. Los lagartos mariposa terrestres del sudeste de Asia también poseen costillas largas que sujetan unas alas de piel de colores llamativos, pero no se utilizan en la locomoción.

En Australia los agamas acuáticos están representados por el dragón de agua oriental, que se ha adaptado a la presencia humana y prospera en las corrientes de agua, incluso en grandes ciudades como Sydney. Cuando le amenazan, el lagarto de gorguera australiano levanta del suelo sus patas anteriores y corre con sus potentes extremidades posteriores, utilizando su larga cola para equilibrarse. Las modificaciones alargadas del esqueleto de la lengua se pueden manipular para erigir un volante grande que casi le rodea la cabeza, presentando una ima-

gen que impone a los posibles predadores. En otras especies australianas se ven volantes más pequeños debajo de la barbilla o en las esquinas de la boca. También se ven en uno de los lagartos asiáticos de cabeza de sapo.

El agama chupasangre de la India y sur de Asia no lleva un nombre adecuado. La cabeza de color rojo vivo del macho nada tiene que ver con su dieta; por el contrario, es una señal social para llamar la atención de otros miembros de su especie. Los agamas machos realizan normalmente complejos rituales de cortejo para conseguir aparearse con las hembras. Los machos rivales pueden ser intimidados por exhibiciones mutuas, pero algunas veces los enfrentamientos llegan al combate, en el cual pueden emplear los dientes anteriores alargados. Los lagartos de cabeza de sapo utilizan la cola en los encuentros sociales, enrollándola sobre el lomo para mostrar amenaza, también incluyen la boqueada. Las colas de todos los agamas carecen de fracturas, por tanto rara vez se rompen. Sin embargo, cuando se rompen en algún encuentro con depredadores, la cola no vuelve a crecer y se puede formar una extensión en la punta rota parecida a un palo.

⬤ **Arriba** *Dos características sorprendentes de los camaleones están presentes en este camaleón pantera (Furcifer pardalis): los ojos que giran para ver todo a su alrededor y el espectacular cambio de color. Los tonos de color rojo y rosa asalmonado son señales de que el animal está preparado para aparearse.*

⬤ **Derecha** *Dos camaleones de Jackson machos (Chamaeleo jacksonii) enfrentados en el bosque de Aberdare (Kenia). En común con algunas otras especies, los machos de Jackson se distinguen por sus prominentes «cuernos».*

La lenta velocidad del camaleón no sólo le proporciona estabilidad cuando se mueve sino que hace difícil que depredadores y presas le detecten. La forma del cuerpo, a menudo con lomo muy arqueado, ayuda a camuflarse al camaleón dándole un aspecto de hoja. El efecto críptico se refuerza en algunas especies, como en el caso de los diminutos camaleones hoja de Madagascar, que se mueven hacia atrás y hacia delante como si fueran hojas mecidas por la brisa. Sin embargo, la defensa más famosa del camaleón es su habilidad para cambiar de color. Contrayendo y expandiendo las células que contienen el pigmento en la piel, la mayoría de los camaleones pueden cambiar de color y dibujo, algunas veces de un modo sorprendente. Además de desear armonizar con el entorno, también utilizan el cambio de color en exhibiciones sociales.

A pesar de su lenta velocidad, los camaleones son adeptos a una variedad de presas, desde pequeños insectos y arañas hasta pájaros y mamíferos pequeños, al menos en las especies grandes. Los ojos de torreta del camaleón se pueden mover independientemente el uno del otro y los emplean para buscar alguna presa potencial entre el follaje. La información visual de ambos ojos se integra para dar al camaleón una visión binocular y son capaces de estimar la distancia con gran precisión.

Los camaleones utilizan su excelente percepción de la profundidad para coger una presa con su asombrosa lengua. La lengua del camaleón puede ser tan larga como todo el cuerpo del animal o más. En posición

de descanso, los músculos de la lengua están enrollados en el esqueleto de la lengua. Cuando saca la lengua, los músculos se contraen y la lengua es propulsada hacia delante como una pastilla de jabón húmeda que se aprieta. La punta de la lengua carnosa está cubierta de una mucosidad pegajosa. Cuando entra en contacto con una presa, los músculos de la punta de la lengua le ayudan a crear una cápsula de succión que, junto a la mucosidad, asegura un agarre firme de la presa. La velocidad de rayo de la proyección de la lengua del camaleón hace mucho más que los lentos movimientos de su cuerpo.

Varios grupos de camaleones se han adaptado a la vida terrestre, pero han mantenido muchas características de sus parientes arborícolas. Los camaleones hoja enanos (*Brookesia perarmata*) de Madagascar viven en el suelo, aunque aparecen

algunos en árboles musgosos o en ramas bajas de arbustos. Estos animales poseen una cola corta y gruesa y se encuentran entre los lagartos más pequeños. Algunas especies ponen huevos de solo 2,5 × 1,5 mm y la longitud de su cuerpo llega a los 18 mm en estado adulto. Otro camaleón terrestre es el camaleón de Namaqua del sur de África. Esta especie mucho más grande camina lentamente sobre pies cigodáctilos y cruza las piedras y la arena del desierto. Se alimenta de insectos, escorpiones, arañas e incluso ratones (véase Habitantes Autóctonos del Desierto.)

◑ **Arriba** *A los gecos del sureste de Asia del género* Ptychozoon *(aquí* Ptychozoon kuhlii*) les llaman «gecos voladores» con frecuencia, pero se les debería denominar «gecos paracaidistas» con más propiedad. Las alas de piel que bordean el cuerpo y la cola ralentizan la caída, pero no les permiten volar o planear.*

◑ **Derecha** *La morfología del geco de cola de hoja* Uroplatus phantasticus *(el miembro más pequeño del género) imita a las hojas muertas. No solo las vetas de la piel y la forma del cuerpo refuerzan esta impresión. El margen irregular de la cola se parece muchísimo a las hojas comidas por los insectos y podridas.*

La mayoría de los camaleones poseen dimorfismo sexual. Los machos tienen cuernos a menudo (como los camaleones de Jackson y de Johnson), proyecciones nasales (camaleón gigante de Meller), elaborados volantes en el cuello o cascos óseos alargados en la cabeza (como en el caso del camaleón velado). Estos adornos ayudan a las hembras a reconocer parejas potenciales y también se utilizan en luchas entre machos, que son territoriales. En especies que carecen de estas estructuras, el color puede ser un signo social más importante. La mayoría de las especies de camaleones enanos del sur de África tienen un aspecto parecido. No obstante, cuando cortejan a una hembra o se enfrentan a un rival, los machos emplean dibujos de colores únicos, a menudo constan de azules, naranjas o rosas, contrastando con el color verde del animal en descanso.

Los camaleones suelen ser solitarios. El apareamiento se produce varias veces al año en muchas especies. El cortejo implica a menudo una conducta ritualista por parte del macho, quien en algunas especies como la del camaleón común, muerde a la hembra mientras copula. La mayoría de los camaleones pone huevos en puestas de 4 a 40, pero el camaleón gigante de Meller, de gran tamaño, pone hasta 70 huevos de una vez. El nacimiento ha evolucionado en varios grupos de camaleones, entre ellos el de los camaleones enanos. Casi todos los vivíparos viven en climas templados o en hábitat alpinos o subalpinos, y la retención del joven se considera una adaptación a estas condiciones frías.

Ya que casi todos los camaleones dependen de los árboles, la destrucción de los bosques es una amenaza importante para ellos. En Madagascar la extensa deforestación de muchas zonas ha puesto en peligro a muchas especies de camaleón. El camaleón común de Europa está amenazado por la pérdida de hábitat, exceso de recogida y tráfico de las carreteras. Todos los camaleones están protegidos por leyes internacionales.

▌Gecos
FAMILIA GECÓNIDOS

Los gecos son relativamente pequeños, insectívoros, de actividad nocturna, y muchas especies destacan por su habilidad de vocalizar y trepar. Están representados por 930 especies distribuidas en casi todo el mundo, desde el sur de Sudamérica al sur de Siberia, aunque son más numerosos y diversos en los trópicos. Están extendidos de un modo especial en las islas oceánicas, que han colonizado con mucho éxito. Aunque muchos gecos son arborícolas, también hay un buen número en zonas áridas donde predominan las especies que viven en las rocas, las terrestres y las excavadoras.

La característica más sorprendente de muchos gecos son sus pies. Casi todos los 88 géneros poseen un diseño único de dedos de los pies que está relacionado con su particular modo de locomoción. En algunas formas terrestres los dedos son estrechos y no se han modificado por debajo. En el geco de pies palmeados excavador del desierto de Namib, los dedos están unidos con piel que se sujeta en pequeños huesos para formar una especie de pala con la que excavar en la arena. El geco Barking sudafricano es uno de los gecos que utilizan los bordes de los dedos para cavar y caminar por la arena. En los gecos trepadores, los dedos se extienden en almohadillas. La parte inferior de estas almohadillas está dividida en escamas anchas que se solapan llamadas escansores. Cada escansor a su vez lleva decenas, o incluso cientos de miles de diminutas proyecciones parecidas a pelos (setae), cada una mide de 10 a 150 micras de longitud. En el geco de Tokay, cada seta puede tener más de 100 ramas, terminando cada una en una punta plana, parecida a una espátula, de 0,2 micras. Estas puntas interactúan con el sustrato sobre el que trepa el animal, formando unas ligaduras moleculares temporales y débiles. Aunque individualmente son diminutas, todas estas fuerzas sumadas en los dedos del geco, le proporcionan una tremenda capacidad adhesiva (suficiente incluso para permitir al lagarto trepar sobre cristal).

⬇ Abajo *Además de camuflarse con coloración críptica ante sus depredadores, el geco de cola de hoja (Uroplatus fimbriatus) está equipado de una franja de piel a lo largo de la cabeza y del cuerpo que le ayudan a mezclarse con los troncos de los árboles.*

⬆ Arriba *La dieta de los gecos se compone principalmente de insectos, arañas y pequeños invertebrados. Sin embargo, algunos la complementan con polen y néctar. Aquí un geco de Duvaucel (Hoplodactylus duvaucelii), un diplodáctilo de Nueva Zelanda, se alimenta de néctar de lino.*

En algunos gecos, las puntas de la cola también llevan setae y se utilizan como una «quinta extremidad» para trepar. Las colas de otros gecos pueden ser anchas y planas, como la de los gecos de cola de hoja de Madagascar (género *Uroplatus*). Todos los gecos auténticos tienen fracturas en la cola, que rompen con frecuencia cuando se enfrentan a depredadores o rivales.

Los gecos tienen el cuerpo comprimido, son de piel lisa y cabeza grande. A menudo tienen solapas de piel en los flancos, que en el geco de paracaídas (género *Ptychozoon*) se han modificado en «alas» para planear. Los ojos del geco están cubiertos de una lámina de piel transparente (lente) y carecen de párpados. Cuando se adhiere polvo o suciedad al ojo, los gecos utilizan sus lenguas móviles para limpiarlos. En las especies nocturnas los ojos son grandes normalmente. Los gecos pueden regular la cantidad de luz que entra por sus ojos cambiando la forma de la pupila, desde una serie de agujeros de alfiler o rendija vertical estrecha a la luz del día hasta una abertura casi redonda en total oscuridad. Los gecos nocturnos son de color pardo generalmente. Por el contrario, los gecos diurnos como el de Madagascar, podrían ser de un verde intenso con manchas azules, rojas o amarillas. En estas especies los ojos son más pequeños y la pupila podría ser redonda, incluso a la luz directa.

Los gecos localizan el alimento por medio de una combinación de señales visuales y químicas. La inmensa mayoría se alimenta de insectos, arácnidos y otros invertebrados pequeños. El gran geco de Tokay, sin embargo, es capaz de comerse a otros lagartos, serpientes pequeñas, pájaros y mamíferos también. Los gecos diurnos complementan su dieta de insectos con frutos y polen o néctar de las flores.

Muchos gecos tienen una laringe y cuerdas vocales bien desarrolladas y pueden producir diversidad de sonidos modulados: gorjeos, chasquidos, gruñidos y ladridos. Los gecos que ladran pueden formar grandes coros incluso, en los que cada macho declara su territorio e intenta atraer a las parejas. Los signos visuales también se utilizan, especialmente en las especies diurnas, y la comunicación química también representa algún papel en el cortejo.

La mayor parte de los gecos ponen dos huevos con cáscara dura, calcárea, pero algunas especies más pequeñas producen sólo un huevo por puesta. Los huevos se pueden poner en hoyos poco profundos, debajo de una corteza de árbol, o en una planta, o en superficies rocosas. Algunas especies, como el geco *Ptyodactylus hasselquisti*, ponen los huevos en comunidad y muchos individuos pueden colocar sus puestas en lugares poco favorables. Muchas especies de gecos que han colonizado con éxito islas oceánicas pequeñas y distantes son formas hembras con reproducción clónica.

Algunos gecos, especialmente las especies isleñas, están amenazados por la pérdida de hábitat. Al menos un diurno gigante, *Phelsuma edwardnewtoni*, se ha extinguido en la Isla Round del Océano Índico.

Gecos del suroeste del Pacífico
FAMILIA DIPLODÁCTILOS

Los gecos del suroeste del Pacífico forman un grupo de más de 120 especies que sólo se encuentran en Austra-

Izquierda *Especies representativas de tres familias de lagartos:* **1** *Lagarto de collar común occidental (Crotaphytus collaris); Iguánidos.* **2** *Anolis verde (Anolis carolinensis); Iguánidos.* **3** *Lagarto cornudo de Tejas (Phrynosoma cornutum); Iguánidos.* **4** *Lagartija arenera (Uma notata); Iguánidos.* **5** *Lagarto de cabeza de sapo árabe (Phrynocephalus arabicus); Agámidos.* **6** *Lagarto de cola espinosa (Uromastyx acanthinurus); Agámidos.* **7** *Camaleón común (Chamaeleo Chamaeleon); Camaleónidos.*

lia, Nueva Zelanda y Nueva Caledonia. Parecen gecos auténticos, pero poseen unas estructuras menos complejas para trepar y ponen huevos de cáscara correosa (o, en el caso de los gecos verdes de Nueva Zelanda, salen dos gemelos). Entre los miembros de esta familia se encuentran los gecos de cola abultada *Nephurus levis* de Australia, que tienen la cabeza muy grande y la cola corta. Algunas especies tienen las colas tan reducidas que carecen de fracturas, y los animales no pueden mudarla como mecanismo de defensa para escapar de los depredadores.

El geco de cola espinosa es una de las especies que puede expulsar un fluido viscoso de la cola. Se cree que esta sustancia defensiva ha evolucionado para disuadir a los pequeños depredadores, como las arañas licosidas, que se pegan y quedan atrapadas durante un tiempo.

Algunos gecos del suroeste del Pacífico son bastante grandes y muchas de las especies más grandes pueden alimentarse (y lo hacen) de presas vertebradas. Tanto las especies de Nueva Zelanda como las de Nueva Caledo-nia comen frutos y partes de flores y pueden ser unos polinizadores y dispersadores de semillas importantes.

La especie viva más grande es el geco gigante de Nueva Caledonia, que alcanza los 25 cm de longitud y pesa 300 gr. Una especie mucho más grande de Nueva Zelanda, el geco gigante de Delcourt (*Hoplodactylus delcourti*) parece ser que se ha extinguido.

Gecos con párpados
FAMILIA EUBLEFARINOS

Los gecos con párpados forman el grupo más pequeño, con solo 22 especies esparcidas en zonas de América del Norte y Central, África y Asia tropical y templada. Al igual que los gecos del suroeste del Pacífico, ponen dos huevos de cáscara correosa. Difieren de todos los demás gecos, sin embargo, en que tienen párpados móviles en vez de láminas transparentes (lentes). También carecen de las almohadillas para trepar que se ven en otros grupos. La mayoría de las especies son terrestres, pero el geco gato del sudeste de Asia es arborícola y tiene cola prensil. El geco leopardo, que es el más típico de los gecos con párpados y una de las mascotas más populares, posee determinación de sexo por temperatura. Algunos gecos con párpados del sureste de Asia (género *Goniurosaurus*) se explotan para usos medicinales en China y Vietnam.

Lagartos de pies solapados
FAMILIA PIGOPÓDIDOS

Aunque existe una diferencia importante aparentemente, los lagartos de pies solapados, restringidos a Australia y Nueva Guinea, están muy relacionados con los gecos del suroeste del Pacífico. Todas las especies tienen cuerpos alagartados y colas muy largas, no poseen extremidades anteriores y las posteriores son muy reducidas. Como la mayoría de los gecos, tienen una lente transparente sobre el ojo, ponen dos huevos, son nocturnos principalmente y son capaces de vocalizar. A diferencia de los gecos, que poseen típicas escamas granulares o tuberculosas, estos lagartos tienen escamas que se parecen más a las de las serpientes o eslizones.

Los lagartos de pies solapados pueden ser excavadores o activos en superficie. Los delmas «nadan» por encima de la hierba, apoyándose y propulsándose por medio de la presión ejercida por el cuerpo contra las hojas rígidas de la hierba, a menudo bien por encima de la superficie del suelo. Muchos lagartos de pies solapados utilizan sus largas colas para «saltar» como modo de conducta para escapar.

La mayoría de estos lagartos son estrictamente insectívoros, pero los lagartos serpiente de hocico afilado se alimentan preferentemente de otros lagartos, incluidos gecos y eslizones. Tienen dientes articulados que se doblan hacia atrás y le ayudan a obligar a la presa de cuerpo duro a entrar hasta la garganta, desde donde se la traga entera.

Las interacciones sociales de los lagartos de pies solapados se conocen muy poco, pero se sabe en particular que los machos utilizan las solapas de las extremidades posteriores para algunos aspectos del apareamiento y para amenazar. Estos lagartos ponen dos (o rara vez uno) huevos de cáscara correosa. Se ha sugerido que algunas especies de cabeza negra, como el de pies escamosos occidental, puede imitar a ciertas serpientes elápidas australianas muy venenosas.

Lagartos nocturnos
FAMILIA XANTÚSIDOS

Los lagartos nocturnos forman un pequeño grupo de lagartos terrestres o saxícolas con una distribución discontinua en el suroeste de Estados Unidos, Méjico y América Central y en el este de Cuba. Se caracterizan por grandes escudos en la cabeza, escamas granulares en el lomo y placas ventrales grandes y rectangulares. Una lente transparente le cubre el ojo, que posee una pupila vertical. Aunque se llaman lagartos nocturnos, algunas especies son activas al amanecer y al anochecer (crepuscular), y otras son diurnas.

Los lagartos nocturnos son sigilosos, se ocultan durante el día en cuevas y grietas de rocas, o debajo de piedras o vegetación. Algunas especies se han especializado en su hábitat, ocupando únicamente piedra caliza o granito. Estos especialistas en vivir en las rocas suelen

tener el cuerpo plano y unas extremidades moderadamente largas para trepar. El lagarto nocturno cubano tiene unas extremidades muy pequeñas y emplea ondulaciones como las de la serpiente para moverse. El lagarto nocturno del desierto es una pequeña especie que se encuentra en el suroeste americano, con frecuencia debajo de yucas o de otras plantas caídas. Se alimenta de hormigas y de otros insectos, y puede ser activo de día o de noche en sus lugares ocultos, dependiendo de la temperatura. El lagarto isla nocturno más grande se encuentra solamente en las Islas del Canal, frente a la costa de California. Su dieta incluye insectos, así como semillas y flores. El lagarto nocturno tropical de Smith (*Lepidophyma smithii*) se alimenta de higos por lo general.

Los lagartos nocturnos son vivíparos, y existe nutrición maternal en las especies que se han investigado. Después de 90 días de gestación, los lagartos nocturnos del desierto nacen en una única camada de uno o tres descendientes, aunque en los años en los que las condiciones medioambientales son desfavorables, es posible que no se reproduzcan. El lagarto nocturno isla produce de dos a nueve jóvenes. El lagarto nocturno tropical americano (*Lepidophyma flavimaculatum*) tiene algunas poblaciones de hembras solamente y se reproducen por partenogénesis. Aunque los lagartos nocturnos tienen un índice de reproducción bajo, sus poblaciones alcanzan una gran densidad con frecuencia. En hábitat preferidos puede haber más de 3.200 lagartos nocturnos isla por hectárea.

Lagartos ciegos
FAMILIA DIBÁMIDOS

Los lagartos ciegos se encuentran entre los más especializados para la existencia subterránea. Catorce especies aparecen en Asia tropical, desde el sur de China hasta Nueva Guinea, y una especie más está restringida al este de Méjico. Los lagartos ciegos tienen el cuerpo largo, parecido al de una serpiente, no poseen extremidades anteriores y las posteriores son pequeñas y en forma de pala, que sólo están presentes en los machos. Los ojos pequeños están cubiertos de piel y no hay aberturas externas del oído.

🜄 **Abajo** *Un lagarto serpiente de Burton (Lialis burtonis) de Australia y Nueva Guinea tiene la característica forma de cuerpo de serpiente sin extremidades de los Pigopódidos. Crece hasta los 60 cm, sus presas son gecos pequeños, eslizones y serpientes.*

Se han encontrado lagartos ciegos dentro de troncos podridos y debajo de piedras, así como en el mismo suelo, y además se han localizado alguna vez encima de la tierra, debajo de la corteza de los árboles y en nidos de pájaros. En Asia se encuentran en los bosques tropicales húmedos, mientras que en Méjico ocupan hábitat más elevados y secos de pino y roble. Todos los lagartos ciegos son insectívoros, y en las especies que se han estudiado, ponen un huevo con una cáscara calcárea o dura. Los machos utilizan las extremidades posteriores pequeñas para agarrar a las hembras durante la copulación.

Lagartijas de pared y lagartos ágiles
FAMILIA LACÉRTIDOS

Las lagartijas de pared y los lagartos ágiles, llamados algunas veces lagartos auténticos, son de un tamaño medio o moderado. Diurnos, se encuentran entre los reptiles más activos de los hábitat que ocupan. Se encuentran en casi toda Europa, Asia y África, desde bosques tropicales hasta el Círculo polar Ártico, pero son más diversos en la cuenca del Mediterráneo y en las regiones áridas y semiáridas del norte y sur de África y en Oriente Próximo y Medio. La mayoría de las especies son terrestres o saxícolas, pero también las hay que se han especializado en nadar por encima de la hierba, en excavar o en vivir en los árboles.

Las típicas lagartijas y lagartos tienen el cuerpo algo deprimido, extremidades largas, dedos largos y a menudo colas muy largas. Por encima están cubiertos de escamas pequeñas y granulares, y por debajo tienen placas anchas rectangulares. Los escudos de la cabeza son grandes y bien visibles.

La mayoría de ellos confían en su velocidad para escapar de los depredadores, corriendo desde un lugar cubierto a otro. El lagarto de Bushveld (*Heliobolus lugubris*), sin embargo, emplea la mímica como defensa. Los juveniles de esta especie son negros con manchas blancas. Cuando les amenazan, arquean el lomo y corren por el suelo, pareciéndose tanto en el aspecto como en el movimiento al escarabajo Oogpister, un insecto grande del lugar que puede echar un fluido ácido para defenderse. El lagarto planeador de África aplana el cuerpo y utiliza la cola ligeramente extendida para lanzarse como en un paracaídas de rama a rama. También se ven cuerpos planos en algunas de las especies que ocupan grietas de las rocas.

Los lagartos ágiles son comunes en muchos desiertos de África y Asia. Muchas de estas especies tienen unos dedos que les ayudan a correr sobre arena suelta, pero varias especies son auténticos especialistas en arena de dunas. El lagarto de hocico de pala del desierto de Namib tiene los dedos largos con uñas y una mandíbula inferior avellanada. Hurgan en la arena de las dunas, y se sumergen en ella para evitar tanto a depredadores como a las altas temperaturas de 44 °C. Cuando están activos encima de la duna, este lagarto suele levantar una de sus patas anteriores y la pata posterior contraria para evitar la superficie de la arena caliente y permitir que soplen brisas frescas entre su cuerpo y el sustrato.

Los lagartos de hierba del este de Asia se encuentran entre los lagartos auténticos más divergentes. Estos animales poseen cuerpos alargados, muy elásticos, con colas

La mayoría de las lagartijas y lagartos ágiles realizan puestas de 10 huevos o menos, aunque unas cuantas especies más grandes, como la del gran lagarto verde europeo, tienen puestas de más de 20. Hay nacimiento en la lagartija de turbera o vivípara, la que más al norte vive. Como indica su nombre, nace en grupos de cuatro a once jóvenes. Algunas poblaciones que ponen huevos se las consideraba de esta especie al principio, pero recientemente se la ha reconocido como especie independiente.

Algunas especies, como la de la lagartija, coexisten con los humanos. Este tipo de lagartos es común en las paredes de las laderas de viñedos de Europa, y otras especies frecuentan otras estructuras hechas por el hombre. Entre los miembros de esta familia que se encuentran más en peligro están los lagartos gigantes de las Islas Canarias (género *Gallotia*). Se creía que se había extinguido una especie medio siglo antes de encontrar una pequeña población en la isla de El Hierro en 1975. Aún se han descubierto especies más raras recientemente en la vecina isla de La Gomera. El lagarto gigante de la Gomera, *Gallotia gomerana*, se conocía anteriormente sólo por restos fósiles. Se sabe que la población viva descubierta de nuevo está compuesta por seis individuos en una zona de menos de 1 hectárea de tamaño, haciéndole quizás el lagarto más raro del mundo.

que miden cuatro veces o más la longitud de su cabeza y cuerpo. Para contrastar con los marrones y rojos de la mayoría de los miembros de la familia, ellos son verdes, para armonizar con las hierbas y arbustos en los que vive. Los lagartos planeadores y unos cuantos grupos tropicales africanos se encuentran entre los miembros auténticamente arborícolas de la familia. Prácticamente todas las lagartijas y lagartos ágiles son insectívoros, buscan activamente presas artrópodas, pero las especies más grandes suelen comer tanto presas vertebradas como plantas.

Muchas especies de lagartos auténticos, especialmente los que se han estudiado en Europa, poseen complejos sistemas sociales. Los machos suelen tener la cabeza más grande que las hembras, y pueden crear colores llamativos durante la época de apareamiento. Los machos realizan con frecuencia rituales de cortejo para conseguir pareja y son específicos en cada especie. El combate entre machos es común, pero normalmente va precedido de amenazas estereotipadas en las cuales inclinan la cabeza hacia abajo, inflan la garganta y comprimen el cuerpo. Después ponen el cuerpo plano de costado hacia el oponente, maximizando el tamaño aparente del lagarto y exponiendo las manchas brillantes. Como muchos lagartos, el macho de las lagartijas y lagartos ágiles posee normalmente glándulas femorales en la parte inferior de las patas. Se utilizan para señalar territorios y para comunicarse químicamente con parejas y rivales potenciales. Algunas especies también utilizan la comunicación oral, produciendo sonidos simples que pueden ayudar a mantener el territorio y el dominio. Aunque la gran mayoría de lagartos auténticos se reproducen sexualmente, los herpetólogos han identificado a los primeros lagartos unisexuales que pertenecen a esta familia, y varias de estas especies compuestas de hembras solamente se encuentran en las Montañas Caucusus de Eurasia.

○ **Arriba** *Lagartos ágiles (Lacerta agilis) apareándose. La hembra se aparea con varios machos, pero sólo hace una puesta de 4 a 15 huevos por estación. Observe el dicromatismo sexual de esta especie: el color verde del macho es más vivo durante la época de cría.*

○ **Abajo** *La extendida lagartija de turbera (Lacerta vivipara) retiene a los huevos incubándolos dentro del oviducto y nacen en forma de jóvenes. Protegiendo de este modo el desarrollo de los embriones, ha sido capaz de colonizar hábitat mucho más fríos que las especies ovíparas.*

Lagartijas corredoras
FAMILIA TEIDOS

Las lagartijas de cola de látigo y las corredoras son los lagartos más rápidos que ocupan en su mayoría hábitat tropicales o templados de las dos Américas. Varían desde los desiertos del suroeste americano a los bosques tropicales amazónicos. La mayor parte de las especies son terrestres, pero hay algunas semiacuáticas. En general su aspecto se parece mucho a las lagartijas de pared y los lagartos ágiles del Viejo Mundo.

Las lagartijas de cola de látigo son más numerosas en hábitat áridos y semiáridos de Norteamérica. Incluyen algunos de los lagartos más veloces que se conocen. En varias especies se ha registrado una velocidad que supera los 25 km/h. También poseen una gran resistencia, la cual es necesaria para buscar su amplia gama de alimentos. Las lagartijas poseen algunas de las temperaturas corporales que más desean los lagartos. Algunas especies no son activas a menos que su temperatura supere los 36 °C. La actividad de las lagartijas de cola de látigo está limitada, por tanto, por factores medioambientales. Muchas especies del norte son activas en superficie sólo durante unas horas al día, y pueden pasar más de seis meses al año sin actividad y retiradas. Estos signos de actividad son suficientes para poder encontrar alimento, y disminuye el tiempo de exposición al riesgo de depredación.

Las lagartijas de cola de látigo y las corredoras más pequeñas comen insectos principalmente, pero las especies más grandes son carnívoras por lo general. El teyú falso chileno (*Callopistes maculatus*) se ha especializado en lagartos, mientras que el teyú grande come huevos, mamíferos, aves y reptiles además de todo tipo de presas invertebradas. El teyú también incluye en su dieta a las plantas, e incluso unas cuantas corredoras y corredoras de la selva pequeñas son herbívoras. El lagarto dragón y el lagarto caimán de Sudamérica son muy grandes, semiacuáticos, habitan en los bosques y tienen escamas grandes en el lomo. El lagarto dragón es el que más se ha especializado en la familia a la hora de comer, con unos dientes grandes, parecidos a molares, aplasta los caracoles que constituyen su dieta principal.

Muchas corredoras de la selva poseen colores vivos, y en algunas los machos adquieren otros colores durante la época de cría. Sin embargo, si los comparamos con otros lagartos de esta familia muestran poco dimorfismo sexual, y la territorialidad está ausente o se presenta débilmente en muchas especies. Todas las lagartijas de cola de látigo y sus parientes son ovíparas. La mayoría de ellas ponen de uno a siete huevos en cada puesta, pero algunas especies más grandes, como las del teyú, pueden producir más de 30 la vez. El teyú puede poner sus huevos en el suelo o abrir los montículos de las termitas y depositarlos en el interior. Las termitas responden a los daños sufridos reparando la abertura realizada, dejando en su interior a los huevos de teyú. De este modo quedan protegidos de los depredadores y mantienen una temperatura cálida. Los huevos se desarrollan a los 90 o 120 días, cuando las crías salen del nido excavando. Muchas de las especies están compuestas sólo por hembras. Estas formas se originan por medio de la hibridización o hibridación de dos especies parentales diferentes y se reproducen por partenogénesis (véase Unisexualidad: ¿Redundancia de machos?).

El teyú, que ocupa muchos hábitat sudamericanos, ha sido muy explotado por los humanos. Se matan más de 1 millón al año (y más de 3 millones algunos años) para obtener su piel que se utiliza para hacer artículos de piel, especialmente botas de vaquero. Los miembros más grandes de la familia también proporcionan carne y productos medicinales para las personas próximas. Aunque el teyú sigue siendo común en muchas zonas, los gobiernos locales han dado algunos pasos recientemente para controlar el comercio en unos niveles más sostenibles. Dos especies de corredoras de las Indias Occidentales, la corredora gigante de Guadalupe (*Ameiva cineracea*) y la gigante de Martinica (*A. major*) parece ser que se han extinguido hace mucho tiempo.

Lagartos microteidos
FAMILIA GYMNOPHTHALMIDAE

Los lagartos microteidos son parientes cercanos de las lagartijas de cola de látigo y corredoras, pero casi todas las especies son bastante pequeñas. En vez de ser componentes visibles de la fauna, la mayoría de las especies son sigilosas. Las escamas varían enormemente, pero las del lomo suelen ser grandes y se diferencian bien de las de los costados. Los microteidos son tropicales esencialmente, se extienden desde el sur de América Central al centro de Argentina, y aparecen algunas especies en las islas del Caribe. También aparecen en altitudes elevadas de los Andes, donde las temperaturas llegan a ser bastante frías. Muchas especies son activas en el humus o debajo de troncos, algunas son excavadoras o arborícolas, o incluso habitantes de ciénagas. Los microteidos típicos son de color pardo y poseen extremidades cortas. Una especie de microteido de extremidades reducidas es el único lagarto que carece por completo de extremidades posteriores, pero mantiene las anteriores.

Al parecer todos los microteidos son insectívoros generalmente. Son forrajeadores activos, moviéndose con frecuencia en busca de presas. Unas cuantas especies registradas son activas por la noche, pero las especies que se han estudiado bien son activas durante el día, aunque normalmente prefieren la sombra completa o parcial al sol directo.

La mayoría de los microteidos escapa de las amenazas corriendo rápidamente hasta cubrirse en la base de las plantas o en el humus. Las especies que habitan en bosques al lado de arroyos, como la *Arthrosaura reticulata* pueden sumergirse en el agua, permaneciendo en el fondo durante algún tiempo hasta que ha pasado el peligro.

Todos los microteidos son ovíparos, y las pocas formas de las que existe información disponible producen puestas de dos huevos de cáscara correosa. Sin embargo, algunas especies al menos, pueden producir puestas múltiples, normalmente en rápida sucesión, durante períodos de tiempo amplios. Al menos dos grupos están representados únicamente por formas de hembras de reproducción asexual.

⬧ Arriba *Los lagartos microteidos son terrestres y buscan su alimento entre el humus de su hábitat de bosque húmedo de Sudamérica y América Central. Este lagarto bromelia (*Anadia ocellata*) se está comiendo una cochinilla.*

Lagartos cordilos

FAMILIA CORDÍLIDOS

La familia de los lagartos cordilos es la única con una distribución restringida a África continental. Son más diversos en hábitat rocosos de Sudáfrica, pero se extienden hasta el norte de Etiopía. Todos los lagartos cordilos son activos durante el día y principalmente insectívoros. Su nombre procede de las espirales de escamas espinosas que rodean la cola y algunas veces también el cuerpo. Tanto el lomo como el vientre de muchos de estos lagartos están cubiertos de escamas rectangulares regulares. Las del lomo contienen osteodermos.

La mayoría de los lagartos cordilos viven en las rocas y tienen el cuerpo deprimido para permitirles entrar por grietas estrechas. El lagarto plano es el caso extremo a este respecto. Poseen menos coraza que los demás lagartos cordilos, y sus largas patas les ayudan a correr con rapidez por las superficies de guijarros en las que viven.

El lagarto armadillo está cubierto de placas muy grandes y vive en grupos familiares en grietas de rocas, salien-

◑ *Izquierda* *El lagarto plateado enano (Cordylosaurus subtessellatus) es una especie que habita en las rocas de las regiones áridas de Namibia, en el suroeste de África. Su característica más sorprendente es su cola de color azul eléctrico, que rápidamente autotomiza si la coge un predador.*

◐ *Abajo* *Para defenderse de un ataque, el lagarto armadillo (Cordylus cataphractus) se enrosca y se muerde la cola. Enrollándose de ese modo presenta sus escamas al atacante. En esta postura resulta prácticamente imposible de tragar.*

do a cortas distancias para capturar insectos, que son sus presas. Aunque no pueden correr con rapidez, estos lagartos poseen una defensa muy eficaz: si son interceptados fuera de sus refugios, se enrollan formando una bola y se muerden la cola, presentando una formidable bola espinosa a cualquier predador, mientras protege su vientre más vulnerable.

El lagarto cordilo gigante es el más grande, mide 20,5 cm y no habita en las rocas. Viven en colonias, en zonas altas del este de Sudáfrica y excava madrigueras de 40 cm de profundidad y 1,8 m de longitud. Toma el sol en la entrada de su madriguera. El lagarto cordilo más peculiar es el lagarto serpiente, especialista en la hierba, con diminutas extremidades reducidas y colas muy largas, hasta de cuatro veces la longitud de su cuerpo.

La mayoría de los lagartos cordilos son de color pardo, pero tanto los lagartos planos como los de risco, que muestran un dimorfismo sexual significativo, son excepciones. En los lagartos planos, los machos, mucho más grandes, pueden ser de color rojo vivo, naranja, amarillo, verde o azul, o algunos combinan estos colores, mientras que las hembras son negras normalmente con una serie de rayas de color pálido en el lomo. Los lagartos planos tienen una conducta social compleja y forman colonias densas en las que los machos defienden el territorio durante la época de cría. Los lagartos cordilos comunes (*Cordylus cordylus*) también son agresivos. Aunque pueden compartir la misma roca muchos animales, mantienen el dominio mediante amenazas y luchas.

La mayoría de los lagartos cordilos nacen en camadas de una a cuatro crías. El tamaño de la camada está limitado normalmente por la forma plana del cuerpo, y las más grandes (de hasta 12) aparecen en los lagartos serpiente (Sweeplangs). Los lagartos planos son los únicos cordilos ovíparos. Sus puestas son de dos huevos muy alargados.

La mayor parte de los lagartos cordilos están protegidos por leyes internacionales. Ya que algunos tienen una distribución muy restringida, son vulnerables a la destrucción de su hábitat local. El cordilo gigante está en peligro especialmente por la conversión agrícola de sus hábitat de hierba en Sudáfrica.

Lagartos plateados

FAMILIA GERROSAÚRIDOS

Los lagartos plateados o gerrosauros están muy relacionados con los lagartos cordilos, ambos habitan en África subsahariana y Madagascar. Al igual que los lagartos cordilos, son activos durante el día y comparten la presencia de osteodermos en la piel. Normalmente carecen de las escamas espinosas de los cordilos pero, sin embargo, poseen un prominente pliegue en el borde del vientre. La mayoría tiene cuerpo cilíndrico con patas pequeñas pero bien formadas. La reducción de extremidades se ha producido en los seps (especie del género Tetradactylus). Estas son especies de hierba pequeñas, alargadas, algunas de las cuales muestran una pérdida completa de extremidades anteriores. La mayoría de los lagartos plateados de Namibia sólo llegan a medir 50 mm. Tiene una cola azul brillante que utiliza para distraer a los predadores y evitar que ataquen a partes más vulnerables, como son la cabeza o el cuerpo.

Las especies africanas incluyen tanto habitantes de rocas como especies de sabana que ocupan madrigueras, entre las que se encuentran las abandonadas por los mamíferos. El lagarto plateado gigante (*Zonosaurus maximus*) es semiacuático, y otras formas de Madagascar son habitantes de bosques secos.

El lagarto plateado de Namib se ha especializado mucho para vivir en las dunas. Los dedos de los pies están adaptados para moverse sobre arena suelta y posee una mandíbula avellanada que no permite que entre la arena a la boca. Utiliza todo su cuerpo para sumergirse profundamente en la arena y así evita a los predadores y escapa a las elevadas temperaturas del mediodía. Pequeños grupos coloniales se suelen extender en la superficie de las dunas para tomar el sol y buscar alimento. Son muy precavidos, excavarán y desaparecerán de la vista cuando aparezca una amenaza potencial. Los lagartos plateados de Namib son oportunistas en su alimentación, pero las dunas en las que habitan les proporcionan pocas presas animales. Se alimentan principalmente de escarabajos y semillas u otras plantas que vienen con el aire del interior, donde hay más vegetación. El resto de los lagartos plateados son insectívoros principalmente, pero muchas especies más grandes también comen vertebrados pequeños y plantas.

Suelen ser solitarios y pueden ser agresivos con otros miembros de su especie. Puede haber cambios de color durante la madurez, especialmente en las especies de Madagascar, y los adultos machos presentan con frecuencia colores más vivos que las hembras. Todos los lagartos plateados son ovíparos, y las hembras suelen producir pequeñas puestas de 2 a 12 huevos.

Los seps de Eastwood (*Tetradactylus eastwoodae*) de Sudáfrica se han extinguido prácticamente. No se han visto desde que se describieran en 1913 y su hábitat ya se ha cubierto de plantaciones de pino exótico.

Eslizones
FAMILIA ESCÍNCIDOS

Las 1.400 especies de eslizones ocupan casi todos los tipos de hábitat desde el sur de Canadá y noroeste de Asia hasta el sur de Nueva Zelanda, y también han tenido éxito a la hora de colonizar muchas islas tropicales del mundo. La mayoría de los eslizones activos en superficie son diurnos, pero las especies que viven en madrigueras o en humus pueden ser activas durante la noche o a diferentes horas del día. La mayoría de los eslizones están cubiertos de escamas quilladas solapadas lisas o que sobresalen débilmente y tienen el cuerpo más o menos cilíndrico con extremidades cortas. Las extremidades se han reducido o perdido al menos 25 veces en la historia del grupo. Normalmente los eslizones de extremidades reducidas pasan gran parte del tiempo bajo tierra o debajo de otros objetos que los cubran. No obstante, algunos son activos en superficie principalmente.

◖ **Izquierda** *Especies representativas de cinco familias de lagartos:* **1** *Geco diurno de Madagascar* (Phelsuma laticauda); *Gecónidos.* **2** *Lagarto nocturno de Henshaw* (Xantusia henshawi); *Xantúsidos.* **3** *Geco moro* (Tarentola mauritanica); *Gecónidos.* **4** *Geco turco* (Hemidactylus turcicus); *Gecónidos.* **5** *Teyú común* (Tupinambis teguixin): *Teidos.* **6** *Especie unisexual de cola de látigo común* (Cnemidophorus tesselatus); *Teidos.* **7** *Eslizón de lengua azul* (Tiliqua occipitalis); *Escíndidos.* **8** *Eslizón occidental* (Eumeces skiltonianus); *Escíncidos.* **9** *Geco de cola gruesa* (Hemitheconyx caudicinctus); *Gecónidos.* **10** *Lagarto ocelado* (Lacerta lepida); *Lacértidos.*

En los casos más extremos, como el de los eslizones ciegos excavadores, no hay indicios externos de extremidades y tanto los ojos como los oídos pueden estar cubiertos de escamas. Estas especies pasan toda su vida bajo tierra o debajo de humus o rocas, donde se alimentan de termitas y de otros insectos pequeños distribuidos desigualmente. El pez de las arenas presenta una opción diferente a la de excavar. Esta especie del norte de África y de Arabia mantiene las extremidades y utiliza sus dedos con uñas y hocico en forma de cuña para moverse por la arena del desierto.

La mayoría de los eslizones son activos a la hora de buscar presas. La dieta del eslizón consiste principalmente de artrópodos, y los pequeños son insectívoros casi de un modo exclusivo, aunque los eslizones un poco más grandes la complementan de vez en cuando con plantas. Los que comen frutos pueden servir para extender semillas, especialmente en las islas. Los grandes eslizones de lengua azul australianos y sus parientes son omnívoros, comen frutos, flores y otras partes de las plantas además de caracoles, huevos de aves, artrópodos, y alguna vez pequeños invertebrados. El caso más extremo de herbívoro se ve en el eslizón de cola prensil de las Islas Salomón. Este eslizón grande, arborícola, posee una dieta compuesta únicamente de plantas. Después de digerir el alimento, el lagarto suele ingerir sus propias heces con el fin de reciclar las bacterias simbiontes del conducto alimentario que necesita el lagarto para romper las paredes celulares del tejido de la planta y así poder digerirla más.

El eslizón de las Islas Salomón es poco corriente en otros aspectos también. Es nocturno y, después de un período de gestación de unas 39 semanas, nace una única cría que tiene un tamaño de una tercera parte del de su madre. Otro eslizón arborícola extraño es el eslizón de sangre verde de Nueva Guinea. Su pigmento verde en la sangre, biliverdina, está presente en la bilis y es el responsable de que las escamas, lengua, cobertura de la boca, músculos, huesos e incluso los huevos sean de color verde. Este eslizón tiene almohadillas en los dedos parecidas a las de los gecos y anolis, pero son menos complejas y menos efectivas.

Los eslizones confían principalmente en una combinación de sustancias químicas y señales visuales para comunicarse. Los colores vivos son raros, pero aparecen en las cabezas de los machos de algunas especies terrestres, como en los eslizones de bandas y los de las Grandes Llanuras durante la época de cría. No son territoriales en su mayoría pero algunos defenderán sus madrigueras o los lugares donde toman el sol. Durante la época de cría, los machos se hacen agresivos y muestran un movimiento lateral de cabeza y cuerpo, y son comunes los combates. A menudo los machos lamen a las hembras y las sujetan antes del apareamiento, mordiéndola en el cuello, en las extremidades o en la parte anterior del cuerpo antes y durante la cópula.

El lagarto rugoso (*Tiliqua rugosa*), que puede vivir 20 años o más, posee una estructura social compleja. Los machos y las hembras forman parejas que duran 14 años al menos. La pareja se reúne cada primavera para aparearse, pero pasan el invierno separados. Suceden infidelidades de vez en cuando, pero la mayoría de las parejas formadas se mantienen año tras año.

La mayoría de los eslizones ponen huevos, pero la viviparidad ha evolucionado de modo independiente muchas veces. Se sabe que algunas especies tienen poblaciones que ponen huevos y otras que retienen a los huevos en el interior durante el desarrollo y nacen más tarde. Los embriones de estos eslizones se alimentan por medio de depósitos de vitelo. Sin embargo, varios grupos han desarrollado una forma de viviparidad que se parece mucho más a la de los mamíferos. En el eslizón brasileño y en unas cuantas especies el huevo es diminuto y apenas contiene vitelo. A medida que se desarrolla el embrión, se nutre directamente de la madre por medio de la placenta. La gestación del eslizón brasileño dura casi un año (en las especies que confían en la nutrición del vitelo dura entre 9 y 39 semanas). Los eslizones ovíparos pueden producir puestas que varían de 1 a 30 huevos, más o menos con la misma variación que se ve en las formas vivíparas. La mayoría ponen los huevos en grietas o cavidades protegidas muy húmedas y luego les abandonan, pero muchos eslizones del género *Eumeces* cuidan de sus huevos. Esta conducta se puede expresar dándoles la vuelta, lamiéndolos, moviéndolos y protegiéndolos, y algunas veces luchan activamente con los predadores de huevos.

Varios eslizones insulares, que habitan en tierra, parecen haberse extinguido en los últimos tiempos. Uno de los más grandes que ha vivido era el eslizón gigante de Cabo Verde, *Macroscincus coctei*, que alcanzaba una longitud de 32 cm. Esta especie era relativamente común en los zoos en el siglo XIX, pero no se ha visto en estado salvaje durante 100 años por lo menos y se presume que se ha extinguido. Varios eslizones isleños del Océano Índico parecen haber desaparecido poco después de llegar barcos europeos que llevaban ratas, gatos y otros predadores mamíferos.

Anguidos
FAMILIA ANGUIDOS

Los anguidos se encuentran en la mayoría de las zonas tropicales y algunas templadas del hemisferio norte. En el Nuevo Mundo se extienden por el sur y centro de Argentina. Al igual que los lagartos plateados, son relativamente uniformes, poseen escamas rectangulares normalmente con osteodermos incrustados en el interior. Muchas especies también poseen un pliegue a lo largo del margen del costado y vientre. Los anguidos ocupan hábitat diversos, desde desiertos secos a bosques nubosos tropicales pasando por bosques fríos de pinos y robles. Algunos son sigilosos y nocturnos (por ejemplo el lagarto ápodo de California y algunos galliwasps) o, si son activos durante el día, entonces únicamente lo son en la sombra profunda o bajo objetos que les cubran. Otros son diurnos y les gusta el sol relativamente.

Los lagartos aligator de América del Norte y Central tienen extremidades completas. Un grupo, el de los arborícolas, habitan en el bosque tropical, suelen vivir en las cubiertas altas, entre plantas epífitas que pueblan las ramas de los árboles. Se ha encontrado una especie a 40 m de altura sobre una base de bromelias. Estos lagartos poseen colas prensiles y presentan colores vivos con frecuencia. Al lagarto aligator del sur y del oeste de Estados Unidos, un lagarto terrestre y diurno principalmente, también se le ha observado utilizando su cola para agarrarse, ayudándole así a alcanzar los nidos de los pájaros y alimentarse de sus huevos.

Muchos anguidos tienen extremidades reducidas y algunos, como los luciones y el lagarto ápodo de California, no tienen extremidades, pero todas estas especies tienen párpados móviles, y todos excepto el lagarto ápodo de California poseen aberturas externas del oído. Los lagartos de cristal de Norteamérica se llaman así por la facilidad con la que se rompe su cola. El nombre latino del lución –*Anguis fragilis*– se refiere de igual modo a la naturaleza frágil de la cola en comparación con las de las serpientes, con las que se confunden algunas veces. La autotomía de la cola es un mecanismo de defensa común empleado por la mayor parte de los anguidos, pero las especies más grandes, especialmente los lagartos aligator, pueden boquear y embestir si les molestan y pueden dar dolorosos mordiscos.

La mayor parte de los anguidos de extremidades reducidas son activos en superficie y diurnos durante gran parte del año. Los lagartos ápodos de California son verdaderos excavadores que se encuentran en la arena o en suelo suelto. Localizan la presa en la superficie por medio de señales químicas y vibratorias y salen a coger insectos o arañas antes de regresar bajo tierra. Además de una amplia variedad de insectos, se sabe que los anguidos también comen lagartos, pequeños mamíferos, huevos y pájaros de nido, renacuajos, gusanos de tierra, arañas, escorpiones y cochinillas. Los luciones y sus parientes más grandes, los lagartos ápodos (*Ophisaurus apodus*), son predadores especialmente eficaces de caracoles y babosas.

Existe una gradación entre los galliwasps tropicales americanos, los hay con extremidades robustas y los hay prácticamente sin extremidades, muchos de los cuales parecen eslizones. Una especie de galliwasp brasileño tiene juveniles con bandas de colores vivos, pero los adultos son bastante pardos. La similitud de tamaño y color que presentan los jóvenes con el milípedo venenoso ha llevado a sugerir que el galliwasp le imita y consigue protección por su parecido con este tipo de artrópodo dañino. En la diminuta isla rocosa de Malpelo, frente a la costa de Colombia en el Pacífico, los galliwaps (*Diploglossus millipunctatus*) superan la falta de presas artrópodas manteniéndose de mariscos. Los galliwasps asaltan a las aves marinas cuando regresan a sus nidos con alimento para sus crías, y sobreviven de peces regurgitados en gran parte. Al parecer se ha extinguido uno de los miembros más grandes de este grupo, el galliwasp gigante jamaicano (30,5 cm). La escasa información que existe sobre esta especie indica que vivía en zonas pantanosas, donde se alimentaba tanto de peces como de frutos.

Los anguidos utilizan señales químicas para localizar presas y parejas. Aunque no mantienen un territorio como hacen otros lagartos, los machos entablan combate regularmente y se muerden unos a otros. También muerden la cabeza de la hembra durante la copulación. Aunque son solitarios, los anguidos de climas más fríos

◑ **Arriba** *El eslizón arborícola de las Islas Salomón (Corucia zebrata) es de constitución grande y robusta, pero está provisto de una fuerte cola prensil que utiliza para apoyarse cuando recoge frutos y hojas para comer.*

◑ **Izquierda** *Con su nariz en forma de cuña y su cuerpo aerodinámico, el pez de las arenas (Scincus scincus) se ha adaptado muy bien para moverse por su entorno del desierto y «nada» literalmente por la arena suelta de las dunas.*

◑ **Izquierda** *Una hembra de lagarto galliwasp (Diploglossus bilobatus) guarda a sus huevos. Dentro de este género único, algunas especies ponen huevos, mientras que otras son vivíparas.*

pueden compartir lugares de retiro en invierno. Se encontraron 30 luciones juntos en un solo lugar.

La mayoría de los anguidos ponen huevos en puestas pequeñas de 2 a 12 huevos, pero algunos lagartos aligator tienen puestas de más de 40. Los lagartos de cristal ponen a menudo los huevos en madrigueras de mamíferos abandonadas, y cuidan de sus nidos envolviéndolos con su cuerpo y proporcionándoles protección. En el lución hay nacimiento y produce de 4 a 28 crías (normalmente hasta 12) a finales de verano, después de 8 a 12 semanas de gestación. Los lagartos ápodos de California también son vivíparos, llevan a los jóvenes durante 3 o 4 meses y nacen en invierno. Los lagartos aligator y los galliwasps incluyen especies ovíparas y vivíparas. Se han registrado camadas de 27 en algunos de los galliwasp vivíparos más grandes. Muchos anguidos no se reproducen todos los años, y este hecho, combinado con sus frecuentes puestas y camadas pequeñas, significa que la reproducción es bastante lenta, un inconveniente que se compensa con su larga vida reproductiva. Se sabe que muchos anguidos viven al menos 10 años, y se ha sabido que el lución ha sobrevivido 54 años en cautividad, un record para cualquier lagarto.

Algunos lagartos aligator arborícolas que están muy restringidos en zonas montañosas de América Central están en peligro debido a la deforestación. Probablemente es motivo de que algunas especies hayan desaparecido antes de que la ciencia las llegara a conocer. El aspecto algo temible de algunos lagartos aligator ha hecho que se extienda el concepto erróneo de que son venenosos. En realidad son totalmente inofensivos.

Xenosauros

FAMILIA XENOSAÚRIDOS

Los xenosauros forman un pequeño grupo de lagartos que consta de cinco especies en Centroamérica, en zona tropical, y de una en China. Las especies chinas se consideran algunas veces una familia independiente (Los Shinisauridos). Los xenosauros poseen grandes tubérculos en el lomo que contienen osteodermos. Las colas pueden tener una cresta de esas placas óseas. Las especies del Nuevo Mundo se extienden por el

sur de Méjico y Guatemala y son terrestres principalmente. Aparecen tanto en malezas secas como en bosques nubosos de montañas volcánicas o calcáreas, pero normalmente buscan microhábitat húmedos. Son sigilosos y a menudo se encuentran en grietas de rocas, troncos huecos y agujeros de árboles, pero también debajo de piedras en arroyos o aguas estancadas de poca profundidad. Pueden trepar hasta 2 m en la vegetación, pero no son auténticamente arborícolas. Todas las especies tienen cabeza y cuerpo un poco deprimidos.

El xenosaurio chino, o lagarto cocodrilo chino, trepa ágilmente por la vegetación, y con frecuencia se cuelga sobre los arroyos. Es de hábitos semiacuáticos y nunca se encuentra lejos de estanques de agua de flujo lento. La cabeza y la cola están comprimidas lateralmente y es un nadador resistente. Se alimenta de peces, renacuajos, ranas, cangrejos e insectos. Por el contrario, las especies americanas son insectívoras principalmente, aunque algunas veces consumen milípedos y lagartos pequeños. Casi todos los xenosauros parecen ser diurnos generalmente, pero son activos en condiciones sombrías.

Los xenosauros americanos son animales solitarios en su mayoría, normalmente sólo se reúnen para aparearse. Los adultos son agresivos unos con otros y lucharán y morderán con fuerza. Cuando predadores potenciales les amenazan, ellos abren mucho la boca y muerden.

🔊 **Abajo** *Especies representativas de siete familias de lagartos:* **1** *Varano acuático asiático (Varanus salvator); Varánidos.* **2** *Xenosauro chino (Shinisaurus crocodilurus); Xenosaúridos.* **3** *Lagarto ciego asiático (Dibamus novaeguineae); Dibámidos.* **4** *Lagarto aligator del sur (Elgaria multicarinata); Ánguidos.* **5** *Cordilo gigante (Cordylus giganteus); Cordílidos.* **6** *Lagarto sordo de Borneo (Lanthanotus borneensis); Lantanótidos.* **7** *Monstruo de Gila (Heloderma suspectum); Helodermátidos.*

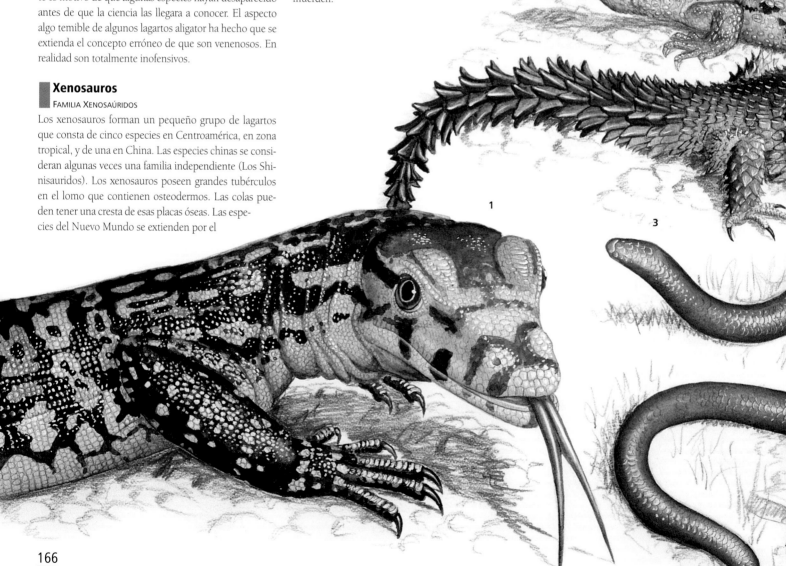

Todos los xenosauros son vivíparos. En las especies del Nuevo Mundo nacen de 1 a 8 crías desde primavera a mediados del verano, después de casi un año de gestación. En el lagarto cocodrilo chino, el apareamiento puede durar hasta hora y media, y las camadas de 15 descendientes nacen después de un período de gestación de 8 a 14 meses. La cría tiene lugar normalmente cada dos años. En al menos una especie mejicana, el xenosauro de Newmans (*Xenosaura newmanorum*), las hembras pueden compartir retiro y proporcionar protección a su descendencia durante períodos de hasta siete meses.

En Latinoamérica, algunas personas creen erróneamente que los xenosauros son venenosos. Las especies chinas limitadas geográficamente se consideran en peligro por el resultado de la destrucción de su hábitat de bosque y la excesiva recogida durante la década de 1980 para el comercio cultural de herpetología. Solamente quedan unos 2.500 animales en estado salvaje, aunque las especies se mantienen y alimentan en cautividad con frecuencia.

Lagartos venenosos
FAMILIA HELODERMÁTIDOS

Las dos especies de lagartos venenosos son las únicas especies venenosas del mundo. El monstruo de Gila vive en zonas áridas del suroeste y oeste de Méjico, mientras que su pariente más grande, el lagarto venenoso mejicano, se extiende por el sur hasta Guatemala. Ambas especies poseen cuerpos cilíndricos y pesados, con patas cortas, una cola relativamente gruesa y cabeza roma. Las glándulas venenosas son glándulas salivares modificadas y están localizadas en la mandíbula inferior. El veneno pasa a canales estrechos de los dientes por acción capilar y se inyecta cuando el lagarto mastica a su víctima. El veneno actúa sobre el sistema nervioso y da como resultado un fallo cardíaco y parálisis respiratoria. Los mordiscos de los lagartos venenosos son muy dolorosos para los humanos, aunque raros, y en general no son mortales en adultos sanos.

Estos lagartos evitan las temperaturas extremas y normalmente son activos al atardecer o durante la noche. Pueden utilizar grietas de rocas o madrigueras de mamíferos abandonadas para retirarse. En las partes más frías los monstruos de Gila son inactivos durante varios meses al año. Los lagartos venenosos son terrestres principalmente, pero también son potentes excavadores y trepadores adeptos y se pueden encontrar a 5 o 7 metros de altura. Ambas especies poseen dietas diversas que incluyen pequeños mamíferos, pájaros, lagartos, ranas, huevos de reptil y de ave, insectos, gusanos de tierra,

miriápodos y carroña. Las presas son detectadas por señales químicas usando la lengua y el órgano vomeronasal. La cola sirve para almacenar grasa y cambia de diámetro según el estado nutricional del lagarto.

El apareamiento tiene lugar en primavera y la cópula dura una hora. Las hembras ponen de 3 a 13 huevos alargados, de cáscara correosa, y los entierra en nidos poco profundos (12 cm) excavados en el suelo en lugares soleados. En los monstruos de Gila la incubación dura 10 meses.

Lagarto sordo de Borneo
FAMILIA LANTANÓTIDOS

El lagarto sordo de Borneo forma una familia propia. Está más relacionado con los varanos auténticos, pero la forma de su cuerpo se parece a la de los lagartos venenosos. Difiere de ellos en que tiene las narinas situadas en la parte superior del hocico y en que carece de abertura externa del oído, pliegue de piel en la garganta y de cualquier aparato de veneno rudimentario. Se conocen sólo en el sur de Sarawak en la parte malaya de Borneo.

Los varanos sordos son nocturnos principalmente y parecen ser excavadores y semiacuáticos. Las extremidades son cortas y el cuerpo largo y cubierto de escamas alargadas que contienen osteodermos. Estos varanos son excelentes nadadores, pero se mueven con torpeza en tierra.

En cautividad el varano sordo come peces, gusanos y huevos de tortuga y aves, pero no se conoce su dieta en estado salvaje. Se cree que tiene un ritmo metabólico bajo y las especies en cautividad parecen lentas en general. Los varanos sordos ponen de 2 a 6 huevos.

Lagartos monitores o varanos
FAMILIA VARÁNIDOS

Los varanos, conocidos también como goannas en Australia y leguaans en Sudáfrica, son los lagartos vivos más grandes. El dragón Komodo de Indonesia alcanza los 3,13 m de longitud total. Los varanos extinguidos eran aún más grandes. El *Megalania prisca* australiano, que vivió durante el Pleistoceno, alcanzaba longitudes de 7 m. Los varanos están relacionados con los mosasauros (lagartos marinos fósiles que eran todavía más grandes) y con las serpientes. El Komodo es el mayor predador de las pequeñas islas en las que aparece. Mata y come venados, cerdos y cabras y se sabe que pudo con un búfalo de agua de 590 kg de peso. Se sabe que un dragón de 46 kg devoró a un cerdo de 41 kg en una sola comida. También se sabe que ataca a los humanos, y se le han atribuido unas cuantas muertes. Aunque no es venenosa, la saliva de los dragones Komodo contiene varias bacterias que pueden llevar a la septicemia y a la muerte si no se trata. En el otro extremo de la escala se encuentran las especies pequeñas, como la del varano de cola corta de Australia, que se alimenta de insectos y pequeños lagartos y alcanza un tamaño máximo de 12 cm y un peso inferior a 20 g.

Los varanos se encuentran en África, en el suroeste y sureste de Asia y en Australia. Son especialmente numerosos en Australia e Indonesia. No hay mamíferos carnívoros grandes en la parte oriental en la que se encuentran los varanos, y hasta cierto punto éstos lagartos

puede que hayan rellenado ese hueco. Los varanos más grandes suelen ser carnívoros, comen pequeños mamíferos, pájaros, huevos, lagartos, serpientes, peces y cangrejos. Los varanos del Nilo son predadores muy importantes de huevos de cocodrilo. Para las presas más grandes emplean la emboscada. Al igual que las serpientes, los varanos se tragan a su presa entera y normalmente empiezan por la cabeza. Los insectos forman parte importante de la dieta de las especies pequeñas e incluso de algunas más grandes. Todo tipo de carroña también es bienvenida por muchos varanos. En algunas especies se han modificado los dientes para romper caracoles. El varano de Gray (*Varanus olivaceus*) de las Filipinas come principalmente caracoles y cangrejos cuando es joven, pero cambia a una dieta rica en frutas cuando es maduro. Aunque también consumen presas invertebradas los adultos, el tracto digestivo de esta especie está especializado para digerir plantas.

La mayoría de los varanos comparten una forma común de cuerpo. El cuerpo es alargado y las extremidades están bien desarrolladas, con fuertes garras en todos los dígitos. El cuello es largo y la cola es musculosa y de compresión lateral ligera o alta. La mayoría son terrestres

○ **Arriba** *El varano verde o esmeralda (Varanus prasinus) posee adaptaciones muy especializadas para vivir en las copas de los árboles de los bosques lluviosos. Es de constitución delgada, posee dígitos largos con garras, una cola prensil y una coloración efectiva verde y negra para el camuflaje.*

y aparecen en desiertos arenosos, sabanas o bosques, pero muchas especies más pequeñas, entre ellos el varano esmeralda de Nueva Guinea, son trepadoras ágiles. Incluso los juveniles de los dragones Komodo pasan la mayor parte del tiempo en los árboles. Otros son excelentes nadadores. Los varanos que nadan emplean la cola y presionan las extremidades contra los costados del cuerpo, por tanto estas especies suelen tener colas comprimidas muy fuertes. El varano acuático asiático nada alguna vez en el mar, donde se sumerge regularmente debajo de la superficie para escapar de los predadores y puede permanecer sumergido durante más de una hora.

Otras defensas comunes son los azotes que da con su poderosa cola, los zarpazos y los silbidos que realiza con el cuello inflado y la compresión del cuerpo para maximizar el tamaño. El varano de Gould responde a las ame-

EL CORTEJO DE LOS LAGARTOS

Como todos los vertebrados, los lagartos poseen rituales de cortejo que les ayudan a encontrar parejas adecuadas y obtener su cooperación en el apareamiento. En los lagartos siempre es el macho el que corteja, pero sólo progresará si su pareja le proporciona el estímulo apropiado. Ella tiene que comportarse como una hembra, y como hembra de la misma especie de él. Con una hembra de otra especie la reproducción llevaría a híbridos estériles, si es que hubiera descendencia. Ella tiene que indicar también que se encuentra receptiva, con óvulos maduros preparados para la fertilización.

Muchos lagartos emplean signos visuales peculiares en el cortejo. En el anolis verde, el macho empieza meneando la cabeza y extiende la papada situada debajo de la garganta. A menudo se acercará a la hembra andando con las patas rígidas. Si ella está receptiva, se quedará quieta y luego arqueará el cuello a medida que se acerca él. Si no está receptiva, simplemente saldrá corriendo. En el lagarto aligator, el macho mueve la cabeza de lado a lado. Las hembras receptivas se acercan a los machos que se exhiben y les dan un golpe suave mientras sacuden la cabeza. Las hembras no receptivas se retiran ondeando la cola.

Las señales visuales son importantes en el cortejo del geco (en el geco de bandas occidental, los machos se aproximan a las hembras en posición postrada, ondulando la cola) pero en algunas especies, como en el geco Barking, las señales más importantes son las vocalizaciones que producen los machos cuando se sientan en las entradas de sus madrigueras.

Los varanos emplean muy pocas señales sonoras o visuales. El dragón Komodo macho, por ejemplo, se acerca a la hembra, presiona su hocico contra su cuerpo **1** y le da golpes rápidos y ligeros con su larga lengua para obtener información química sobre la receptividad de ella. Luego él la agarra por el lomo con sus largas garras **2** haciendo un ruido parecido al de una rueda de trinquete. Si no está receptiva, ella se levanta e infla el cuello y silba con fuerza.

A menudo los machos muerden, arañan o lamen a las hembras que han señalado su receptividad. Las especies anguidas, como el lución y el lagarto aligator, sujetan con la boca el cuello o cabeza de la hembra mientras intentan copular. El anolis verde se sitúa en paralelo al cuerpo de la hembra cuando agarra con firmeza el cuello de la hembra con la boca, sus extremidades posteriores abrazan la base de la cola de ella. El geco de bandas occidental empuja a su pareja con el hocico y o bien la lame o bien le muerde la cola y los costados. Finalmente consigue sujetarla con un mordisco en el cuello y alinea su cuerpo y sus extremidades anteriores y posteriores con los de ella. En el dragón Komodo el macho sube arrastrándose al lomo de la hembra **3** y, dando golpecitos con la lengua en la cabeza de ella, frota la base de la cola de la hembra con sus extremidades posteriores para estimular a que la levante. AGK/GS

⬤ *Abajo* *Un macho de camaleón orejero (Chamaeleo dilepis) persigue a una hembra durante el cortejo. El complejo colorido de su cuerpo está diseñado para atraer a la pareja.*

nazas permaneciendo sobre sus extremidades posteriores, pero esta postura también es útil para examinar los alrededores en busca de pareja y presas potenciales.

Todos los varanos son activos durante el día y la mayor parte de las especies terrestres y arborícolas prefieren una temperatura corporal de 35 °C a 40 °C; toman el sol para aumentar su temperatura, y se retiran a madrigueras o a otros lugares a la sombra cuando la temperatura sube demasiado. Las especies más acuáticas prefieren temperaturas más bajas, 33 °C. Las especies que viven en zonas templadas, como el varano de garganta blanca y el varano del desierto (*Varanus griseus*), duermen de un modo regular durante el invierno.

Los varanos poseen largas lenguas que utilizan para recoger señales químicas en el aire. A menudo localizan a las presas de este modo, así como a las parejas. En el varano africano de garganta blanca, los machos se desplazan a 4 km por día para localizar a las hembras. Los machos y las hembras difieren en tamaño, color o aspecto. Los machos son territoriales y lucharán con sus rivales para acceder a la pareja. Los combatientes se apoyan en las patas traseras, se agarran con las patas delanteras e intentan tirar al suelo al oponente. En algunas especies

el ganador muerde a su enemigo vencido. Los machos y hembras de varano de Rosenberg (*Varanus rosenbergi*) de Australia forman parejas fijas. El cortejo implica que el macho lama y acaricie a la hembra y también copulaciones múltiples durante un período de varios días. Todos los varanos ponen huevos, los depositan sobre todo en madrigueras, huecos de árboles o montículos de termitas. Las puestas varían de 7 a 51 huevos. Las puestas más grandes corresponden a especies con cuerpos más grandes.

Muchas especies de varanos se cazan por su piel y su carne. En el centro de Australia estos lagartos forman parte importante de la dieta tradicional de los pueblos indígenas, mientras que en Asia y en África se explota para utilizarlo como alimento y producto medicinal. Más de un millón de lagartos, especialmente varanos del Nilo y comunes asiáticos, se matan por su piel, que se exporta para emplearla en la fabricación de productos de piel de lagarto, como zapatos, cinturones y bolsos.

AMB/AGK/GS

Familias de lagartos

LA CLASIFICACIÓN DE LOS LAGARTOS se está investigando de un modo activo, pero las interrelaciones de muchas familias siguen siendo inciertas. La mayor parte de los datos disponibles apoyan el reconocimiento de los grupos importantes que se muestran en la hipótesis filogenética de la derecha (Iguanios, Gecotos, Escincomorfos, Anguimorfos). Sin embargo, la situación de algunas familias, como los Xantúsidos y Dibámidos (los cuales se consideran relacionados con los Gecotos algunas veces) es incierta. En otras clasificaciones las familias Eublefarinos y Diplodáctilos se incluyen a veces con los Gecónidos, y los Gerrosáuridos se consideran parte de los Cordílidos. Tanto los mosasauros marinos fósiles como las serpientes se cree que proceden de los Varanoideos.

Agamas
Familia: Agámidos

420 especies en 52 géneros. En todo África, Asia y Australia, y en todas las zonas situadas entre ellas. Norte a 52°, excepto Madagascar. Hasta más de 3.600 m de altitud. Entre las especies y géneros se encuentran: lagarto de gorguera o clamidosaurio (*Chlamydosaurus kingii*), lagarto mariposa (*Leiolepis belliana*), agama chupasangre (*Calotes versicolor*), dragón de agua oriental (*Physignatus lesueurii*), lagarto de cola espinosa egipcio (*Uromastyx aegyptius*), dragón volador (género *Draco*), moloc o diablo espinoso (*Moloch horridus*), lagarto de cola prensil de Sri Lanka (*Cophotis ceylanica*), lagarto de vela (*Hydrosaurus pustulatus*), lagartos de cabeza de sapo (género *Phrynocephalus*).
LONGITUD: 4-35 cm.
COLOR: Generalmente marrón, gris o negro, pero verde en algunas formas del bosque. Muchas especies son sexualmente dicromáticas. Algunas capaces de cambiar de color rápidamente.
ESCAMAS: La mayoría quilladas o terminando en espinas. En muchas especies los machos y las hembras poseen ornamentos diferentes, abanicos en la garganta, volantes en la garganta y pliegues, crestas o espinas alargadas en lomo y cola.
FORMA DEL CUERPO: Cabeza grande que sale del cuello, cuerpo cilíndrico, comprimido o deprimido. Carecen del 5° dedo o es reducido.

Cola larga, no es frágil. Ojos y párpados bien desarrollados. Oído externo. La abertura rara vez está cubierta de escamas. Lengua gorda y carnosa, roma y con algunas estrías en la punta. Dientes acrodontes (fijos a los huesos). A veces parecen incisivos, o largos y parecidos a colmillos, en la parte anterior. Otras veces son cilindros romos truncados o comprimidos, con bordes sinuosos irregulares. Glándulas de la piel en parte delantera y cloaca y en la parte interior de los muslos en muchas especies.
ESTADO DE CONSERVACIÓN: 2 especies: el lagarto sin espinas y el lagarto de nariz de hoja, se encuentran en Peligro y otras 2 son Vulnerables.

Camaleones
Familia: Camaleónidos

135 especies en 6 géneros. Madagascar e islas vecinas del Océano Índico, Sri Lanka, India, sur de la Península Arábiga, Europa mediterránea, África excepto en el Sahara. Hasta 4.260 m de altitud. Entre las especies y géneros se encuentran: Camaleón común (*Chamaeleo Chamaeleon*), camaleón de Jackson (*C. jacksonii*), camaleón gigante de Meller (*C. melleri*), camaleón velado (*C. calyptratus*), camaleones enanos (género *Bradypodion*), camaleones hoja enanos de Madagascar (género *Brookesia*).
LONGITUD: De 2 a 28 cm.
COLOR: Predominantemente marrón, verde o amarillo. Puede cambiar de color rápidamente, incluso a extremos de blanco y negro.
ESCAMAS: Pequeñas, yuxtapuestas, sin placas óseas.
FORMA DEL CUERPO: Cabeza y cuerpo comprimidos; cabeza con cuernos, volantes o crestas. Las extremidades suelen ser largas y delgadas. Los pies cigodáctilos (algunos dedos están unidos y opuestos); cola musculosa y prensil en la mayoría de las especies, nunca es frágil. Los ojos sobresalen, están cubiertos de párpados escamosos y se mueven independientemente. No hay abertura externa del oído. La lengua es larga y delgada, extendida puede medir más que la longitud total de la cabeza y el cuerpo. Dientes acrodontes. Ausencia de glándulas en la piel en el vientre y en la parte interior de los muslos.
ESTADO DE CONSERVACIÓN: 1 especie: el camaleón enano de Smith se encuentra en Peligro Crítico, mientras que el camaleón enano de Setaro está en Peligro. Otras 4 especies son Vulnerables.

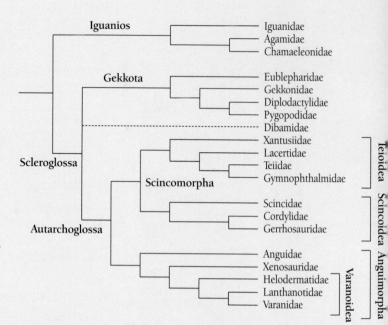

🜚 **Arriba** Este dendrograma nos da cuenta de las relaciones entre las 20 familias de lagartos existentes. En algunos informes a los Iguánidos se les divide en 8 familias: Corytophanidae, Crotaphytidae, Hoplocercidae, Iguanidae, Opluridae, Phrynosomatidae, Polychrotidae y Tropiduridae.

Iguanas
Familia: Iguánidos

690 especies en 48 géneros. Desde sur de Canadá hasta Argentina, Indias Occidentales, Galápagos. Unas cuantas especies en Madagascar, Fiji y Tonga. Hasta 5.000 m de altitud. Entre las especies y géneros se encuentran: basiliscos (género *Basiliscus*), lagarto de nariz roma (*Gambelia sila*), iguana de Fiji (*Brachylophus fasciatus*), lagartija arenera del desierto de Sonora (*Uma notata*), iguana terrestre de Galápagos (*Conolophus subcristatus*), anolis gigante (*Anolis roosevelti*), anolis verde (*A. carolinensis*), iguana verde (*Iguana iguana*), lagartos cornudos (género *Phrynosoma*), iguana marina (*Amblyrhynchus cristatus*), lagartos espinosos (género *Sceloporus*), iguanas roqueras de la India occidental (género *Cyclura*).
LONGITUD: De 3 cm a 75 cm.
COLOR: Generalmente marrón, gris o negro, pero algunas especies son de color verde o azul claro.
ESCAMAS: Variables. Ausencia de placas óseas. Son comunes los volantes en la garganta, crestas en el lomo y uñas en los dedos.

FORMA DEL CUERPO: Variable, desde muy deprimido a muy comprimido. Extremidades bien desarrolladas y normalmente con cinco dedos, algunos con escansores adherentes. La cola suele ser frágil. Los ojos moderadamente grandes, con párpados bien desarrollados. Tienen abertura externa del oído. La lengua es gruesa y carnosa, con ligeras estrías en la punta. Dientes pleurodontos (unidos a la parte interior de las mandíbulas), algunos con coronas complejas.
ESTADO DE CONSERVACIÓN: 5 especies, entre las que se encuentran las iguanas terrestres de las Bahamas y Jamaica, están en Peligro Crítico. Otras 2 especies están en Peligro y 7 son Vulnerables.

Gecos
Familia: Gecónidos

930 especies en 88 géneros. Casi en todo el mundo desde 50° N a 47° S. Hasta a 3.700 m de altitud. Entre las especies y géneros se encuentran: geco jaspeado australiano (*Christinus marmoratus*), geco Barking (*Ptenopus garrulus*), gecos de dedos torcidos (género *Cyrtodactylus*), gecos diurnos (género *Phelsuma*), geco de dedos de abanico (*Ptyodactylus hasselquistii*), gecos voladores (género *Ptychozoon*), geco de pared indio (*Hemidactylus flaviviridis*), geco enlutado (*Lepidodactylus lugubris*), tokay (*Gekko gecko*), geco de pies palmeados (*Palmatogecko rangei*).
LONGITUD: De 1,5 cm a 20 cm.

NOTAS Longitud = longitud desde el hocico al ano.
Equivalentes aproximados no métricos: 10 cm = 4 pulgadas / 1 kg = 2,2 lb.

COLOR: Normalmente marrón o gris, pero algunas especies son verdes o de otros colores vivos.

ESCAMAS: Casi siempre pequeñas y constan de piel suave. Tubérculos guillados dispersos y algunas veces aparecen espinas. Sin hueso, rara vez solapadas. Casco en la cabeza excepcional, alargado y simétrico.

FORMA DEL CUERPO: Es típica la de cabeza, cuerpo y cola deprimidos. La cola varía enormemente de forma y ornamentación; es frágil. Extremidades cortas, con 5 dedos que varían especialmente de forma y de estructura de escamas. Los ojos son grandes normalmente, los párpados están fundidos y forman una cubierta transparente. Abertura externa del oído que puede ser pequeña. Lengua corta, ancha, ligeramente estriada en la punta. Dientes cilíndricos y puntiagudos, con coronas romas en unas cuantas especies. En los machos las glándulas de la piel se encuentran en posición perianal y/o en parte inferior de los muslos. En la mayoría de las especies dos pequeños sacos y sus huesos asociados aparecen en la base de la cola.

ESTADO DE CONSERVACIÓN: El geco terrestre de Paraguaná (Venezuela) está en Peligro Crítico. 2 especies están en Peligro y 6 son Vulnerables. 1 especie, el *Phelsuma gigas* de Mauricio, se piensa que se extinguió durante el siglo XIX, mientras que *el Nactus coindemerensis*, también de Mauricio, está ahora Extinto en estado salvaje.

Gecos del suroeste del Pacífico
Familia: Diplodáctilos

121 especies en 15 géneros. Nueva Zelanda, Nueva Caledonia, Australia excepto sur de Victoria y Tasmania. Hasta 2.200 m de altitud. Entre las especies y géneros se encuentran: **geco de Duvaucel** (*Hoplodactylus duvaucelii*), **gecos de cola abultada** (*Nephurus levis*), **geco gigante de Nueva Caledonia** (*Rhacodactylus leachianus*), **gecos verdes de Nueva Zelanda** (género *Naultinus*), **geco de cola espinosa** (*Strophurus ciliaris*), **gecos aterciopelados** (género *Oedura*).

LONGITUD: De 4,5 cm a 36 cm.

COLOR: Normalmente marrón, gris o morado, a menudo con manchas dorsales que contrastan, unas cuantas especies son verdes.

ESCAMAS: Normalmente pequeñas y granulares. Algunas especies poseen tubérculos pronunciados o espinas caudales.

FORMA DEL CUERPO: Normalmente deprimida, algunas veces con pliegues sueltos en la piel de los costados. Cola corta o muy corta, frágil en todas las especies excepto en las de cola abultada. Extremidades cortas y robustas o largas y delgadas. Cinco dedos con o sin escansores adherentes. Los ojos son grandes en general, los párpados están fundidos formando una lámina transparente; pupilas verticales. Abertura externa

del oído. Lengua corta, ancha y un poco estriada en la punta. Dientes pequeños, pleurodontos, cilíndricos, puntiagudos. En los machos glándulas de la piel en posición perianal. Dos sacos anales y huesos en la base de la cola de todas las especies.

ESTADO DE CONSERVACIÓN: 1 especie (*Nephurus deleani*) está en Peligro y 1 es Vulnerable. El **geco gigante de Delcourt** (*Hoplodactylus delcourti*) se ha extinguido.

Gecos con párpados
Familia: Eublefarinos

22 especies en 6 géneros. Dispersos por zonas del norte y centro de América, este y oeste de África, India, Asia central, Borneo, Malasia, Islas Ryukyu, Isla Hainan y China y Vietnam. Hasta 2.500 m de altitud. Entre las especies y géneros se encuentran: **geco gato** (*Aeluroscalabotes felinus*), **geco leopardo** (*Eublepharis macularius*), **geco de bandas occidental** (*Coleonyx variegatus*).

LONGITUD: De 5 cm a 17 cm.

COLOR: Normalmente marrón o rosa pálido, amarillento o morado, con frecuencia tiene manchas que contrastan.

ESCAMAS: Pequeñas, granulares, con tubérculos alargados esparcidos en algunas especies.

FORMA DEL CUERPO: Tronco cilíndrico o un poco deprimido. Extremidades cortas, con cinco dedos. No tiene escansores adherentes. Cola corta, a menudo muy gruesa, frágil. Ojos grandes, con pupilas verticales y párpados móviles. Los oídos no están cubiertos de escamas. Lengua corta, ancha, con ligeras estrías en la punta. Dientes pequeños, cónicos, con vértices múltiples en algunas especies. Dos sacos pequeños y huesos asociados en la base de la cola.

ESTADO DE CONSERVACIÓN: 1 especie, **el geco terrestre de Kuroiwa** (*Goniurosaurus kuroiwae*), es Vulnerable.

Lagartos de pies solapados
Familia: Pigopódidos

36 especies en 7 géneros. Islas Aru, Nueva Bretaña, Nueva Guinea, Australia excepto Tasmania. Hasta 850 m de altitud. Entre las especies y géneros se encuentran: **delmas** (género *Delma*), **lagartos serpiente de hocico puntiagudo** (género *Lialis*), **lagarto de pies escamosos** (*Pygopus nigriceps*).

LONGITUD: De 6,5 cm a 31 cm.

COLOR: Normalmente marrón o gris, algunos con rayas o bandas oscuras en cabeza y cuello.

ESCAMAS: Grandes y simétricas sobre la cabeza en casi todas las especies. Solapadas sobre el tronco y cola, normalmente lisas. Grandes escudos rectangulares en la parte inferior. Ausencia de placas óseas.

FORMA DEL CUERPO: Aspecto parecido al de una serpiente. Ausencia de extremidades anteriores, las patas anteriores poseen solapas, pequeñas o grandes, unidas fuertemente al cuerpo, cerca de la abertura de la cloaca. Cola muy larga, frágil. Ojos de tamaño mediano, con párpados fundidos formando una lámina transparente. La pupila es vertical normalmente. Los oídos tienen abertura externa, no visibles en algunas especies. La lengua es corta, ancha y gruesa, ligeramente estriada en la punta. Dientes cónicos, de fuertes a finos. Dos sacos pequeños y huesos asociados en la base de la cola, como los gecos.

ESTADO DE CONSERVACIÓN: 6 especies son Vulnerables.

Lagartijas y corredoras
Familia: Teidos

120 especies en 9 géneros. Sur de Estados Unidos, América del Sur e Indias Occidentales excepto la Patagonia y bosques del sur. Hasta 3.962 m de altitud. Entre las especies y géneros se encuentran: **lagarto caimán** (*Dracaena guianensis*), **lagarto overo** o **teyú común** (*Tupinambis teguixin*), **lagartija dragón** (*Crocodilurus lacertinus*), **corredoras de la selva** (género *Ameiva*), **lagartija del desierto** (*Cnemidophorus uniparens*), **lagartija de bandas** (*C. inornatus*), **lagartijas de Nuevo Méjico** (*C. neomexicanus*), **lagartija terrestre de Santa Cruz** (*Ameiva polops*), **lagartija tigre** (*C. tigris*).

LONGITUD: De 5,5 cm a 45 cm.

COLOR: Principalmente verde, marrón o gris.

ESCAMAS: Largas y simétricas sobre la cabeza, pequeñas y granulares en el cuerpo y en las placas rectangulares del vientre. Ausencia de placas óseas.

FORMA DEL CUERPO: Robusta con cabeza grande y extremidades bien desarrolladas, dedos de los pies traseros alargados, normalmente con hocico puntiagudo y largo, cola frágil. Ojos moderadamente grandes, con pupilas ovaladas. Párpados bien desarrollados, móviles y cubiertos de escamas. Orejas grandes, no están cubiertas de escamas. Lengua larga, estrecha, cubierta de protuberancias carnosas, de punta muy dentada. Dientes cónicos en parte anterior, variables en los laterales. Normalmente presentan glándulas femorales en la piel.

ESTADO DE CONSERVACIÓN: El lagarto terrestre de Santa Cruz (*Ameiva polops*) se encuentra en Peligro Crítico, y una de las otras especies es Vulnerable. Se cree que la gigante de la Martinica (*Ameiva major*) y *A. cineracea* se han extinguido durante el siglo XX.

Lagartos microteidos
Familia: Gymnophthalmidae

165 especies en 36 géneros. Desde sur de Centroamérica al centro de Argentina, Antillas Menores. Hasta casi 4.000 m. Especies y géneros incluyen: **microteidos quillados** (género *Arthrosaura*), **microteido ocelado** (*Cercosaura ocellata*), **microteidos de extremidades reducidas** (género *Bachia*), **microteido de Schreibers** (*Pantodactylus schreibersii*).

LONGITUD: De 3,7 cm a 6,5 cm.

COLOR: Predominantemente marrón, gris o negro.

ESCAMAS: Largas y simétricas sobre la cabeza en la mayoría de las especies. Varían de granulares a grandes y quillosas en el cuerpo, y en filas de placas alargadas en el vientre. Ausencia de placas óseas.

FORMA DEL CUERPO: Muy variable, de relativamente corta o muy alargada. Extremidades cortas, desde bien desarrolladas a reducidas o ausentes. Cola variable, de moderada a larga, frágil. Ojos de tamaño moderado por lo general, con pupilas ovaladas. Párpados bien desarrollados, móviles, cubiertos de escamas o de párpados más bajos transparentes. Oídos abiertos o cubiertos de escamas por completo. Lengua larga, estrecha, parte superior cubierta de protuberancias carnosas, punta muy dentada. Dientes cónicos. Presencia variable de dientes pterigoideos. Normalmente tienen glándulas femorales en la piel.

Lagartijas de pared y lagartos ágiles
Familia: Lacértidos

225 especies en 27 géneros. Europa, África, Asia, Archipiélago Indoaustraliano. Hasta 3.810 m de altitud. Entre las especies y géneros se encuentran: **corredores orientales** (género *Takydromus*), **lagartijas areneras** (género *Acanthodactylus*), **lagarto de cola de sierra** (*Holaspis guentheri*), **lagarto verde** (*Lacerta viridis*), **Lagarto gigante de Hierro** (*Gallotia simonyi*), **corredores** (género *Eremias*), **lagartijas de turbera** (*Lacerta vivipara*), **lagartija roquera** (*Podarcis muralis*).

LONGITUD: 4-26 cm.

COLOR: Verde, amarillo, rojizo, marrón, gris o negro.

ESCAMAS: Pueden ser alargadas y estar dispuestas simétricamente sobre la cabeza, contienen placas óseas delgadas normalmente soldadas al cráneo. En el lomo, pequeñas y normalmente granulares. Vientre con placas rectangulares grandes y lisas, en filas bien definidas. En la cola en espiral.

FORMA DEL CUERPO: Cabeza cónica, se distingue bien del cuerpo. Hocico puntiagudo, normalmente tienen un pliegue de piel en la garganta. Cuerpo largo, con extremidades bien desarrolladas, generalmente cinco dedos. Cola muy larga y frágil. Ojos moderadamente grandes, con párpados móviles. Algunas especies con ventanas transparentes en el párpado inferior. Lengua larga y estrecha, con punta muy dentada, cubierta por arriba de pequeñas proyecciones o pliegues. Los dientes suelen ser cilíndricos, algunos sobre el paladar. Hay presencia de glándulas femorales y perianales normalmente.

ESTADO DE CONSERVACIÓN: El lagarto gigante de Hierro está en Peligro Crítico, y 1 de las otras especies está en Peligro. 6 especies se encuentran en la lista de Vulnerables.

Lagartos nocturnos
Familia: Xantúsidos

21 especies en 3 géneros. Este de Cuba. Desde Panamá al centro de Méjico y suroeste de Estados Unidos. Hasta 2.600 m de altitud. Entre las especies se encuentran: **lagartija de hojarasca cubana** (*Cricosaura typica*), **lagartija nocturna del desierto** (*Xantusia vigilis*), **lagarto nocturno isleño** (*X. riversiana*), **lagartija nocturna de Centroamérica** (*Lepidophyma flavimaculatum*).

LONGITUD: De 3,5 cm a 12 cm.

COLOR: Predominantemente sombras marrones, grises o negras.

ESCAMAS: Muy grandes en la cabeza, con placas óseas en algunas especies. Mucho más pequeñas en superficies superiores del cuerpo y cola, yuxtapuestas. Parte inferior del cuerpo cubierta de placas grandes y rectangulares.

FORMA DEL CUERPO: Cabeza bastante deprimida en varias especies. Cuerpo largo y algo deprimido. Extremidades cortas y cinco dedos por lo general. Cola larga y frágil. Ojos pequeños, con pupila vertical y párpados fundidos, transparentes. Abertura externa en los oídos. Lengua larga y ligeramente estriada en la punta. Dientes cilíndricos, o romos o con tres vértices. Ausencia de paladar. Presencia de glándulas femorales presentes; ausencia de glándulas perianales.

ESTADO DE CONSERVACIÓN: *Xantusia riversiana* está considerada Vulnerable.

Eslizones
Familia: Escíndidos

1.400 especies en 115 géneros. Todos en regiones tropicales y templadas, especialmente en África, sur y este de Asia, Archipiélago Indoaustraliano, Nueva Guinea, Australia, Nueva Zelanda y desde el sur de Canadá al norte de Argentina. Hasta 4.800 m de altitud. Entre las especies y géneros se encuentran: **eslizones ciegos** (género *Typhlosaurus*), **eslizones de lengua azul** (género *Tiliqua*), **eslizón brasileño** (*Mabuya heathi*), **de casco** (género *Tribolonotus*), **eslizón de bandas** (*Eumeces fasciatus*), **eslizón de las Grandes Llanuras** (*E. obsoletus*), **eslizón de sangre verde** (*Prasinohaema virens*), **eslizón marino** (*Emoia atrocostata*), **pez de las arenas** (*Scincus scincus*), **escinco de cola de mono de las Islas Salomón** (*Corucia zebrata*).

LONGITUD: De 2,3 cm a 49 cm.

COLOR: Marrón, gris y negro predominantemente. Algunas especies son verdes o azules.

ESCAMAS: Normalmente alargadas en la parte superior de la cabeza para formar una serie de escudos simétricos. En el cuerpo son lisas generalmente, planas y se solapan unas a otras en un orden regular.

FORMA DEL CUERPO: Muy variable. En general alargada y algo deprimida, con una cabeza pequeña y plana y patas cortas, reducidas o ausentes en muchas especies. Ojos: de moderados a pequeños, no funcionales. Pupila redonda generalmente. Párpados bien desarrollados, móviles o fusionados. Párpados inferiores con disco transparente o cubiertos de escamas. Oídos con abertura externa presente o cubiertos de escamas. Lengua corta, ancha, plana y carnosa; escamosa o crestada, ligeramente estriada en la punta. Dientes muy variables. Ausencia de glándulas perianales y femorales en la piel.

ESTADO DE CONSERVACIÓN: 2 especies están catalogadas en Peligro Crítico y 3 en Peligro. 20 son Vulnerables. Además 2 especies, entre ellas el eslizón gigante de Cabo Verde (*Macroscincus coctei*), se piensa que se han extinguido en el curso del siglo XX.

▶ *Derecha Los vivos colores de la piel, la cresta espinosa y la papada del dragón de Boyd (Hypsilurus boydii), un agama australiano, le sirven para realzar el impacto visual de sus posturas y movimientos.*

NOTAS	Longitud = longitud desde el hocico al ano.
	Equivalentes aproximados no métricos: 10 cm = 4 pulgadas / 1 kg = 2,2 lb.

Lagartos plateados
Familia: Gerrosauridos

Ecuador

32 especies en 6 géneros. En la mayor parte del sur del Sahara en África, Madagascar. Hasta 3.500 m de altitud. Entre las especies y géneros se encuentran: **lagarto plateado enano** (*Cordylosaurus subtessellatus*), **lagarto plateado gigante** (*Gerrhosaurus validus*), **lagartos plateados malgaches** (género *Zonosaurus*), **lagarto plateado de Namib** (*Angolosaurus skoogi*), **seps** (género *Tetradactylus*).

LONGITUD: De 5 cm a 30 cm.

COLOR: Marrón, gris, rojizo o negro, a menudo con manchas de colores vivos.

ESCAMAS: En la cabeza escudos grandes, simétricos con placas óseas. En el cuerpo normalmente rectangulares, de forma regular y solapadas.

FORMA DEL CUERPO: De robusto a alargado. Cilíndrico o deprimido con pliegue ventrolateral visible. Extremidades cortas, reducidas en algunas especies. Cola frágil, de moderada a muy larga. Ojos bien desarrollados, con párpados visibles: párpado inferior con ventana transparente en algunas especies. Los oídos poseen una abertura externa peculiar. Lengua: de corta a moderadamente alargada. Puntiaguda, puede ser algo estriada en la punta. Dientes pleurodontos, cilíndricos, con puntas en vértice o afiladas. Glándulas femorales con poros externos visibles en la mayoría de las especies.

ESTADO DE CONSERVACIÓN: 1 especie Vulnerable. El *Tetradactylus eastwoodae* se ha extinguido.

Lagartos cordilos
Familia: Cordílidos

Ecuador

52 especies en 4 géneros. Este y sur de África. Hasta 3.500 m de altitud. Entre las especies y géneros se encuentran: **lagarto armadillo** (*Cordylus cataphractus*), **cordilo gigante** (*C giganteus*), **lagartijas de risco** (género *Pseudocordylus*), **lagartos planos** (género *Platysaurus*), **lagartos serpiente** (género *Chamaesaura*).

LONGITUD: De 5 cm a 20 cm.

COLOR: Marrón, negro o de muchos colores vivos. Algunas especies son dicromáticas sexualmente.

ESCAMAS: En la cabeza escudos grandes, simétricos, con placas óseas. En el cuerpo normalmente en series regulares, rectangulares y solapadas, generalmente quilladas en superficies superiores. Pequeñas y granulares en los lagartos planos.

FORMA DEL CUERPO: Desde robusta a forma de serpiente. En general forma deprimida, moderadamente o mucho. Extremidades cortas, reducidas en algunas especies. Cola frágil, de corta a muy larga, normalmente con espirales de espinas. Ojos bien desarrollados, con párpados visibles. Oídos con abertura externa distintiva. Lengua corta o moderadamente larga, puntiaguda, puede tener pequeñas estrías en la punta. Dientes cilíndricos, con puntas afiladas o dos vértices. Presentes en el paladar. Glándulas femorales con poros externos visibles en la mayoría de las especies.

ESTADO DE CONSERVACIÓN: 4 especies, entre ellas la *Cordylus cataphractus*, figuran como Vulnerables.

Lagartos ciegos
Familia: Dibámidos

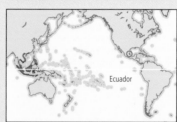

Ecuador

15 especies en 2 géneros. Desde Nueva Guinea al sureste de China, este de Méjico. Hasta 1.525 m de altitud. Entre las especies y géneros se encuentran: **lagartos ciegos asiáticos** (género *Dibamus*), **lagarto ciego mejicano** (*Anelytropsis papillosus*).

LONGITUD: De 5 cm a 20 cm.

COLOR: Tonos de color carne o violeta y marrón purpúreo predominantemente.

ESCAMAS: En la cabeza grandes y en forma de placas, especialmente en hocico y mandíbula inferior. En el cuerpo y cola lisas y solapadas, con líneas concéntricas de crecimiento. Sin hueso.

FORMA DEL CUERPO: Parecida a la de la serpiente. Ausencia de extremidades anteriores. Extremidades posteriores pequeñas y en forma de pala, presentes sólo en los machos. Cola frágil, extremadamente corta. Ojos sin párpados y ocultos tras la piel. Abertura externa del oído cubierta de escamas. Lengua corta, ancha, sin dividir en la punta. Dientes pequeños y puntiagudos, curvados hacia el interior. Ausentes en el paladar. Glándulas perianales en algunas especies.

Xenosauros
Familia: Xenosaúridos

Ecuador

6 especies en 2 géneros. Las especies chinas se incluyen algunas veces en una familia independiente: Shinisauridae. Este de Méjico, sur de Guatemala, Sureste de China. De 300 a 2.100 m de altitud. Entre las especies y géneros se encuentran: **lagarto cocodrilo chino** (*Shinisaurus crocodilurus*), **xenosauros del Nuevo Mundo** (género *Xenosaurus*).

LONGITUD: De 10 cm a 15 cm.

COLOR: Predominantemente marrón, gris o negro.

ESCAMAS: De diminutas a grandes, con discos óseos pequeños o grandes. Algunas especies poseen una serie de escudos alargados en la línea media de la nuca y del tronco, que puede continuar en la cola.

FORMA DEL CUERPO: Cabeza comprimida en el xenosauro chino, deprimida en las especies del Nuevo Mundo. Cuerpo robusto, con extremidades bien desarrolladas. Cola moderadamente larga, no es frágil. Ojos de tamaño medio, con pupila redonda. Los oídos tienen una abertura muy grande, visible o invisible dependiendo de las escamas que la cubren. La lengua posee una parte larga y delgada, dentada en la punta y parcialmente replegable en una parte de la base más carnosa. Dientes parecidos a colmillos, con ligera curvatura hacia el interior, o romos y cilíndricos. Las puntas de algunos tienen bordes afilados, ausentes del paladar. Ausencia de glándulas femorales y perianales.

Anguidos
Familia: Anguidos

Ecuador

110 especies en 13 géneros. Suroeste de Canadá y gran parte del norte de Estados Unidos hasta el centro de Argentina, incluyendo las Indias Occidentales. Desde Gran Bretaña a China, Sumatra y Borneo, entre el Círculo Polar Ártico y el noroeste de África por el oeste y sur de Asia por el este. Ausentes desde Sri Lanka a la Península Arábiga. Hasta más de 4.260 m de altitud. Entre

NOTAS   Longitud = longitud desde el hocico al ano.

Equivalentes aproximados no métricos: 10 cm = 4 pulgadas / 1 kg = 2,2 lb.

las especies y géneros se encuentran: **lagartos aligator arborícolas** (género *Abronia*), **lagarto ápodo de California** (*Anniella pulcra*), **galliwasps** (género *Diploglossus*), **lagartos de cristal** (género *Ophisaurus*), **lagartos ápodos** (*O. apodus*), **lución** (*Anguis fragilis*), **lagarto aligator del sur** (*Elgaria multicarinata*).

LONGITUD: De 5,5 cm a 52 cm.

COLOR: Verde brillante, marrón, gris, plata o negro.

ESCAMAS: Lisas o moderadamente quilladas. La mayoría con placas óseas bien desarrolladas, incluyendo las de la parte inferior. Grandes y yuxtapuestas en la cabeza. En el cuerpo son más pequeñas, solapadas y en forma de disco.

FORMA DEL CUERPO: La mayoría de las especies poseen una línea aerodinámica. Algunos con prominentes pliegues en la piel ventrolateral. Extremidades cortas cuando están presentes. Cola muy larga y frágil normalmente. Ojos funcionales pero pequeños o medianos. Párpados móviles, los inferiores poseen algunas veces ventanas transparentes. Abertura externa del oído cubierta de escamas en unas cuantas especies. Lengua larga, delgada. La parte de punta dentada puede extenderse. Menos retractable es la parte carnosa que se encuentra en la parte posterior de la boca. Dientes que pueden machacar, parecidos a colmillos, curvados hacia el interior y muy separados. Ausentes en el paladar. Ausencia de glándulas de piel en las regiones femoral y perianal.

ESTADO DE CONSERVACIÓN: 3 especies, entre ellas el galliwasp Montserrat, se encuentran en Peligro Crítico. Además 1 especie está en Peligro y 1 es Vulnerable.

Lagartos monitores o varanos
Familia: Varánidos

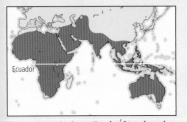

57 especies en 1 género. Desde África al sur de Asia, Archipiélago Indoaustraliano. Hasta 1.830 m de altitud. Entre las especies se encuentran: **varano de Bengala** (*Varanus bengalensis*), **varano de garganta blanca** (*V. albigularis*), **varano acuático asiático** (*V. salvador*), **varano de Gould** (*V. gouldii*), **dragón Komodo** u **ora** (*V. komodoensis*), **varano del Nilo** (*V. niloticus*), **varano colicorto** (*V. brevicauda*).

LONGITUD: De 12 cm a 1,5 m.

COLOR: Principalmente marrón pardo, gris o negro.

ESCAMAS: En su mayoría pequeñas, granulares, parecidas a guijarros que pueden formar anillos alrededor de escamas yuxtapuestas más grandes con hoyuelos visibles. En algunas especies discos óseos delgados.

FORMA DEL CUERPO: Peculiar, con cuello largo y cuerpo relativamente corto. La cabeza suele ser muy larga y estrecha, con frecuencia hocico puntiagudo y narinas parecidas a rendijas situadas cerca de los ojos. Un pliegue de piel cruza la garganta. Extremidades de constitución fuerte, con cinco dedos. Dedos y garras curvadas largas y fuertes. Cola larga y musculosa, no es frágil, comprimida normalmente. Ojos grandes, pupilas casi circulares, párpados móviles. Oídos con abertura externa visible. La lengua es muy larga y delgada, muy dentada, no posee una parte en la base que se pueda extender. Dientes comprimidos generalmente, con bordes cortantes afilados, parecidos a colmillos. Ausentes en el paladar. Ausencia de glándulas femorales y perianales.

ESTADO DE CONSERVACIÓN: 2 especies, entre ellas el dragón Komodo, se consideran Vulnerables.

Lagartos venenosos
Familia: Helodermátidos

2 especies en 1 género: **Monstruo de Gila** (*Heloderma suspectum*), **lagarto venenoso mejicano** (*H. horridus*). Suroeste de Estados Unidos, por el oeste de Méjico hasta Guatemala. Hasta 2.000 m de altitud.

LONGITUD: De 33 cm a 45,5 cm.

COLOR: Marrón o negro con manchas rosáceas o amarillentas.

ESCAMAS: Escamas redondas, levantadas, relativamente grandes en las superficies superiores. La parte inferior tiene escamas rectangulares más pequeñas dispuestas en filas regulares. Escamas grandes, incluyendo las de la cabeza, con discos óseos en su interior.

FORMA DEL CUERPO: Casi cilíndrica. Cabeza grande, deprimida, con hocico romo. Pliegue de piel en la garganta. Cuerpo robusto, extremidades cortas, cinco dedos. Cola de longitud moderada o corta, gruesa, con la punta roma, no es frágil. Los ojos tienen pupilas pequeñas, redondas, y están bien desarrollados. Párpados móviles. La abertura externa del oído resulta visible. Lengua con una parte más larga y más dentada y una base cubierta de proyecciones carnosas. Dientes alargados, curvados hacia el interior y muy puntiagudos, un poco comprimidos con muchas estrías en el borde interior. Ausencia de glándulas femorales y perianales. Son los únicos lagartos venenosos. Su mordisco es doloroso pero rara vez mortal para los humanos.

ESTADO DE CONSERVACIÓN: Ambas especies son Vulnerables.

Lagarto sordo de Borneo
Familia Lantanótidos

1 especie: *Lanthanotus borneensis*. Borneo. A nivel del mar.

LONGITUD: Hasta 20 cm.

COLOR: Marrón o verde aceituna uniformes.

ESCAMAS: Pequeñas y poco diferenciadas en la cabeza, excepto en la región de las sienes, donde hay tres filas de tubérculos alargados. De 3 a 5 filas de tubérculos alargados a lo largo de la línea media del lomo y la cola. Conservan escamas en el cuerpo pequeñas y planas, con tubérculos esparcidos.

FORMA DEL CUERPO: Relativamente alargado, algo cilíndrico. Cabeza deprimida, apenas se distingue el cuello. Narinas pequeñas encima del hocico. Extremidades cortas, cinco dedos. La cola es casi tan larga como el cuerpo, afilada en la punta, no es frágil. Ojos: pequeños, con pupilas redondas y párpados bien desarrollados. Ventana transparente en el párpado inferior. Los oídos no tienen abertura externa. La lengua es como la de los venenosos. Dientes curvados y parecidos a colmillos. Pequeños dientes en el paladar. AMB

◀ **Izquierda** *El varano de sabana africano (Varanus albigularis) suele poner sus huevos dentro de montículos de termitas para esconderlos de los carroñeros. Aquí se ve salir de un montículo a un grupo de crías en las praderas de Kenia.*

🔻 **Abajo** *El monstruo de Gila (Heloderma suspectum) y su pariente cercano el lagarto venenoso mejicano son los únicos lagartos que poseen glándulas de veneno. Están situadas en la mandíbula inferior y, a diferencia de la de la serpiente, no tiene un mecanismo tan sofisticado para inyectar la toxina.*

Culebrillas ciegas

○ **Izquierda** A diferencia de otras culebrillas ciegas, la culebrilla ciega mejicana o ajolote (Bipes biporus) tiene unas prominentes extremidades anteriores. Su posición en la parte delantera del cuerpo, cerca de la cabeza, le ha llevado a recibir el nombre popular de «lagartija con orejas».

L A CULEBRILLA CIEGA, CONOCIDA TAMBIÉN COMO LAGAR-to anillado, es el único reptil excavador auténtico. Otros reptiles viven bajo tierra durante parte de su vida, y algunos de ellos utilizan túneles cavados por otros animales, pero sólo las culebrillas ciegas son exclusivamente subterráneas. Crean sus propios túneles, algunas de ellas forman pasadizos en suelos duros y, entre otras características, sus adaptaciones para excavar resultan peculiares.

Las culebrillas ciegas aparecen por primera vez en restos fósiles del Paleoceno norteamericano de hace 65 millones de años. Otros especímenes antiguos se han hallado en Europa (Inglaterra y Bélgica), aunque las formas fósiles más conocidas proceden de Kenia. Tres de las cuatro familias carecen de todo indicio de extremidades y algunas incluso han perdido los remanentes de anillos óseos pectorales y pélvicos internos que mantienen otros reptiles ápodos. Una cuarta familia, las culebrillas ciegas mejicanas (Bipédidos) han mantenido o incluso aumentado el tamaño de sus extremidades anteriores. El cuerpo se ha alargado por detrás de la cintura del hombro, dando la impresión de que las manos están situadas en la cabeza. Las manos ayudan a los *Bipes* a moverse sobre la tierra y también a empezar a excavar en el suelo.

De cabeza puntiaguda y raspadores
FORMA Y FUNCIÓN

Todas las culebrillas ciegas hacen túneles con fuertes movimientos de la cabeza. La cabeza está compuesta de varias herramientas para excavar, y el cráneo es más macizo que el de otros reptiles de tamaño equivalente. En algunas especies el cráneo está protegido con queratina dura, en otras está protegido de escamas con una superficie de baja fricción que facilita la penetración en el suelo. Los párpados están fusionados, y los ojos están hundidos y se encuentran bajo una piel translúcida. No hay aberturas externas del oído y las narinas miran hacia atrás, de modo que la presión suele cerrarlas y evitar que entre arena durante la excavación. El labio superior se

extiende sobre el inferior, y la mandíbula inferior se tapa con la cabeza normalmente de modo que es posible mantenerla cerrada cuando la cabeza avanza por la tierra al final del túnel. Los oídos están muy especializados. No sólo se utilizan para oír, también se utilizan para detectar vibraciones subterráneas.

Bajo tierra las culebrillas ciegas propulsan su cuerpo por medio de movimientos de acordeón y rectilíneos. La piel, que forma anillos alrededor del cuerpo, está suelta del tronco relativamente y pueden deslizarse sobre ella, plegándola como un fuelle. En el movimiento rectilíneo, parte de la piel se fija a la pared del túnel y los músculos adjuntos levantan el tronco, generando la fuerza necesaria para dar un golpe penetrante al final del túnel.

Una vez que la cabeza choca contra el final del túnel, puede culebrear y luego retraerse ligeramente antes del siguiente golpe. Sin embargo, en la mitad de las especies aproximadamente han separado el esfuerzo de ampliar túneles y el de ensancharlos. Primero embisten con la cabeza al final del túnel y luego emplean diferentes músculos dispuestos en un complejo sistema de poleas para presionar la tierra en el techo y suelo del túnel. De este modo evitan que se hunda la tierra de la superficie y pueden pasar la mayor parte de su vida bajo tierra.

Los miembros de la familia más común, las auténticas culebrillas ciegas (Anfisbénidos) que se encuentran en la región mediterránea, en África, y en las dos Américas, se han especializado en el sistema de ensanchar. O bien forman una quilla vertical con la cabeza, oscilándola hacia la izquierda y la derecha después de penetrar, o bien en forma de azada horizontal que se levanta para comprimir la tierra en el techo del túnel. Las especies con cabeza de quilla tienen el inconveniente de que pueden emplear menos de la mitad de los músculos del cuello para la compresión. Las especies de cabeza de azada son más grandes y más numerosas.

Como único miembro vivo de una familia (Rhineuridae) con extenso registro fósiles en Norteamérica, la culebrilla ciega de Florida también muestra el modelo de hocico de azada. Cava de un modo parecido a las culebrillas ciegas auténticas, y también muestra similitud la segmentación de la cabeza. Sin embargo, difiere profundamente del modelo de las especies africanas y sudamericanas en la naturaleza y disposición de los huesos que forman la azada, así como la disposición de los músculos a lo largo del lomo, especialmente del cuello.

Los trogonófidos forman una familia de culebrillas ciegas de hocico puntiagudo que excava mediante movimiento de rotación y oscilación. La cara suele ser una placa plana delante de los ojos. Los bordes de esta placa forman

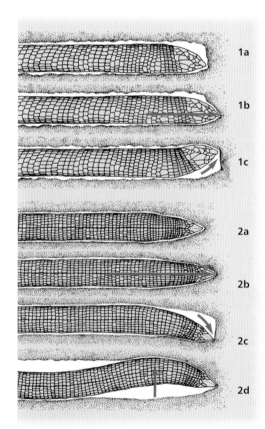

○ **Arriba** La culebrilla mora (Trogonophis wiegmanni), con unos dibujos muy peculiares vive en el entorno árido y arenoso de Marruecos. Es única en su familia por ser vivípara, de ella nacen de 4 a 5 crías.

1a

1b

1c

2a

2b

2c

2d

CULEBRILLAS CIEGAS

Suborden: Anfisbenios

140 especies en 21 géneros y 4 familias. Anfisbénidos, Trogonófidos, Bipédidos, Rhineuridae. Especies: **culebrilla ciega de Florida** (*Rhineura floridana*).

DISTRIBUCIÓN: Regiones subtropicales de Norteamérica, Indias Occidentales, América del Sur, Patagonia. África, Península Ibérica, Arabia y oeste de Asia.

Ecuador

HÁBITAT: Reptiles excavadores muy especializados para cavar.

TAMAÑO: Longitud (de hocico a punta de la cola) de 10 a 75 cm, pero la mayoría de 15 a 35 cm.

COLOR: Marrón rojizo a negro y marrón. Negro y blanco.

REPRODUCCIÓN: Fertilización interna. Algunas ponen huevos, en otras los huevos se desarrollan en el interior de la madre.

LONGEVIDAD: Generalmente 1 o 2 años en cautividad, algunas más.

ESTADO DE CONSERVACIÓN: No se encuentra amenazada.

⬥ Arriba *La Amphisbaena fulginosa es un miembro de la familia más grande de culebrillas ciegas. Este individuo ha mudado la cola (característica conocida como autotomía caudal, utilizada para escapar de los predadores). No obstante, a diferencia de otros lagartos que mudan la cola, los anfisbenios no la pueden regenerar.*

⬥ Izquierda *Dos métodos de excavación de las culebrillas ciegas. 1 En especies de hocico de pala, al comienzo del primer golpe (a) los anillos de las escamas situadas detrás de la cabeza están más juntos. Durante la penetración (b), estos anillos se separan, empujando la cabeza hacia delante. Para ensanchar el túnel (c), la cabeza se levanta contra el techo del túnel. 2 En las especies de hocico de quilla, el golpe para ampliar el túnel (a,b) es parecido, pero el túnel se ensancha (c) o bien cerca del hocico doblando la cabeza o (d) alrededor de la parte posterior del cráneo doblando el cuerpo hacia los lados.*

unos rascadores que rascan una capa de tierra y la sacan del túnel, para que de ese modo en el siguiente movimiento el costado del tronco pueda hacer fuerza en la pared del túnel. Como los golpes de penetración producen fuerzas de torsión entre el cuerpo y la pared del túnel, estas son las únicas que han optado por una sección transversal del cuerpo en forma triangular del cuerpo (y el túnel). El método es muy eficaz en los suelos arenosos friables de la Península de Arabia y del Cuerno de África, donde se encuentran las especies trogonófidas más especializadas.

Culebrillas con dientes
ALIMENTACIÓN Y REPRODUCCIÓN

Las culebrillas ciegas son unos predadores formidables. Utilizan dientes grandes, superiores e inferiores entrela-

zados para morder y aplastar su presa. Posteriormente se retira hacia el túnel arrastrando a la víctima tras él, por tanto las piezas se rasgan cuando es arrastrada así la presa.

Reconocen a la presa (pequeños artrópodos, gusanos e incluso vertebrados) por el olor y el sonido. Los oídos del predador están modificados de tal manera que el sonido se detecta a través de un sustituto de tímpano situado en un lateral de las mandíbulas que les permite oír sonidos que lleva el aire y que se transmiten por el túnel. Experimentos realizados indican que ellas responden a los sonidos hechos por los movimientos de la presa. Obtienen cierta humedad de sus alimentos, pero ciertas especies pueden recoger agua del suelo al parecer, entrando por medio de una acción capilar entre los labios y la lengua.

Las culebrillas ciegas se reproducen como las serpientes y los lagartos, con hemipenes que permiten la fertilización interna. Algunas especies ponen huevos, unas cuantas en colonias de hormigas y termitas, y en algunas los huevos se desarrollan dentro de la hembra antes de nacer. Como en el caso de las serpientes, los embriones están enroscados de un modo complejo dentro del huevo, pero en las culebrillas ciegas el extremo posterior del embrión permanece enroscado en una espiral relativamente pequeña hasta poco tiempo antes de nacer.　　　　　　　　　　　　　　　　CG

Serpientes

S E HAN IDENTIFICADO CASI 3.000 ESPECIES DE SER-
pientes, y siempre se están añadiendo algunas nuevas.
En muchos aspectos son todas similares, tienen un cuerpo alargado, más o menos cilíndrico con una larga cola en un
extremo y una cabeza en el otro. Las serpientes no tienen extremidades que interrumpan su forma, tampoco tienen aberturas
externas del oído ni párpados. A pesar de estas aparentes
limitaciones, han conseguido encontrar el modo de ocupar
una amplia variedad de hábitat y se han diversificado en
muchos lugares propios. Para lograr este éxito, han desarrollado métodos especializados de locomoción y de sentir el
mundo que les rodea. En muchos casos estos sentidos son los
únicos. En otros casos se han desarrollado mucho más que en
otros animales.

Aún así, las serpientes son bastante parecidas a los lagartos y por tanto se sitúan en el mismo orden, el de los
Escamosos. Si hablamos en términos de taxonomía apenas se diferencian de ellos. La mayor diferencia que existe
entre serpientes y lagartos es la ausencia de extremidades. Los ápodos han evolucionado de modo independiente en varias familias de lagartos, como en el caso de
los lagartos de cristal y de los eslizones (los Anguidos y
los Escíncidos) normalmente respondiendo a su modo
de vida excavadora o medio excavadora. No obstante, las
serpientes no evolucionaron a partir de alguna de estas
familias sino de una rama del árbol familiar de los lagartos, ahora extinguida, que está mucho más relacionada
con las familias avanzadas, especialmente con los varanos (Varánidos).

Las serpientes se encuentran en todos los continentes, excepto en la Antártida, pero, como la mayoría de
los reptiles, son más numerosas en lugares cálidos, especialmente en los trópicos. No obstante, no se han dis-
persado por islas pequeñas con tanto éxito como los
lagartos. La distribución de las familias (algunas muy
extendidas y otras muy limitadas) se debe al modo en el
que las masas terrestres globales se han separado y vuelto a unir durante el período en el que aparecieron las serpientes. Por tanto, las familias antiguas tienen una
amplia distribución, especialmente en el hemisferio sur,
mientras que las familias más recientes que aparecieron
después han tenido menos oportunidades de extenderse más allá de las líneas costeras del continente en el que
evolucionaron. Aún hay otras familias que aparecieron
muy pronto y se extendieron posteriormente, pero
desde entonces se han fragmentado como resultado de
extinciones locales y de las barreras existentes, como es
el caso de cadenas montañosas y ríos largos.

Derecha Cuando son adultas, las boas esmeralda
(Corallus caninus) son de un color verde brillante, pero los
recién nacidos pueden ser amarillos o rojos. Las boas
arborícolas se agarran a los árboles enroscando sus colas
largas y prensiles alrededor de las ramas.

Abajo El pesado cuerpo de la víbora de Gabón (Bitis
gabonica), con su peculiar cabeza de forma de azada, se
encuentra en bosques de África tropical. Los dibujos de su
piel críptica le permiten ocultarse en humus mientras espera
coger a su presa en una emboscada.

Vivir sin extremidades
FORMA Y FUNCIÓN

Dentro del suborden Serpentes, las variaciones de tamaño, forma, color, manchas y textura reflejan en gran
medida la forma de vida de cada especie. Sin embargo,
las características que reflejan su forma de vida se ven
superadas a menudo por las comunes a una familia (la
forma rechoncha del cuerpo de las víboras en contraposición a la forma más alargada de la mayoría de las cobras
y de sus parientes, por ejemplo), por tanto algunas veces
puede haber confusión.

Las serpientes varían mucho de tamaño, desde las
criaturas diminutas que parecen hilos y rara vez superan
los 10 cm de longitud a las boas y pitones gigantes que
se aproximan a los 10 m de longitud. Sin embargo, las
serpientes muy largas y las muy cortas son minoría. La
mayoría de las especies miden entre 30 cm y 2 m.

Las especies pueden ser largas y delgadas o cortas y
rechonchas, dependiendo principalmente de sus hábitos alimenticios. Por tanto, las serpientes que se sientan
a esperar a su presa suelen ser las de cuerpo más pesado.
Las razones son dos. Primera, el cuerpo grande ayuda a
anclarlas en el suelo, proporcionándole un buen apoyo
desde el cual lanzar el golpe. Segundo, las serpientes

SERPIENTES

Orden: Escamosos

Más de 2.700 especies en 438 géneros y 18 familias.

DISTRIBUCIÓN: En todo el mundo excepto en las regiones Ártica, Antártica, Islandia, Irlanda, Nueva Zelanda y algunas pequeñas islas oceánicas. Ninguna serpiente marina habita en el Océano Atlántico debido a la incapacidad de cruzar corrientes frías.

Ecuador

HÁBITAT: La mayoría son terrestres, pero muchas son excavadoras, acuáticas, marinas o arborícolas.

COLOR: Principalmente marrón, gris o negro, pero algunas tienen el cuerpo de colores vivos rojo, amarillo o verde y marcas que varían desde manchas a anillos, bandas cruzadas y rayas.

REPRODUCCIÓN: Fertilización interna por medio de dos hemipenes del macho (sólo se introduce uno). La mayoría ponen huevos, pero muchas son vivíparas. Algunas tienen una auténtica conexión de placenta con la madre. Algunas serpientes guardan a sus huevos y unas cuantas (sobre todo los crótalos de zonas más templadas) ofrecen cuidado parental a sus crías.

LONGEVIDAD: Incluso las serpientes pequeñas pueden vivir hasta 12 años. Las especies grandes pueden vivir 40 años, quizás más.

ESTADO DE CONSERVACIÓN: 13 especies se encuentran en Peligro Crítico, 14 en peligro y 28 son Vulnerables. Además 3 especies recientes, entre ellas la corredora de Santa Cruz y la boa excavadora de la Isla Round, se consideran extintas.

que han abandonado la opción de elegir a su presa no necesitan tener un cuerpo aerodinámico como las que sí que la tienen y, por tanto, se pueden permitir ser más robustas, con más capacidad para comidas grandes.

Además, muchas de las que cazan mediante emboscadas son venenosas y necesitan una cabeza triangular más ancha para alojar sus glándulas venenosas, que están situadas justo detrás de los ojos. Buenos ejemplos de ellas son la víbora de Gabón y la víbora de la muerte australiana (que, a pesar de su nombre común, no pertenece a los Vipéridos sino a los Elápidos, una familia que también incluye a las cobras, mambas y serpientes coral o coralillos). Sin embargo, las que hacen emboscadas pero no son venenosas pueden tener la cabeza pequeña en desproporción, quizás para permitirles atacar con más rapidez. Por ejemplo, la pitón sangre malaya o colicorta, *Python curtus*. Todas estas serpientes tienen ojos pequeños ya que la vista es secundaria respecto al olfato, y en algunos casos llegan a detectar y localizar una presa por el calor.

En el otro extremo se encuentran las serpientes que cazan de un modo activo, a menudo hurgan con sus cabezas en grietas y vegetación densa con la esperanza de hacer salir a una presa y luego darle caza. Estas espe-

🔻 **Abajo** *Algunas serpientes primitivas, como las pitones y las boas, mantienen extremidades posteriores rudimentarias en forma de una espuela ósea en la cintura pélvica. Aquí se muestra una pitón sudafricana* (Phython sebae natalensis).

cies son largas y delgadas, con cabezas estrechas, colas largas y ojos grandes, ya que captan a la presa por la vista. Ejemplos de ellas son las serpientes de jarretera del género *Thamnophis*, las serpientes látigo y corredoras *Masticophis* y *Coluber* y las serpientes de arena africanas del género *Psammophis*.

También hay variación en las secciones transversales del cuerpo de las serpientes. Las especies excavadoras son casi perfectamente cilíndricas, quizás el punto de partida del cual se derivan otras formas. Las orugas terrestres, igual que las grandes víboras, son planas por la parte superior y la inferior para proporcionar más superficie de contacto con el suelo (como los neumáticos anchos de los coches), mientras que las serpientes trepadoras son planas por los costados, para que puedan mantener el cuerpo rígido cuando se estiran en espacios abiertos, como una viga.

Sin tener en cuenta tamaño y proporciones, el esqueleto de las serpientes se ha modificado mucho, posee un gran número de vértebras (hasta 500 en casos excepcionales). Se articulan holgadamente y cada una puede rotar sobre sus vecinas, permitiendo a la serpiente doblarse y enroscarse en cualquier dirección. Evitan rotar demasiado, ya que en el proceso de solapar cada vértebra pueden ocasionarse daños en el cordón espinal. Cada una de las vértebras del cuerpo y del cuello posee un par de costillas adjuntas, y son importantes en la locomoción. Aunque no existen extremidades visibles, algunas especies conservan cintura pélvica (posterior) rudimentaria, y muchas tienen pequeños indicios de extremidades unidos a ella. Estas son las «espuelas» o garras de las especies más primitivas, como las de las boas y pitones, que normalmente son más prominentes en los machos. Los cráneos de las serpientes son, en su mayoría, extremadamente flexibles, con huesos de tamaño y peso reducidos y sólo se articulan parcialmente unos con otros (una característica que permite a la serpiente abrir mucho la boca para meter su comida que puede medir varias veces el diámetro de su cabeza). Las serpientes ciegas, que poseen una dieta de invertebrados pequeños de cuerpo blando, tienen cráneos más rígidos.

Los dientes de las serpientes son puntiagudos, muy afilados y hacia atrás. Han evolucionado para agarrar y sujetar a la presa más que para masticar. Aunque miembros de algunas de las familias más primitivas tienen pocos dientes, la mayoría de las especies tienen muchos, dispuestos en los bordes de las mandíbulas superior o inferior y con dos filas adicionales en el techo de la boca (dientes palatinos y pterigoideos). Los miembros de algunas familias poseen pocos dientes modificados para inyectar veneno (véase Serpientes Venenosas) y otros grupos pueden haber modificado los dientes para poder enfrentarse a determinadas presas en las que se han especializado.

El alargamiento del cuerpo de la serpiente se corresponde con el alargamiento de algunos de sus órganos internos para que puedan adaptarse al espacio. Por la misma razón, ciertos órganos son de tamaño reducido, mientras que otros han cambiado de posición. La mayoría de las serpientes (pero no las boas, ni las pitones ni otros grupos primitivos) tienen sólo un pulmón funcional, el derecho. El izquierdo se ha reducido de tamaño o

ha desaparecido. El pulmón derecho se ha alargado para compensar, y hay una estructura más, el pulmón traqueal, derivado de la tráquea, que también le ayuda a respirar. Los estómagos de las serpientes son grandes y musculosos, poco más que una zona del conducto alimentario largo y grueso, y los intestinos no están tan enroscados como en otros muchos animales. Los riñones son alargados y alternados, igual que los testículos de las serpientes machos. Las hembras de algunas especies pequeñas y muy delgadas han perdido uno de sus oviductos.

⬣ **Arriba** *Muda de la piel de la serpiente de nariz de cerdo oriental (Heterodon platyrhinos). A medida que crece la serpiente cambia periódicamente esta capa de queratina. Observe las escamas largas y transparentes (brilles) que cubren los ojos de la serpiente (protección vital para un animal que no tiene párpados).*

Revestimiento escamoso
PIEL

La piel de las serpientes está cubierta de escamas. Cada escama es una parte más gruesa de la piel, separada de la de al lado por zonas más finas de piel elástica, intersticial, que permite que sea flexible el cuerpo de la serpiente. Las escamas dorsales son las más visibles. Pueden ser puntiagudas o redondeadas, con bordes solapados, como las tejas de un tejado, y pueden ser lisas y brillantes o quilladas y rugosas. Algunas serpientes tienen escamas granulares, o parecidas a cuentas de rosario, que no se solapan. La cantidad, forma, disposición y color de las escamas dorsales son muy útiles para identificar a la serpiente. En la parte inferior del cuerpo, las escamas abdominales de la mayoría son anchas y dispuestas en una única fila. De igual modo, las escamas que hay debajo de la cola (subcaudales) también pueden estar dispuestas en una sola fila, o pueden aparecer en parejas. En casi

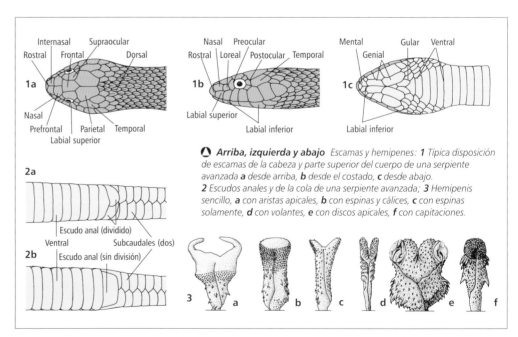

⬣ **Arriba, izquierda y abajo** *Escamas y hemipenes: **1** Típica disposición de escamas de la cabeza y parte superior del cuerpo de una serpiente avanzada **a** desde arriba, **b** desde el costado, **c** desde abajo. **2** Escudos anales y de la cola de una serpiente avanzada; **3** Hemipenis sencillo, **a** con aristas apicales, **b** con espinas y cálices, **c** con espinas solamente, **d** con volantes, **e** con discos apicales, **f** con capitaciones.*

todas las especies acuáticas estas escamas subcaudales se han estrechado y están representadas por un quilla o borde sencillo que recorre toda la longitud del cuerpo por la parte inferior. Las serpientes más primitivas no tienen escamas abdominales diferenciadas.

Las escamas que cubren la cabeza pueden ser pequeñas y granulares, pero es más normal que sean grandes y parecidas a placas. Se encuentran escamas pequeñas en la cabeza de las boas, pitones y víboras, aunque hay algunas especies en todas estas familias con escamas grandes, mientras que otras poseen escamas de un tamaño intermedio. Recíprocamente, miembros de los Colúbridos y Elápidos, por ejemplo, tienen escamas grandes en la cabeza, aunque, de nuevo, hay unas cuantas excepciones. Ya que las serpientes no tienen párpados, sus ojos están protegidos por una escama circular grande, llamada lente (brille), que se muda periódicamente junto con el resto de la piel. Las escamas protegen de las quemaduras a la piel de la serpiente cuando se mueve sobre el sustrato y también limitaan la pérdida de agua. Además, las células de pigmento de la piel dan a cada especie unos colores y manchas característicos.

Cubriendo las escamas y la piel intersticial intermedia, hay una capa de queratina que proporciona una protección adicional pero que no es lo suficientemente flexible como para permitir el crecimiento. También se estira y se daña durante las accidentadas actividades diarias normales de la serpiente. En consecuencia, la serpiente tiene que mudar esta capa externa de vez en cuando. Las serpientes jóvenes, que crecen más deprisa que las adultas, suelen cambiarlas con más frecuencia, aunque la frecuencia depende de lo bien que se haya alimentado la serpiente y de lo activa que haya sido. Al parecer todas las serpientes mudan la piel inmediatamente después de la hibernación (muda vernal) y también justo antes de poner los huevos o de tener a sus crías, y de nuevo otra vez después. La piel recién mudada (hablando con propiedad, la capa epidérmica) es húmeda y pegajosa debido a la grasa que segrega la serpiente entre las superficies vieja y nueva para facilitar la muda. Después de unas horas la piel se seca y se hace frágil. Los segmentos del cascabel de una serpiente cascabel están compuestos de epidermis seca de la escama terminal alargada, que se mantiene cuando el resto de la piel se ha desprendido y permanece unida por constricciones que rodean sus «cinturas».

Probando el aire
SENTIDOS Y ÓRGANOS SENSORIALES

La historia de la evolución de las serpientes, que les incluía entre los animales excavadores, ha sido la fuerza conductora que ha estado detrás de los modos únicos con los que ellas sienten el mundo que les rodea. La vista, por ejemplo, se había convertido en algo superfluo cuando vivían bajo tierra y sus ojos, por tanto, eran redundantes. Las serpientes más primitivas, que todavía viven debajo de la superficie, tienen ojos pequeños, casi infuncionales cubiertos de gruesas escamas. Especies más avanzadas, que regresaron a la superficie, necesitaron reinventar los ojos o un sustituto satisfactorio, llevando a las diferencias fundamentales entre sus ojos y los órganos de visión de otros animales. Por ejemplo, los ojos de las serpientes no enfocan cambiando la forma de las lentes sino moviéndolas hacia atrás y hacia delante. Esta característica parece ser una limitación, y la mayoría de las serpientes son cortas de vista. En particular, no ven muy bien los objetos inmóviles.

Los ojos de las serpientes varían de tamaño según el modo de vida de las especies, y sus pupilas varían de forma. Las especies sigilosas, pequeñas, tienen ojos

Abajo *Los golpes rápidos y ligeros de la lengua dentada es un acto típico de las serpientes, como se ve en esta serpiente de cascabel de Salvin (Crotalus scutulatus salvini). Al actuar así, la serpiente está recogiendo señales químicas que le permiten seguir la pista de su presa, detectar a un predador amenazante o encontrar pareja.*

◁ **Izquierda** *Los crótalos poseen unas fosetas sensoriales en el hocico. Aquí vemos un crótalo de labios blancos (Trimeresurus albolabris). Son los receptores de calor más sensibles de todo el reino animal. Permite a los crótalos detectar el calor del cuerpo de una presa que se encuentra a cierta distancia.*

▌ Mecanismo de culebreo
▌ LOCOMOCIÓN

Una necesidad obvia para cualquier grupo de animales que haya perdido las extremidades es desarrollar un nuevo método de locomoción. Las serpientes han desarrollado varios, algunos de ellos son comunes en la mayor parte de las especies, mientras que otros superan los problemas únicos de ciertos tipos de hábitat.

La locomoción rectilínea, o «en línea recta» se consigue moviendo las escamas abdominales. Cada una está unida a un par de costillas por medio de músculos dispuestos oblicuamente. Cuando estos músculos se contraen y relajan, los bordes de las escamas se enganchan a las ligeras irregularidades de la superficie del terreno y empujan a la serpiente. En cualquier momento varios grupos de escamas estarán empujando mientras que otros grupos alternos se estarán moviendo hacia delante, por tanto el movimiento es ondulado. Desde arriba la serpiente parece deslizarse sin esfuerzo sobre el suelo. El movimiento rectilíneo es bastante lento y lo utilizan serpientes de cuerpo pesado, como las boas, las pitones y las víboras, u otras serpientes cuando se arrastran hacia delante con lentitud, por ejemplo mientras acechan a una presa.

La locomoción en serpentina, llamada algunas veces ondulación lateral, la utiliza la mayoría de las serpientes cuando se mueven rápidamente. El cuerpo sigue a la cabeza en una serie de curvas suaves. Los costados presionan desigualdades grandes y pequeñas de la superficie simultáneamente de modo que se desplaza hacia delante suavemente. Al mismo tiempo, las escamas abdominales pueden estar moviéndose también del modo descrito para la locomoción rectilínea, aumentando el empuje. Un método de locomoción similar se utiliza también para nadar, donde presiona los costados contra el agua. Varias serpientes semiacuáticas poseen escamas duras, quilladas, que pueden ayudarla a mejorar el empuje, mientras que otras especies más acuáticas, especialmente las serpientes marinas, tienen cuerpos y colas que se comprimen lateralmente.

La locomoción más típica de las especies trepadoras, la de acordeón, supone agarrarse al sustrato con la parte posterior del cuerpo y la cola mientras avanzan hacia delante con la cabeza y la parte delantera. Una vez que la serpiente consigue un nuevo agarre, la parte posterior se arrastra y empieza el proceso de nuevo. Algunas serpientes trepadoras, especialmente las serpientes rata del género *Elaphe,* tienen un borde pronunciado donde los flancos se encuentran por la parte inferior, proporcionándoles un mejor agarre, especialmente a las cortezas de los árboles.

Las serpientes que viven sobre arena suelta tienen una superficie menos estable para sostenerse. Se enfrentan a este reto con el «golpe de costado», un método de locomoción en el cual levantan del suelo la cabeza y el cuello y los mueven lateralmente mientras el resto del cuerpo mantiene anclada a la serpiente. Una vez que la

pequeños con pupilas redondas. Las cazadoras diurnas tienen pupilas redondas también pero sus ojos son mucho más grandes. Estas especies se detienen con frecuencia y levantan la cabeza del suelo con el fin de obtener una mejor vista, lo que demuestra que la visión es importante para ellos. Las serpientes nocturnas suele tener pupilas verticales (cuando ven a la luz del día) que se contraen hasta convertirse en una hendidura estrecha para proteger sus sensibles retinas. Unas 10 especies de serpientes arborícolas (dos en África y ocho en el sudeste de Asia) tienen pupilas horizontales. Estas especies también tienen hocicos largos y estrechos, y las pupilas «envueltas alrededor» permiten a la serpiente mirar de cerca con los dos ojos, proporcionándole una buena visión binocular y ayudándole a medir distancias.

Las serpientes no tienen aberturas externas del oído, de nuevo debido a su pasado excavador. No obstante, están presentes las partes internas del oído y parece probable que las serpientes pudieran detectar sonidos en forma de vibraciones transmitidas por el suelo. Hasta cierto punto, pueden oír algunos sonidos que lleva el aire.

Para la mayoría de las serpientes el olfato es el sentido más importante para cazar, evitar la depredación y encontrar pareja. Nos cuesta imaginar un mundo marcado por los olores, algunos de ellos producidos por animales que pasaron varios días antes. Este grado de sensibilidad recibe la ayuda de un órgano sensorial especializado, conocido como órgano de Jacobson, que se utiliza, junto con la lengua, para detectar olores del aire. Cuando está cazando una serpiente, o cada vez que siente un cambio en su entorno, saca su lengua dentada con movimientos rápidos y ligeros. Las partículas olorosas se adhieren a la punta dentada y entran a la boca. Después las dos puntas entran

en el órgano de Jacobson por medio de dos pequeñas concavidades que hay en el techo de la boca. Las diminutas muestras de olor se analizan allí y los resultados se retransmiten a la parte olfativa del cerebro de la serpiente.

Algunas serpientes, entre ellas los crótalos y la mayoría de las boas y pitones, tienen órganos que pueden detectar pequeños cambios de temperatura, como la que producen los animales de sangre caliente o incluso otros reptiles que hayan aumentado la temperatura de su cuerpo tomando el sol. Estos órganos están alineados con células que contienen muchos termorreceptores, cada uno de ellos conectado al cerebro. En las boas y pitones los órganos sensibles al calor toman la forma de una fila de fosetas poco profundas a lo largo de los labios de la serpiente. En las boas se encuentran entre escamas adyacentes, mientras que en las pitones están dentro de las escamas. Varían en número de unas especies a otras y algunas carecen de ellas por completo.

El sistema de los crótalos es más avanzado, con una única foseta profunda dirigida hacia delante y situada a cada lado de la cabeza, justo debajo de una línea imaginaria que va desde el ojo al orificio nasal. Cada foseta consiste en dos compartimentos divididos por una membrana. El compartimento interno está conectado al mundo exterior a través de un poro, que se abre justo delante del ojo y sirve para ecualizar la presión a cada lado de la membrana y medir la temperatura ambiente. Utilizando las fosetas, los crótalos no sólo pueden detectar diminutos aumentos de temperatura de fracciones de grado sino que pueden indicar con precisión la posición y alcance de un objeto comparándolo con los mensajes recibidos a cada lado de la cabeza, permitiéndoles golpear con precisión en absoluta oscuridad.

cabeza y el cuello están en el suelo, les siguen el resto del cuerpo y la cola. Sin embargo, antes de que la cola toque el suelo, la cabeza y el cuello se lanzan de nuevo hacia un lado, dando como resultado un movimiento continuo, de bucle, para cruzar por la arena y la serpiente se mueve unos 45° hacia la dirección que ha señalado. Todas las serpientes de «golpe de costado» son víboras, pero están distribuidas ampliamente, se encuentran en los desiertos de África y Asia Central así como en Norteamérica y Sudamérica.

Las serpientes excavadoras se propulsan por el sustrato de varias maneras. Las especies que viven en suelo o arena sueltos suelen abrirse camino por él igual que si estuvieran nadando, y el sustrato vuelve de nuevo a su posición después de haber pasado ellas. Otras serpientes que viven en suelo más firme utilizan un complejo de túneles que hacen ellas mismas. Las especies de túnel poseen un cráneo reforzado y la cabeza puntiaguda o plana con un borde alrededor del hocico. El cuello no se diferencia del cuerpo y utilizan contracciones musculares para embestir al suelo con la cabeza, realizando algunas veces movimientos laterales para compactar la tierra. Las especies que sólo hurgan con el hocico en el suelo cuando están buscando un lugar para enterrar una presa pueden tener un hocico vuelto hacia arriba, como es el caso de las serpientes de hocico de cerdo del género *Heterodon* y algunas serpientes de la noche *Causus* africanas.

Al contrario de lo que se cree popularmente, las serpientes no viajan de un modo especialmente rápido. Una serpiente típica de tamaño medio probablemente avanzará a una velocidad de 4 o 5 km/h, un paso animado para los humanos, mientras que las especies rápidas, como las mambas africanas, pueden lograr velocidades de unos 11km/h. Incluso así, las serpientes se quedan sin energía rápidamente y solamente pueden mantener el movimiento rápido en una distancia corta.

◗ *Izquierda* *La mayoría de las serpientes de jarretera son terrestres, pero algunas viven en corrientes de agua dulce o en ensenadas salobres. Abandonan el agua regularmente para tomar el sol o para reproducirse. Aquí, una serpiente de jarretera de dos bandas (Thamnophis hammondii) nada en aguas poco profundas en Baja California (Méjico).*

◗ *Abajo* *La víbora del desierto de Peringuey (Bitis peringueyi) del desierto Namib, al sudoeste de África, es una de las especies de víbora que se mueven a «golpe de costado». Este modo de locomoción es el más eficaz para atravesar las ardientes dunas de arena caliente.*

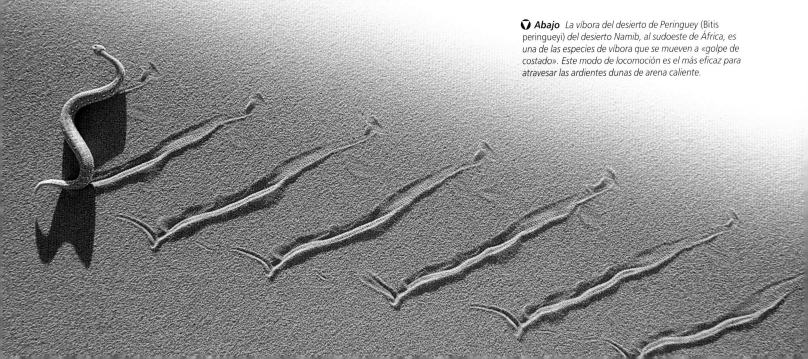

Se traga la presa entera

ALIMENTACIÓN

Todas las serpientes viven de otros animales. Comen casi todo tipo de presa posible, desde pequeños invertebrados a grandes mamíferos. Su principal limitación es la incapacidad de desmembrar a una presa (porque no tienen extremidades). Por tanto, tienen que tragársela entera. Aunque la flexibilidad del cráneo y la elasticidad de la piel les permite tragarse animales que son bastante más grandes que su propio diámetro, hay unos límites. El tipo de presa, por tanto, depende del tamaño de la especie concernida, así como de la disponibilidad.

Aunque algunas especies no se han especializado y comen más o menos cualquier cosa que puedan vencer, otras se han especializado mucho y se limitan a un único tipo de presa. La mayoría comerán varias especies de presa dentro de un único grupo animal: invertebrados, ranas, lagartos, mamíferos, etc. Entre las especializadas se encuentran especies que comen arañas nada más (las serpientes de hocico de gancho, *Ficimia*) o ciempiés (la serpiente ciempiés coral gargantilla, falso coralillo), *Scolecophis atrocinctus*) o babosas y caracoles (*Dipsas* y *Sibon* en ambas Américas y *Pareas* en Asia), o huevos de ave (*Dasypeltis* en África y *Elachistodon westermanni* en la India), pero hay otras muchas. Algunas especies se someten a un cambio de dieta cuando crecen, pasan de especies pequeñas a otras más grandes, por ejemplo de lagartos a mamíferos.

Las serpientes cazan de diferentes maneras. Algunas especies simplemente viven entre sus presas. Entre ellas se encuentran las primitivas serpientes ciegas hiladas que residen en el interior de colonias de termitas. Otras buscan activamente a su presa, suelen emplear estrategias que les ofrecen ventaja sobre especies de presa específicas. Por ejemplo, las serpientes nocturnas pueden cazar lagartos diurnos, moviéndose por las grietas o examinando las hojas y ramas donde es probable que se encuentren durmiendo. Otras tienen un objetivo de presa mucho más preciso. Las serpientes de ojos de gato de América central y del sur, por ejemplo, buscan las nidadas de huevos de rana en las hojas que cuelgan sobre pequeños estanques, mientras que las serpientes africanas que comen huevos buscan los nidos de los pájaros.

Los medios con los que las serpientes vencen y se tragan a su presa están muy vinculados con el tipo de presa. La mayoría de las serpientes pequeñas, que se alimentan de invertebrados y otros seres pequeños, simplemente la agarran y empiezan a tragársela. Las serpientes que comen caracoles tienen modificadas las mandíbulas inferiores para poder romper la concha y suelen sacar con dificultad la parte carnosa del molusco. Las serpientes que comen huevos tienen vértebras modificadas que sierran la cáscara del huevo, permitiendo que fluya el contenido hacia su garganta mientras regurgita la cáscara vacía. Las especies que comen ranas no necesitan estos métodos sofisticados para sujetar su alimento: simplemente se la tragan viva.

En las especies que comen animales, tanto si son lagartos como si son serpientes, aves o mamíferos, se debería esperar que la lucha y la causa de daños requieran medios más avanzados para inutilizar a la presa. Las serpientes emplean dos métodos para vencer a la presa: la constricción y el envenenamiento. Todas las boas y pitones son constrictoras, al igual que las serpientes irisadas, las boas enanas y varios colúbridos. Estas especies matan a su presa enroscándose a su alrededor para evitar que respire. Al mismo tiempo restringen la circulación, precipitando algunas veces el resultado. Una vez que la serpiente se asegura de que la presa está muerta afloja la rosca ligeramente, busca la cabeza y empieza a tragar, empujando al armazón a través de las roscas.

🔵 *Arriba* *Una estrategia de caza de los juveniles de algunas especies de serpiente, como el cantil (*Agkistrodon bilineatus*), un crótalo del centro de América, supone atraer a la presa con la punta de cola que presenta un color de contraste. Otras especies que utilizan esta estrategia son las víboras de la muerte (especies* Acanthophis*).*

CÓMO SE TRAGA UNA SERPIENTE A SU PRESA

Aunque algunas serpientes han dejado una vida excavadora y se han especializado en comer pequeños insectos y gusanos, muchas comen animales que son grandes si los comparamos con su propio tamaño. En realidad, da la impresión de que uno de los aspectos más importantes de la biología de la serpiente (y el que las diferencia de otros animales) sería su habilidad para capturar y tragar una presa grande. Esta habilidad, unida a su lento metabolismo, ofrece una ventaja a las serpientes: la de no tener que comer con tanta frecuencia. Muchas de ellas comen menos de una vez a la semana y algunas sólo 8 o 10 veces al año. Las boas y pitones grandes, si es necesario, pueden pasar 12 meses o más sin comer.

Los dientes de las serpientes son poco más que unos conos de punta afilada, curvados hacia el interior, que utilizan para sujetar a las presas animales y arrastrarlas hacia el esófago. Los huesos de la mandíbula de todas las serpientes, a excepción de las tres familias más primitivas, poseen muchos dientes de esta clase. Además, los huesos de la mandíbula se articulan con los cuadrados (huesos móviles de la parte posterior del cráneo), de modo que cada hueso se puede mover individualmente hacia arriba y hacia abajo, hacia atrás y hacia delante o de lado a lado. Las dos mitades de la mandíbula inferior no están soldadas en la parte anterior sino que están unidas solamente por medio de ligamentos y músculos. De este

modo, cada mitad de la mandíbula inferior, así como cada uno de los seis huesos de dientes de la mandíbula superior y paladar, se pueden mover independientemente.

La serpiente agarra a la presa, después de haberla matado en el caso de las serpientes venenosas o constrictoras, y normalmente le da la vuelta para que pase la cabeza primero por la garganta. Luego los dientes de la mandíbula trabajan alternativamente, conduciendo a la presa hacia el esófago. Después la serpiente forma una curva pronunciada en el cuello detrás de la presa y la empuja hacia el estómago.

La piel del cuerpo de la serpiente es lo suficientemente flexible como para permitir que el animal se estire sin rasgarse. Las serpientes carecen de la cintura pectoral asociada a las extremidades anteriores de otros vertebrados, por tanto eso no impide el paso del alimento a través del esófago. También han perdido el esternón, que une los extremos anteriores de las costillas en la mayoría de los animales. Sin obstrucción alguna, la presa puede deslizarse fácilmente desde la boca al estómago, y la piel flexible y las costillas se extienden para dejar espacio para pasar.

🔵 *Izquierda* *Las adaptaciones morfológicas especializadas permiten a la extraordinaria serpiente comedora de huevos (*Dasypeltis scabra*) tragar huevos de aves que poseen un diámetro tres o cuatro veces superior al de su propia cabeza.*

Las serpientes venenosas pueden golpear y sujetar a la presa hasta que muere, o puede golpearla y liberarla, prefiriendo ir a buscar el cuerpo después de haber pasado un breve período de tiempo. De ese modo evita cualquier riesgo de ser mordida o sufrir algún otro daño. La serpiente utiliza la lengua y el órgano de Jacobson para rastrear a la víctima agonizante.

Disfraces y avisos
DEFENSA

Al igual que las serpientes son predadoras, también son presas. Incluso las boas y pitones más grandes no son inmunes al ataque, aunque las serpientes de tamaño medio o pequeño son las más vulnerables. Los predadores de las serpientes pueden ser animales que no se han especializado en un tipo de alimento, como es el caso de los mapaches o cuervos, o especializados como las mangostas o secretarios. Con frecuencia otras serpientes son sus predadores más importantes.

Su defensa más valiosa es no ser detectadas. Las serpientes son expertas a la hora de esconderse, cambian su perfil a voluntad, enroscándose o estirándose o quedándose en un paso intermedio. Ningún vertebrado tiene esa habilidad de evitar que los predadores se creen una imagen de búsqueda. Además, la mayoría de las serpientes son del mismo color del sustrato en el que viven. Como éste puede variar de un lugar a otro, puede suceder que miembros de una misma especie que estén separados geográficamente presenten colores o razas diferentes. La coloración, que puede formar rayas, bandas, manchas, manchones o moteados y sombras irregulares, rompen el perfil de la serpiente cuando reposa en su hábitat natural,

aunque algunas veces aparecen con colores llamativos y visibles cuando se las ve en el contexto de los zoos.

Los miembros de la familia Elápidos son de colores vivos normalmente, con anillos rojos, negros y blancos, o amarillos dispuestos a lo largo del cuerpo. Son colores de aviso para disuadir a los predadores. Cuando son atacadas, estas especies se agitan o se mueven un poco hacia delante, de un modo espasmódico, creando un calidoscopio de color que puede causar una ilusión óptica y también asustar. Especies con coloración de este tipo se encuentran en América del Norte, central y del Sur, en el sur de África, en el sudeste de Asia y en Australia. La mayoría se llaman serpientes coral.

Las serpientes no venenosas pueden imitar a estas especies, beneficiándose de la similitud. Las llamadas

⬥ **Arriba** *La anaconda verde acuática (Eunectes murinus) de Sudamérica puede crecer hasta los 10 m o más. Con su gran circunferencia y sus potentes músculos, es capaz de vencer a animales grandes, incluso a otros grandes predadores como el caimán.*

⬥ **Abajo** *Otra formidable constrictora es la pitón roquera africana (Python sebae), que de un modo habitual se alimenta de ungulados, entre ellos la gacela de Thomson, e incluso de antílopes más grandes como el kob o el impala. Debido al ritmo metabólico bajo de las serpientes, no será necesario que un animal tan grande coma de nuevo hasta pasadas unas semanas.*

◗ **Derecha** *Entre las serpientes no gregarias, como ciertas especies de serpiente de cascabel, los machos compiten por acceder a las hembras durante el breve período de tiempo que dura la época de cría. Aquí, dos serpientes de cascabel moteadas (Crotalus mitchelli) se emplean en la contienda ritualista de empujarse para establecer el dominio. Estas luchas pueden durar una hora o más.*

◖◗ **Arriba y derecha** *Ya que los dibujos de algunas serpientes venenosas parecen detener a los predadores, el mimetismo está muy extendido en las especies inofensivas del mismo hábitat. Por ejemplo, en América del Norte y Central, numerosas especies y subespecies de la serpiente falsa coral (arriba la culebra coral falsa de Nelson Lampropeltis triangulum nelsoni) imita las bandas rojas, amarillas y negras de las serpientes coral venenosas (derecha, una coralillo anillado Micrurus diastema). Otros géneros de Colúbridos han desarrollado la misma estrategia.*

muda vernal y antes de que haya comenzado la actividad de la alimentación, aunque unas cuantas especies se aparean más tarde durante el año. Los machos utilizan rastros olorosos para atraer a las hembras y reconocer las que son receptivas. En algunas especies, entre ellas mambas, víboras y algunas serpientes de cascabel, los machos compiten por las hembras erigiéndose con los cuerpos entrelazados, intentado cada uno de ellos echar al suelo al contrario. Estos ataques pueden durar horas, con largas pausas entre los períodos de actividad, y el ganador se apareará inmediatamente después.

Las serpientes (en común con los lagartos) son capaces de almacenar esperma durante largos períodos de tiempo, ofreciéndoles la oportunidad de aparearse prácticamente en cualquier época del año y retrasar la fertilización hasta una época más apropiada. Este intervalo de tiempo puede ser de varios meses. Por ejemplo, especies que tienen un período de actividad muy corto pueden aparearse en otoño y almacenar el esperma hasta el verano siguiente. Las hembras también son capaces de producir dos o más puestas de huevos fértiles de un único apareamiento, una ventaja para esas especies que están muy poco extendidas en un hábitat uniforme y por tanto tienen pocas oportunidades de encontrarse y aparearse. En condiciones normales, las hembras ponen sus huevos unos 40 días después del apareamiento. Las vivíparas tienen períodos de gestación que rara vez duran menos de cuatro meses, pero pueden pasar hasta 10 meses desde la fertilización al nacimiento, sin incluir el tiempo que el esperma está almacenado.

Los factores que determinan si las especies ponen huevos o dan vida a jóvenes están muy relacionados con su distribución y la historia de su evolución. De un modo muy sencillo, es más probable que las especies que viven en lugares fríos sean más vivíparas que las que viven en lugares cálidos porque las hembras que transportan sus huevos durante todo el período son capaces de encontrar los lugares más cálidos en los que poder tomar el sol y, por tanto, acelerar el proceso de desarrollo. Las ovíparas tienen que dejar el desarrollo de los huevos a su suerte. No es el problema de climas cálidos, pero sí el de latitudes y altitudes más elevadas.

Los métodos de reproducción se pueden ver influenciados por tendencias familiares. Por ejemplo, en todos los miembros de la Boidos excepto en uno se produce nacimiento, mientras que todos los miembros de la Pitonino ponen huevos. De un modo similar, la mayoría de las víboras y crótalos son vivíparos, mientras que todos los miembros de las familias más primitivas, hasta donde se sabe, son ovíparos. Por otro lado, algunos géneros de serpientes tienen especies vivíparas y ovíparas. Por ejemplo, la culebra lisa europea, *Coronella austriaca*, es vivípara, mientras que la especie del sur, *Coronella girondica*, pone huevos. Incluso menos corriente aún es el hecho de que el método puede variar dentro de la misma especie. La serpiente de agua sudamericana, *Helicops angulatus*, y la culebra africana, *Psammphylax variabilis*, tienen poblaciones vivíparas y ovíparas. En cualquier caso las vivíparas viven en las zonas de distribución más frías de la especie.

El tamaño de la puesta o camada no depende de si una especie es ovípara o vivípara, pero está muy rela-

serpientes de coral «falsas» se encuentran principalmente en el género *Lampropeltis*, las serpientes reales, así como varios colúbridos de América Central y del Sur. No parece que haya otras imitadoras de serpientes coral o coralillos en otras partes del mundo. Otras especies inofensivas que son más rechonchas y poseen cabezas anchas imitan a las víboras.

Una vez descubiertas, muchas serpientes intentarán realizar una huida rápida y se meterán en grietas o se ocultarán entre la vegetación densa, pero en circunstancias extremas, algunas convertirán su defensa en ataque con la esperanza de vencer al enemigo. Estas especies pueden resoplar y silbar muy alto, algunas veces repetidamente. Las cobras levantan el tercio anterior de su cuerpo y extienden una capucha rotando hacia delante las costillas alargadas de la región del cuello.

Las serpientes de cascabel producen un fuerte sonido, una especie de zumbido, levantando y haciendo vibrar rápidamente la cola, lo que hace que suenen los segmentos del cascabel. Algunas víboras del norte de África y de Oriente Medio producen los sonidos de modos diferentes. Poseen escamas modificadas en los costados, con quillas aserradas dispuestas oblicuamente. Cuando son amenazadas, forman una rosca característica, en forma de herradura, y moviendo una parte de su cuerpo en dirección opuesta a la adyacente, las escamas producen un fuerte sonido de raspado. La serpiente comedora de huevos tiene unas escamas y una conducta similares, aplanando la cabeza y dando falsos golpes

mientras frota sus escamas unas con otras. Las cobras escupidoras de África y Asia echan veneno por un pequeño poro situado en la parte anterior de sus colmillos. La serpiente levanta la cabeza y hace que el veneno salga a gran velocidad y con gran precisión. El veneno causa un intenso dolor y ceguera temporal si entra en los ojos.

Otras serpientes se defienden enroscándose hasta convertirse en una bola con la cabeza en el centro. Una de ellas, la pitón real o bola, toma uno de sus nombres por esta conducta. Una pequeña cantidad de serpientes fingen estar muertas, se echan sobre el dorso, con la boca abierta y la lengua colgando. Esta conducta puede ir acompañada de la producción de una secreción de olor fétido en la cloaca, probablemente para indicar descomposición.

Almacenadoras de esperma
REPRODUCCIÓN

El ciclo reproductor de las serpientes varía según el hábitat. Las especies tropicales no siempre tienen épocas de cría bien definidas, aunque el comienzo de la estación lluviosa puede producir un aumento de apareamiento y cortejo. Las serpientes de climas templados se aparean en primavera normalmente, después de un período de hibernación o actividad reducida. Algunas especies hibernan en grupo, facilitando el encuentro de una pareja en primavera, antes de dispersarse. El apareamiento de estas especies sucede inmediatamente después de la

cionado con el tamaño de la especie. Dentro de una especie, las hembras más grandes producen puestas más grandes. Entre las especies más prolíficas se encuentran las de las dos pitones más grandes, la reticulada y la birmana, que pueden producir puestas que se acercan a los 100 huevos, y la serpiente topo africana y la víbora bufadora, de las que se sabe que han realizado puestas de más de 100 jóvenes vivos. Sin embargo, la mayoría de las serpientes producen puestas o nidadas de 5 a 20, y algunas de las especies muy pequeñas producen sólo uno o dos de una vez. Las especies tropicales pueden tener una época de cría más extensa, produciendo varias puestas relativamente pequeñas en vez de una única grande. En el otro extremo se hallan las especies de zonas más frías que únicamente están activas una parte del año y pueden criar cada dos o tres años nada más.

Hasta donde se sabe, sólo hay una especie de serpiente que cría sin necesidad de aparearse. Se trata de la serpiente ciega de Braminy, una especie partenogenética originaria de la India y sudeste de Asia. Cada individuo es una hembra y, tan pronto como madura, empieza a poner huevos fértiles que producen hembras clones de sus madres. Ya que estas serpientes son pequeñas y se pasan por alto con facilidad, y ya que cualquier individuo puede empezar a reproducir inmediatamente después de llegar a la madurez, esta especie se ha introducido de un modo accidental en muchas zonas templadas del mundo. Es especialmente propensa a que se la transporte inadvertidamente en las raíces y tierra de plantas para macetas y cultivos comerciales como en el del árbol del caucho, lo que ha hecho que se ganara el nombre común alternativo de «serpiente de tiesto».

◗ **Derecha** *Un pescador cazando kraits marinos en Filipinas. Se cogen decenas de miles de kraits anualmente. Se come su carne y la piel se convierte en artículos para el mercado turístico, como zapatos y bolsos.*

Reducción de espacio
CONSERVACIÓN Y ENTORNO

El siglo XX no ha sido bueno para las serpientes, y los indicios que hay para el XXI son aún peores. El problema principal, con diferencia, es la destrucción de su hábitat. Las serpientes rara vez son capaces de buscar situaciones mejores si perturban su hábitat. Las poblaciones se van quedando aisladas y diezmadas rápidamente, y dentro de poco tiempo habrán quedado eliminadas. A escala mundial, las especies de bosques húmedos son las más afectadas probablemente, aunque no se dispone de cifras. Sin embargo, las que habitan en desiertos y tierras marginales también están perdiendo su hábitat debido a la extensión de la agricultura, industria y urbanización. También sufren los efectos de la contaminación y el aumento de tráfico que ocasionan estas actividades.

Las especies que viven en islas son vulnerables especialmente a la pérdida de hábitat y a la introducción de especies predatorias o competidoras. La única familia de boas de Mascarene, por ejemplo, estaba restringi-da a la Isla Round a finales del siglo XX, habiendo desaparecido ya de la vecina Mauritius y de otras islas de la región debido a la introducción de ratas. Después de que la introducción de conejos y cabras causaran la erosión del suelo, el hábitat de su refugio final quedó muy destruido. De las dos especies de la familia, una, la *Bolyeria multocarinata*, una serpiente excavadora, parece ser que se extinguió en 1975 aproximadamente, época en la que se vio al último espécimen. La otra, *Casarea dussumieri*, estaba en peligro de seguir la misma suerte en el olvido pero se ha conservado gracias a medidas desesperadas, entre ellas la eliminación de conejos y cabras y a un programa de cría en cautividad. Aún así su futuro no está asegurado durante algún tiempo. Otra especie de isla vulnerable es la víbora de Milos de la isla griega del mismo nombre, la serpiente de cascabel de Aruba y varias serpientes corredoras que se han extinguido o están a punto de extinguirse.

Además de la destrucción del hábitat, pero insignificante en comparación, existen los problemas causados por los extendidos prejuicios contra las serpientes, que da como resultando la matanza de muchas de ellas sin causa justificada. También muchas de ellas son víctimas del tráfico cada año. Otras amenazas, controladas quizás con más facilidad, son la colección de pieles y el comercio de mascotas.

Aparte del elemento menor de criar en cautividad, las medidas a llevar a cabo para ayudar a sobrevivir a las serpientes se encuentran todavía en una primera fase. Los conservadores están trabajando todavía para adquirir una mejor comprensión de sus necesidades, normalmente mediante estudios ecológicos a largo plazo en los que utilizan telemetría por radio. Se pueden conservar las zonas naturales en las que viven las serpientes, pero suele resultar algo secundario respecto a la conservación de otros organismos más visibles. Los programas de educación que adviertan del valor estético y económico de las plantas silvestres y animales salvajes, entre ellos las serpientes, serán quizás la contribución más importante a la continuidad de su supervivencia.

SERPIENTES VENENOSAS

Desarrollo de toxinas y mecanismos de liberación

VENENOS: TOXINAS BIOLÓGICAS SEGREGADAS POR GLÁN-dulas especializadas y que se inyectan a otros organismos por diferentes métodos. Son relativamente raros en el reino animal, pero prevalecen con diferencia en las serpientes. Se cree que representantes de unos 200 géneros de serpientes, todos pertenecientes a las familias «avanzadas», poseen venenos hasta cierto punto al menos. Entre ellos se encuentran las víboras, todos los elápidos (por ejemplo cobras, serpientes marinas y serpientes venenosas australianas) y varios colúbridos. ¿Qué factores determinan la evolución de estas complejas toxinas en las serpientes, y cuáles son los mecanismos de producción y liberación de su veneno?

Las muertes y heridas en seres humanos producidas por mordeduras de serpiente (es probable que mueran 100.000 personas al año. Véase La Amenaza de las Mordeduras de Serpiente) cambian inevitablemente nuestra percepción de estas criaturas. Sin embargo, que las serpientes abrigan alguna intención «agresiva» hacia víctimas humanas es una idea que debería desaparecer. Las serpientes reaccionan y únicamente se defienden mordiendo cuando perciben una amenaza y no pueden hallar el modo de escapar. La inyección del veneno en una persona es algo bastante casual en el papel prioritario que representa este arma en el arsenal de la serpiente, y hacer hincapié en la atrición humana de la interacción con las serpientes es interpretar mal el propósito evolutivo del veneno. Los biólogos creen que el veneno de la serpiente evolucionó en respuesta a la necesidad de dominar a una gama más amplia de

presas. El envenenamiento debilita y desorienta a animales más grandes, potencialmente peligrosos, a la vez que una presa difícil de coger, que se oculta en madrigueras o grietas, puede ser paralizada y extraída. Aunque esta capacidad ofensiva de subyugar a una presa es claramente la principal función del veneno, no significa de ningún modo que sea su único propósito.

Se ha seguido la pista de los orígenes bioquímicos del veneno hasta los jugos digestivos, señalando así otra importante función del veneno: la predigestión de la presa. Es cierto de un modo especial en los potentes enzimas destructores de tejidos presentes en el veneno de los vipéridos, sobre todo la fosfolipasa (PL) A_2. Por ejemplo, durante las 24 horas siguientes a la ingestión de una presa, el veneno de la serpiente de cascabel diamante (*Crotalus atrox*) habrá digerido la piel por lo general, habrá dejado al descubierto la cavidad del cuerpo y habrá empezado a romper los órganos internos. Cuando una víbora envenena a un ser humano, el resultado suele ser una necrosis aguda de tejidos alrededor de la mordedura.

Un papel defensivo, que disuade el acercamiento de los predadores, puede haber tenido una gran influencia en la evolución del veneno en ciertas especies. Este factor disuasivo no se ha investigado en profundidad, pero lo atestiguan bien las cobras escupidoras (*Hemachus* y algunas *Naja*) que utilizan el veneno para este fin principalmente. Resulta fascinante especular sobre el desarrollo de ciertas toxinas potentes en particular en algunas serpientes y si está relacionado también con una estrategia de defensa. Ciertamente la

potencia del veneno del taipán del interior (*Oxyuranus microlepidotus*), un elápido australiano, que descarga veneno suficiente en un solo mordisco para matar a 200.000 ratones, está fuera de toda proporción para sus presas habituales de roedores y pequeños marsupiales. Si este poderoso veneno no le ofrece ventajas a la hora de alimentarse, entonces ¿ha evolucionado para otro fin?

Otras serpientes han desarrollado modificaciones anatómicas como sonidos, colores y modelos de conducta que avisan a los posibles predadores de su peligrosidad, y esto a su vez ha llevado al mimetismo batesiano de serpientes venenosas por especies no venenosas. Este fenómeno se ejemplifica en la sorprendente similitud de dos especies de América Central, la falsa terciopelo (*Xenodon rabdocephalus*) y la terciopelo muy venenosa (*Bothrops asper*). En este caso, una característica externa (las pupilas redondas de la primera especie) ayuda a distinguirla de la segunda. Sin embargo, no significa que sea una regla fiable para afirmar qué especie es inofensiva y cuál es venenosa. Todos los elápidos poseen pupilas redondas, mientras que muchas no venenosas, como las boas y pitones, tienen pupilas elípticas.

Los mecanismos de producción y liberación de veneno varían considerablemente. El veneno de la serpiente lo producen glándulas de la cabeza situadas en la mandíbula superior o región temporal (excepto en algunas serpientes stiletto, algunas elápidas y

◖ *Izquierda* *Una cobra escupidora de cuello negro (Naja nigricollis nigricollis). Once especies de cobra con colmillos modificados de un modo especial tienen capacidad de «escupir». El veneno de esta especie puede causar ceguera permanente.*

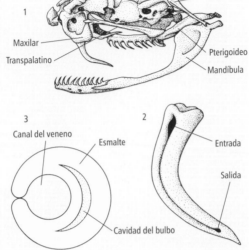

Abajo *Colmillos. **1** Cráneo de una serpiente de cascabel que muestra los dientes especializados de la mandíbula superior. **2** Colmillo de una serpiente de cascabel que muestra la entrada para el veneno y la salida cerca de la punta. **3** Sección transversal del colmillo de una cobra que muestra la cavidad por la que es conducido el veneno.*

1

Maxilar

Transpalatino

Cuadrado

Pterigoideo

Mandíbula

3

Canal del veneno

Esmalte

Cavidad del bulbo

2

Entrada

Salida

Arriba *El papel principal del veneno de la serpiente es inmovilizar a la presa. Aquí, una terciopelo sujeta a una lagartija parda (Ameiva festiva).*

algunas culebras nocturnas, que tienen glándulas tubulares que recorren el cuerpo y son extensiones de las glándulas de la cabeza). El tipo de glándulas difiere según el grupo. Las auténticas glándulas venenosas, caracterizadas por una cámara de almacenaje central y espaciosa de veneno (el lumen) que se conecta por medio de un conducto a un colmillo único, se encuentra en todos los vipéridos y elápidos, así como también en algunos atractaspídidos (serpientes stiletto). La mayoría de los colúbridos, por otro lado, poseen glándulas de Duvernoy, que rara vez tienen lumen, y pueden estar unidas a varios dientes posteriores. Sin embargo, unos cuantos colúbridos de los más venenosos poseen un mecanismo que se parece más al de una auténtica glándula venenosa.

Hay diferentes tipos de dientes conductores de veneno. En las serpientes con colmillos anteriores, se localizan en la parte anterior de la mandíbula superior y las estrías o canales que transportan el veneno están cerrados al menos en parte. En las víboras y atractaspídidos el colmillo se puede plegar contra el techo de la boca. Los colmillos de estas serpientes son más grandes en proporción que los de los elápidos, excepto en unas cuantas serpientes venenosas australianas. (Los colmillos más largos son los de la víbora de Gabón, que miden 2,9 cm en una serpiente de 1,3 m). En muchos colúbridos la modificación de los dientes simplemente toma la forma de un alargamiento de uno o dos pares de dientes posteriores. En otros estos dientes están equipados de estrías en la parte anterior o laterales.

La capacidad de almacenaje de veneno es mayor en las víboras y en algunas cobras. La cantidad de veneno que se puede extraer de estas serpientes puede ser de hasta 6 o 7 ml con un peso en seco de 1,5 g aproximadamente. Debido a la falta de lumen, no debe sorprender que los colúbridos produzcan cantidades menores, de solo unos pocos microlitros (con un nimio peso en seco de 1,5 g). Esta familia, que suma casi las dos terceras partes de todas las serpientes, suelen entrar en la categoría de «serpientes inofensivas». No obstante, ya que no hay una correlación simple entre la toxicidad del veneno y el tamaño de la presa, tampoco la hay entre la producción de veneno y la toxicidad. Las investigaciones realizadas sobre las muertes de herpetólogos de prestigio debidas a mordiscos accidentales de colúbridos revelaron que el veneno de algunas especies es mucho menos dañino de lo que se había supuesto. Gramo a gramo, los venenos de la Boomslang (*Dispholidus typus*), dos especies de *Thelotornis* (*T. capensis*, serpiente ramita de la sabana y *T. kirtlandii*, la serpiente de la leña) y la Yamakagashi (*Rhabdophis tigrinus*) son más tóxicas aún que la mamba negra.   HWG/SAM

Izquierda *El veneno de las serpientes puede beneficiar a los humanos: Un compuesto sintetizado de veneno de Jararaca (Bothrops jararaca) se utiliza para tratar la presión arterial alta, los fallos del corazón y enfermedades renales de los diabéticos.*

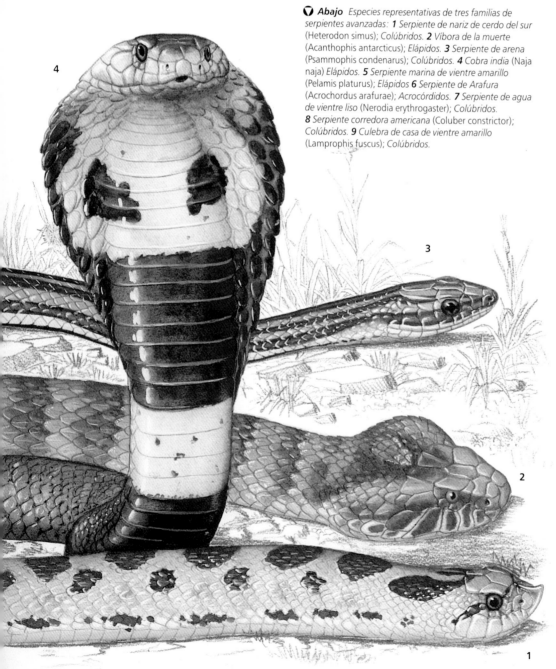

⚫ Abajo *Especies representativas de tres familias de serpientes avanzadas: **1** Serpiente de nariz de cerdo del sur (Heterodon simus); Colúbridos. **2** Víbora de la muerte (Acanthophis antarcticus); Elápidos. **3** Serpiente de arena (Psammophis condenarus); Colúbridos. **4** Cobra india (Naja naja) Elápidos. **5** Serpiente marina de vientre amarillo (Pelamis platurus); Elápidos **6** Serpiente de Arafura (Acrochordus arafurae); Acrocórdidos. **7** Serpiente de agua de vientre liso (Nerodia erythrogaster); Colúbridos. **8** Serpiente corredora americana (Coluber constrictor); Colúbridos. **9** Culebra de casa de vientre amarillo (Lamprophis fuscus); Colúbridos.*

Clasificación de las serpientes

TAXONOMÍA

La clasificación de las serpientes no es fija, pero en la actualidad la mayoría de los expertos reconocen 18 familias divididas en dos amplios grupos: los Escolecofidios, o serpientes ciegas, y los Aletinofidios, que contienen al resto de especies. Los Escolecofidios forman un grupo relativamente homogéneo de sólo tres familias. Las relaciones con los Aletinofidios, sin embargo, son mucho menos ciertas y se debate mucho sobre ellas. La mayoría de los taxonomistas están de acuerdo en que las víboras, los colúbridos, las áspides excavadoras y las serpientes de la familia cobra (Vipéridos, Atractaspídidos, Colúbridos y Elápidos respectivamente) forman una subdivisión distinta y existe una relación bien establecida entre estas cuatro familias y las serpientes tiburón (Acrocórdidos). Juntas, estas cinco familias se agrupan algunas veces en los Cenofidios o serpientes avanzadas.

Entre las familias de los Aletinofidios, las boas y las pitones forman una subdivisión diferente (y estaban situados en la misma familia hasta hace poco tiempo). Las otras ocho familias son todas pequeñas, algunas constan únicamente de una o dos especies y todas poseen una distribución muy limitada. Al menos algunas parecen ocupar un puesto intermedio entre los Escolecofidios primitivos y las serpientes superiores, pero no se ha establecido exactamente su estado de evolución. Otras pueden ser resultado de finales evolutivos terminados. Los miembros de algunas familias rara vez se coleccionan y están representados en los museos por un mero puñado de especímenes. La clasificación es, por tanto, provisional, y se ha tenido en cuenta una aproximación conservadora.

Serpientes ciegas

FAMILIA ANOMALEPÍDIDOS, TIFLÓPIDOS, LEPTOTIFLÓPIDOS

Los Escolecofidios contienen tres familias de serpientes primitivas, todas muy similares unas a otras. Hay Anomalepídidos, Leptotiflópidos y Tiflópidos, conocidos en conjunto como serpientes ciegas, aunque los nombres de serpientes gusano o serpientes hiladas también se utilizan para algunas o todas ellas. El total en conjunto es de unas 300 especies, o el 10 por ciento de todas las

5

6

7

8

serpientes, pero se conocen muy poco, en parte debido a su pequeño tamaño y a su vida reservada que dificultan su estudio. Los Anomalepídidos están confinados en América del Sur y Central, pero las otras dos familias poseen una distribución más amplia, especialmente en el hemisferio sur. Sólo una especie de la familia Tiflópidos, *Typhlos vermicularis*, se encuentra en Europa. Los Leptotiflópidos no se encuentran ni en Europa ni en Australasia. Se describen nuevas especies con regularidad, algunas veces por uno o dos especímenes recogidos en lugares aislados. La mayoría de las serpientes ciegas aparecen accidentalmente mientras los biólogos están buscando otros organismos.·

Aunque las tres familias difieren unas de otras, sobre todo en la estructura del cráneo y en la disposición de los dientes, comparten varias características comunes. Todos poseen cráneos muy rígidos que utilizan para abrirse camino en el suelo. Los miembros de las tres familias poseen cintura pélvica y algunas tienen pequeñas espuelas a ambos lados de la cloaca, rudimentos de patas que se han ido reduciendo durante el proceso evolutivo. No poseen escamas especializadas en la cabeza o en la parte inferior. Cada parte de su cuerpo está cubierta de pequeñas escamas lisas de bordes redondeados (escamas cicloides). En su mayoría son delgadas (de ahí el nombre de «hiladas») y de forma cilíndrica, ambas son adaptaciones para una vida cavadora. Algunas especies carecen de ojos también, mientras que otras los tienen pequeños y cubiertos de escamas. El sentido más importante que poseen es el del olfato. Al ser excavadoras, utilizan poco el pigmento y la mayoría son rosas, marrones rosáceas o del color del ante, aunque unas cuantas tienen rayas o son moteadas.

Una especie, la serpiente ciega de Schlegel, crece hasta 1 m de longitud, y hay otras dos que se aproximan a ese tamaño, pero son casos excepcionales. La mayoría de las especies miden menos de 30 cm de longitud, y algunas apenas alcanzan los 10 cm. Todas las serpientes más pequeñas del mundo proceden de estas familias. Hasta donde se sabe, todas las serpientes ciegas ponen huevos, aunque los de una especie, la serpiente ciega de Bibron, eclosionan a los cinco o seis días después de la

puesta. Otra especie africana, la serpiente ciega de Diard, es vivípara al parecer, al menos en parte de su gama, pero este hecho se encuentra sin confirmar todavía. El tamaño de la puesta varía de uno en especies muy delgadas a 60 en las más grandes. Las serpientes ciegas de Tejas, y quizás otras especies, permanecen con sus huevos durante la incubación, aunque resulta difícil decir si esto ocurre por coincidencia, porque las hembras ponen los huevos donde viven, o si existe un elemento de cuidado parental. Muchas especies se alimentan casi exclusivamente de hormigas y termitas y pueden vivir la mayor parte de su vida dentro de montículos de termitas, donde se protegen del ataque mediante secreciones químicas. Se pueden tragar insectos enteros, comerse sólo el abdomen blando o sacar las partes blandas antes de desechar el resto del cuerpo. Sus principales predadores son otras serpientes probablemente pero,

al tener aspecto de gusano, ciertamente se las pueden comer todo tipo de aves, lagartos, ranas e incluso insectos grandes y arañas.

Serpientes de pipa y serpientes de cola de escudo

FAMILIAS ANÍLIDOS, ANOMOQUÍLIDOS, CILINDRÓFILOS, UROPÉLTIDOS

Tres pequeñas familias de serpientes son conocidas popularmente por serpientes de pipa. Son los Anílidos, los Anomoquílidos y los Cilindrófidos. Las tres familias son pequeñas, contienen una, dos y ocho especies relativamente. Todas son serpientes cavadoras de cuerpo cilíndrico y escamas lisas y brillantes, y todas mantienen la cintura pélvica y poseen pequeñas extremidades rudimentarias en forma de espuelas.

La serpiente sudamericana *Anilius scytale,* es el único miembro de la familia Anélidos. Vive en la cuenca ama-

9

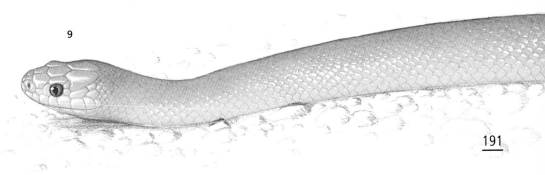

⬆ **Arriba** *La serpiente de pipa de cola roja (Cylindrophis ruffus) tiene el cráneo romo y robusto, apropiado para su vida cavadora. Se ha especializado en comer presas de cuerpo largo: otras serpientes, anguilas y cecilias, algunas veces de un tamaño que casi iguala al suyo.*

zónica y es una serpiente falsa coral, con anillos muy marcados rojos y negros. Posee un cráneo de constitución fuerte y los ojos son pequeños y están cubiertos de una escama grande hexagonal. Vive debajo de la superficie, en humus o suelo húmedo, algunas veces aparece en campos y otros hábitat accidentados. Se come a otras serpientes y culebrillas ciegas, y los jóvenes nacen de las hembras.

Las otras dos familias se encuentran en el sudeste de Asia. Las serpientes de pipa asiáticas, Cilindrófidos, viven en túneles de suelo húmedo pero salen por la noche a cazar para comer, incluyendo a otras serpientes y anguilas. La cola está aplastada y, cuando la amenazan, la levantan y enroscan sobre el lomo para exponer la parte inferior, que puede tener manchas rojas o blancas y negras. Esta conducta desvía la atención del atacante y la aleja de la cabeza, dando a la serpiente unos segundos vitales para escapar. Su superficie dorsal es marrón y algunas especies tienen manchas negras. Son vivíparas.

Los Anomoquílidos, o serpientes de pipa enanas, se encuentran entre las serpientes más enigmáticas. Aunque se conocen dos especies del oeste de Malasia, Borneo y Sumatra, se han encontrado menos de 10 especímenes en total. Son pequeñas, de cabeza roma y cola larga, y seguramente son excavadoras. Tienen la boca pequeña y probablemente se alimentan de gusanos terrestres y de otros invertebrados blandos. Se cree que ponen huevos. Anatómicamente, parecen estar situadas en un puesto intermedio entre las serpientes ciegas y las más avanzadas, aunque puede ser una mera coincidencia. Hasta hace poco tiempo relativamente, las dos especies de la familia estaban incluidas en los Cilindrófidos.

Las serpientes de cola de escudo, Uropéltidos, parecen estar muy relacionadas con las serpientes de pipa y comparten con ellas su modo de vida de cavadoras y todas las adaptaciones que conlleva. Carecen de cintura pélvica, sin embargo. Hay 47 especies en total, repartidas irregularmente en nueve géneros. Dos géneros cuentan con 35 especies y los otros siete contienen de una a cuatro especies. Estas serpientes se encuentran en Sri Lanka y cerca del extremo sur de la India, especialmente en Ghats occidental, y varían de tamaño, desde unos 15 a 40 cm.

La mayoría de las especies se conocen muy poco, aunque algunas son comunes al parecer. Viven en zonas boscosas frías, o donde el suelo está lo suficientemente suelto como para que puedan cavar y evitar las capas calientes de la superficie durante el día. Algunas veces se encuentran cuando se ha labrado la tierra o cuando las fuertes lluvias han inundado sus madrigueras, obligándolas a salir a la superficie. De otro modo apenas si se las puede ver. Como las serpientes de pipa asiáticas, las de cola de escudo levantan la punta de la cola cuando son molestadas, mientras ocultan la cabeza entre sus roscas. El cuello y parte anterior del cuerpo son muy musculosos. Cuando excavan apoyan el cuerpo en los laterales del túnel y utilizan los músculos del cuello para empujar el cráneo rígido y grueso contra el suelo. Una vez que la cabeza ha llegado al fin de su viaje, la mueve bruscamente de lado a lado para agrandar el túnel y compactar los laterales. A continuación la cabeza se apoya a su vez contra las paredes del túnel para que el cuerpo pueda arrastrarse tras ella. Una vez que la serpiente ha empezado a excavar, se encuentra a salvo de ataques relativamente ya que la cola termina en una escama modificada, o escudo, que bloquea el túnel tras ella de un modo efectivo. La forma del escudo varía según la especie, pero invariablemente es grande y posee una superficie áspera. En algunas especies es una escama oblicua, parecida a un disco, con bordes espinosos, mientras que otras poseen una punta gruesa y cónica. Se cree que las serpientes de

cola de escudo comen gusanos. La mayoría de las especies (probablemente todas) son vivíparas.

Serpientes irisadas
FAMILIA XENOPÉLTIDOS, LOXOCÉMIDOS

A dos pequeñas familias, los Xenopéltidos y los Loxocémidos, se les llama comúnmente serpientes irisadas o rayo de sol porque sus escamas son muy iridiscentes. Superficialmente se parecen entre sí aunque se encuentran muy distanciadas geográficamente.

Hay dos serpientes irisadas asiáticas, *Xenopeltis unicolor* y *X. hainanensis*, esta última descrita más recientemente. Las dos crecen hasta llegar a 1 m y poseen escamas grandes, lisas, muy pulidas, y una cabeza plana

⬆ **Arriba** *Como indica su nombre común, la boa arborícola de Madagascar (Boa manditra) es una especie arborícola, que maniobra con su cuerpo relativamente delgado por las copas de los árboles para capturar lémures.*

◗ **Derecha** *Las boas arco iris brasileñas (Epicrates cenchria cenchria) muestran unas bonitas escamas iridiscentes. Otras especies con esta característica son las serpientes irisadas Xenopeltis y las pitones anilladas Bothrochilus boa.*

cubierta de grandes escamas parecidas a placas. Tienen escamas abdominales anchas pero no poseen cintura pélvica ni extremidades posteriores rudimentarias. Son de color gris oscuro por arriba y blanco por debajo. Viven en madrigueras hechas en suelo húmedo, a menudo debajo de troncos, frondas de palmera o, en hábitat alterado, en desperdicios de los humanos. Comen casi todo lo que tenga un tamaño adecuado, incluyendo lagartos, serpientes, ranas y pequeños mamíferos. Ponen huevos.

Los Loxocémidos contienen una única especie, la serpiente excavadora mejicana *Loxecemus bicolor*. Es del mismo tamaño que la *Xenopeltis* y también de color gris oscuro, a menudo con manchas irregulares de escamas blancas. A diferencia de la especie asiática, posee extremidades posteriores rudimentarias y sus escamas son más pequeñas y menos brillantes. Vive en bosques, posiblemente en madrigueras o en otros lugares escondidos, y sale a buscar alimento durante la noche. Su alimentación consiste en pequeños mamíferos y reptiles, pero también se sabe que asalta nidos de iguanas e incluso de tortugas marinas. Deposita pequeñas puestas de huevos grandes.

Boas, pitones y parientes
FAMILIA BOIDOS, PITÓNIDOS, TROPIDÓFIDOS, BOLIÉRIDOS

En el pasado las boas, pitones y dos grupos más pequeños, los Tropidófidos y las boas Mascarene, se consideraban una única familia con frecuencia. Ahora se han dividido en cuatro: Boidos, Pitónidos, Tropidófidos y Boliéridos. Comparten varias características, entre ellas las cinturas pélvicas y extremidades posteriores rudimentarias. La mayoría poseen un pulmón izquierdo funcional (que no se encuentra en las serpientes avanzadas) y muchas tienen fosetas sensibles al calor en las mandíbulas. Todas son poderosas constrictoras y, aunque son especies medio excavadoras, son terrestres en su mayoría, con unas cuantas especies que han llegado a ser arborícolas. Entre ellas se encuentran las seis serpientes más grandes del mundo.

Las dos primeras familias son las mejor conocidas con diferencia. Los Boidos constan de 28 especies en ocho géneros y viven en América del Norte y del Sur, África, Madagascar, Europa y región del Pacífico. Aunque algunas son enormes, como la anaconda, hay muchas boas pequeñas o de tamaño medio también. La mayoría de las especies miden menos de 2 m de longitud. La familia se divide en dos subfamilias que son bastante diferentes. Las boas «auténticas» de los Boinos incluyen a las especies más grandes, como la anaconda y la boa común. Las anacondas son semiacuáticas, viven en zonas pantanosas de vegetación densa y bosques inundados, pero las demás especies habitan en tierra o son trepadoras. Las tres boas (*Corallus*) son delgadas, con colas largas y prensiles y los cuerpos están comprimidos lateralmente, como vigas de hierro, para que puedan soportarse a sí mismas cuando cruzan de una rama a otra. Normalmente descansan en ramas horizontales enroscadas de un modo característico con la cabeza colgando hacia abajo formando una rosca en forma de S en el cuello para poder dar el golpe rápidamente. Los dientes son muy largos y curvados hacia atrás para poder

apretar. Comen pájaros que posan para dormir principalmente.

Otras boas, entre ellas la boa común y la anaconda, también trepan, pero no están tan bien adaptadas como las boas arborícolas. Hay nueve boas que pertenecen al género *Epicrates* que viven en varias islas de las Indias Occidentales, algunas de ellas son raras debido a la alteración del hábitat y a la introducción de predadores. Varían enormemente de forma y de tamaño, desde la forma grande y pesada de la boa cubana, que puede alcanzar los 3 m. de longitud, a la delgada boa haitiana. Todas las boas «auténticas» son vivíparas y el número de crías de algunas de las especies más grandes pueden superar las 50. Se alimentan principalmente de mamíferos y aves, matando a su presa por constricción. Varias parecen haberse especializado en coger murciélagos cuando se encuentran en sus cuevas, y algunos también comen lagartos. Varias especies cambian la dieta de ranas y lagartos a la de mamíferos cuando crecen. La anaconda verde también come caimanes y tortugas. Muchos boinos tienen fosetas sensibles al calor en las escamas que rodean la boca, aunque carecen de ellas miembros del género *Eunectes* (anacondas), *Boa* y *Candoia* (boas del Pacífico). Se presentan con más claridad en las boas arborícolas.

La otra subfamilia, los Ericinos, consta de las boas rosadas y las boas de goma de Norteamérica, las boas excavadoras del oeste de África y las boas de arena de África, Asia y Europa. Todas son pequeñas, de cuerpo

◐ *Arriba* Se piensa de un modo erróneo que las boas y pitones sólo habitan en los bosques húmedos ecuatoriales. Sin embargo, muchas especies habitan en zonas secas del mundo. Esta pitón de alfombra de Bredl (Morelia bredli) está situada en lo alto de un desfiladero del interior árido de Australia.

◑ *Abajo* La pitón reticulada (Python reticulatus) del sudeste de Asia puede crecer hasta alcanzar más de 10 m. Hay informes de estas serpientes gigantes que dicen que alguna vez han devorado a seres humanos. Observe las grandes fosetas de infrarrojos a lo largo del labio superior de la serpiente.

CORTEJO Y AGRESIÓN DE LAS SERPIENTES

Normalmente las serpientes parecen olvidarse del resto de su especie, pero cuando llega la época de cría, su actitud cambia. Las serpientes machos se hacen agresivas hacia los demás y el olor de una hembra atractiva les puede producir un arrebato. Dentro de una especie, la hembra no está condicionada a criar en una época del año establecida sino que, si abunda el alimento, es posible que la mitad de las hembras adultas tengan huevos maduros en sus oviductos. Estas hembras «maduras» exudan una secreción química, o feromona, que indica que están preparadas. Son más atractivas para los machos justo después de haber mudado la piel. En especies gregarias, la hembra puede atraer a numerosos machos para el cortejo. En especies que viven en solitario, sin embargo, la pista que da su olor sólo puede ser recogida por la lengua de un pretendiente.

En cualquier caso el macho, después de encontrar a la hembra, avanza hacia ella y le da con su barbilla en la nuca, con el cuerpo superpuesto o al lado del de ella, y la presiona contra su cuerpo. La lengua da golpes más rápidos, y son casi continuos a medida que su cuerpo se aproxima al de ella. Frota la barbilla en la nuca de ella y contrae bruscamente su cuerpo, mientras intenta obligar a su cola a que se sitúe debajo de la de ella. La hembra también puede responder con una contracción brusca si le encuentra adecuado y levantará la cola y abrirá su cloaca para que él introduzca uno de sus dos hemipenes. Después de introducirlo, la pareja puede permanecer apareada entre 10 minutos y 24 horas, dependiendo de la especie.

En las boas y pitones se introduce otro elemento, el macho emplea sus «espuelas» (extremidades pélvicas rudimentarias) para arañar a la hembra en la zona de la cloaca y estimularla más. Los machos de algunas serpientes avanzadas, que carecen de espuelas, también pueden agarrar el cuello de la hembra con sus mandíbulas.

En varias especies de serpientes, tanto grandes como pequeñas, muchos machos pueden competir para aparearse con una hembra. Algunas veces son tan numerosos que forman una «bola» con sus cuerpos entrelazados (ABAJO un bola de anacondas verdes). La agresión de los machos de estas especies consiste en empujar a otros y alejarlos de la posición de apareamiento. En colúbridos natricinos, el macho deja un tapón de un fluido solidificado, parecido a la cera, en la cloaca de la hembra después del apareamiento para que no se puedan aparear con ella otros machos y de ese modo el esperma del primer macho no será desplazado. Después él es libre de ir en busca de más hembras con las que aparearse.   HGD

pero la mayoría de las pitones están más generalizadas. Algunas especies están restringidas a hábitat de bosque mientras que otras se encuentran en praderas, en campo abierto sin muchos árboles o, en el caso de algunas especies australianas, en desiertos. Como su nombre indica, la pitón de hormiguero se sube algunas veces a los hormigueros de las termitas u otras hormigas, probablemente en busca de gecos. Por lo demás, las pitones se alimentan principalmente de pequeños mamíferos y aves, y los juveniles comen lagartos también. Al igual que las boas, son potentes constrictoras. La mayoría de las pitones poseen fosetas sensibles al calor alrededor de la boca, pero dos especies australianas del género *Aspidites* carecen de ellas.

Todas las pitones ponen huevos y las hembras de todas las especies que se han estudiado (que son casi todas) se enroscan alrededor de los huevos durante el período de incubación. Al menos una especie, la pitón india, puede aumentar la temperatura de la nidada, si es necesario, realizando una serie de movimientos de contracción nerviosa. El tamaño de las puestas varía en proporción al tamaño de los adultos. La pitón reticulada puede poner hasta 100 huevos, mientras que la pitón de hormiguero rara vez pone más de dos o tres.

Muy relacionadas con las boas y pitones se encuentran las boas Mascarene de la familia Boliéridos. Se conocen dos especies de la Isla Round, al norte de Mauricio, pero una de ellas, *Bolyeria multocarinata*, se ha extinguido probablemente ya que no se ha visto ninguna desde 1975. La otra, *Casarea dussumieri*, es rara también. Esta especie pone huevos.

Los Tropidófidos, o boas enanas, comprenden 21 especies divididas en dos subfamilias, pero las diferencias entre especies son ligeras. Son serpientes pequeñas en su mayoría, aunque una especie puede alcanzar 1 m de longitud. La mayoría de las especies pertenecen al género *Tropidophis*. Se encuentran principalmente en la región caribeña, especialmente en Cuba, aunque tres especies viven en Sudamérica. Habitan en suelo boscoso y hábitats alterados, como campos, y son activas por la noche principalmente. Otros miembros incluyen dos boas con pestañas y dos «boas banana», llamadas así porque alguna vez se subían a los cargamentos de bananas. La otra especie es muy rara y vive en bosques nubosos del centro de Méjico. Al parecer los Tropidófidos comen todo tipo de presas, entre ellas invertebrados, y son constrictoras. Tienen crías muy pequeñas, excepto la *Trachyboa gularis,* que pone huevos.

Serpientes tiburón

FAMILIA ACROCÓRDIDOS

Solamente hay tres especies de serpientes tiburón y se encuentran entre las más peculiares de todas. Son completamente acuáticas, viven en lagos de agua dulce y en ríos, estuarios y aguas costeras. Poseen varias adaptaciones físicas y de conducta adecuadas a este modo de vida. Miden de 1 a 3 m de longitud, dependiendo de la especie y del sexo. Los machos son un poco más pequeños que las hembras. La piel es suelta y holgada, especialmente cuando se las saca del agua. Están cubiertas de numerosas escamas pequeñas, parecidas a verrugas, que no se solapan y están cubiertas de diminutas cerdas, haciéndolas ásperas al tacto. La cabeza está cubierta de

grueso, cabeza corta y colas romas y ninguna de ellas posee fosetas para detectar el calor. Las boas ericinas son especies cavadoras en su mayoría y muchas viven en zonas secas, incluyendo desiertos arenosos. La boa de goma, la especie más pequeña, es una excepción porque vive en los fríos bosques montanos del noroeste del Pacífico. La boa terrestre de África occidental es también una especie de bosque, y resulta poco corriente porque pone pequeñas puestas de huevos muy grandes. Recientemente se ha indicado que la boa de arena árabe también pone huevos, pero otras boas ericinas son vivíparas, normalmente tienen de tres a diez crías.

Las pitones, los Pitónidos, sólo se encuentran en el Viejo Mundo, con 3 especies en África, 5 en Asia y las otras 17 en Nueva Guinea y Australia. La especie más grande es la pitón reticulada, que puede alcanzar 10 m. o más de longitud. Las siguientes son las pitones africana, india, Amethystine y Oenpelli. Estas especies pueden alcanzar los 5 m de longitud potencialmente, aunque rara vez lo hacen. La especie más pequeña es la pitón de hormiguero (*Antaresia perthensis*), que rara vez crece más de 30 cm.

La pitón verde arborícola, que se parece superficialmente a la boa esmeralda, es arborícola exclusivamente,

▶ **Derecha** *Pareja de bejuquillas verdes asiáticas (Ahaetulla prasina) en apareamiento. Con los cuerpos bien camuflados, un poco más gruesos que un lapicero y una vista aguda, estos ágiles colúbridos se encuentran esperando entre las enredaderas y las vides para cazar por emboscada a eslizones y aves jóvenes.*

escamas granulares y los ojos son pequeños y en forma de cuenta de rosario.

La serpiente tiburón pequeña tiene unas manchas pálidas blancas y negras, pero las otras dos son de un gris o marrón grisáceo casi uniforme. A la serpiente de Java se le llama serpiente de «trompa de elefante». Las especies más pequeñas pueden comer crustáceos marinos, pero otras comen peces, incluidas anguilas. Las escamas erizadas pueden ayudarles a sujetar a la presa con la cola. Todas son vivíparas (adaptación esencial para especies completamente acuáticas), pero tiene una tasa de reproducción bastante baja. Al parecer sólo crían cada 8 o 10 años.

Serpientes stiletto y parientes

FAMILIA ATRACTASPÍDIDOS

Las 60 especies aproximadamente que se encuentran incluidas ahora en los Atractaspídidos han sido una espina clavada para los clasificadores durante muchos años. Algunas, o todas ellas, han estado incluidas en varias ocasiones dentro los Colúbridos, Elápidos y Vipéridos. Ahora se ha intentado combinarlas en una familia propia. Ya que varias especies y géneros se han unido y separado de nuevo varias veces, no debe sorprender que los nombres comunes hayan proliferado. Muchos, como los de «víboras topo» y «áspides cavadores» son confusos desde el punto de vista taxonómico, pero resultan aceptables.

Los atractaspídidos, como se entiende normalmente, incluyen serpientes con una disposición de colmillos muy diferente (las serpientes venenosas con colmillos largos, articulados en la parte anterior, o cortos y fijos en la parte anterior, o colmillos con canales en la parte posterior, y algunas especies sin colmillos que liberen veneno). Estos sistemas diversos han evolucionado probablemente respondiendo a las dietas especializadas de varias especies.

Con la única excepción de Oriente Medio, los atractaspídidos se encuentran en África. Viven bajo tierra, debajo de rocas, en suelo suelto, en humus o en arena, o en madrigueras que hacen otros animales o que construyen ellos mismos. Para mantener sus hábitos cavadores, poseen escamas lisas y brillantes y el cuerpo es largo y cilíndrico. Comen una amplia variedad de presas, incluyendo gusanos, ciempiés, otros reptiles excavadores y pequeños mamíferos. Entre los hábitos de alimentación más interesantes se encuentra el de las serpientes stiletto, *Atractaspis*, que poseen dos colmillos largos, huecos, que liberan veneno, situados en la mandíbula superior. Las serpientes pueden ponerlos en funcionamiento rotándolos hacia los lados para que salgan por un lado de la boca. Pinchan en la parte posterior de la presa con uno de los colmillos y pueden dar un golpe con éxito en los confines de una madriguera. Hasta donde se sabe, todos los atractaspídidos ponen huevos, con la única excepción de *Aparallactus jacksoni*, aunque los hábitos de incubación de varias especies se desconocen por el momento.

Colúbridos

FAMILIA COLÚBRIDOS

Los Colúbridos forman una familia masiva y confusa de más de 1.600 especies (que comprenden el 60 por ciento de todas las serpientes). Un grupo tan grande desafía a cualquier intento de describirlos en términos generales, y se ha intentado varias veces dividirlos en unidades más pequeñas y más relevantes. Aunque obviamente algunos géneros poseen afinidades próximas y se reconocen varias subfamilias, las relaciones de otras no están tan claras. En la actualidad, la familia está dividida en varias subfamilias. Algunas (o todas posiblemente) ascenderán a un estatus familiar propio finalmente. Otras incluso ascenderán hasta ser más de una familia completa con el tiempo. Para complicar más la situación, a ninguna de las subfamilias se les han asignado nombres comunes.

Los «típicos» colúbridos de la subfamilia Colubrinos incluye más de 650 especies distribuidas por todo el mundo, entre ellas se encuentran las especies más familiares de Norteamérica y Europa, como las serpientes reales y las serpientes de leche (*Lampropeltis*), las serpientes rata (*Elaphe*) y las serpientes látigo y corredoras (*Masticophis* y *Coluber*). Varían de tamaño, desde los 20 cm a más de 3 m y se incluyen las «corredoras» largas y delgadas que cazan lagartos y otras serpientes así como especies de cuerpo musculoso que acechan y estrangulan aves y mamíferos. Algunas especies poseen dietas muy especializadas. Entre ellas se encuentran las africanas que comen huevos (*Dasypeltis*), las serpientes de hocico de gancho (*Gyalopion*) que se alimentan de arañas principalmente y las *Scolecophis* de América Central que comen ciempiés.

En cuanto a las preferencias de hábitat, son igualmente diversas. Aparecen en casi todas partes, desde desiertos a humedales. Unas cuantas se aventuran en los estuarios salobres y en bosques de mangle, pero no hay especies marinas. Pueden excavar, nadar en la arena, habitar en tierra o trepar a los árboles. Sin embargo, hay cierta consistencia en sus hábitos de reproducción: la inmensa mayoría de las especies de esta subfamilia pone huevos, que varían de 1 a más de 40.

Dos grupos que en la actualidad se incluyen en los Colubrinos, se consideran algunas veces como subfamilias independientes. Las 50 especies de junco («Calamarinae») son especies pequeñas y excavadoras de Asia con escamas lisas y se alimentan de gusanos de tierra principalmente. Las serpientes de arena («Psammophiinae») son delgadas, parecidas a látigos, de movimientos rápidos, cazadoras diurnas de África y Europa y con colmillos posteriores. Este grupo consta de unas 35 especies.

Las serpientes de agua Homalopsinae forman un grupo bien definido de unas 35 o 40 especies del sur y sureste de Asia y Australasia. Están bien adaptadas a un modo de vida acuático al poseer orificios nasales en forma de media luna que pueden cerrar y unos ojos que miran hacia arriba situados en la parte superior de la cabeza. La mayoría de las especies pertenecen al género *Enhydris*, serpientes pequeñas con escamas brillantes que viven en lagos de agua dulce con mucha vegetación, en pantanos y en campos inundados. La serpiente tentacular *Erpeton tentaculatus*, tiene unos «tentáculos» carnosos, únicos, en el hocico que es posible que utilice para navegar en aguas oscuras, aunque no se conoce su función exacta. Sus escamas son muy quilladas y presenta un cuerpo aplastado y casi rectangular en su sección transversal. Todos los homalopsinos poseen largos colmillos de veneno en la parte posterior de la boca con los que agarran y envenenan a la presa, que generalmente son peces y ranas. Probablemente la mayoría espera a su presa, pero la serpiente de mangle de vientre blanco (*Fordonia leucobalia*) de Australia come cangrejos que atrapa en la superficie del lodo por la noche. Al parecer, con su cuerpo sujeta con fuerza a los cangrejos grandes y luego les arrancan las extremidades. Tal vez esto le hace única entre las serpientes, porque no se traga a su presa entera. Todos los homalopsinos son vivíparos.

Las serpientes asiáticas que comen babosas y caracoles forman otro grupo bien definido y están situados en la subfamilia Pareatinae. Hay 19 especies en total, 15 de ellas en el género *Pareas*. Todas son muy delgadas, con cabeza ancha y ojos grandes. La comedora de babosas Montane tiene unos profundos ojos rojos. Varias especies viven en árboles y arbustos, donde se alimentan de caracoles, y todas son nocturnas, cazando al parecer siguiendo rastros de babas. Poseen cráneos modificados y dientes largos y afilados en la mandíbula inferior que les permiten arrancar de sus caparazones a los cuerpos blandos de los caracoles. La serpiente arborícola de cabeza roma, *Aplopeltura boa*, puede comer lagartos también. Todas las pareatinas ponen huevos.

La subfamilia Lamprophiinae consta de unas 45 especies de la mitad sur de África y de la isla de Madagascar. Las especies más familiares son probablemente las serpientes de las casas del género *Lamprophis*, de las que hay 13 especies incluyendo a la de las Seychelles. La serpiente de casa marrón es la más extendida y es una poderosa constrictora que se alimenta de pequeños roedores, pero otras especies comen también lagartos, algunas de modo exclusivo. Las serpientes de agua africanas son delgadas, pulidas, que se alimentan de peces, mientras que las serpientes triangulares (que no han de confundirse con las serpientes tiburón) comen serpientes. Con una o dos excepciones, los Lamprofinos ponen huevos.

Los colúbridos natricinos, Natricinae, forman un grupo grande de unas 200 especies que se encuentran en Norteamérica, Europa, África y Asia. Suelen ser de hábitos semiacuáticos y comen peces y anfibios, aunque la serpiente reina (*Regina septemvittata*) come cangrejos de río. Son especies activas, de movimientos rápidos,

◐ **Arriba** *Fingir estar muerta tumbándose de costado con la boca abierta y la lengua fuera (como hace esta culebra de collar, Natrix natrix) es una estrategia que emplean algunas serpientes para escapar de la atención de los predadores. «Hacerse la muerta» puede causar que el predador deje de atacar.*

◑ **Abajo** *A los colúbridos se les consideraba antes «serpientes inofensivas» de un modo inapropiado. Sin embargo, la Boomslang (Dispholidus typus), cuyo nombre común significa «serpiente de árbol» en afrikáans, es una serpiente arborícola veloz con un veneno muy tóxico.*

que con frecuencia cazan durante el día. La especies que no se asocian a aguas abiertas, como la culebra de collar (*Natrix natrix*) prefieren hábitat húmedos y algunas de ellas son nocturnas. La reproducción varía dentro de esta subfamilia: las especies norteamericanas son vivíparas, mientras que las especies del Viejo Mundo son, con muy pocas excepciones, ovíparas. Incluyen especies tan conocidas como las serpientes de jarretera, las de agua americanas y las de agua y hierba de Europa y Asia. Algunos sistemáticos han sugerido que las especies del Nuevo Mundo y las del Viejo Mundo deberían situarse en subfamilias independientes.

Los Xenodontinos son una variada colección de serpientes que habitan en América del Norte y del Sur. Ocupan una amplia variedad de hábitat y comen tipos diferentes de presas. Algunas especies son cazadoras especializadas. Por ejemplo, las serpientes de nariz de cerdo (*Heterodon*) comen sapos principalmente, mientras que las musuranas (*Clelia*) se comen a otras serpientes. Algunas serpientes son corales falsas y otras poseen colmillos posteriores que pueden inyectar veneno, aun-

Abajo *Autóctona de América Central y del Sur, la bejuquilla marrón de cabeza roma (Imantodes cenchoa) es una cazadora nocturna, delgada, que utiliza sus grandes ojos y lengua sensible para localizar anolis. A su vez, ella es presa de voraces ranas leptodáctilas.*

que ninguna se considera peligrosa para los humanos. Todas ponen huevos.

Varios géneros de Centroamérica que en un principio se encontraban en la subfamilia Xenodontinos ahora son Dipsadinos. Las serpientes que comen babosas y caracoles (*Sibon* y *Dipsas*, respectivamente), como indica su nombre, se concentran en gastrópodos (guardan un paralelo con las serpientes asiáticas que comen babosas, pero, sin embargo, no están relacionadas con ellas de un modo especial). Estas especies, que se agrupan en tres géneros, son muy delgadas, arborícolas y de cabeza ancha. Las serpientes de cabeza roma (*Imantodes*) se parecen en el cuerpo pero comen lagartos, que cogen de las ramas delgadas mientras duermen. Otros miembros de la subfamilia están menos especializados. Entre ellos se encuentran las serpientes nocturnas (*Hypsiglena*) que se extienden por Norteamérica, y las serpientes de humus, *Ninia*. Como los Xenodontinos, algunas especies imitan a las serpientes coral y pueden tener colmillos posteriores que liberen veneno. La mayoría, si no todas, son ovíparas.

La última subfamilia de serpientes colúbridas es la de los Xenoderminos, exclusivamente del sudeste de Asia y muy poco conocidas. Hay unas 15 especies en seis géneros, la mayoría pequeñas y delgadas. Viven en los bosques, entre el humus o en arbustos bajos, y parece ser que todas ponen huevos.

Las cobras y sus parientes

FAMILIA ELÁPIDOS

La familia Elápidos comprende grupos de serpientes venenosas bien conocidos, caracterizadas todas por unos colmillos cortos, fijos y huecos para liberar el veneno que se encuentran en la parte anterior de la boca. Hay más de 270 especies en 62 géneros y aparecen en casi todo el mundo, incluyendo a muchas de los océanos más templados. En América del Norte y del Sur está representada por las serpientes coral, de las cuales hay unas 60 especies. Son de colores vivos, con bandas de color rojo, negro y blanco o amarillo que rodean su cuerpo. Aunque la mayoría viven en bosques húmedos, aparecen algunas en regiones más secas del norte de Méjico y del suroeste de Estados Unidos. La mayor parte comen reptiles, incluyendo serpientes y anfisbenios que persiguen por sus túneles. Su veneno es potente y actúa rápidamente. Todas las especies son peligrosas para los humanos.

Los elápidos africanos incluyen a las mambas (*Dendroaspis*): especies largas y delgadas, tres de las cuales viven en los árboles, mientras que la cuarta, la mamba negra, es terrestre principalmente. Todas son de movimientos rápidos, cazadoras diurnas, con ojos grandes y escamas lisas. La mamba negra puede crecer hasta más de 3 m de longitud y es muy temida. Las mambas pueden aplanar el cuello cuando las molestan, una característica que se asocia más a las cobras, de las cuales hay

unas 25 especies de África y del sur y sudeste de Asia. Las especies africanas suelen ser las más grandes, creciendo hasta una longitud de 3 m, aunque la cobra real asiática (*Ophiophagus hannah*) es la más grande todas, creciendo hasta alcanzar una longitud de más de 5 m. Los miembros del género *Naja* poseen las capuchas más impresionantes. Varias especies, conocidas por cobras escupidoras, pueden lograr que el veneno salga por unos pequeños poros de la parte anterior de sus colmillos. La rinkhal sudafricana, que de un modo inusual es vivípara, también escupe veneno y puede fingir estar muerta cuando la amenazan. Otros elápidos asiáticos son las kraits: delgadas, cazadoras nocturnas de otras serpientes, muchas de ellas con cuerpos triangulares y coloración viva. Hay otro pequeño grupo de elápidos que algunas veces se sitúa en una subfamilia independiente, las Maticorinae. Normalmente se refieren a ellas por el nombre de serpientes coral. Las dos especies de *Maticora* son de colores sorprendentes y erigen la cola cuando las molestan, mostrando el color rojo vivo de la superficie inferior de su cuerpo. Estas especies poseen enormes glándulas venenosas, miden un tercio de la longitud total de su cuerpo. Se sabe que su mordisco es mortal para los humanos, aunque generalmente se las considera inofensivas. Las serpientes coral se alimentan de otras serpientes habitualmente.

A excepción de unos cuantos colúbridos del norte, los elápidos de Australia y de Nueva Guinea son las únicas serpientes avanzadas de la región y, como tales, se han trasladado a lugares que habrían sido ocupados por otras especies en otra parte. De este modo hay elápidos que parecen serpientes látigo, mambas, corales e incluso víboras, y se comportan como tales. Su dieta es muy diversa igualmente. Los elápidos australianos, en conjunto, comen presas que varían desde invertebrados a pequeños mamíferos. Está confirmado que el taipán, considerada a menudo la serpiente más venenosa del mundo, come mamíferos, pero la mayoría de las especies come pequeños lagartos, como eslizones, que abundan en la región. Entre los elápidos australianos hay vivíparos y ovíparos.

Muy relacionados con los elápidos australianos, y con algunos enigmas pendientes de resolver todavía sobre sus orígenes y evolución, las serpientes marinas y las kraits marinas, *Laticauda*, son poco corrientes porque salen a la costa a poner los huevos y también pueden tomar el sol y beber agua dulce mientras están en tierra firme. Viven en los alrededores de los arrecifes costeros o, en el caso de una especie, en lagunas salobres. El cuerpo de esta especie es cilíndrico, presumiblemente para ayudarle a arrastrarse a tierra cuando es necesario. Tienen bandas negras y blancas y la cola es plana para ayudarles a nadar.

Las otras serpientes marinas están más vinculadas a la vida del mar y nunca se acercan a la costa voluntariamente. Varias tienen el cuerpo plano y todas tienen la cola en forma de remo y narinas con válvulas que pueden cerrar. Todas son vivíparas. Algunas especies habitan en arrecifes de coral y buscan a su presa hurgando en las grietas con su cabeza. Muchas de ellas comen anguilas, aunque también cogen a otros peces que habitan en grietas, sobre todo gobios. Dos especies, la serpiente marina de vientre blanco y la serpiente marina de cabeza de tortuga, comen únicamente huevos de peces, y su veneno no es tan tóxico como el de otras especies. Unas cuantas especies viven en las bocas de los estuarios, entre mangles y en marismas, mientras que las serpientes de vientre amarillo son pelágicas, y van a la deriva por las superficies de las corrientes del océano abierto, a menudo en enormes cantidades. Se alimentan de peces que son atraídos por su cuerpo flotante y que a ellos les parece un refugio. Esta especie es de un color vivo y probablemente de sabor desagradable para los peces.

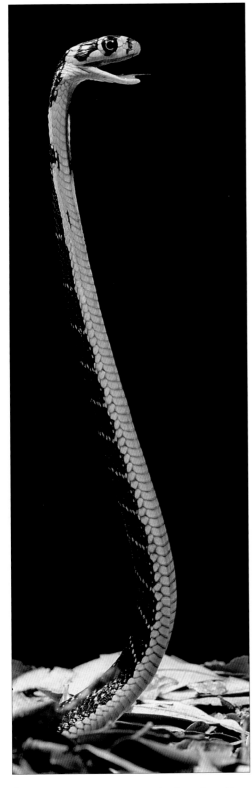

◭ **Arriba** *Una cobra real juvenil (Ophiophagus hannah) en posición de defensa. Cuando la amenazan, esta serpiente, muy venenosa del sureste de Asia, levanta su larga capucha estrecha (menos prominente que la capucha acampanada de las cobras indias) y algunas veces también puede lanzar una especie de gruñido.*

◑ **Derecha** *El taipán (Oxyuranus scutellatus), un elápido australiano, inflige múltiples mordiscos a su presa roedora. Como a menudo vive cerca de granjas y en plantaciones de caña de azúcar, el riesgo de esta especie para los humanos es elevado. El 80 por ciento de los mordiscos de Papúa Nueva Guinea se deben a taipanes.*

Víboras y crótalos
FAMILIA VIPÉRIDOS

Los miembros de la familia Vipéridos son todos venenosos y tienen colmillos huecos, relativamente largos, que pueden plegar hacia el techo de la boca cuando no los están utilizando. En la familia se encuentran víboras, víboras nocturnas, víboras de arbusto, serpientes de cascabel y crótalos, así como especies peculiares, y algunas veces con nombres locales evocadores, como la víbora Hundred-pace, Sidewinder, Bushmaster y Terciopelo. Como grupo se encuentra entre las serpientes de más éxito, aunque la mayoría están restringidas a hábitat terrestres y arbóreos. Hay especies de víboras que se encuentran más al norte (*Vipera berus*) y más al sur (la labaria de Patagonia, *Bothrops ammodytoides*) que cualquier otra especie de serpiente. También las hay que se encuentran a mayor altura (el crótalo himalayo, *Gloydius himalayanus*, aparece a 4.900 m de altitud, y otras se aproximan a esa altitud). Sin embargo, no llegaron ni a Madagascar ni a Australia.

El miembro más raro de la familia es *Azemiops feae*, o víbora de Fea. Esta rara especie habita en zonas remotas del sur de China, Myanmar y Vietnam, donde vive en bosques nubosos fríos. Es delgada, posee escamas lisas en el cuerpo y escamas grandes en su cabeza amarilla, y es de color gris con anillos naranjas. Pocas personas han visto alguna, y su relación con las demás víboras no está clara. Está situada en una subfamilia propia, los Azemiopinae.

Las víboras nocturnas, Causinae, de las cuales existen seis especies en África, también poseen escamas lisas en el cuerpo y escamas grandes que cubren la parte superior de la cabeza. Se han especializado en comer sapos y no se consideran peligrosas para los humanos.

Las «típicas» víboras del Viejo Mundo, los Viperinos, son cortas y robustas y poseen cabezas anchas, de forma triangular o de pala. Las escamas son muy quilladas, dándoles una textura áspera, y la cabeza está cubierta de muchas escamas pequeñas, aunque hay unas cuantas excepciones en el género *Vipera*. Viven en hábitat variados, incluyendo colinas rocosas y laderas de montaña, praderas, maleza y desiertos. Especies de desiertos arenosos son, especialmente, la víbora de Peringuey, *Bitis peringueyi*, que se mueve a golpes de costado como sus paralelas las Sidewinder americanas. Las víboras de arbusto, *Atheris*, de África central, son arborícolas. Muchas víboras se camuflan, y la coloración de una especie puede variar de un lugar a otro según el tipo de suelo en el que vive. Las especies *Bitis* africanas poseen unas marcas laberínticas y la víbora de Gabón, *Bitis gabonica*, destaca con frecuencia como espléndido ejemplo de coloración rompedora. Esta enorme serpiente y su pariente cercana la víbora bufadora, *Bitis arietans*, poseen enormes colmillos y se encuentran entre las serpientes más impresionantes, y más temidas, de África. Varias especies tienen «cuernos» o protube-

rancias en varias partes de la cabeza, algunas veces consisten en una escama parecida a una espina sobre cada uno de los ojos, como en el caso de la víbora cornuda del desierto, *Cerastes cerastes*, o en un grupo de escamas sobre el hocico, como en la víbora rinoceronte, *Bitis nasicornis*, y en la víbora cornuda *Vipera ammodytes*. Las víboras de arbusto poseen escamas quilladas, especialmente la llamada víbora peluda, *Atheris hispidus*, en la cual las escamas terminan en punta. Las escamas quilladas también son un punto importante para la estrategia de defensa de las víboras de escamas de sierra, *Echis*, que producen un fuerte sonido de raspado rozando dos secciones opuestas de su cuerpo. Las víboras de escamas de sierra son pequeñas, muy comunes y muy dispuestas a defenderse, logrando que sean tal vez las serpientes más peligrosas del mundo. Las víboras del Viejo Mundo comen una amplia variedad de presas, normalmente pequeños mamíferos, pájaros anidados y lagartos. Unas cuantas especies, sobre todo la víbora de Orsini, *Vipera ursinii*, comen insectos, saltamontes por ejemplo. La mayoría de los miembros de esta subfamilia son vivíparos, una adaptación que sin duda les ha ayudado a sobrevivir en ambientes fríos, pero algunas especies de zonas más cálidas ponen huevos.

Los crótalos se encuentran en la subfamilia Crotalinae, y se distinguen de las otras víboras por la presencia de fosetas faciales sensibles al calor. Hay casi 160

especies que aparecen en Asia y en América del Norte y del Sur. Al igual que las víboras del Viejo Mundo, la cabeza está cubierta de escamas pequeñas aunque, de nuevo, hay unas cuantas excepciones, como la de cabeza de cobre *Agkistrodon contortrix*. Han colonizado varios hábitat diferentes, desde pantanos a desiertos, aunque no hay especies acuáticas ni excavadoras (quizás porque las fosetas serían más un estorbo que una ayuda en esos entornos). No obstante, hay multitud de especies arborícolas, como las de gran género *Trimeresurus* de Asia y *Bothrops* de América Central y del Sur. La víbora más grande del mundo es la bushmaster, de los bosques húmedos y plantaciones de América Central y del Sur, que puede alcanzar los 3 m o más de longitud. Sin embargo, es una especie relativamente delgada e incluso un espécimen grande no pesaría mucho más que una víbora de Gabón crecida.

Las serpientes de cascabel, de las cuales hay 30 especies, se encuentran entre las fáciles de identificar, aunque debería advertirse que dos o tres (raro) especies de las pequeñas islas que se encuentran frente a la costa de Méjico han perdido el cascabel en el proceso evolutivo. El cascabel se forma cuando muda la capa externa de la escama terminal, se lleva a cabo de un modo que los segmentos no se caen cuando la serpiente muda de piel.

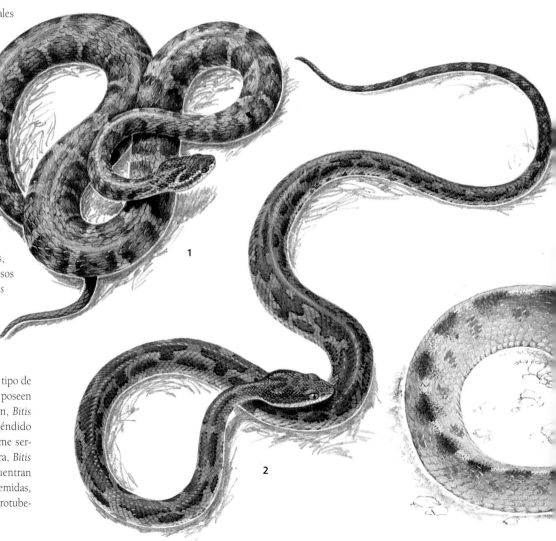

1

2

Las serpientes utilizan el cascabel como instrumento de aviso, haciendo vibrar la cola y provocando que los segmentos choquen entre sí rápidamente para crear un zumbido o sonido rápido de tic-tac. Todas las serpientes de cascabel son americanas y la mayoría viven en hábitat áridos, en laderas de montaña rocosas o en praderas abiertas. Una especie vive en Sudamérica, pero prefiere los claros abiertos del suelo boscoso. Otra, la Massassauga, vive en pantanos en la parte norte de su distribución. No hay serpientes de cascabel arborícolas, aunque algunas especies (entre ellas las clases que no tienen cascabel, lo que resulta interesante) se cree que cazan acechando a pájaros que se encuentran descansando en los arbustos.

Los crótalos se alimentan predominantemente de presas de sangre caliente, como mamíferos y aves. Ahí es donde las fosetas funcionan mejor, especialmente cuando caza por la noche. Las serpientes de cascabel grandes pueden manejar fácilmente a presas del tamaño de una liebre o de una ardilla. También comen lagartos, especialmente las especies más pequeñas y las jóvenes de las grandes. El mocasín es quizás el que tiene una dieta menos especializada, y comerá insectos, peces, ranas, tortugas, crías de caimanes y huevos de aves. Algunas poblaciones se mueven furtivamente cerca de colonias de pájaros marinos con la esperanza de encontrar peces en sus nidos. Incluso pelarán espinas secas de peces desde las rocas donde hayan caído.   CM

◀ *Izquierda* *Especies de crótalo y víbora:* **1** *Mamushi (Gloydius blomhoffii);* **2** *Habu (Trimeresurus flavoviridis);* **3** *Sidewinder (Crotalus cerastes);* **4** *Víbora cornuda (Vipera ammodytes).*

3

CONDUCTA DE LAS SERPIENTES DURANTE LA INCUBACIÓN

Hasta donde sabemos, las serpientes no cuidan de los jóvenes después de la eclosión de los huevos, y sólo unas cuantas muestran interés por sus huevos. Las pitones se encuentran entre las especies que lo hacen. Las pitones hembras de todas las especies, da igual que sean de África, de Asia o de Australia, se enroscan alrededor de los huevos después de ponerlos y permanecen así hasta que eclosionan (ABAJO un pitón verde arborícola, *Morelia viridis*). De vez en cuando los abandona para beber o defecar, pero no se alimenta durante el período de incubación, que suele durar de 30 a 90 días dependiendo de la especie.

Las pitones hembras se enroscan sobre sus huevos para protegerlos en primer lugar. Un montón de 100 huevos de color blanco del tamaño de una uva no es fácil de ocultar pero, empleando el cuerpo para cubrirlos, la serpiente los camufla de un modo efectivo. Al mismo tiempo, las pitones grandes son capaces de defenderse, y por tanto también a sus huevos, contra una amplia gama de predadores potenciales. Además, aflojando y contrayendo la rosca, la serpiente puede controlar la humedad y la temperatura de la puesta aunque, como la mayoría de las pitones viven en los trópicos, el control de temperatura no es tan importante como el de otras especies.

De cualquier manera algunas pitones australianas se han extendido mucho en climas templados y se han adaptado a condiciones más frías. Se ha visto a una pitón alfombra hembra abandonar a sus huevos de un modo regular para tomar el sol y aumentar su temperatura corporal, y después ha vuelto a enroscarse de nuevo sobre los huevos. No se sabe si es típico de esta especie solamente o de todas las pitones australianas.

La otra pitón que se ha extendido a regiones más frías es la india. La hembra de esta especie ha modificado sus hábitos aún más, y en realidad produce calor corporal para ayudar a la incubación de los huevos. Lo logra con contracciones rítmicas de los músculos del cuerpo. Estando en cautividad se ha descubierto que, si la temperatura se mantiene a unos 30 °C, la serpiente sólo permanece enroscada alrededor de los huevos, pero si se enfría el ambiente empieza a contraer los músculos del cuerpo. La cantidad de contracciones aumenta a medida que baja la temperatura. Experimentos realizados han demostrado que una hembra puede mantener un diferencial de temperatura de 5 °C a 7 °C contrayendo violentamente los músculos del cuerpo (los observadores lo han descrito como hipos) a un ritmo de más de 30 veces por minuto para mantener a los huevos a la temperatura deseada de 30 °C. Nunca se ha visto abandonar a los huevos durante los casi 90 días de incubación. Ninguna otra serpiente (en realidad, ningún reptil) incuba de esta manera.

Entre las serpientes avanzadas sólo hay unas cuantas especies que proporcionan cierto cuidado parental a los huevos. Hembras de las dos serpientes de fango norteamericanas se enroscan alrededor de los huevos y permanecen con ellos hasta que eclosionan. Los dos sexos de las cobras asiáticas cooperan en la excavación de la cavidad del nido en el suelo y defienden a los huevos de posibles predadores. La cobra real es única en la complejidad de nido que proporciona. La hembra raspa en un gran montón de hojas, hierbas y suelo adjunto y forma una cavidad para el nido en lo alto del montón, donde deposita los huevos. Luego cubre a los huevos con hojas y hace otra cavidad en la parte superior, permaneciendo allí de guardia hasta que eclosionan los huevos.

No se conocen ejemplos de incubación en las víboras auténticas, pero se sabe que algunos crótalos proporcionan cuidado. Las hembras de las víboras de montaña y de los crótalos malayos permanecen enroscadas sobre los huevos o cerca de ellos durante un mes aproximadamente que dura la incubación.   HGD

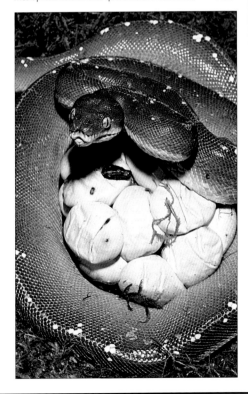

LA AMENAZA DE LAS MORDEDURAS DE SERPIENTE

Patología y tratamiento relacionados con el veneno

EL PRIMER TRATADO SOBRE EL TRATAMIENTO DE LAS mordeduras de serpiente es el Papiro de Brooklyn, que data del año 300 antes de Cristo. Las mordeduras de serpiente y los efectos del envenenamiento han sido registrados desde la época clásica y bíblica, pero los primeros experimentos científicos realizados sobre el envenenamiento los llevó a cabo Francesco Redi, médico del Duque de Toscana, en el siglo XVII, y su compatriota Felice Fontana realizó experimentos sobre el tratamiento para las mordeduras de serpiente en el siglo XVIII.

Las serpientes que poseen importancia médica tienen dientes alargados (colmillos) en la mandíbula superior que contienen un canal por el que entra el veneno a la herida producida por el mordisco. Pertenecen a cuatro familias: Elápidos (entre ellos cobras, kraits, mambas, serpientes coral, serpientes de jarretera africanas, serpientes australianas y serpientes marinas); Vipéridos (las víboras del Viejo Mundo y las de la subfamilia Viperinos, los crótalos de Asia y las víboras de cabeza de lanza [labarias], mocasines y serpientes de cascabel –Crotalinae– de América); Atractaspídidos (áspides cavadores o serpientes stiletto); y Colúbridos. Habitan en casi todo el mundo, a excepción de la Antártida y del extremo Ártico. Sólo están ausentes en altitudes superiores a 4.000 m y en algunas islas, entre ellas las Indias Occidentales, Irlanda, Islandia, Madagascar y el este de Fiji en el Océano Pacífico. Las serpientes marinas habitan en los Océanos Índico y Pacífico entre las latitudes 30º N y 30º S, así como en algunos ríos y lagos interiores.

Estimaciones basadas en registros hospitalarios indican que las mordeduras de serpiente causan entre 50.000 y 100.000 muertes al año, pero la mayoría de las víctimas reciben el tratamiento tradicional fuera de los hospitales y pueden morir en sus casas sin que lleguen a registrarse esas muertes. Estudios epidemiológicos informan que las tasas de mortalidad son del 2 al 17 por 100.000 habitantes al año en zonas de África y de la India. Por cada caso mortal, casi 10 de los que sobreviven quedan impedidos. Los humanos son mordidos cuando de un modo inadvertido tocan o pisan a las serpientes, las arrinconan o intentan cogerlas intencionadamente. La mayor parte de las mordeduras se infligen en los pies y en los tobillos de los agricultores y cazadores. Los incidentes de las mordeduras de serpiente aumentan con la actividad agrícola durante la estación lluviosa (es, por ejemplo, la época de la cosecha del arroz en el sudeste de Asia) y las inundaciones pueden causar epidemias de mordeduras de serpiente.

El veneno de la serpiente contiene 20 componentes diferentes o más. La mayor parte son proteínas o polipéptidos. Las enzimas (con masa molecular de 13 a 150 kDa) constituyen del 80 al 90 por ciento del veneno de los vipéridos y entre el 25 y 70 por ciento del veneno de los elápidos: hidrolasas digestivas, L-aminoácido

oxidasa, fosfolipasas, un coagulante parecido a la trombina, proteasas serinas parecidas a la calicreína y metaloproteinasas (hemorraginas), que dañan en endotelio vascular. Las toxinas polipéptidos (masa molecular de 5 a 10 kDa) incluyen citotoxinas, cardiotoxinas y neurotoxinas postsinápticas (como la alfa-bungartoxina) que se adhieren a receptores de acetilcolina en las uniones neuromusculares. Los componentes de baja masa molecular (hasta 1,5 kDa) incluyen metales, péptidos, lípidos, nucleósidos, hidratos de carbono, aminas y oligopéptidos, que inhiben la angiotensina que convierte la enzima ACE y potencia la bradikinina (BPP). La variación de la composición del veneno en las especies es geográfica y ontogénica.

Entre el 20 por ciento (en el caso de la *Pseudonaja textilis*) y el 80 por ciento (en especies *Echis*) de los mordiscos de serpientes venenosas dan como resultado un envenenamiento que se detecta clínicamente. En algunos casos (por ejemplo, en las especies *Crotalus durissus terrificus*, *Oxyuranus scutellatus* y *Acanthophis*) la mortalidad supera el 50 por ciento antes de tener acceso al antiveneno, pero con el antiveneno se puede reducir a menos de un 5 por ciento.

El envenenamiento de los humanos es una desviación de la función biológica para la cual evolucionaron el veneno y el aparato del veneno, que fue la de inmovilizar y predigerir la presa por parte de la serpiente. El veneno de la mayoría de los Vipéridos, de algunos Elápidos (especialmente las cobras escupidoras africanas y asiáticas) y las especies *Atractaspis* causa

daños locales en los tejidos. Las enzimas digestivas y citolíticas y las toxinas polipéptidas dañan los vasos sanguíneos, las membranas y los tejidos, entre ellos los músculos, causando una filtración de sangre y plasma en los tejidos. Se produce hinchazón, quemazón local e inflamación y los nódulos linfáticos locales quedan doloridos, delicados y aumentados. La gangrena con infección bacteriana secundaria, que procede algunas veces del veneno o de los colmillos, puede requerir amputación o dar como resultado una deformación e incapacidad, o una úlcera crónica que puede llegar a ser cancerosa.

Los efectos neurotóxicos (parálisis) los causan los venenos de la mayoría de los elápidos y unos cuantos Vipéridos. La parálisis flácida progresiva comienza con la inervación de los músculos por medio de los nervios craneales: el primer síntoma es la caída de los

▷ Derecha *Efectos locales de envenenamiento causado por la especie de víbora brasileña de cabeza de lanza conocida como jararaca (Bothrops jararaca). A este paciente le ha mordido en el dorso (parte superior) del pie izquierdo hace 36 horas. La inflamación y la formación de las enormes ampollas se deben a la filtración de plasma de los vasos sanguíneos bajo la influencia del veneno de la serpiente.*

◐ Abajo *Veneno lechoso del crótalo malayo (Calloselasma rhodostoma). Se está extrayendo una gota de veneno amarillo rico en proteínas de la glándula venenosa situada encima del ángulo de la mandíbula, el veneno pasa por un conducto y baja por el canal del colmillo viperino anterior, largo y erguido.*

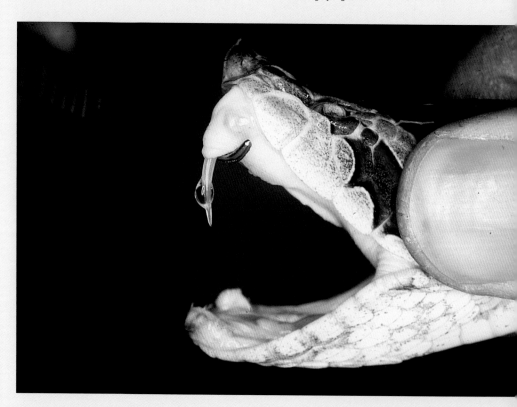

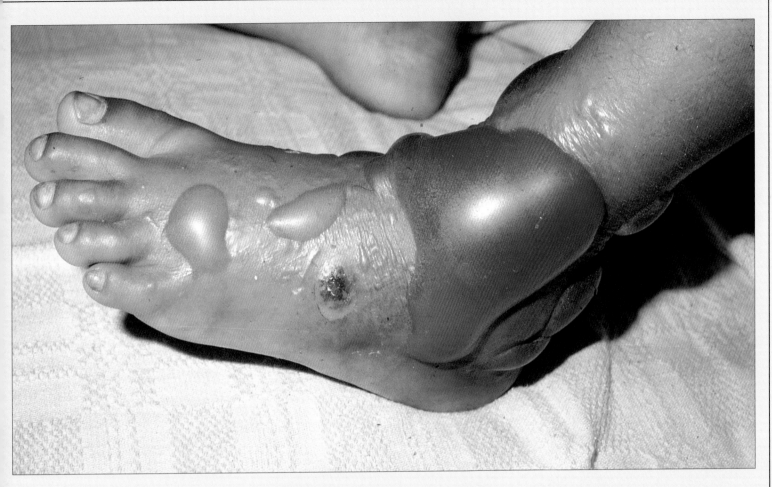

párpados (ptosis) y parálisis del movimiento de los ojos, y finalmente parálisis de los músculos que funcionan al tragar y al respirar, lo que lleva a la muerte por asfixia.

Generalmente el fallo del músculo esqueletal (rabdomiólisis) es causado por el veneno de muchas serpientes marinas, algunos elápidos terrestres australo-asiáticos (especialmente las serpientes tigre) y algunos Vipéridos incluyendo a la serpiente de cascabel neotropical (*Crotalus durissus*). Cuando los músculos se «disuelven» debido a las fosfolipasas A2, el pigmento muscular (mioglobina), las enzimas de los músculos, el potasio y otros constituyentes se filtran a la circulación y la orina se hace marrón oscura o negra (mioglobinuria).

Los daños en los riñones los puede causar directamente el veneno de algunos Vipéridos, especialmente el de la víbora de Russell y el de las labarias sudamericanas, así como el de serpientes marinas. La desorganización y otras causas de isquemia renal y el paso de mioglobina/hemoglobina pueden causar también un fallo renal.

El sangrado sistemático espontáneo y anormalidades en la coagulación de la sangre son causados por los venenos de muchos Vipéridos y Elápidos australo-asiáticos, así como el de algunos colúbridos. La activación de la coagulación de la sangre mediante enzimas procoagulantes lleva a la formación de fibrina, que al instante disuelve la plasmina endógena, con vaciamiento final de los factores de la coagulación de modo que la sangre no se coagula (coagulopatía por consumo). El veneno de los crótalos contiene enzimas parecidos a la trombina

que divide al fibrinógeno. Otros venenos contienen anticoagulantes, como las fosfolipasas A2 y factores que inhiben plateletas. La hemorragia sistemática espontánea resulta de la combinación de acciones de las hemorraginas y de factores antihemostáticos. Es visible en las encías, nariz, conjuntivas y piel, y puede ser mortal si implica al cerebro, pulmones, tracto intestinal o útero.

El veneno de los Vipéridos, Atractaspídidos y algunos Elápidos causan efectos cardiovasculares. Hipotensión (bajada de presión sanguínea) y *shock* (perfusión inadecuada de órganos vitales) seguidos frecuentemente por una filtración de sangre en el miembro mordido y en otras partes, causando hipovolemia. Ciertos venenos actúan sobre el corazón y arterias coronarias (por ejemplo, las serafotoxinas de las *Atractaspis engaddensis*); otros, como los inhibidores ACE y BPP, son vasodilatadores.

Las cobras escupidoras de África y Asia y las rinkhal pueden lanzar un chorro de veneno desde las puntas de los colmillos a los ojos del agresor, causando un intenso dolor, espasmos e hinchazón de los párpados, y algunas veces úlcera de córnea con infección secundaria que conduce a la ceguera.

El intervalo medio entre el mordisco y la muerte depende en gran medida de la familia y género de la serpiente: 8 horas para los mordiscos de cobras, 16 horas para los de la serpiente cascabel norteamericana, 18 horas para los mordiscos de kraits, tres días para los de las víboras de Russell y cinco días para los mordiscos de las *Echis* (víboras de escamas de sierra).

Los primeros auxilios tradicionales son las piedras negras («piedras de jesuita»), incisiones, succión con la boca o aparatos de vaciado, torniquetes apretados, crioterapia, *shock* eléctrico, tatuar la extremidad mordida y una gama de tratamientos ayurvédicos (hindúes budistas tradicionales). Ninguno ha demostrado ser eficaz y la mayoría son dolorosos. Los primeros auxilios recomendados es calmar a las víctimas y preparar su traslado en camilla al centro médico más próximo. El miembro mordido debería ser inmovilizado con una tablilla o cabestrillo. En las mordeduras de elápidos (que no sean cobras escupidoras africanas) debería atarse con fuerza un vendaje de gasa largo y estirado, incorporando una tablilla («inmovilización por presión»). Este tratamiento retrasa la evolución de la parálisis y otros efectos que amenazan la vida.

Los ojos dañados por elápidos escupidores deberían ser irrigados inmediatamente con gran cantidad de agua o de cualquier otro líquido blando disponible. A menos que se puedan excluir quemaduras en la córnea en un examen oftalmológico, debería instilarse un antimicrobiano profiláctico (tetraciclina o cloranfenicol).

En el hospital, la decisión más crítica es si se ha de dar un antiveneno hecho de plasma de caballo o de oveja que se haya inmunizado con veneno. Al ser una proteína extraña, el antiveneno puede causar reacciones inmunológicas complejas, anafilácticas al principio, o inmunidad después (enfermedad del suero). La ventilación artificial y la diálisis renal pueden ser necesarias para salvar la vida del paciente. DAW

Familias de serpientes

LA ANATOMÍA DE LAS SERPIENTES INDICA QUE tenemos que buscar a sus antepasados entre los lagartos o algún otro animal relacionado. Los primeros fósiles de serpiente que aparecen son del Cretácico (hace 144-65 millones de años), el último período de la Era de los Reptiles. Algunos autores piensan que la serpiente ancestral era un pequeño animal cavador. Hacen hincapié en que la pérdida de extremidades, párpados y oído externo es algo que tienen en común con los lagartos excavadores. Otros piensan que las serpientes proceden de grandes reptiles marinos, como los mosasauros o aigialosauros. Sin embargo, la mayoría de los restos fósiles de serpientes no son más que vértebras aisladas, y no se ha llegado todavía a una solución sobre este debate.

SERPIENTES CIEGAS

Escolecofidios

Serpientes ciegas primitivas
Familia Anomalepídidos

15 especies en 4 géneros. América Central y del Sur. Entre las especies se encuentran: **serpiente ciega de cabeza rosa** (*Helminthophis frontalis*).
LONGITUD: De 11 a 30 cm. La mayoría de 13 a 16 cm.
COLOR: Marrón o negro, algunas con cabeza y/o cola más claras.
ESCAMAS: Como las de las demás serpientes ciegas.
FORMA DEL CUERPO: Como el de las demás serpientes ciegas, a excepción de los dientes en maxilares y dentarios.

Serpientes ciegas
Familia Tiflópidos

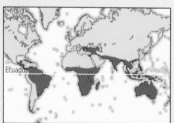

Más de 215 especies en 6 géneros. Desde el sur de Norteamérica a Méjico y las Bahamas, África subsahariana, sureste de Europa cruzando el sur de Asia hasta Taiwan y Australia. Entre las especies se encuentran: **serpiente ciega de Brahminy** (*Ramphotyphlops braminus*), **serpiente ciega Mona** (*Typhlops monensis*), **serpiente ciega de Schlegel** (*Rhinotyphlops schlegelii*).
LONGITUD: De 15 a 90 cm, la mayoría de 20 a 50 cm.

COLOR: Rosa, amarillo, marrón o negro, con manchas, bandas o líneas más oscuras o más claras.
FORMA DEL CUERPO: Cilíndrica, no se distingue la cabeza, ojos reducidos y algunas veces invisibles debajo de los escudos de la cabeza, maxilares dentados móviles y mandíbulas sin dientes. Cola corta. Las especies pequeñas suelen ser delgadas. Los individuos de algunas especies grandes tienen el cuerpo grueso.
ESTADO DE CONSERVACIÓN: 1 especie figura en la lista en Peligro y 1 es Vulnerable.

Serpientes ciegas hiladas o serpientes gusano
Familia Leptotiflópidos

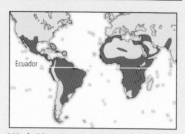

Más de 90 especies en 2 géneros. Desde el sur de Norteamérica a las Bahamas y suroeste de Estados Unidos. África oriental por Arabia Saudita hacia el suroeste de Asia. Entre las especies se encuentran: **serpiente gusano de siete rayas** (*Leptotyphlops septemstriatus*), **serpiente hilada colilarga** (*L. longicaudatus*).
LONGITUD: De 15 a 41 cm, la mayoría entre 20 y 30 cm.
COLOR: Gris, rosa, marrón o negro. Algunas con manchas claras u oscuras, incluyendo rayas.
ESCAMAS: Brillantes y de tamaño uniforme en todo el cuerpo.
FORMA DEL CUERPO: Muy delgado, maxilares fundidos al cráneo, mandíbulas con dientes.

SERPIENTES AUTÉNTICAS

Aletinofidios

Serpientes de pipa enanas
Familia Anomoquílidos

2 especies en 1 género. Sureste de Asia, Sumatra y Borneo. Especies: **serpiente de pipa de Leonardo** (*Anomochilus leonardi*).
LONGITUD: De 25 a 35 cm.
COLOR: Marrón oscuro o negro, con manchas amarillas o rojas en el vientre.
ESCAMAS: Abdominales ligeramente alargadas. Las demás uniformes por todo el cuerpo.
FORMA DEL CUERPO: Cilíndrica. Ojos con o sin lente (brille).

Serpientes de cola de escudo
Familia Uropéltidos

Más de 45 especies en 9 géneros. Sur de la India y Sri Lanka. Entre las especies se encuentran: **serpiente de Blyth** (*Rhinophis blythi*), **serpiente de Ceilán** (*Uropeltis ceylanicus*).
LONGITUD: Menos de 90 cm, la mayoría entre 20 y 50 cm.
COLOR: Negro iridiscente o marrón, a menudo con manchas por arriba y/o debajo de colores vivos rojo, amarillo o blanco.
ESCAMAS: Brillantes y de tamaño uniforme, excepto en el escudo alargado y áspero del extremo de la cola corta.
FORMA DEL CUERPO: Cabeza pequeña y cónica, cráneo fuerte, cuerpo especialmente robusto en la parte anterior.

Serpientes de pipa asiáticas
Familia Cilindrófidos

8 especies en 1 género. Sri Lanka y Sureste de Asia, sur de China, e Indias Orientales. Entre las especies se encuentran: **serpiente de pipa de cola roja** (*Cylindrophis ruffus*).
LONGITUD: De 50 cm a 70 cm.
COLOR: Negro, marrón o cobre brillante, con vientre blanco y negro formando damas y algunas veces la punta de la cola es roja.
ESCAMAS: Brillantes y de tamaño uniforme en todo el cuerpo.
FORMA DEL CUERPO: Cilíndrica, no se distingue la cabeza y posee una cola muy corta y puntiaguda. Cráneo fuerte.

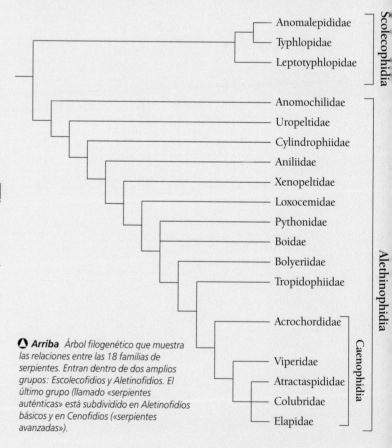

🜄 **Arriba** Árbol filogenético que muestra las relaciones entre las 18 familias de serpientes. Entran dentro de dos amplios grupos: Escolecofidios y Aletinofidios. El último grupo (llamado «serpientes auténticas») está subdividido en Aletinofidios básicos y en Cenofidios («serpientes avanzadas»).

NOTAS Longitud: longitud desde el hocico a la punta de la cola.

Equivalentes aproximados no métricos: 10 cm = 4 pulgadas / 1 kg = 2,2 libras

Serpiente de pipa roja
Familia Anélidos

1 especie en 1 género. **Serpiente de pipa roja**, falsa coral (*Anilius scytale*). América del Sur tropical.

LONGITUD: Hasta 1 m.

COLOR: Anillos brillantes rojos y negros.

ESCAMAS: Brillantes y de tamaño uniforme en todo el cuerpo.

FORMA DEL CUERPO: Cilíndrica, moderadamente delgada. No se distingue la cabeza, cola corta y roma. Cráneo fuerte.

Serpientes irisadas asiáticas
Familia Xenopéltidos

2 especies en 1 género. Desde el sureste de Asia hasta las Indias Orientales. Especies: **serpiente irisada asiática** (*Xenopeltis unicolor*).

LONGITUD: Hasta 1 m.

COLOR: Marrón o negro iridiscente.

ESCAMAS: Muy brillantes, abdominales ligeramente alargadas.

FORMA DEL CUERPO: Cilíndrica, cabeza aplastada, no se distingue. Cola corta y puntiaguda, dientes articulados sobre huesos para que se puedan plegar cuando se traga a una presa.

Serpiente irisada neotropical
Familia Loxocémidos

1 especie en 1 género: *Loxocemus bicolor*. Méjico y América Central.

LONGITUD: Hasta 1,2 m.

COLOR: Marrón oscuro, algunas veces con vientre de color crema.

ESCAMAS: Las abdominales un poco alargadas.

FORMA DEL CUERPO: Moderadamente robusto, con cabeza pequeña y escama rostral ligeramente vuelta hacia arriba. Cráneo fuerte.

Boas
Familia Boidos

28 especies en 8 géneros. Las boas de arena (14 especies en 2 géneros, *Eryx* y *Charina*) han estado separadas de las demás boas durante al menos 50 millones de años y algunas veces se las considera una familia independiente (Erycidae). América del Norte y del Sur, África, Indias Orientales, Madagascar, Nueva Guinea, algunas islas del Pacífico. Entre las especies se encuentran: **boa de arena de Kenia** (*Eryx colubrinus*), **boa arborícola de jardín** (*Corallus hortulanus*), **Boa constrictora** (*Boa constrictor*), **boa de goma** (*Charina bottae*), **boa de Haití** (*Epicrates striatus*).

LONGITUD: entre 0,5 m y 4 m, la mayoría entre 1 y 3 m. La anaconda verde puede alcanzar los 11 m.

COLOR: Normalmente marrones o grises con manchas más oscuras. La boa esmeralda arborícola es de color verde brillante con manchas claras.

ESCAMAS: Muchas filas de pequeñas escamas dorsales, escudos abdominales un poco alargados.

FORMA DEL CUERPO: Por lo general moderadamente robusto, pero la boa haitiana tiene un cuello largo y delgado, se distingue la cabeza, la cola es moderadamente larga y no posee dientes en los premaxilares. Presenta extremidades posteriores rudimentarias en forma de garras externas. La mayoría son vivíparas, pero la boa de arena árabe y la boa de tierra de Calabar ponen huevos.

ESTADO DE CONSERVACIÓN: 2 especies están en Peligro y 4 son Vulnerables.

Pitones
Familia Pitónidos

Más de 25 especies en 4 géneros. Las pitones se incluyen con frecuencia en una sola familia junto a las boas y boas de arena. Se encuentran en los trópicos y subtrópicos del Viejo Mundo, desde África hasta Australia pasando por el sureste de Asia, sur de China e Indias Orientales. Las especies incluyen: **pitón infantil** (*Antaresia childreni*), **pitón alfombra o diamante** (*Morelia spilotes*), **pitón arborícola verde** (*M. viridis*), **pitón india o birmana** (*Python molurus*), **pitón reticulada** (*P. reticulatus*) y **pitón roca africana** (*P. sebae*).

LONGITUD: Desde menos de 1 m a más de 10 m. La mayoría entre 3 y 6 m.

COLOR: Desde marrón o verde brillante uniforme a dibujos en forma de diamante o manchas.

ESCAMAS: Numerosas escamas dorsales, algunas veces escudos abdominales alargados.

FORMA DEL CUERPO: Cilíndrica, con cola corta y extremidades posteriores rudimentarias. Dos pulmones. Ojos con pupilas elípticas verticales. La mayoría tiene dos escudos subcaudales, dientes en los premaxilares, un hueso postfrontal sobre la órbita del ojo, y hemipenes sin espinas con volantes y aristas apicales (pequeñas puntas puntiagudas). Todas ponen huevos.

ESTADO DE CONSERVACIÓN: 6 especies están en Peligro Crítico en la actualidad, 7 en Peligro y 8 son Vulnerables.

Boas de Mascarene o de mandíbula dividida
Familia Boliéridos

2 especies en 2 géneros. Isla Round, cerca de Mauricio. Una especie existente: **la boa de Isla Round** (*Casarea dussumieri*).

LONGITUD: De 0,8 m. a 1,4 m.

COLOR: Marrón o gris, con manchas irregulares y vagas.

FORMA DEL CUERPO: Moderadamente delgada o robusta. La cabeza se distingue un poco, la cola moderadamente larga, maxilares divididos y articulados.

ESTADO DE CONSERVACIÓN: Se cree que se ha extinguido la boa cavadora de Isla Round (*Bolyeria multocarinata*).

🔺 *Arriba* La serpiente ciega de Schlegel (Rhinotyphlops schlegelii), *la más grande de ellas, crece hasta 1 m de longitud. Su modo de vida en fosos se refleja en su fisiología: cuerpo cilíndrico y liso y un hocico en forma de pala blindado con una gran escama rostral.*

Boas enanas
Familia Tropidófidos

21 especies en 4 géneros. América del Sur, Central, sur de Méjico, Indias Occidentales, Malasia. Entre las especies se encuentran: **boa enana colinegra** (*Tropidophis melanurus*), **boa enana de pestañas** (*Trachyboa boulengeri*), **boa enana oaxacana** (*Exiliboa placata*).
LONGITUD: Hasta 1 m, normalmente entre 30 y 50 cm.
COLOR: Generalmente marrón o gris con manchas vagas e irregulares. Algunas especies tienen manchas o anillos brillantes.
ESCAMAS: Numerosas escamas dorsales, las abdominales un poco alargadas.
FORMA DEL CUERPO: Moderadamente delgado, cabeza un poco alargada.

SERPIENTES AVANZADAS

Cenofidios

Serpientes tiburón
Familia Acrocórdidos

3 especies en 1 género. Sur de Asia y Filipinas, hasta el norte de Australia. Especie: **serpiente tiburón de Java** (*Acrochordus javanicus*).
LONGITUD: De 0,8 m a 2,7 m.
COLOR: Marrón o gris, algunas veces con manchas oscuras.
ESCAMAS: Del mismo tamaño en todo el cuerpo, no se solapan y están cubiertas de diminutos tubérculos cerdosos.
FORMA DEL CUERPO: Cabeza pequeña con pequeños ojos dorsales, cuerpo robusto con piel holgada.

◁ **Izquierda** *La cobra marina de labios amarillos (Laticauda colubrina) está extendida por los océanos Pacífico e Índico y se alimenta de anguilas y de otros peces en los arrecifes coralinos. Este elápido es una especie marina principalmente, pero emerge a tierra para tomar el sol, aparearse y poner huevos.*

Colúbridos
Familia Colúbridos

Casi 1.700 especies en 290 géneros. En todo el mundo, excepto en latitudes y altitudes extremas. Generalmente ausentes de entornos marinos. Entre las especies y géneros se encuentran: **culebra de Esculapio** (*Elaphe longissima*), **culebras verdes americanas** (*Opheodrys*), **serpientes de jarretera americanas** (*Thamnophis*), **serpiente de jarretera de San Francisco** (*T. sirtalis tetrataenia*), **serpientes de agua americanas** (*Nerodia*), **comedoras de caracoles asiáticas** (*Pareas*), **comedoras de caracoles americanas** (*Dipsas*), **comedoras de huevos africanas** (*Dasypeltis*), **culebra de gemona euroasiática** (*Coluber gemonensis*), **corredora oriental** (*C. constrictor*), **culebra de collar** (*Natrix natrix*), **falsa coral** (*Lampropeltis triangulum*), **serpientes de fango** (*Farancia*), **serpiente ratonera** (*Elaphe*), **serpiente de vientre rojo** (*Storeria occipitomaculata*).
LONGITUD: De 13 cm a 3,5 m. La mayoría entre 50 cm y 2 m.
COLOR: Muchas son marrones, grises o negras, pero algunas son rojas, amarillas o verdes, con manchas o rayas.
ESCAMAS: El escudo de la cabeza es alargado normalmente. Tiene escamas dorsales quilladas o lisas. Las abdominales son alargadas por lo general.
FORMA DEL CUERPO: Varía desde extremadamente delgado a robusto, cabeza alargada o indistinta, normalmente de cuerpo afilado. Pupilas elípticas horizontales o verticales, normalmente redondas. Ninguno tiene un pulmón izquierdo funcional, hueso coronoide o extremidades rudimentarias.
ESTADO DE CONSERVACIÓN: La corredora de Santa Cruz (*Alsophis sancticrucis*) de las Islas Vírgenes se cree que se ha extinguido.

Víboras y crótalos
Familia Vipéridos

Más de 230 especies en 28 géneros. En todo el mundo salvo en la Antártida y en los océanos. La que vive más al norte (la europea) y más al sur (la labaria de Patagonia) son víboras. Entre las

especies y los géneros se encuentran: **Crótalos arborícolas asiáticos** (*Trimeresurus*), **Bushmasters** (*Lachesis*), **terciopelo de América Central** (*Bothrops asper*), **labaria común** (*B. atrox*), **jararaca** (*B. jararaca*), **víbora cabeza de cobre** (*Agkistrodon contortrix*), **boca de algodón** o **mocasín de agua** (*A. piscivorus*), **serpientes de cascabel diamante** (*Crotalus adamanteus, C. atrox*), **serpiente de cascabel de montaña de Nuevo Méjico** (*C. willardi obscurus*), **serpiente de cascabel Sidewinder** (*C. cerastes*), **víbora europea** (*Vipera berus*), **víbora de Gabón** (*Bitis gabonica*), **víbora bufadora** (*B. arietans*), **víbora cornuda** (*Cerastes cerastes*), **víbora de Latifi** (*Vipera latifii*), **crótalo de montaña** (*Ovophis monticola*), **serpientes de cascabel pigmeas** (*Sistrurus*), **víbora de Russell** (*Daboia russelii*), **víboras de escamas de sierra** (*Echis*).
LONGITUD: De 25 cm a 3,7 m. La mayoría entre 60 cm y 1,20 m.
COLOR: Desde verde brillante con marcas rojas a marrón pardo o negro. La mayoría con manchas oscuras de fondo más claro.
ESCAMAS: Las escamas de la cabeza son pequeñas normalmente, las abdominales son alargadas.
FORMA DEL CUERPO: Moderadamente delgada a muy robusta, con cabeza diferenciada y cola bastante corta. Las pupilas son elípticas generalmente. Un solo par de colmillos huecos en el maxilar muy corto que puede rotar para adelantar los colmillos y morder. El veneno destruye los tejidos normalmente.
ESTADO DE CONSERVACIÓN: 7 especies, entre ellas la labaria dorada y la víbora de Mt. Bulgar, se encuentran en Peligro Crítico en la actualidad. 4 más están en Peligro y 7 son Vulnerables.

Serpientes stiletto y sus aliadas
Familia Atractaspídedos

Unas 60 especies en 13 géneros. África subsahariana y la Península de Arabia. Entre las especies se encuentran: *Aparallactus capensis* que come ciempiés, la **serpiente arlequín** (*Homoroselaps lacteus*), **serpiente stiletto del sur** (*Atractaspis bibroni*).
LONGITUD: De 20 cm a 1,1 m, por lo general entre 30 y 50 cm.
COLOR: Normalmente negro o marrón oscuro. Algunas son rayadas o tienen bandas de colores vivos.
ESCAMAS: Escamas grandes en la cabeza, dorsales lisas y abdominales alargadas.
FORMA DEL CUERPO: Cabeza indistinta, cuerpo cilíndrico, cola corta puntiaguda. Maxilares con colmillos estriados o huecos, muy largos y móviles en las serpientes stiletto.

Cobras y sus aliadas
Familia Elápidos

Más de 270 especies en 62 géneros. Norte y sur de América, Asia, este y sur de África, Australia. Serpientes marinas en las aguas costeras de Asia, África, Australia y en el Pacífico en la zona tropical de América. Entre las especies se encuentran: **serpiente marina** (*Emydocephalus annulatus*), **cobra india** (*Naja naja*), **cobra de Asia central** (*N. oxiana*), **cobra de Egipto** (*N. haje*), **cobras escupidoras** (*N. nigricollis, M. mossambica, Hemachatus haemachatus*), **mamba negra** (*Dendroaspis polylepis*), **serpiente de la muerte** (*Acanthophis antarcticus*), **taipán india** o **serpiente de escamas pequeñas** (*Oxyuranus microlepidotus*), **serpiente marina olivácea** (*Aipysurus laevis*), **serpiente parda oriental** (*Pseudonaja textiles*), **serpiente coral oriental** (*Micrurus fulvius*), **serpiente de Fiji** (*Ogmodon vitianus*), **cobra real** (*Ophiophagus hannah*), **kraits** (*Bungarus*), **mambas** (*Dendroaspis*), **serpientes coral del Nuevo Mundo** (*Leptomicrurus, Micruroides, Micrurus*), **serpientes coral asiáticas** (*Calliophis, Sinomicrurus*), **serpientes marinas de vientre amarillo** (*Pelamos platurus*), **cobras marinas** (*Laticauda*), **serpientes tigre** (*Notechis scutatus, N. ater*).
LONGITUD: De 38 cm a 5,6 m; la mayoría entre 75 cm y 1,5 m.
COLOR: La mayoría son grises, marrones o negras, a menudo con collares o bandas cruzadas. Algunas de color verde brillante. Las serpientes coral tiene anillos rojos, amarillos y negros.
ESCAMAS: Escamas de la cabeza grandes, las dorsales son lisas normalmente, las abdominales alargadas.
FORMA DEL CUERPO: Normalmente la cabeza se distingue muy poco, el cuerpo es cilíndrico y delgado en la mayoría, pero las serpientes de la muerte son rechonchas. Las serpientes y cobras marinas están comprimidas, poseen una forma parecida a la de un remo. Todas tienen pequeños colmillos en los maxilares, normalmente sólo se mueven un poco. El veneno es neurotóxico.
ESTADO DE CONSERVACIÓN: 7 especies figuran en la lista como Vulnerables. HWG

NOTAS Longitud: longitud desde el hocico a la punta de la cola.

Equivalentes aproximados no métricos: 10 cm = 4 pulgadas / 1 kg = 2,2 libras

RECOGIDA DE VENENO DE SERPIENTE

① La tribu de los Irulas, del sur de la India, se gana la vida cogiendo serpientes, especialmente especies venenosas como la cobra que vemos arriba. Las emplean para matar reptiles de los que obtienen su piel, pero las leyes de conservación prohibieron el comercio en 1976. Ahora obtienen su veneno.

② La habilidad que poseen los irulas en el manejo de las serpientes ha pasado de generación en generación durante siglos. Desde pequeños, los niños aprenden a reconocer especies y sus características, principalmente al estilo que demuestra este grupo familiar que está examinando una serpiente ratonera (género Elaphe).

③ La prohibición de la venta de pieles amenazó a esta comunidad, hasta que un grupo de 25 individuos fundaron (con ayuda de una subvención de Oxfam) la Cooperativa Industrial de cazadores de serpientes, que se dedicaron a una nueva forma de caza que no resultaba letal. Ahora las serpientes (principalmente cobras, víboras de Russell, kraits y víboras de escamas de sierra) se cogen vivas, se miden y luego se almacenan en recipientes de barro (arriba) en los almacenes de la cooperativa situados cerca de Mamallapuram, en Tamil Nadu. Los cazadores ganan un salario básico que aumenta con bonos que reciben por cada serpiente que cojan. Aunque ahora llevan suero antiveneno como medida de precaución, parece ser que muchos poseen cierta inmunidad a la mordedura de serpiente, que todavía es un peligro de esa ocupación.

EXTRACTION

④ ⑤ *Las serpientes permanecen en la cooperativa tres semanas. Durante ese tiempo se extrae el veneno cada semana. Para extraerlo, se presionan los colmillos contra la piel o cuero que tapa una jarra de cristal (un proceso lento, ya que se necesitan diez serpientes para producir un solo gramo de veneno de cobra). Después liberan a las serpientes, terminando así su cautiverio, y se las llevan de nuevo al mismo lugar en el que se las cogió. El veneno se deshidrata por congelación y se vende a los laboratorios del gobierno para producir suero antiveneno.*

5

4

Tuataras

OS TUATARAS SON DE GRAN IMPORTACIA PARA LOS BIÓ-
logos de todo el mundo ya que son las únicas especies
supervivientes del orden Rincocéfalos. Dos especies se
reconocen actualmente, ambas restringidas a las islas y mon-
tes rocosos situados frente a las costas de Nueva Zelanda.

Entre muchas de las curiosas características de los tuataras se encuentra su dentición poco corriente (formada
por filas dobles de dientes en la mandíbula superior que
forman una estría entre ellas en la cual se ajustan los
dientes de la mandíbula inferior), excepcional tolerancia
a las bajas temperaturas, reproducción lenta y larga vida.

Los últimos Rincocéfalos

FORMA Y FUNCIÓN

Los Rincocéfalos («cabezas de pico»), que también se
conocen por el nombre de esfenodontos («con dientes
en cuña»), aparecieron en el Mesozoico, hace unos 220
millones de años (más o menos en la misma época de
los primeros dinosaurios). Se conocen fósiles de lugares
de todo el mundo, entre ellos Europa, África, Madagascar y Sudamérica. Aunque una vez formaron un grupo
estático, abundaron durante un considerable período de
tiempo, diversificándose en unos 24 géneros. Casi todos
desaparecieron hacen 100 millones de años, bastante
antes de que se extinguieran los dinosaurios. De algún
modo el linaje consiguió sobrevivir en los tuataras, aislados en el fragmento de Gondwana que se convirtió en
Nueva Zelanda.

Los Rincocéfalos son el grupo hermano de los Escamosos (lagartos y serpientes). Los dos linajes comparten
muchas características comunes, entre ellas la autotomía
caudal y una abertura transversal en la cloaca. Los tuataras y sus parientes extintos tienen dos filas de dientes en
la mandíbula superior y un pico formado por los incisivos superiores que sobresalen. Los dientes de la mandíbula son acrodontos (fundidos al hueso de la mandíbula, sin alvéolos) y forman un borde aserrado que se
desgasta con el tiempo. La mandíbula superior está
unida al cráneo de un modo rígido, a diferencia de las
conexiones móviles que vemos en los escamosos. A diferencia de los escamosos, los rincocéfalos tienen gastralia
(«costillas abdominales») y el tuatara macho tiene solamente un órgano de cópula rudimentario.

Como reliquias de un peculiar grupo, a los tuataras se
les ha considerado a menudo «fósiles vivos». Sin embargo,
estudios recientes han hecho hincapié en que no son
idénticos a sus parientes del Mesozoico ni están mal adaptados a su entorno normal. No obstante, resultan de especial interés para los científicos, quienes los estudian tra-
tando de encontrar pistas de caracteres que podrían
resultar primitivos (ancestrales) respecto a los escamosos.

Los Tuataras son reptiles cavadores que viven en bosques costeros. Su densidad varía de 13 a 2.000 por hectárea. Los adultos deambulan y buscan alimento por la

noche en la zona donde habitan, de unos 12 a 87 m²,
con una temperatura corporal de 7 a 17 °C. Los tuataras
cazan por la vista, principalmente, y pueden detectar
una presa con unos niveles de visión muy bajos, aunque
no en completa oscuridad.

Aunque son nocturnos principalmente, los tuataras
suelen salir a tomar el sol durante el día cerca de la entrada de su madriguera. La temperatura corporal puede llegar enseguida a los 24 °C o 27 °C. Al igual que varios
lagartos, los tuataras poseen un complejo pineal bien
desarrollado, que se desarrolla como una consecuencia
del cerebro. Un componente, el cuerpo pineal, segrega
la hormona melatonina por la noche. La otra estructura
conectiva es el ojo parietal o «tercer ojo», localizado bajo
la piel entre los huesos parietales del techo del cráneo. El
ojo parietal del tuatara tiene muchas características
estructurales de un ojo, entre ellas la lente, la retina y
conexiones neurales al cerebro. Se han realizado muy
pocos trabajos de experimentación sobre su función.
Como en los lagartos, probablemente es sensible a la luz
pero no forma imágenes, ayudando a regular la exposición a la radiación solar.

Los tuataras comparten sus hábitat de isla con grandes poblaciones de aves marinas cavadoras (petreles,
petreles paloma y meaucas) que se acercan a la costa
para anidar en su estación. Las madrigueras de las aves
marinas proporcionan protección a los tuataras (aunque
pueden cavar ellos mismos) y la defecación del ave marina y los movimientos del suelo del bosque estimulan
una alta densidad de invertebrados de suelo de los cuales se alimentan los tuataras. Los tuataras también

comen huevos y polluelos de aves marinas, obteniendo
ácidos grasos «marinos» que pueden ser muy beneficio-
sos. Sin embargo, los tuataras se alimentan principalmente de invertebrados: escarabajos, grillos y arañas,
aunque las ranas, los lagartos y los tuataras jóvenes también les sirven de alimento de vez en cuando. Un movimiento especial de la mandíbula hacia delante (propali-
nal) que sólo se encuentra en los rincocéfalos más
avanzados, permite a los tuataras cortar con facilidad los
huesos y quitina de sus presas.

Vidas largas y lentas

REPRODUCCIÓN Y DESARROLLO

Los tuataras viven en climas fríos y poseen un ritmo
metabólico bajo (factores que ayudan a explicar su lento
desarrollo y gran longevidad). Las hembras sólo se
reproducen cada 2 o 5 años. Los períodos de vitelogénesis (vitelo del huevo, que dura de 1 a 3 años), cáscara del
huevo (7 meses) e incubación del huevo después de la
puesta (11-15 meses) se encuentran entre los más largos
conocidos en los reptiles. A la vitelogénesis le sigue el

◗ **Arriba** *Los miembros tuataras, después de un largo
período en declive, parecen estar aumentando ahora gracias
a un programa de reintroducción en las islas dirigido por el
Departamento de Conservación de Nueva Zelanda.*

◗ **Derecha** *«Tuatara» (igual en singular y en plural en
maorí) significa «picos en el lomo», y se refiere a los
pliegues de piel visibles que forman una cresta a lo largo
del cuello, lomo y cola. La cresta es prominente
especialmente en los machos, y se puede erigir durante el
cortejo o disputas territoriales.*

apareamiento en el período de enero a marzo en el verano del hemisferio sur. Los machos demuestran territorialidad y cortejo con la erección de la cresta en esta época. La ovulación sucede poco después. Desde octubre a diciembre (primavera), las hembras se congregan en zonas abiertas para cavar túneles nido de unos 20 cm de profundidad. Compiten por los lugares para anidar pero, aparte de unos cuantos días de defensa del nido, no hay más cuidado parental. Los huevos ovalados, de cáscara flexible, miden unos 25 o 30 mm. La determinación del sexo depende de la temperatura (la incubación cálida produce machos, la incubación fría hembras).

En el hocico del embrión crece una especie de cuerno para romper el huevo. Los recién nacidos miden unos 54 mm de largo desde el hocico al ano. Se ocultan bajo piedras o troncos e inicialmente son diurnos.

Los tuataras alcanzan la madurez sexual entre los 9 y 13 años de edad. El crecimiento continúa hasta los 20 o 35 años. Se sabe que el tuatara en estado salvaje se reproduce hasta los 60 años. Sin embargo, la afirmación de que los tuataras viven durante 200 o 300 años es totalmente especulativa.

Si la temperatura se mantiene fría, el tuatara sobrevive bien en cautividad. Sin embargo, las condiciones del cautiverio han dado como resultado algunas veces tuataras obesos que mostraban poco deseo de reproducirse.

Refugio en las islas
CONSERVACIÓN Y ENTORNO

Cuando los humanos se establecieron en Nueva Zelanda hace unos 1.000 años, el tuatara estaba muy extendido. Desde entonces han desaparecido de dos islas principales y de otras situadas frente a sus costas, debido principalmente al impacto de los mamíferos introducidos. Los tuataras sobreviven hoy en unas 30 islas en estado natural, en cinco en el Estrecho de Cook y alrededor de la costa norte de la Isla Norte. La mayoría de estas islas poseen muchos riscos y el aterrizaje sólo se puede realizar con permiso, lo que ayuda a proteger a los tuataras de las interferencias humanas.

Desde 1995 se han estado reintroduciendo tuataras en tres islas. Dentro de este plan de recuperación se encuentra la erradicación de la rata polinesia y la crianza de juveniles en cautividad a partir de huevos recogidos en estado salvaje con el fin de reintroducirlos posteriormente. Los tuataras están absolutamente protegidos por la Wildlife Act (Ley de la Fauna) de Nueva Zelanda. La especie más rara, *Sphenodon guntheri*, se encuentra sólo en una pequeña isla, donde hay una población en estado salvaje de unas 400, pero se ha reintroducido en otras dos. El *Sphenodon punctatus* se encuentra en unas 20 islas en estado salvaje (con una población total de 60.000 aproximadamente), y se ha reintroducido en otra.   AC

TUATARAS

Orden: Rincocéfalos (Esfenodontos)

Familia: Esfenodontos

2 especies en 1 género: Sphenodon punctatus y S. guntheri

DISTRIBUCIÓN: En unas 33 islas pequeñas y riscos situados frente a las costas de Nueva Zelanda.

HÁBITAT: Excavadores activos por la noche en zonas de bosque bajo o matorral, asociados normalmente a colonias de aves marinas cavadoras.

TAMAÑO: Longitud desde el hocico a la punta de la cola: hasta 61 cm (machos), 45 cm (hembras). Peso: 1 kg. (machos), 0,5 kg (hembras).

COLOR: Dorsal de adulto de color verde aceituna, gris o rosa oscuro con jaspeado gris, amarillo o blanco. Los animales recién nacidos son marrones o grises, con matices rosas y escudo de la cabeza pálido, garganta rayada y algunas veces manchas claras en el cuerpo y la cola.

REPRODUCCIÓN: Depositan huevos. El tamaño de las puestas es de 6 a 10, dependiendo de la población. La incubación dura entre 11 y 15 meses.

LONGEVIDAD: Desconocida, pero probablemente 100 años o más.

ESTADO DE CONSERVACIÓN: El *Sphenodon guntheri* figura en la lista de Vulnerables.

Cocodrilos

POR SER LOS REPTILES VIVOS MÁS GRANDES, EN LA mente de las personas los crocodilios sólo se asocian a su ferocidad predatoria. Sin embargo, si los observamos más de cerca, estos reptiles únicos revelan muchas conductas sutiles y complejas que van a la par con las de aves y mamíferos. Su vocalización aterrorizó a los primeros viajeros y todavía intriga a los científicos de hoy en día. Los padres protegen a los huevos de un modo rutinario, liberan a los jóvenes del nido y luego se quedan con los recién nacidos y los defienden. La notable sociabilidad de los crocodilios los diferencia claramente de las tortugas, lagartos y serpientes, y pueden proporcionarnos una idea de cómo se comportaban los dinosaurios.

El aligátor, el caimán, el cocodrilo y el gavial, conocidos colectivamente como «crocodilios», representan un antiguo linaje de arcosaurios, allegados a dinosaurios y aves. Las 23 especies modernas reflejan la misma estructura básica de cuerpo: hocico alargado, cuerpo aerodinámico cubierto de un armazón protector y una cola larga, musculosa y propulsora. El extraordinario éxito evolutivo de este orden producido durante más de 240 millones de años (los crocodilios vieron llegar y marcharse a los dinosaurios) se puede atribuir directamente a su papel ecológico primario, establecido hace tiempo, de predadores acuáticos. Los miembros vivos comparten un modo de vida común y poseen una anatomía y fisiología peculiares.

⬇ **Abajo** *El cocodrilo enano mide 1,5 m aproximadamente y posee un peculiar hocico truncado. Habita en corrientes y arroyos poco profundos en los bosques húmedos del oeste de África, y a diferencia de otros cocodrilos, realiza correrías nocturnas en tierra.*

Cazadores acuáticos
FORMA Y FUNCIÓN

El aligátor y el caimán (los aligatorinos) se distinguen por su hocico ancho y romo. Los dientes de la mandíbula inferior quedan por dentro cuando cierran la boca. El grupo es monofilético, basado en el análisis morfológico y molecular, y surgieron en el Cretácico de Norteamérica hace entre 144 y 65 millones de años. Todas las especies carecen de glándulas excretoras de sal en la lengua, indicando que no es probable que hubiera una dispersión transoceánica. El linaje del caimán se extendió a Sudamérica durante el Paleoceno (hace 65-55 millones de años) y hoy en día consta de tres géneros en diversos hábitat de América del Sur y Central. Los caimanes enanos (*Paleosuchus*) son pequeños, tienen la piel osificada y viven en regiones boscosas. El caimán negro (*Melanosuchus*) se parece superficialmente al aligátor americano tanto en el tamaño como en el aspecto, y es un allegado del caimán del hocico ancho. El resto de especies de caimán (*Caiman*) están muy relacionadas, formando un grupo dividido en tres especies según algunos. Las dos especies de aligátor (*Alligator*) divergieron en el Terciario, hace al menos 14 millones de años, cuando las condiciones climáticas favorecieron la dispersión en Asia desde Norteamérica, pasando por Beringia.

Los cocodrilos y falsos gaviales (crocodílidos) se caracterizan por un hocico que varía de delgado a ancho. Los dientes de la mandíbula inferior quedan a la vista cuando cierra la boca. Los crocodílidos vivos poseen glándulas excretoras de sal en la lengua, indicando cierta capacidad de dispersión transoceánica. El falso gavial (*Tomistoma*) está incluido en los crocodílidos por los datos morfológicos, pero el análisis molecular le agrupa con el gavial. Probablemente hubo una divergencia en el Paleoceno entre el falso gavial y otros crocodílidos, y las formas fósiles indican una separación en el Mioceno entre el cocodrilo enano (*Osteolaemus*) y el resto de los cocodrilos. Recientes estudios morfológicos y moleculares sugieren que las 12 especies de *Crocodylus* están muy relacionadas y poseen un origen reciente, del Plioceno/Pleistoceno (de 5 a 0,1 millones de años). El género *Crocodylus* es de origen africano, y el cocodrilo africano de hocico delgado es el miembro más antiguo y más peculiar del grupo. El cocodrilo hindú (mugger) está relacionado con otras especies indopacíficas. El cocodrilo del Nilo es un inmigrante reciente en África y está relacionado con especies del Nuevo Mundo.

El gavial (*Gavialis*) es una especie peculiar caracterizada por un hocico largo y delgado. Es el único miembro de un linaje independiente que surgió en el Cretácico (hace 144-65 millones de años). Los fósiles más antiguos se han encontrado en Norteamérica y Europa. Hay formas más recientes en África, Sudamérica y Asia. Las glándulas linguales de sal están poco desarrolladas en el gavial, pero indican una afinidad con los crocodílidos más que con los aligatorinos, que carecen de estructuras similares en la lengua.

Para todos los cocodrilos ocultarse debajo del agua es vital, porque son predadores oportunistas de las orillas, que cazan a su presa por emboscada en la orilla del agua. La exposición del largo hocico, ancho normalmente, y la cabeza se hace mínima por medio de la colocación estratégica de orejas, ojos y punta del hocico sobre el agua. Un paladar óseo secundario le permite respirar con la boca cerrada y una solapa palatal evita que el agua entre a la garganta. El fuerte cráneo y los masivos músculos de las mandíbulas que cierran la boca pueden ejercer una tonelada de fuerza sobre los dientes cónicos, permitiendo al cocodrilo aplastar el caparazón de una tortuga o perforar y agarrar una presa grande.

Suele ahogar a las víctimas gracias a su habilidad para sumergirse y permanecer bajo el agua durante muchos minutos o incluso horas. Un cocodrilo sumergido es capaz de reducir enormemente el flujo sanguíneo hacia los pulmones, utilizando un *bypass* (el foramen de Panizza) entre los ventrículos divididos del corazón de cuatro cámaras, otra característica única del grupo. La habilidad de respirar intermitentemente, que depende del metabolismo anaeróbico, es un rasgo común que comparte con otros reptiles, al igual que la habilidad de alterar el ritmo cardiaco y el flujo sanguíneo durante la realización de varias actividades. La respiración de los cocodrilos la facilita un sistema de músculos únicos unidos al hígado y vísceras que actúan de pistón durante la inhalación y exhalación. Logra sumergirse bien por una exhalación abrupta o por un fuerte golpe de la cola y extremidades posteriores, que mueve al animal hacia abajo y hacia atrás.

Izquierda *Nadando en las claras aguas del Lago Tanganica, un cocodrilo del Nilo muestra las características que hacen que todos los crocodilios sean esos cazadores acuáticos tan temidos: la forma del cuerpo hidrodinámica muy eficaz, los pies palmeados y una enorme cola musculosa.*

DATOS

COCODRILOS

Orden: Crocodilios

23 especies en 8 géneros y 3 familias

DISTRIBUCIÓN: Zonas tropicales y subtropicales alrededor del mundo, y se extienden a zonas templadas (aligátor).

ALIGÁTORES: Familia Aligatorinos
8 especies en 4 géneros, entre ellas: Aligátor americano (*Alligátor mississippiensis*), **aligátor chino** (*A. sinensis*), **caimán común** (*Caiman crocodilus*), **yacaré común** (*C. yacare*), **yacaré overo** (*C. latirostris*), **caimán enano** (*Paleosuchus palpebrosus*), **yacaré coroa** (*P. trigonatus*), **caimán negro** (*Melanosuchus niger*). Sureste de Estados Unidos, este de China, América Central y del sur. Longitud: La mayoría entre 1,5 m y 4 m desde el hocico a la punta de la cola, hasta 5 m. **Características:** cuarto diente en mandíbula inferior que no se ve cuando se cierra la mandíbula. Hocico corto y ancho. **Estado de conservación:** el aligátor chino se encuentra en Peligro Crítico.

COCODRILOS: Familia Crocodilinos
14 especies en 3 géneros, entre ellos se encuentran el **cocodrilo americano** (*Crocodylus acutus*), **cocodrilo africano** (*C. cataphractus*), **cocodrilo del Orinoco** (*C. intermedius*), **cocodrilo malayo** (*C. mindorensis*), **cocodrilo australiano** (*C. johnsoni*), **cocodrilo del pantano** (*C. moreletii*), **cocodrilo del Nilo** (*C. niloticus*), **cocodrilo de Nueva Guinea** (*C. novaeguineae*), **cocodrilo hindú** (*C. palustris*), **cocodrilo de mar** (*C. porosus*), **cocodrilo cubano** (*C. rhombifer*), **cocodrilo siamés** (*C. siamensis*), **cocodrilo enano** (*Osteolaemus tetraspis*), **falso gavial** (*Tomistoma schlegelii*). África, Madagascar, Asia, Australia, América Central y del Sur, Caribe, sur de Florida.

Longitud: De 1,5 a 5 m. **Características:** Cuarto diente en mandíbula inferior visible cuando se cierra la mandíbula. El hocico puede ser corto y ancho o largo y delgado. **Estado de conservación:** el cocodrilo malayo, el del Orinoco, y el siamés se encuentran en Peligro Crítico. El cocodrilo cubano y el falso gavial están en Peligro. Los cocodrilos americanos, enano e hindú son Vulnerables.

GAVIAL: Familia Gavialinos
1 especie: *Gavialis gangeticus*. Norte y este de la India, Nepal, Pakistán, Bangladesh. **Longitud:** El macho 5 m normalmente, hasta 6,5 m. La hembra entre 3 y 4 m. **Características:** Hocico muy alargado, punta de la cola del macho roma. **Estado de conservación:** En Peligro.

Ecuador

◑ **Derecha** *En la reserva de Masai Mara (Kenia), un cocodrilo del Nilo ataca a un ternero de ñu cuando se inclina para beber. Los cocodrilos son cazadores expertos, cogen a los ñúes jóvenes, o a los que se encuentran débiles y cansados, cuando intentan cruzar los ríos durante su emigración masiva anual.*

◐ **Abajo** *Yacarés tomando el sol a orillas del Pantanal en el sur de Brasil. Su distribución también se extiende a Bolivia, Paraguay y noreste de Argentina. Esta especie abunda localmente, aunque les afecta la extensa caza por sus pieles.*

La cola musculosa, que mide la mitad de la longitud total del cocodrilo, ondula lateralmente para nadar. Mantienen las extremidades contra el cuerpo cuando van por el agua o atacan, pero las extienden para tomar el sol y guiarse durante las maniobras de natación. Algunos cocodrilos se lanzan casi por completo fuera del agua «caminando con la cola» cuando saltan a por la presa. Otros, como el cocodrilo australiano, «galopa» rutinariamente sobre el terreno accidentado de tierra firme. Jóvenes y adultos pueden escalar obstáculos de varios metros de altura también. El viaje por tierra incluye «caminar en vertical». Las extremidades se mantienen casi en vertical por debajo del cuerpo, una marcha que es más típica de los mamíferos que de los reptiles. Un sistema de apoyo axial en el que se emplean las vértebras de corpúsculo esferoidal mejora la capacidad que tienen los cocodrilos para moverse en el agua y en tierra.

Cuando aparecen juntos, los crocodilios suelen diferenciarse morfológicamente. Por ejemplo, las tres especies que viven en África occidental parecen muy diferentes unas de otras, y se caracterizan por tres tipos de hocico peculiares: el típico hocico de «cocodrilo» plano y dentudo (encontrado en el cocodrilo del Nilo); un hocico romo y dientes posteriores fuertes (cocodrilo enano); y un hocico delgado y rostro tubular (el cocodrilo africano). La fauna fósil es similar a este respecto, y también indica que formas de hocico similares han evolucionado muchas veces en linajes diferentes. A pesar de la similitud superficial, el falso gavial y el gavial indio no son parientes cercanos y tienen distribuciones independientes, aunque ambos se han especializado en peces.

Predadores sutiles
DIETA Y ALIMENTACIÓN

Los Crocodilios son animales de engorde indiscriminados, muestran preferencia por las proteínas animales, pero no por las plantas. La alimentación implica una conducta sutil y sofisticada. Los caimanes utilizan la cola y el cuerpo para acorralar a los peces atrapados en aguas poco profundas, y los cocodrilos del Nilo cazan en cooperación. Buscan las colonias de aves anidadas, los lugares en los que descansan los murciélagos y las ensenadas estrechas en las que abundan los peces. Los cocodrilos prefieren ciertos alimentos en particular, y con frecuencia están poco dispuestos a cambiar de dieta. Los investigadores han impreso preferencias de dietas a los recién nacidos rociando sabores en los huevos que se están incubando.

Normalmente se tragan a la presa entera o en trozos grandes. La digestión se produce en una especie de bolsa, un estómago musculoso equipado de crestas longitudinales en las cuales se encajan los objetos duros e indigeribles. Estas piedras estomacales, o gastrolitos, facilitan el mecanismo de ruptura del alimento, pero también puede tener función de lastre. Las enzimas del estómago son tan fuertes que los niveles de Ph se encuentran entre los más bajos registrados en los vertebrados. El alimento se digiere rápidamente a temperaturas templadas. Los scats son calcáreos de un modo uniforme y contienen poco material de desecho, como son los huesos o las plumas.

Ajuste del termostato
REGULACIÓN TÉRMICA

Al igual que otros reptiles, los crocodilios son ectodérmicos, confían en fuentes de calor externas para regular la temperatura corporal. La actividad es impulsada por el metabolismo anaeróbico, después de la cual necesitan un largo período de recuperación. Un cocodrilo reacciona rápidamente y con energía, pero se cansa con facilidad. La conducta suele ser esporádica y la acción se acentúa con períodos de inactividad que duran de varios minutos a varias horas. Los crocodilios tienen un ritmo de metabolismo bajo que, a su vez, puede reducir la necesidad de alimentarse. Los individuos grandes son capaces de sobrevivir durante meses sin comer, si la temperatura del cuerpo se mantiene baja.

En primavera, los aligátores americanos buscan el calor de un modo activo trasladándose a tierra firme a tomar el sol por la mañana y retirándose más tarde al agua, donde asumen posturas de exposición en la superficie del agua. La temperatura corporal se eleva a 31ºC o 33 ºC mientras

🜂 **Arriba** *Durante la estación seca, el caimán común de los llanos de Venezuela ayuda a regular su temperatura corporal y a evitar la desecación revolcándose en el barro. La gruesa capa de barro les aisla de la intensa radiación solar durante el día y amortigua las frías temperaturas de la noche.*

está en tierra firme, y luego se mantiene en estos niveles durante toda la tarde. Al final de la tarde y por la noche los animales permanecen en el agua. Durante la noche la temperatura del cuerpo baja lentamente hasta acercarse a la temperatura del agua por la mañana temprano, cuando de nuevo se inicia el hábito de tomar el sol. En los cocodrilos y caimanes marinos que viven en los cálidos trópicos es normal el caso contrario. Durante la mayor parte de las horas del día permanecen sumergidos, pero por la noche permanecen en tierra firme, donde las temperaturas son relativamente frías.

La selección de la temperatura, tanto si es buscando el calor o evitándolo, es una actividad diaria importante para todas las especies de crocodilios. Ya que los individuos pasan gran parte del día o de la noche en el agua, la temperatura ambiente del agua y los cambios de estación influyen con fuerza en la conducta termal y en la temperatura corporal resultante. Algunas veces los aligátores americanos y otras especies seleccionan regímenes termales que dan como resultado una bajada de temperatura cuando habría oportunidad de que fuera más cálida. Por ejemplo, los aligátores del sur de Florida se trasladan a tierra por la noche durante los meses del verano, y la temperatura corporal se enfría por debajo de la temperatura ambiente del agua. Durante los meses más cálidos, los cocodrilos marinos y los de Nueva Guinea de Papúa Nueva Guinea, los caimanes de Venezuela y gaviales, cocodrilos hindúes y cocodrilos marinos del sur de la India se trasladan a tierra por la noche y se enfrían por debajo de la temperatura ambiente del agua al llegar la mañana.

La biología termal de los crocodilios difiere en un modo importante de los demás reptiles. Los crocodilios son mucho más grandes, por tanto el tiempo necesario para calentar y enfriar se mide en horas, o incluso en días,

DETERMINACIÓN DEL SEXO DEPENDIENDO DE LA TEMPERATURA EN LOS COCODRILOS

¿Por qué los aligátores recién nacidos de la misma nidada suelen ser todos machos o todas hembras? En algunos reptiles, el sexo se determina por la temperatura a la que esté el huevo durante la incubación y no por los cromosomas que determinan el sexo, como en el caso de las aves y los mamíferos (véase Temperatura y Sexo). Hasta la fecha, la determinación del sexo dependiendo de la temperatura (DST) se ha demostrado en la mayoría de las especies de crocodilios que representan a los tres linajes principales. A diferencia de las tortugas y lagartos, la DST puede ser universal en los Crocodilios en realidad, ya que todas las especies carecen de cromosomas que determinan el sexo (ABAJO un cocodrilo del Nilo saliendo del huevo).

El modelo DST en conjunto es notablemente uniforme, a pesar de las diferencias menores entre las especies. Se producen hembras solamente si las temperaturas de incubación son bajas (28 ºC-31 ºC). Los machos se producen a temperaturas intermedias (32 ºC-33 ºC), mientras que a altas temperaturas (34 ºC-35 ºC) surgen mayoría de hembras o sólo hembras. Por tanto es característico el tipo de DST hembra-macho-hembra. El período crítico de sensibilidad térmica, cuando la temperatura afecta al sexo, abarca las dos terceras partes del desarrollo.

Todavía es un misterio de qué modo exactamente se determina el sexo del embrión. Las hormonas sexuales, especialmente el estrógeno, también representan un papel importante. En los aligátores, los vitelos de los huevos recién puestos contienen múltiples hormonas sexuales. Estas hormonas maternales influyen probablemente en el sexo de la descendencia, especialmente en las temperaturas de transición que producen tanto machos como hembras.

Las hormonas del entorno también pueden afectar al desarrollo de los embriones. El estrógeno rociado en la cáscara del huevo puede cambiar el sexo del embrión, de macho a hembra, que se está desarrollando a temperaturas cálidas. Algunos contaminantes, como el PCB o derivados de DDT, han tenido efectos feminizantes en el aligátor y también en los huevos de tortuga. Por otro lado, utilizar hormonas en programas de cría en cautividad para producir hembras puede ayudar a la conservación.

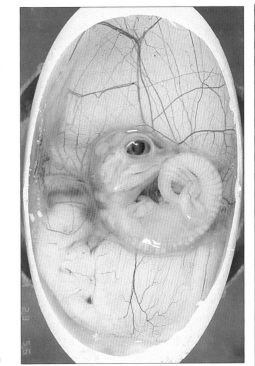

El momento en el que una hembra pone sus huevos y el lugar que construye para anidar (al sol o a la sombra) afecta notablemente al porcentaje de sexos en su descendencia. Una hembra que anida selecciona con sumo cuidado el lugar para anidar, y a menudo hace nidos «de ensayo». Las indicaciones térmicas pueden ser importantes. En el sur de la India, los cocodrilos hindúes que anidan temprano, cuando la temperatura del suelo es fría, producirán una descendencia de hembras. Posteriormente, cuando la temperatura del suelo sea más cálida, los recién nacidos serán machos en su mayoría (ARRIBA un embrión de cocodrilo hindú).

Algunas veces las temperaturas de incubación varían lo suficiente dentro de un nido para producir machos en la capa superior de los huevos y hembras en las capas inferiores, o viceversa. Pequeñas diferencias de temperatura, de medio grado a 1ºC, da como resultado una marcada diferencia de porcentaje de sexos. Las sequías o un nivel bajo de agua dan como resultado temperaturas de incubación más altas y más secas. La lluvia y un nivel de agua más alto producen temperaturas más bajas. En estado salvaje, los porcentajes de sexo de los aligátores recién nacidos se inclinan a favor de las hembras casi todos los años, pero se inclina hacia los machos en los años calurosos y secos. Se puede concebir que un cambio climático lleve a la producción en exceso de un sexo y la extinción final de las especies. Pero los crocodilios son un linaje antiguo, y su supervivencia continua responde bien a esas situaciones.

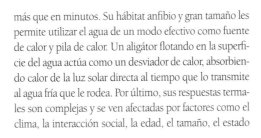

más que en minutos. Su hábitat anfibio y gran tamaño les permite utilizar el agua de un modo efectivo como fuente de calor y pila de calor. Un aligátor flotando en la superficie del agua actúa como un desviador de calor, absorbiendo calor de la luz solar directa al tiempo que lo transmite al agua fría que le rodea. Por último, sus respuestas termales son complejas y se ven afectadas por factores como el clima, la interacción social, la edad, el tamaño, el estado

de reproducción, la digestión y la infección. Los animales que están alimentados pasan más tiempo tomando el sol, y el resultante aumento de la temperatura corporal facilita la digestión. Los animales infectados de agentes patógenos seleccionan una elevada temperatura corporal que mejora su resistencia a las enfermedades. Ya que la temperatura corporal controla directamente el ritmo metabólico y la utilización de energía, procesos vitales como el del crecimiento o la reproducción se determinan en última instancia por la termorregulación.

Viajeros pantropicales
DISTRIBUCIÓN Y ENTORNO

Los crocodilios viven en casi todos los hábitat de tierras húmedas del mundo, que varían desde densos bosques húmedos a islas costeras. Algunas especies toleran la sal y viven en aguas salobres o incluso en el mar. Los aligátores y caimanes carecen de glándulas de sal en la lengua, mientras que los cocodrilos y los gaviales las poseen. La distribución de las especies actuales refleja la habilidad de los cocodrilos, pero no la de los aligátores y caimanes, para dispersarse en el océano abierto. El cocodrilo de mar o marino está muy extendido en hábitat de estuarios en todo el sudeste asiático, Nueva Guinea y norte de Australia, y se ha aventurado a llegar a las Islas Carolinas, a más de 1.300 km de la población más cercana.

Algunas especies modifican sus entornos regularmente. Cuando disminuyen los niveles de agua según la estación, el cocodrilo hindú cava túneles lo suficientemente grandes como para proteger a varios adultos. Los caimanes de los llanos venezolanos se entierran en barro blando, donde permanecen sepultados bajo una gruesa superficie costrada hasta que sube el nivel del agua. Los cocodrilos australianos pasan tres o cuatro meses estivales debajo de la tierra, sin tener acceso al agua, si disponen de refugios apropiados. Durante la época fría, los aligátores chinos se trasladan a complejas madrigueras de varios niveles. Los aligátores americanos sobreviven al frío abriendo agujeros en el hielo.

Machos dominantes y grupos de crías
CONDUCTA SOCIAL

Los juveniles y los adultos son menos gregarios que los recién nacidos, pero pueden formar grupos sociales de organización débil. En algunas especies, entre ellas la de los aligátores americanos y cocodrilos del Nilo, suelen formar grupos para tomar el sol a ciertas horas del día. En los hábitat propensos a las sequías, los individuos pueden agruparse o segregarse en grupos según tamaño o edad en lugares de aguas permanentes. En los llanos de Venezuela los caimanes se concentran en los pocos estanques de agua permanente disponibles. Los cocodrilos australianos se congregan en brazos de río aislados. Los encuentros sociales, conductas territoriales o de dominio especialmente, suelen suspenderse o disminuir cuando se forman tales grupos.

En poblaciones en estado salvaje, los machos dominantes excluyen a los demás machos de los territorios bien definidos. El motivo (o motivos) de la defensa varía según la especie e incluye el acceso a las parejas, los lugares para anidar, la crianza, las zonas de búsqueda de alimentos, zonas para tomar el sol, lugares para pasar el invierno o alguna combinación de estos factores. La defensa territorial se intensifica durante la época de cría, pero suele persistir durante todo el año. Las luchas entre machos territoriales por sus dominios pueden implicar un contacto físico cuerpo a cuerpo como el de pelear con las mandíbulas o chocar las cabezas, así como mediante la postura del cuerpo erguida e inflada.

Los cocodrilos marinos de los canales de la marea del norte de Australia ocupan territorios de cría durante todo el año. El territorio de un macho abarca los lugares para anidar de varias hembras. No se forman grupos de crías, y los adultos rara vez se encuentran juntos en cualquier época del año. Los cocodrilos del Nilo del Lago Rudolf forman grandes grupos de cría estacionales (algunas veces de más de 200) dominados por un pequeño grupo de 15 machos territoriales. Los machos y las hembras permanecen juntos durante el período de la incubación, y después se dispersan por el lago. Los aligátores de la costa de Louisiana permanecen en solitario casi todo el año, pero en primavera se congregan en pequeños grupos de 10 animales para criar en aguas abiertas. Posteriormente, las hembras se dispersan en zonas para anidar y permanecen cerca de sus nidos con los jóvenes después de la eclosión.

▶ **Derecha** *Especies representativas de las tres familias de crocodilios:* **1** *Caimán enano (Paleosuchus palpebrosus); Aligatorinos.* **2** *Cocodrilo enano (Osteolaemus tetraspis); Crocodilinos.* **3** *Hembra de falso gavial (Tomistoma schlegelii); Crocodilinos, con sus crías.* **4a** *Hembra de gavial pescando (Gavialis gangeticus), Gavialino.* **4b** *El gavial macho posee un bulto prominente en la punta del hocico.* **5** *Aligátor chino (Alligator sinensis); Aligatorinos.* **6** *Cocodrilo americano (Crocodylus acutus); Crocodilinos.* **7** *Hembra de aligátor americano (Alligator mississippiensis); Aligatorinos, en el nido.* **8** *Caimán negro (Melanosuchus niger); Aligatorinos.* **9** *Cocodrilo hindú (Crocodylus palustres); Crocodilinos.* **10** *Cocodrilo africano (Crocodylus cataphractus); Crocodilinos.*

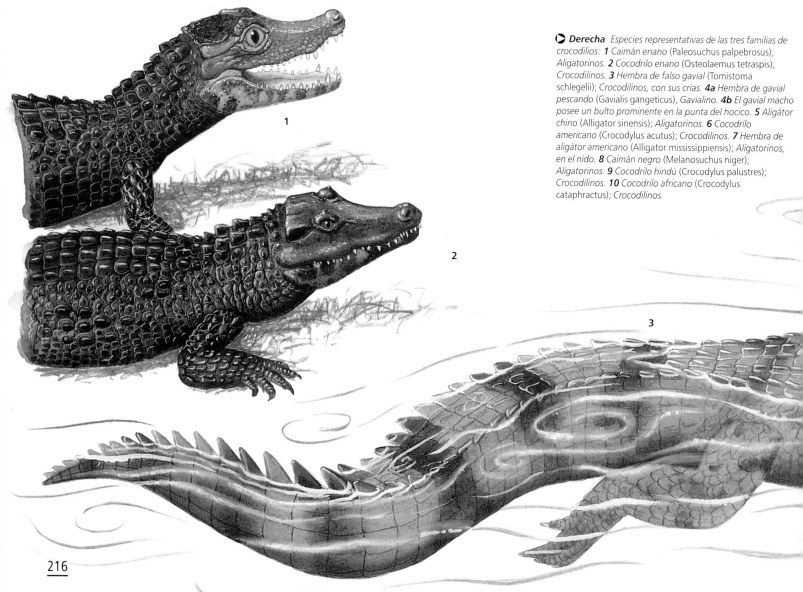

El dominio es más obvio durante la época de la reproducción. Cuando las densidades son bajas, los animales dominantes mantienen territorios separados, con *status* social, que pueden variar de tamaño y localización. Tanto las hembras como los machos que todavía no son adultos se toleran dentro del territorio de un macho, pero se prohíben los demás machos adultos. En situaciones de densidad alta, el mantenimiento territorial se hace más difícil. Bajo estas condiciones, se forman típicas jerarquías de dominio.

Hacer comprender el mensaje
COMUNICACIÓN

Los crocodilios transmiten mensajes sociales por medio de sonidos, posturas, movimientos, olores y contacto. La comunicación comienza en el huevo y continúa durante toda la época adulta. Las crías vocalizan espontáneamente o cuando son molestadas. En este último caso, los adultos responden normalmente con amenazas o ataques. Los jóvenes también producen llamadas de «contacto» en grupo. Los juveniles y adultos vocalizan, especialmente cuando les agarran, un «gua» gutural. Los aligátores son los que más vocalizan y son famosos los coros de «berridos» de las crías machos y hembras. Algunos cocodrilos producen una especie de rugido ronco, repetitivo, cuando se les aproxima mucho otro adulto. Las especies que viven en aguas abiertas, en lagos y en ríos vocalizan con menos frecuencia que las especies que viven en zonas pantanosas y ciénagas.

La comunicación en el agua es muy adecuada al modo de vida anfibio de los crocodilios. Los sonidos acústicos, más que vocales, incluyen golpes de cabeza o de mandíbulas que realizan en la superficie del agua. La forma y contexto exactos de los golpes de cabeza varía según las especies, pero sucede en casi todas las especies estudiadas hasta la fecha. En los gaviales, un golpe de mandíbula debajo del agua produce un sonido seco que anuncia al intérprete, de un modo análogo al golpe de cabeza de otros crocodilios. Otros mensajes acústicos, apenas perceptibles para los humanos, son vibraciones audibles a las que algunas veces se refieren como «infrasonido». Estas señales de extremada baja frecuencia se parecen al sonido de un trueno distante y lo producen animales «bramando y rugiendo» en una variedad de contextos sociales.

Los aligátores emiten sonidos suaves, ronroneantes, expeliendo aire a través de las narinas durante los encuentros del cortejo de corto alcance. En muchas especies, las exhalaciones debajo del agua producen burbujas, que varían desde una corriente continua de pequeñas burbujas a una expulsión explosiva de varias grandes. La protuberancia del hocico del gavial macho es una cavidad retorcida con conexiones a la cámara nasal y parece ser que cambia las exhalaciones siseantes por zumbidos cuando el aire resuena en la cavidad nasal ampliada.

La exposición de la cabeza, lomo y cola por encima del agua transmite información importante sobre el *status* social e intenciones de un individuo. Los animales dominantes anuncian su gran cuerpo nadando audazmente por la superficie. Un subordinado asomará el hocico por encima del agua en ángulo agudo, abrirá las mandíbulas y mantendrá quieta la cabeza, antes de retirarse debajo del agua. Los azotes con la cola, que implican movimientos de la cola de lado a lado, suelen preceder a alguna otra conducta.

Las glándulas secretoras se encuentran debajo de la barbilla y en la cloaca. Estas secreciones oleosas pueden funcionar como componentes defensivos para repeler a los predadores potenciales y/o pueden emplearse como mensajes químicos entre individuos. Los adultos que viven juntos parecen reconocerse unos a otros, y la mayoría de las exhibiciones se distinguen y reconocen individualmente, como los bramidos o golpes de cabeza de animales específicos. Hasta las crías pueden ser capaces de reconocer individuos, o al menos ser capaces de distinguir a sus hermanos de otras crías diferentes.

Nidos en agujeros o en montículos
REPRODUCCIÓN

Los adultos viven mucho tiempo, normalmente de 20 a 40 años o más, y pueden reproducirse durante décadas, desde los 10 años a los 30 o más. Las especies más grandes maduran cuando tienen más años (10-15 años) y alcanzan mayor tamaño (de 3 a 6 m) en comparación con las especies más pequeñas (5-10 años y 1 a 3 m respectivamente). Las hembras en cautividad se han reproducido con éxito a los 40 años. En todas las especies, salvo en las más pequeñas, los machos son el doble de grandes que las hembras. El sistema de apareamiento es polígamo. Cada macho insemina normalmente a muchas hembras. La proporción de machos y hembras reproductores varía de 1:20 aproximadamente en el cocodrilo del Nilo a 1:1-3 en algunas especies territoriales, como la de los cocodrilos de mar. Un cocodrilo hindú en cautividad fue padre de más de 300 crías en una sola estación. La paternidad múltiple sucede en los aligátores americanos

⬥ *Arriba* Un gavial macho joven (centro) y dos hembras tomando el sol a orillas del río en el estado de Uttar Pradesh (India). El macho se distingue por un prominente «bulto» en la punta del hocico. Los zumbidos que emite a través de él avisan a sus rivales y atraen a las hembras.

en estado salvaje, hasta tres machos son padres de una única puesta. No es probable que almacenen esperma.

Los machos grandes dominan los grupos de crías rondando por los territorios. Los machos dominantes se acercan a las hembras para iniciar el cortejo, con frecuencia después de que los machos hayan realizado exhibiciones para ser vistos. Durante el cortejo, los machos y las hembras muestran una serie de conductas específicas en cada especie que incluyen el contacto del hocico, el levantamiento del hocico, frotar y montar cabeza y cuerpo, exhibiciones del macho, vocalizaciones, exhalaciones, borboteos guturales y nasales, dar vueltas alrededor e inmersiones y reapariciones periódicas. El apareamiento sucede cuando el macho se monta sobre el lomo de la hembra y coloca su cola y ano por debajo de la cola de la hembra, después introduce en la cloaca de la hembra un pene con la parte curvada. La copulación puede durar de 10 a 15 minutos, y sucede repetidamente en varios días. A juzgar por los estudios de los aligátores americanos y los cocodrilos del Nilo, la hembra anida aproximadamente un mes después.

Una hembra de crocodilio pone entre 10 y 50 huevos de cáscara dura que incuba durante 2 o 3 meses antes de la eclosión. En entornos donde existen estaciones, la búsqueda de nidos sucede normalmente en 2 o 3 semanas en el caso de los aligátores y en los cocodrilos australianos. En climas más igualados, la búsqueda de nidos se amplía a 3 o 4 meses en los cocodrilos marinos. La mayoría de las hembras realizan puestas de huevos cada estación, pero algunos aligátores sólo anidan cada 2 o 3 años. Por el contrario, los cocodrilos hindúes en cautividad producen regularmente dos puestas por estación.

La hembra prepara el nido apilando vegetación en un montón o excavando un agujero. Las que anidan en agujeros raspan y cavan en los posibles lugares para anidar con movimientos coordinados de las extremidades anteriores y posteriores. Las que anidan en montículos emplean movimientos similares para reunir el material en un montón y lo cruzan andando con frecuencia,

*❼ **Abajo** Los aligátores americanos alcanzan la madurez sexual a los 7 o 10 años normalmente. Sin embargo, como los machos más grandes y más viejos mantienen durante mucho tiempo el dominio de territorios y harenes de hembras, la mayoría de los machos no empiezan a reproducirse hasta que no tienen 15 o 20 años.*

CUIDADO PARENTAL EN LOS COCODRILOS

En los reptiles es muy raro el cuidado parental. La excepción son los crocodilios. La conducta maternal incluye atención y defensa del nido, apertura del nido, manipulación de los huevos para liberar a las crías, transporte en la boca de huevos y jóvenes y cuidado después de nacer. Los machos también pueden participar en todas estas conductas, pero responden principalmente a las llamadas de las crías y defienden a los jóvenes.

Una fuerte defensa del nido es buen indicador de que se han depositado huevos. Se enfrentan a los intrusos acercándose, embistiendo con la boca abierta, simulando que van a morder e incluso es posible que ataquen. Los cocodrilos marinos son defensores tenaces del nido, mientras que en especies menos agresivas la defensa del nido puede disminuir durante la incubación.

Una vez que han eclosionado los huevos, la hembra ayuda a los jóvenes a salir de la cavidad del nido cavando con las patas anteriores y posteriores. La vocalización de las crías parece ser un elemento importante para dirigir los adultos a los jóvenes. Cuando la hembra excava el nido, apoya la mandíbula inferior y la cabeza sobre el sustrato y mete dentro el hocico. Cuando encuentra los huevos y las crías recién nacidas, los coge entre sus mandíbulas y se los mete a la boca (ABAJO). Hace rodar a los huevos que no han eclosionado, aplastando la cáscara con cuidado entre la lengua y el paladar (acciones que facilitan la eclosión y la liberación de los jóvenes del huevo). La excavación del nido y el transporte en la boca de los huevos que han

eclosionado y de los jóvenes parece ser algo general en el grupo, aunque algunas especies todavía no se han estudiado en profundidad.

Los recién nacidos se mantienen en grupo por medio de vocalizaciones frecuentes y se establece un cuidado. Los jóvenes se dispersan en busca de alimento, pero se reagrupan durante períodos de inactividad. Los padres permanecen cerca de las crías y las defienden. Las vocalizaciones de las crías atraen a los adultos, a los que todavía no son adultos e incluso a los juveniles, pero los padres los mantendrán alejados. Se ha llegado a pensar que los adultos que están al cuidado de los jóvenes pueden incluso alimentarlos, pero esta es una conducta que no se ha documentado todavía.

Los jóvenes permanecen con los adultos en grupos vagamente organizados durante períodos de tiempo variables. En los aligátores americanos, las hembras se quedan con los grupos de jóvenes cerca de la zona del nido durante 1 o 2 años, pero entre los cocodrilos del Nilo y marinos los jóvenes se dispersan en unos meses. La cohesión de grupos de jóvenes puede depender de la presencia de la hembra y/o de los cambios de estación en el hábitat. Los machos se pueden unir a los grupos de crías en algunas zonas, donde permanecen cerca de los nidos. Sin embargo, los aligátores machos no se quedan cerca de las hembras de un modo regular cuando hacen ellas el nido, tampoco cuando eclosionan los huevos o después de la eclosión.

compactándolo y dándole forma de nido mediante pisotones que realizan con los pies posteriores. Una vez que ha cavado el agujero, deposita los huevos, normalmente durante una hora por la noche, y después lo cubre o le da otra forma al nido.

El tipo de nido construido (montículo o agujero) es específico de cada especie, pero existen variaciones en los tipos de nido de hábitat diferentes, e incluso varían dentro de los hábitat. En algunas especies que anidan en agujeros los realizan en colonias, pero también algunas de las que anidan en montículos sitúan los nidos próximos entre sí en algunos hábitat. Normalmente los colocan cerca de guaridas o cuevas que proporcionan retiros subterráneos acuáticos para una hembra cuidadora. Una hembra suele visitar su nido con frecuencia durante la incubación y lo protege contra los predadores potenciales.

Cuanto más mayor más seguro
ECOLOGÍA

Para la mayoría de las especies, la mortalidad natural es muy alta en huevos y crías, y luego disminuye a medida que crecen. La mortalidad en el nido no sólo la producen multitud de calamidades medioambientales, como son los casos de inundaciones, demasiado calor o desecación durante el largo período de incubación, sino también las actividades de los insistentes predadores de huevos, que varían desde osos a hormigas.

A pesar de la protección parental del nido y de las crías cuando ya han nacido, una amplia variedad de reptiles, aves y mamíferos se comen a estas crías. En los cocodrilos marinos del norte de Australia se ha estimado que la supervivencia del huevo, desde que se deposita hasta que eclosiona, es de sólo un 25 por ciento, y el porcentaje de supervivencia posterior se encuentra entre un 30 y un 60 por ciento al año hasta la edad de 5 años.

Cuando un juvenil tiene 5 años y mide 1 m o más de longitud, la oportunidad de sobrevivir durante el año siguiente aumenta de un modo notable. La mortalidad en los que todavía no son adultos y en adultos es baja. En África, el cocodrilo del Nilo a veces es presa de los hipopótamos o elefantes, e intentan defenderse. En América Central y del Sur, las anacondas cogen caimanes y en Asia los leopardos y los tigres matan cocodrilos. Cuando llegan al estado adulto, probablemente la amenaza de su supervivencia la provocarán sus iguales o los humanos. En la actualidad, el canibalismo está bien documentado en varias poblaciones de aligátores americanos, y se piensa que es relativamente común en otras especies, entre ellas la del cocodrilo marino. Para todos los tamaños, el riesgo aumenta en densidades altas de población, cuando los individuos más grandes apresan a los más pequeños. Las luchas por el dominio pueden dar como resultado heridas graves o muerte algunas veces.

Arriba *Un cocodrilo del Nilo maduro muestra su impresionante arsenal. Es una de las especies de crocodilios más grandes, puede crecer hasta alcanzar más de 6 m. de longitud y pesar 1 tonelada. Sin embargo, muchos huevos y jóvenes son víctimas de los predadores, especialmente de los lagartos monitores y mandriles.*

Derecha *Cocodrilos marinos juveniles en el Territorio Norte de Australia. En la década de 1970 se encontraba en una situación crítica, pero se han recuperado varias especies de un modo sorprendente, en gran medida se debe a la implantación de eficaces programas de conservación.*

En varias especies, los juveniles se dispersan alejándose de las zonas de nidos, y pueden trasladarse a varios kilómetros, a menudo a otros hábitat. En Louisiana, los aligátores juveniles más mayores y los que casi son adultos se han recuperado lejos de donde se habían marcado. Al parecer los cocodrilos marinos, cuando son juveniles, se desplazan durante un tiempo a zonas costeras antes de regresar para aventurarse, ya casi como adultos, a establecer territorios en los ríos que son su hogar. En el cocodrilo australiano, ambos sexos se dispersan de sus brazos de río mucho antes de que maduren sexualmente. Los machos se alejan dos o tres veces más que las hembras, pero ambos sexos muestran un bajo nivel de filopatría. A pesar de estos tipos de dispersión, estudios recientes realizados en Australia indican que el gene que fluye entre sistemas de ríos es más limitado en los cocodrilos de agua dulce que en los de agua salada.

Una historia de éxito en Australia

PROBLEMAS DE CONSERVACIÓN

En 1971, después de tres décadas de cacerías sin regulación alguna, la población de cocodrilos marinos en estado salvaje que habitan en el Territorio Norte de Australia se había reducido a un 5 por ciento de su nivel histórico, y los adultos resultaban raros. Por el año 2001, la población salvaje se había recuperado casi hasta su nivel prístino (unos 75.000), y se encontraban en todos sus hábitat anteriores. Esta notable recuperación se ha seguido con sumo cuidado, realizando inspecciones periódicas que demostraban la extraordinaria habilidad de los crocodilios para sobrevivir y prosperar a pesar de estar cerca de la extinción.

La recuperación se realizó en varias etapas. Durante los primeros años de protección, anidaron los pocos adultos que quedaban. A pesar de la elevada mortalidad, la supervivencia de recién nacidos y jóvenes fue elevada, y la población consistía de juveniles principalmente. A medida que aumentaba la cantidad de cocodrilos, disminuía la supervivencia de crías y juveniles. El canibalismo podía estar representando un papel en esta respuesta que dependía de la densidad y que se hallaba bien documentada.

Se insistió en la protección durante la primera década, pero al final se produjo una relajación cuando el creciente número de cocodrilos grandes amenazaba al ganado y a los hombres. Entre 1979 y 1980 se informó de las heridas y muertes. Estos ataques inspiraron un programa de educación pública y un plan de eliminación dirigido al problema de los cocodrilos. Además, las granjas de cocodrilos empezaron a producir piel y carne y a satisfacer la demanda de los turistas. A mediados de la década de 1980 se empezó a trabajar con huevos recogidos en estado salvaje. A mediados de la década de 1990 continuaban las recogidas en estado salvaje. A pesar de los varios niveles establecidos para estas recogidas, la población salvaje se ha mantenido estable, incluso ha aumentado, en la última década.

La conservación de las poblaciones de cocodrilos depende en gran medida de las prácticas de manejo que permitan coexistir a las personas y a los cocodrilos. Se han enfocado programas de éxito sobre unos incentivos que mantengan a los cocodrilos y a sus hábitat en un estado de relativamente inalterado. El empleo sostenible se ha convertido en un elemento clave en los recientes esfuerzos de conservación, basados en más de dos décadas de experiencia debida a diferentes proyectos llevados a cabo en Papúa Nueva Guinea, Venezuela, Zimbabwe, Estados Unidos y Australia. En cada caso, las poblaciones de crocodilios en estado salvaje han aumentado o se han mantenido estables mientras se apoyaban unos niveles de recogida viables económicamente. Los métodos utilizados han consistido en cazar animales salvajes, recoger huevos o crías del estado salvaje y criar en cautividad cuidando de los adultos que crían y ayudando a crecer a su descendencia. Un avance importante en los esfuerzos realizados ha sido la implicación activa de comerciantes y fabricantes de piel y productos cárnicos. Junto a los biólogos, han apoyado programas que aseguran las poblaciones en estado salvaje y vigilan que sus hábitat sean adecuados y las recogidas están reguladas con el fin de garantizar el empleo sostenible.

Por último, el éxito de la conservación depende de la preservación del hábitat. El aligátor chino puede convertirse en el primer crocodilio de la historia que llegue a la extinción en estado salvaje. Las especies estaban muy extendidas anteriormente a lo largo de la cuenca baja del río Changjiang (Yangtze) en el este de China. Los aligátores chinos maduran cuando son todavía de un tamaño pequeño y crecen con lentitud si los comparamos con sus parientes del Nuevo Mundo. Construyen complejas madrigueras subterráneas, con charcos encima y bajo tierra, y numerosos agujeros de ventilación. El amplio uso de estas madrigueras, en las cuales hibernan, y su conducta sigilosa han permitido que las especies habitaran en tierras húmedas permanentes densamente pobladas, como en campos de cultivo y granjas. Hoy en día la población en estado salvaje es mínima y muy fragmentada, y la mayoría de los aligátores que quedan en estado salvaje existen en grupos pequeños, o como individuos únicos perdidos en el paisaje agrícola. Irónicamente, un gran número de animales cautivos (más de 7.000 en total) existen en China y en zoológicos de todo el mundo. El futuro de los aligátores chinos en estado salvaje depende de la rehabilitación del hábitat y del restablecimiento de poblaciones viables mediante la liberación de aligátores que se mantienen en cautividad.

JWL

IMITADORES DE HORMONAS Y CONTAMINANTES

Acciones endocrinas de contaminantes en reptiles y anfibios

DURANTE LA HISTORIA DE LA EVOLUCIÓN LOS ORGANISMOS han estado expuestos a sustancias tóxicas, muchas de ellas son producidas por organismos vivos, pero algunas son generadas por sucesos naturales, como es el caso de una erupción volcánica, impactos de meteoritos o incendios forestales. Sin embargo, desde la llegada de la era industrial un nuevo factor ha sido la amplia síntesis, distribución y empleo de sustancias químicas, un proceso que se aceleró de un modo sorprendente a partir de mediados del siglo XX. Estas sustancias químicas «xenobióticas» hechas por el hombre suman decenas de miles. Más de 90.000 se utilizan normalmente en Estados Unidos solamente. Numerosos estudios han documentado la contaminación global debida a una amplia gama de ellas.

De un modo tradicional, los científicos han estudiado los efectos de los contaminantes medioambientales examinando su capacidad de causar la muerte, cáncer o defectos de nacimiento, en su mayoría dentro del contexto de las repuestas genotóxicas que implican mutación genética. Durante la última década, sin embargo, se ha demostrado que muchas sustancias químicas xenobióticas pueden influir en la biología de los animales alterando su sistema endocrino. Este sistema está compuesto de glándulas endocrinas que sintetizan mensajeros químicos y dirigen un gran número de funciones como el crecimiento, metamorfosis, reproducción, metabolismo y equilibrio del agua. Al alterarse la síntesis, almacenaje o metabolismo de estos mensajeros se altera de un modo significativo su acción. Existen cada vez más informes creados a partir de observaciones realizadas en laboratorios y en campos sobre anfibios y reptiles que apoyan el mecanismo de interrupción endocrina inducida por contaminantes. En la década de 1980 una serie de estudios llevado a cabo en Florida informaron de la reducida eclosión de huevos y la elevada mortalidad neonatal en los aligátores americanos (*Alligator*

mississippiensis) de varios lagos de este estado. Aunque la causa de la mortalidad se desconoce todavía, está claro que la biología de las poblaciones afectadas ha sufrido un impacto adverso por su exposición a pesticidas y contaminación de nutrientes. Los aligátores machos recién nacidos y juveniles de los lagos contaminados de Florida han mostrado una serie de anormalidades en sus sistemas de reproducción y endocrinos. Por ejemplo, los machos poseen concentraciones de la hormona esteroide testosterona en sangre como las de las hembras y también tienen un falo de tamaño reducido, mientras que los testículos producen altos niveles de estradiol, un potente estrógeno. Las hembras de las mismas poblaciones muestran altos niveles de estradiol junto a otras anormalidades en la estructura de sus ovarios, indicativo de la exposición a estrógenos. ¿De dónde pueden provenir estos estrógenos? El DDT y otros pesticidas pueden imitar la acción de los estrógenos.

Los aligátores muestran determinación de sexo medioambiental, la temperatura influye en el género. Muchos estudios anteriores han demostrado que si se aplica estrógeno a un huevo antes del período de determinación del sexo puede inducir a la formación de una hembra. Varios estudios recientes han informado de que varios pesticidas o sus metabolitos, entre ellos el metabolito de DDT, el DDE, pueden imitar a los estrógenos en concentraciones relevantes para la ecología, que causan una inversión de sexo, por ejemplo, en las tortugas resbaladoras *Trachemys scripta elegans* y en aligátores. Resulta interesante que el DDE no invierte el sexo de las tortugas marinas ni de las mordedoras, lo que indica que los efectos de los

🔊 ***Abajo*** *La temperatura que hay durante la incubación determina el género de las tortugas resbaladoras de orejas rojas. Sin embargo, se ha descubierto que otros factores no naturales, como los pesticidas y PCB, causan una inversión de sexo en esta especie.*

contaminantes pueden variar entre las especies. Además de sus efectos sobre el sistema de reproducción, los contaminantes también alteran las concentraciones de la hormona tiroide en circulación, estructura y función del tejido inmune y sistema nervioso.

Hoy en día preocupa en particular la condición anfibia en todo el mundo. Parece ser que muchos factores están contribuyendo al declive de algunas poblaciones, y la exposición a los contaminantes es uno de ellos. Las deformaciones durante el desarrollo o metamorfosis han llamado la atención de los científicos y de las personas en general. Aunque al parecer algunas anormalidades están asociadas a agentes patógenos, otras se parecen claramente a la respuesta de las ranas expuestas, de modo experimental, a ácido retinoico, una sustancia química potente que señala el desarrollo. Por ejemplo, se ha demostrado que al menos un pesticida interactúa con el receptor celular del ácido retinoico. Es necesario trabajar y examinar más esta hipótesis.

Los pesticidas y sus metabolitos también se han identificado como imitadores de hormonas en ranas y salamandras. En una serie de estudios realizados utilizando la rana de juncal *Hyperolius argus* se ha demostrado que el DDT y sus metabolitos pueden inducir en los machos la coloración que depende del

estrógeno de las hembras. También existe la hipótesis de que el DDT o sus metabolitos podrían alterar o imitar la respuesta del sistema nervioso de los anfibios, de las ranas específicamente. Para comparar los estudios realizados sobre las ranas, un estudio de la salamandra tigre *Ambyostoma tigrinum* demostró que el DDT y el DDE podían actuar de antagonistas de la acción hormonal natural.

Aunque a muchas personas les pueda parecer que las acciones del DDT y sus metabolitos son viejas noticias, todavía se utiliza DDT de un modo extensivo en todas las regiones tropicales del mundo y continúa siendo una amenaza para la salud de la fauna. Mientras tanto, estudios adicionales han empezado a ampliar los tipos de sustancias químicas que afectan, y hay nuevos trabajos que se centran en las formulaciones de herbicidas, en la liberación de drogas farmacéuticas de las actividades agrícolas y corrientes de aguas residuales, y las llamadas sustancias químicas «inertes», como son los plastificantes, surfactantes y retardantes de llamas. Por ejemplo, estudios recientes han descubierto que los bifeniles polibrominados (PBB) son contaminantes ubicuos y poderosos moduladores de la hormona tiroide. Dado el importante papel que desempeña la hormona tiroide en la historia vital anfibia, es necesario examinar la acción de estos compuestos en los anfibios.   LJGJr

⬖ **Arriba** *Aligátores americanos jóvenes en Florida. La investigación realizada en el Lago Apopka, cerca de Orlando, ha descubierto crías débiles con un estado endocrino anormal, posiblemente debido a su exposición a los pesticidas.*

⬗ **Abajo** *El DDT y otros pesticidas nocivos se han estado rociando durante décadas. Estos productos químicos se siguen utilizando en muchos países tropicales para controlar a los mosquitos y las moscas tse tse.*

UNISEXUALIDAD: ¿REDUNDANCIA DE MACHOS?

Mecanismos de reproducción asexual

LA UNISEXUALIDAD: REPRODUCCIÓN SIN CONTRIBUCIÓN paternal en la composición genética de la descendencia, resulta raro al menos. Las especies unisexuales son de diversidad poco corriente, extraordinaria y muy rara aunque no necesariamente de densidad, y se reproducen casi de cualquier modo imaginable. Algunas veces las hembras incorporan ADN del esperma del macho y otras veces no. Algunas veces las hembras son parasíticas de los machos, utilizándolos únicamente para iniciar la división celular mientras rechazan sus genes. Algunas hembras no emplean a machos, pero se comportan como ellos sexualmente y en la defensa de territorios.

Dentro de los vertebrados, los unisexuales son los ejemplares intermedios de ictiología y herpetología, y han llamado nuestra atención. Todos los anfibios unisexuales, y la mayoría de las 40 especies aproximadamente de escamosos unisexuales, se han formado por una hibridización o hibridación «accidental» de dos especies bisexuales, y todas son recientes. La unisexualidad puede ser un paso importante en la formación es especies tetraploides. O pueden tener un fin evolutivo que lleve a la muerte.

En los vertebrados la unisexualidad toma tres formas. La hibridogénesis sucede en los peces y en un grupo de ranas ránidas europeas. Las hembras de origen híbrido producen únicamente descendencia femenina. El genoma paternal se rechaza durante la gametogénesis y de ese modo nunca pasa a los descendientes.

La ginogénesis es otra forma de unisexualidad en la cual el esperma del macho se utiliza para hacer estallar la división celular en el huevo. Sucede en los peces y en los híbridos de cuatro especies bisexuales de salamandras topo norteamericanas del género *Ambystoma*. Estas salamandras crían en charcas o estanques. A una temperatura elevada del agua, el genoma haploide del macho se puede incorporar al cigoto híbrido. La incorporación produce unos niveles elevados de ploidía donde los diploides se convierten en triploides, los triploides en tetraploides y los tetraploides se pueden convertir incluso en pentaploides. Cuando esto sucede, los unisexuales cambian de un modo de reproducción ginogenética a una forma de hibridogénesis. Los niveles de ploidía parecen estar restringidos en el desarrollo y en la reproducción. Niveles más altos de deformaciones en el desarrollo acompañan a niveles de ploidía elevados. Respecto a la reproducción, los individuos diploides de un estanque de Ontario llegaron los primeros a criar a principios de la primavera. A continuación llegó un torrente de hembras triploides unisexuales y algunas diploides. Después aumentaron los participantes tetraploides, mientras unos cuantos triploides nuevos vagaban por el frío. Y después de más de tres semanas, cuando la época de cría estaba a punto de terminar, llegaron unos cuantos tetraploides lentos y los pentaploides, extraordinariamente raros. Si queda algún espermatóforo útil en el estanque, la temperatura más caliente del agua podría dar como resultado la formación de hexaploides, que probablemente no podrían sobrevivir en el desarrollo.

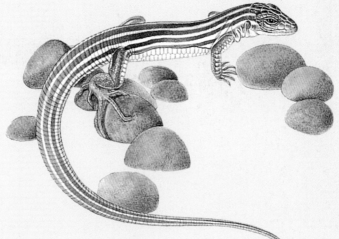

❶ *Izquierda* *Aproximadamente un tercio de todas las especies de lagartija* Cnemidophorus *conocidas son partenogenéticas. Como indica el binomio* Cnemidophorus uniparens, *la lagartija del desierto es una especie formada por partenogénesis.*

❷ *Derecha* *La rana comestible* (Rana esculenta) *es un ejemplo de hibridogénesis anfibia al ser el producto de una pareja formada a partir de dos especies muy relacionadas, la* Rana ridibunda *y la* Rana lessonae.

La tercera forma de unisexualidad es la partenogénesis, un fenómeno reptil entre los vertebrados que incluye a aves, en la que no se necesita a los machos ni a su esperma en la reproducción. Las hembras producen genéticamente copias idénticas de ellas mismas, o clones. El eminente herpetólogo ruso Ilya S. Darevsky informó por primera vez de este fenómeno en 1958, que se daba en los lagartos lacértidos del Cáucaso, normalmente referido al género *Darevskia*. Su hallazgo estimuló varios programas de investigación sobre los unisexuales. La partenogénesis está probada, o resulta hipotética, en unas 37 especies de escamosos, entre ellos una serpiente triploide, *Ramphotyphlops braminus*. La cantidad de especies reconocidas que se reproducen mediante partenogénesis varía dependiendo de las consideraciones taxonómicas de formas bisexuales y unisexuales de una «especie», clones únicos, casos de hibridización y linaje bisexual que conduce a múltiples formas. Todavía no se ha escrito la última palabra sobre este tema.

¿Por qué hay tan pocas especies partenogenéticas? La «hipótesis equilibrada» se propuso en 1989 para explicar la formación de especies de lagartos partenogenéticas. Se podrían formar especies mediante partenogénesis si los padres no fueran lo suficientemente parecidos para formar híbridos viables y funcionales con meiosis normal, pero no tan diferentes como para que no ocurriera el desarrollo. Sin embargo, la divergencia genética es importante para algunas especies, pero no para todas, y esta no es la única limitación importante. Por ejemplo, la hibridización es común en el *Darevskia*, y entre varias parejas de especies que poseen una divergencia genética prescrita. No obstante, los padres de todos los *Darevskia* formados por partenogénesis son de un clado principal y las madres son de otro. De este modo, la formación de escamosos unisexuales en este caso es direccional y se limita filogenéticamente a la hibridización entre linajes monofiléticos específicos. No existen análisis equivalentes para el género *Cnemidophorus*, estudiado con más intensidad, que posee también especies formadas mediante partenogénesis, ni para cualquier otra especie unisexual compleja que muestre niveles elevados de heterocigosidad fija.

Y aún se complica más. Por ejemplo, donde aparecen especies triploides por partenogénesis en el género teido *Cnemidophorus*, el *Darevskia* triploide es extremadamente raro y estéril. Por tanto la norma podría ser una diferenciación en el mecanismo, no la excepción. En otras situaciones, la hibridización no puede estar implicada. Las formas unisexuales y bisexuales del lagarto xantúsido *Lepidophyma flavimaculatum* apenas se distinguen, y la hibridización no es una explicación viable. En la partenogénesis más rara y retorcida quizás, algunas especies bisexuales de lagartos y serpientes parecen poseer la habilidad de reproducirse, si no hay machos disponibles, por medio de la partenogénesis facultativa. Este modo de reproducción se ha comprobado en tres lagartos iguánidos de tres géneros independientes (*Basiliscus, Iguana, Phymaturus*) y un acrocórdido (*Acrochordus arafurae*), en tres thamnophines (*Thamnophis elegans, T. marcianus, Nerodia sipedon*) y dos serpientes vipéridas (*Crotalus horridus, C. unicolor*). La partenogénesis facultativa, que también sucede en las aves, puede estar más extendida en varios linajes escamosos que lo que se pensaba anteriormente.

La partenogénesis ha surgido de un modo independiente en varios linajes de escamosos, y parece probable que cada origen vaya acompañado de circunstancias y mecanismos genéticos únicos. No hay una explicación única, y no resulta sorprendente. Quizás el único principio que unifica es que, hasta donde sabemos, en ninguna especie que se reproduzca por partenogénesis se determina el sexo dependiendo de la temperatura.

La ausencia de machos no se traduce necesariamente en la ausencia de una conducta de macho. Individuos de la especie *Cnemidophorus uniparens* formada por partenogénesis, que se han mantenido en laboratorio seguían una conducta de macho «pseudocopulativa». Por alguna razón desconocida, esta conducta aumenta de un modo sorprendente la fecundidad de las hembras receptivas. Su conducta sexual está mediada por la progesterona,

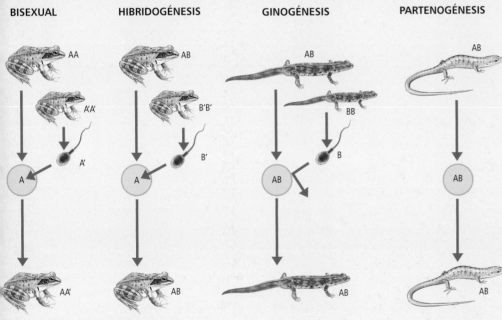

BISEXUAL	HIBRIDOGÉNESIS	GINOGÉNESIS	PARTENOGÉNESIS

○ Arriba *Reproducción unisexual y bisexual en anfibios y reptiles. Las letras mayúsculas (A o B) representan el complemento haploide de cromosomas, por ejemplo mitad del genoma del padre. En la reproducción bisexual, cada descendiente recibe la mitad de su genoma de la madre, la mitad del padre, siendo ambos de la misma especie. En la hibridogénesis, una hembra híbrida se aparea con un* *macho de una de las especies parentales de ella. Se produce fertilización pero no se incorpora ningún genoma del padre al genoma del descendiente. En la ginogénesis, se necesita un esperma de otra especie para hacer estallar la división del huevo, pero ningún genoma del padre entra en el huevo. En la partenogénesis, los machos no están implicados en la reproducción.*

y puede que la haya heredado de su antepasado paternal, *C. inornatus*. Las conductas pseudosexuales también suceden en el geco *Lepidodactylus lugubris*. No obstante, en este caso, la conducta dominante está asociada a una menor fecundidad. Una hembra subordinada sólo puede incrementar su fecundidad dispersándose a una zona menos poblada.

Las especies unisexuales pueden aumentar su densidad de población con más rapidez que las especies bisexuales porque todos los descendientes son capaces de producir descendencia. Pero, ¿por qué las especies unisexuales no dominan sobre sus antepasados bisexuales? La «hipótesis erradicada» observa que el *Cnemidophorus* partenogenético suele ocupar hábitat marginales y compiten entre ellos al parecer. Sin embargo, esta hipótesis no se puede aplicar en general. Algunos *Darevskia* y *Lepidodactylus* unisexuales son más comunes y están más extendidos que sus antepasados bisexuales, y pueden desplazarlos. En algunos casos las especies unisexuales son muy comunes. En Armenia uno se puede sentar en una roca al lado de una corriente y coger con lazo a más de 100 especímenes de *D. dahli* en poco tiempo. En otras situaciones, sin embargo, son bastante raros, hasta el punto de estar clasificados en Peligro.

Queda mucho trabajo por hacer sobre la unisexualidad, inclusive el tratar de identificar a los padres ancestrales de muchas especies, además del de descubrir los mecanismos genéticos y de desarrollo subyacentes. Y de ese modo el espectáculo continuará.

RWM

Términos usuales

Ácido úrico: Compuesto que contiene nitrógeno y que se encuentra en la orina de ciertos animales, entre ellos muchos reptiles.

Acrodontes, dientes: Dientes unidos al borde superior de la mandíbula, en oposición a estar unidos a la superficie interna (pleurodontes) o en alvéolos (tecodontes).

Adaptación: Característica morfológica, fisiológica o de conducta que ajusta a un organismo en particular (o grupo de organismos relacionados) a su modo de vida.

Alantoides: Especie de bolsa que crece en la cara inferior de la parte posterior del conducto alimentario en los EMBRIONES de los reptiles, aves y mamíferos. Durante el desarrollo, crece alrededor del embrión y, junto a los vasos sanguíneos, funciona en la RESPIRACIÓN. Los productos de desecho del embrión se almacenan en el fluido del interior del alantoides.

Almizcle: Sustancia de olor penetrante y duradero secretado por glándulas especiales de tortugas y cocodrilos.

Amnión: Membrana que crea un saco lleno de fluido y que encierra a los EMBRIONES de reptiles, aves y mamíferos.

Amniota: Cualquier vertebrado superior cuyo EMBRIÓN se encuentre encerrado en un AMNIÓN durante su desarrollo. Incluye a reptiles, aves y mamíferos.

Amplexo: Posición que adoptan la mayoría de las ranas y muchas salamandras durante el apareamiento. En él el macho abraza a la hembra con dos de las extremidades o con las cuatro.

Anfibio: Capaz de vivir tanto en el agua como en tierra firme.

Ano: Salida del cuerpo, o abertura anal.

Anterior: Hacia la parte delantera o cabeza de un animal.

Aposemática, coloración: Coloración viva que sirve para avisar a un predador potencial de que un animal es desagradable al gusto o venenoso.

Arborícola: Que vive en los árboles o entre árboles.

Arco neural: Parte de una vértebra que forma el techo y costados del espacio a través del cual pasa el cordón espinal.

Atrio: Cámara del corazón que recibe la sangre de las venas.

Auditivo, nervio: Nervio que une la parte interna del oído al cerebro.

Autotomía: Amputación voluntaria de una parte del cuerpo, como es el caso de la cola de algunos lagartos cuando les atacan.

Avanzado: Origen evolutivo reciente (contra PRIMITIVO).

Axila: Ángulo formando entre el tallo de una planta y una hoja o rama.

Axilar: O perteneciente a la axila. AMPLEXO axilar es una postura de apareamiento en la cual una rana o salamandra macho agarra a la hembra por debajo de sus axilas.

Barbilla: Estructura sensorial alargada y delgada de la cabeza, normalmente en animales acuáticos.

Básico: Fundamental. El RITMO METABÓLICO básico es el ritmo de gasto de energía de un animal en descanso.

Binocular, visión: Tipo de visión en el cual los ojos se sitúan de un modo que la imagen del objeto que se está observando cae en ambas retinas.

Bisexual, especie: Especie que contiene individuos machos y hembras.

Bolsa: Saco o cavidad parecida a un saco.

Bolsa marsupial: Espacio o cavidad en la que se desarrolla un joven.

Bosque húmedo: Bosque tropical y subtropical con abundancia de lluvias durante todo el año.

Bosque nuboso: Bosque de altas altitudes, húmedo, que se caracteriza por un crecimiento denso y abundan los helechos, musgos, orquídeas y otras plantas sobre los troncos y ramas de los árboles.

Branquia: Estructura respiratoria de animales acuáticos por medio de la cual se produce intercambio de gases.

Brille: Cubierta transparente de los ojos de las serpientes.

Bromelia: Miembro de una familia de plantas, muchas de las cuales viven ligadas a plantas más grandes. Por ejemplo, el musgo epífito ornamental.

Calcáreo: Que contiene o consta de carbonato cálcico.

Calcificado: CALCÁREO.

Caníbal: Que se come la carne de uno de su propia especie.

Capilar: Tubo muy estrecho, de pared fina, que transporta líquido, sangre por ejemplo.

Capilar, acción: Tendencia de los líquidos a moverse sin aplicar presión externa, a lo largo de espacios estrechos entre objetivos, como en el caso de partículas de suelo o en tubos estrechos.

Capullo: Cobertura protectora resistente.

Carroñero: Animal que se alimenta de animales muertos o plantas que no ha cazado ni recogido él mismo.

Cartilaginoso: Que contiene cartílago, materia ósea elástica y resistente que consta principalmente de fibras colágenas.

Célula germinal: GAMETO.

Cerebelo: Parte del cerebro vertebrado que se encuentra en la parte superior del tallo cerebral. Contiene centros sensoriales y motores y está implicado en el aprendizaje.

Ciclo vital: HISTORIA VITAL completa de un organismo, desde una etapa (huevo, por ejemplo) a la repetición de esa etapa.

Cilio: Parte diminuta de una célula, en forma de pelo, capaz de latir rítmicamente.

Cinesis: Movimiento que responde a un estímulo.

Cintura: Grupo de huesos unidos que proporcionan apoyo a las extremidades. Cintura pectoral o del hombro, cintura pélvica o de cadera.

Cintura pectoral: Esqueleto que soporta las extremidades anteriores de un vertebrado terrestre. También se llama cintura del hombro.

Circuntropical: Que rodea la Tierra en la zona situada entre los 22,5° N y 22,5° S.

Clase: Categoría taxonómica por debajo del FILO y por encima del ORDEN.

Cloaca: Cámara común en la que los aparatos excretor, digestivo y reproductor descargan su contenido. Está abierto al exterior.

Cola frágil: Cola que se puede desprender por AUTOTOMÍA al ser atacado un animal.

Colonizar: Invadir una nueva zona y establecer en ella una población.

Columna vertebral: Esqueleto espinal que consta de una serie de vértebras que se extienden desde el cráneo a la punta de la cola. Espina dorsal.

Comprimido: Forma del cuerpo del lagarto, plano verticalmente. Se opone a DEPRIMIDO.

Cóndilo occipital: Una de las dos estructuras óseas de la parte posterior del cráneo que proporcionan articulación entre el cráneo y la columna vertebral.

Conducto alimentario: Canal alimentario, especialmente el intestino.

Constricción: Método que utilizan algunas serpientes para matar a su presa: enrosca su cuerpo con fuerza alrededor de la presa provocándole asfixia.

Corión: Una MEMBRANA que rodea al EMBRIÓN y al SACO VITELINO de los reptiles, aves y mamíferos.

Córnea: Parte transparente frontal del ojo de un vertebrado.

Corporal, temperatura: Temperatura interior del cuerpo de un animal, normalmente se mide en el recto, o si se emplea telemetría, en el estómago.

Cortejo: Interacciones de conducta entre machos y hembras que precede y acompaña al apareamiento.

Corteza cerebral: Capa externa de células (materia gris) que cubre la parte principal del cerebro.

Craneal: Del cráneo, o que pertenece al cráneo.

Cresta: Estructura erigida que recorre la parte posterior de la cabeza y/o del cuerpo.

Cría cooperativa: Sistema de cría en el que los padres reciben la ayuda de otro adulto o casi adulto en el cuidado de sus jóvenes.

Criador continuo: Un animal que puede criar en cualquier época del año.

Criador explosivo: Especie en la que la época de cría es muy corta, dando como resultado una gran cantidad de animales que se aparean al mismo tiempo.

Crías: Grupo de jóvenes que nacen a la vez y son de los mismos padres.

Cripsis: Habilidad para ocultarse o camuflarse.

Críptico: Oculto o camuflado.

Cromatóforo: Célula especializada que contiene PIGMENTO, situado normalmente en las capas externas de la piel.

Cromosoma: Estructura en forma de hilo que consta principalmente de material GENÉTICO (ADN), se encuentra en el núcleo de las células.

Cuadrúpedo: Animal de cuatro patas.

Cutáneo: De la piel, o que pertenece a la piel.

Deprimido: Forma del cuerpo de un lagarto, plano por los costados (de lado a lado). Se opone a COMPRIMIDO.

Dermis: Capa de piel que se encuentra justo debajo de la EPIDERMIS.

Desarrollo directo: Transición de la forma de huevo a la de adulto en los anfibios sin pasar por una fase larval independiente.

Desecación: Proceso de secarse.

Dicromatismo: Condición en la cual los miembros de una especie muestran uno de los dos modelos de color distintivos.

Diferenciación: Proceso por el cual estructuras no especializadas (células, por ejemplo) se modifican y especializan para el desarrollo de funciones específicas.

Difracción: Proceso por el cual la luz, al pasar por una abertura o borde de un objeto opaco, forma un espectro de colores.

Dimorfismo: Existencia de dos formas distintas dentro de una especie. El dimorfismo sexual es la existencia de diferencias morfológicas importantes entre machos y hembras.

Dorsal: Perteneciente al lomo o superficie superior del cuerpo o una de sus partes.

Ectoparásito: Parásito que vive en la superficie exterior de un organismo, por ejemplo una garrapata, una pulga o un piojo.

Ectotérmico: Que depende de fuentes externas de calor, como el sol, para elevar la temperatura del cuerpo.

Eft: Juvenil, fase terrestre del ciclo vital de un TRITÓN.

Embrión: Joven de un organismo en sus primeras etapas de desarrollo. En anfibios y reptiles es el joven antes de eclosionar el huevo.

Endotérmico: Capaz de mantener una temperatura elevada en el cuerpo por medio del calor que genera en su interior el METABOLISMO.

Enzima: Sustancia producida por células vivas que son capaces de catalizar una reacción química específica.

Epidermis: Capa superficial de la piel de un vertebrado.

Epífisis: Parte de un hueso que se desarrolla a partir de un centro de osificación independiente y después se convierte en la parte terminal del hueso.

Epifítico: De una planta, que crece sobre otra planta pero no es parásito.

Eréctil: Capaz de erigirse o levantarse, como un pene o una cresta.

Escama: Estructura delgada, plana, parecida a una placa que forma parte de la superficie que cubre varias vértebras, especialmente de peces y reptiles.

Escamas imbricadas: Escamas solapadas, como las tejas de un tejado.

Escamas yuxtapuestas: Escamas en las que se tocan sus bordes, pero no están solapadas.

Escamoso: Con escamas. También cualquier miembro del orden Escamosos: un lagarto, una culebrilla ciega o una serpiente.

Escudo: Cualquier escama alargada de un reptil.

Esófago: Parte del CONDUCTO ALIMENTARIO, desde la garganta al estómago.

Espacio vital: Recursos específicos que obtiene una especie a partir de su entorno, significa conseguir recursos esenciales para mantener el tamaño de su población.

Espaldar: Estructura dura que cubre todo el cuerpo de un animal o parte de él. Parte dorsal del caparazón de tortugas acuáticas y terrestres.

Especie: Un grupo de poblaciones entrecruzadas real o potencialmente que se encuentran aisladas de otros grupos en cuanto a reproducción se refiere.

Espermateca: Bolsa o saco de la hembra en el que almacena el esperma.

Espermatóforo: Estructura que contiene el esperma y que pasa del macho a la hembra en algunos animales, como en las salamandras.

Esplenio: Hueso de la mandíbula inferior de algunos anfibios.

Esternón: Hueso de la cintura pectoral situado en posición ventral o abdominal.

Estivación: Estado de inactividad durante períodos de sequía prolongados o altas temperaturas.

Estuario, de: Que viven en la parte baja de un río donde las aguas dulces se encuentran y se mezclan con las aguas del mar.

Exhibición: Modelo de conducta estereotipado implicado en la comunicación entre animales. Cualquiera de los sentidos (vista, oído, olfato, tacto) se pueden ver implicados.

Falange: Uno o varios huesos de los dedos de la mano y del pie.

Familia: Categoría taxonómica situada debajo del ORDEN y encima del GÉNERO.

Femoral, glándula: Glándula situada en el muslo de un animal.

Feromona: Sustancia producida y descargada por un organismo que induce a responder a otro individuo de la misma especie, como en el caso de la atracción sexual.

Fertilización: Unión de huevo y esperma.

Fertilización externa: Fusión del huevo y del esperma fuera del cuerpo de la hembra.

Fertilización interna: Fusión del huevo y del esperma en el interior del cuerpo de la hembra.

Feto: Joven de un animal VIVÍPARO que todavía no ha nacido y que se encuentra en las últimas etapas de desarrollo.

Filo: Categoría taxonómica encima de CLASE.

Filogenético: Perteneciente a la historia de la evolución.

Fluvial: Que vive en ríos.

Foseta receptora: Foseta que contiene células sensibles al calor. Están situadas entre el ojo y la nariz o a lo largo de los bordes de las mandíbulas en algunas serpientes.

Fósil: Cualquier resto, impresión o huella de un animal o planta de un período geológico pasado que se ha conservado en roca.

Fragmosis: Utilizar una parte del cuerpo para cerrar una madriguera.

Gameto: ÓVULO o esperma.

Gastralia: Huesos parecidos a costillas presentes en la parte inferior del cuerpo de algunos reptiles.

Género: Categoría taxonómica situada debajo de FAMILIA y encima de ESPECIE. Contiene una o más especies.

Genético: Perteneciente a la genética o herencia.

Gestación: Llevar dentro de su cuerpo al joven en desarrollo.

Glándula: Órgano (algunas veces de una única célula) que produce uno o más compuestos químicos específicos (secreciones) que salen (segregan) al mundo exterior.

Gradiente osmótico: Diferencia de concentración entre las soluciones que hay a cada lado de la membrana semipermeable.

Hemipene: Una de las dos estructuras estriadas presentes en los machos de algunos reptiles para la copulación.

Hemisferio cerebral: Una de las dos mitades del CEREBRO.

Híbrido: Individuo resultante de un apareamiento en el que los padres no son idénticos genéticamente. Por ejemplo padres que pertenecen a especies diferentes.

Hioides: Hueso en forma de U al cual se une la laringe.

Hipófisis: Glándula pituitaria.

Historia vital: Historia de un organismo individual, desde la fertilización del huevo hasta la muerte.

Hogar: Zona en la que vive un animal, excepto cuando emigra o realiza excursiones esporádicas.

Homeotérmico: Que tiene capacidad para mantener una temperatura corporal constante, o casi constante, independientemente de la temperatura ambiente.

Hormona: Sustancia secretada en el interior del cuerpo y que transporta la sangre hacia otras partes del cuerpo donde provoca una respuesta específica, por ejemplo el crecimiento de un tipo de célula en particular.

Ilion: Parte dorsal de la cintura pélvica (cadera).

Incubación: Acto de incubar los huevos, es decir, mantenerlos a una temperatura cálida para que sea posible el desarrollo.

Infrarroja, radiación: Rayos de calor invisibles por debajo del rojo en el espectro de luz visible.

Inguinal: Perteneciente a la ingle. AMPLEXO inguinal es la postura de apareamiento en la cual una rana o salamandra macho agarra a la hembra rodeando la parte inferior del abdomen.

Juvenil: Joven, que no ha madurado sexualmente.

Laberintodontos, dientes: Dientes con una compleja estructura en el esmalte.

Laringe: Órgano productor de sonidos localizado en el extremo superior de la tráquea donde se encuentran las cuerdas vocales.

Larva: Primera etapa del desarrollo de un animal (incluyendo anfibios) después de eclosionar el huevo.

Letargo: Estado de inactividad.

Línea lateral, órganos: Órgano sensorial incrustado en la piel de algunos animales acuáticos que responde a las vibraciones del agua.

Linfática, glándula: Órgano en el curso de un vaso linfático que contiene linfa (un fluido incoloro que se origina en los espacios existentes entre células) y glóbulos blancos que eliminan cuerpos extraños de la linfa, especialmente bacterias.

Llamada de anuncio: Sonido producido por ranas machos durante la época de cría que sirve para atraer a las hembras y, en algunas especies, para disuadir a otros machos.

Llamada de liberación: Breve llamada que hacen las ranas macho y las hembras no receptivas cuando les agarra un macho. Hace que la rana que agarra los deje en libertad.

Mandíbula: Pieza ósea que limita la boca de los animales. Superior e inferior.

Maxilar: Que pertenece al esqueleto de la mandíbula superior.

Medio: Localizado en el centro o próximo al centro del cuerpo o de una parte del cuerpo.

Melanóforo: Célula de pigmentación (CROMATÓFORO) que contiene melanina, pigmento negro o marrón oscuro.

Membrana: Lámina o capa fina de tejido blando y plegable que cubre un órgano, forra un tubo o cavidad, o une órganos.

Membrana timpánica: El tímpano.

Mesoplastral: En el centro del PLASTRÓN de las tortugas.

Metabolismo: Cambios químicos o energéticos que ocurren en el interior de un organismo vivo o en parte de él y que están implicados en varias actividades de la vida.

Metamorfosis: Transformación de un animal desde una etapa de su historia vital a otra, por ejemplo de larva a adulto.

Metatarso: Hueso del pie entre el tarso (tobillo) y los dedos.

Microclima: Clima de una zona que rodea de un modo inmediato a un organismo. Puede ser muy diferente al clima global si, por ejemplo, el organismo vive en una madriguera o en una cueva.

Microentorno: Condiciones locales que rodean de un modo inmediato a un organismo.

Migración: Movimiento de animales de un lugar a otro, a menudo en gran cantidad.

Mímica: Animal que se parece a otro animal que pertenece a otra especie, normalmente desagradable o incomestible.

Moco: Sustancia viscosa y pegajosa presente en la superficie de membranas mucosas que sirve para humedecer y lubricar.

Montano: De las montañas o que pertenece a las montañas.

Morfológico: Perteneciente a la forma y estructura de un organismo.

Mudar: Quitar y crear una nueva capa externa del cuerpo, la piel en anfibios y reptiles.

Narinas: Las dos aberturas de la cavidad nasal.

Natal: Perteneciente al nacimiento.

Neotrópicos: Zona tropical del Nuevo Mundo. Incluye Sudamérica, América Central, parte de Méjico e Indias Occidentales o Antillas.

Neurotoxina: Sustancia venenosa que afecta al sistema nervioso de la víctima.

Nidada o puesta: Los huevos depositados por una hembra en una sola vez.

Nocturno: Activo por la noche.

Nutriente: Sustancia, tomada en forma de alimento, que estimula el crecimiento o proporciona energía para procesos fisiológicos.

Olfativo: Perteneciente al sentido del olfato.

Opérculo: Tapa o cubierta. Lengüeta o solapa que cubre las branquias y las patas en desarrollo de las larvas de ranas y sapos.

Orden: Categoría taxonómica situada debajo de CLASE y encima de FAMILIA.

Órgano: Parte de un animal que tiene forma y estructura definidas y que realiza una o más funciones específicas.

Órgano de copulación: Órgano sexual del macho, por ejemplo pene, HEMIPENE.

Órgano de Jacobson (u órgano vomeronasal): Uno de los dos órganos estriados que se extienden desde la cavidad nasal y abertura de la boca en algunos mamíferos y reptiles. Las moléculas recogidas por la lengua son comprobadas por este órgano mediante la QUIMIORRECEPCIÓN.

Orthoptera: Insecto del orden Orthoptera, por ejemplo saltamontes, langostas y grillos.

Osmosis: Paso de agua a través de una membrana semipermeable como resultado de las diferencias de concentración de las soluciones que hay a cada lado de la membrana. El agua suele moverse de una solución concentrada a otra menos concentrada, hasta que se igualan ambas concentraciones.

Ótico: Del oído, o que pertenece al oído.

Ovario: Gónada u órgano reproductor femenino. Produce los ÓVULOS.

Oviducto: Conducto de las hembras que transporta los ÓVULOS desde el OVARIO a la CLOACA.

Ovíparo: Que se reproduce por huevos que eclosionan fuera del cuerpo de la madre.

Ovovíparo: Que se reproduce por huevos que la hembra retiene dentro de su cuerpo hasta que eclosionan. Los huevos en desarrollo contienen un SACO VITELINO pero no reciben alimento de la madre a través de una placenta o estructura similar.

Óvulo: Célula germinal femenina o gameto. Célula de un huevo o huevo.

Paedomorfosis: Mantenimiento de características larvales o inmaduras (por ejemplo branquias externas) en algunos animales que ya han madurado sexualmente.

Papila: Pequeña protuberancia parecida a una tetilla.

Paratoide, glándula: Una de las dos glándulas, parecidas a verrugas, del hombro, cuello o parte posterior del ojo de los sapos.

Parietal: Dos huesos que forman parte del techo y costados del cráneo.

Partenogénesis: Forma de reproducción asexual en la cual el ÓVULO se desarrolla sin haber sido fertilizado.

Pedicelados, dientes: Dientes montados sobre un pedúnculo delgado.

Penetración: Acto de insertar el órgano de copulación del macho en el cuerpo de la hembra.

Peristáltica, acción: Movimientos ondulados progresivos que ocurren en el intestino u otros movimientos de contracción que se producen a lo largo del tubo y que van precedidos de una onda de relajación.

Permeable: Una estructura, como la piel, que permite el paso de una sustancia (agua, por ejemplo) a través de ella.

Pigmento: Sustancia que da color al cuerpo o parte del cuerpo de un organismo.

Pineal: Pequeña glándula de la superficie dorsal del cerebro situada justo debajo del cráneo.

Placenta: Estructura unida a la superficie interna del tracto reproductor de la hembra a través de la cual el embrión obtiene su alimento.

Plastrón: Porción ventral o abdominal del caparazón de una tortuga.

Pleurodontos, dientes: Dientes que están unidos a la cara interna de la mandíbula, en oposición al borde superior (acrodonto) o en alvéolos (tecodonto).

Población: Grupo de animales más o menos independientes que pertenecen a la misma especie.

Poiquilotermo: Incapaz de mantener una temperatura corporal constante, o casi constante. Por tanto posee una temperatura corporal parecida a la del entorno.

Polipéptido: Compuesto formado por la unión de varios aminoácidos.

Posterior: Hacia la parte de atrás o extremo de la cola de un animal.

Preadaptación: Cuando un organismo posee una característica o características que no le suponen una ventaja en su entorno actual pero serían ventajosos en un entorno diferente.

Predador: Animal que se alimenta cazando y matando a otros animales.

Prehallux: Dígito rudimentario en el pie posterior de las ranas.

Premaxilar: Perteneciente a la parte anterior de la mandíbula superior.

Prensil: Adaptado para agarrar o apretar, especialmente enroscándose, como en el caso de la cola de los camaleones.

Primitivo: Origen evolutivo antiguo (frente a AVANZADO)

Prostaglandina: Cualquier cantidad de ácidos grasos cíclicos no saturados oxigenados presentes en varios fluidos corporales. Estos compuestos realizan funciones HORMONALES como es el caso de la presión sanguínea o las contracciones musculares.

Proteína: Tipo de compuesto orgánico que constituye una gran parte de todos los tejidos vivos. Contiene nitrógeno y aminoácidos cuando se desglosa.

Proto- (como en protoaligator, protoanfibio, etc.): Forma ancestral que fue precursor evolutivo de un grupo taxonómico, por ejemplo de una FAMILIA, CLASE, etc.

Pubis: Parte de la cintura pélvica o de la cadera que sobresale hacia delante en la zona ventral.

Puente: Segmento del caparazón de una tortuga que une el ESPALDAR con el PLASTRÓN.

Pupa: Etapa inactiva, durmiente, entre las fases LARVAL y de adulto en el CICLO VITAL de los insectos. Crisálida.

Quadratojugal: Hueso del cráneo situado en el punto en el que la mandíbula inferior se articula con el cráneo.

Queratina: Proteína fibrosa, resistente, presente en estructuras epidérmicas, por ejemplo en cuernos, uñas, garras y plumas.

Quilla: Borde prominente, por ejemplo en el lomo de algunas tortugas y en las escamas dorsales de algunas serpientes.

Quimiorrecepción: Habilidad de detectar y diferenciar sustancias según su composición química.

Radiación adaptativa: La evolución de varias especies o grupos de ESPECIES (por ejemplo, FAMILIAS, ÓRDENES, etc.) a partir de una especie o grupo ancestral común que muestran adaptaciones individuales a varios modos de vida diferentes.

Rana: Cualquier miembro del orden de los Anuros. También un anuro de piel lisa, que vive mucho tiempo y habita en el agua.

Raza: Subdivisión de una ESPECIE que se distingue de las demás de esa especie. Puede vivir en una zona distinta, o ser una raza geográfica.

Receptivo: Que responde a estímulos. Las hembras receptivas sexualmente responden a la conducta sexual de un macho.

Recién nacido: Animal joven que acaba de salir del huevo.

Rectilínea, locomoción: Forma de movimiento, empleada principalmente por serpientes de cuerpo pesado, en la que el cuerpo se mueve lentamente hacia delante y se mantiene recto.

Reducido: (anatómicamente) de tamaño más pequeño que sus formas ancestrales.

Reflectante: Capacidad de un cuerpo o superficie para reflejar la luz en vez de absorberla.

Renacuajo: La LARVA de una rana o de un sapo.

Retina: Capa de células sensibles a la luz (bastoncillos y conos) del interior del ojo sobre la cual se forma la imagen visual.

Ritmo metabólico: Ritmo al que un animal gasta energía.

Rudimentario: De estructura más pequeña o más sencilla que la de un antepasado en la evolución.

Sabana: Término que se utiliza para describir praderas abiertas con escasez de árboles y arbustos, normalmente en zonas cálidas.

Saco vitelino: Saco grande que contiene nutrientes almacenados, presente en los EMBRIONES de peces, anfibios, reptiles y aves.

"Sangre caliente": Término antiguo que se refiere a los animales cuya sangre permanece a una temperatura constante, o casi constante, y es más elevada que la del entorno.

"Sangre fría": Término anticuado que se refiere a animales cuya temperatura corporal varía con la temperatura ambiente.

Satélite, macho: Macho que, dentro de un grupo de ranas que hacen llamadas, se sitúa cerca de un macho que hace llamadas e intercepta a las hembras que son atraídas por la llamada del macho.

Semiacuático: Que vive parte de su tiempo en el agua.

Seno: Cavidad, hueco, receso o espacio.

Sinusoidal: Ondulado, tortuoso.

Solitario: Que vive él solo.

Subcaudal: Debajo o en el lado ventral de la cola.

Sustrato: Material sólido sobre el que vive un organismo.

Surco: Estría o arruga.

Tapetum lucidum: Capa del ojo que refleja la luz.

Taxonomía: Ciencia de clasificaciones: Ordenación en grupos de los animales y plantas basándose en sus relaciones naturales.

Temperatura central: Temperatura corporal de un animal tomada en el centro, o próxima al centro, de su cuerpo.

Temporal: O perteneciente a la zona del cráneo de detrás del ojo (sien).

Termorregulación: Control de la temperatura corporal tanto por medio de conductas como por medios fisiológicos, de modo que se mantiene en un valor constante o casi constante.

Terrapene: Cualquiera de las tortugas de agua dulce, especialmente especies semiacuáticas y aquellas que abandonan el agua para tomar el sol.

Territorial: Que defienden una zona excluyendo a otros miembros de la misma especie.

Territorio: Zona que defienden uno o más animales contra otros miembros de la misma especie.

Tiroide, glándula: Glándula situada en el cuello que produce la HORMONA TIROXINA.

Tiroxina: Una HORMONA que contiene iodina y está implicada en varios procesos fisiológicos, entre ellos la metamorfosis de los anfibios.

Transversal: Cruzado. En ángulo recto respecto al eje del cuerpo.

Tritón: Cualquier salamandra del género *Triturus, Taricha y Notophthalmus*: anfibios de un modo característico.

Trombosis: Formación de un coágulo de sangre en un vaso sanguíneo o en el corazón.

Tubérculo: Protuberancia pequeña, parecida a un botón.

Unisexual, especie: Especie que consta solamente de hembras.

Unken reflex: Postura de defensa que muestran algunos anfibios cuando les atacan. Arquean el cuerpo hacia el interior y levantan la cabeza y la cola.

Urea: Compuesto que contiene nitrógeno y que se forma por el desglose de proteínas. Constituyente importante de la orina de muchos animales.

Urostilo: Hueso parecido a una varilla compuesto de vértebras de cola fundidas. Presente en ranas y sapos.

Uterina, leche: Secreción uterina de MUCOPROTEÍNA que baña a los embriones en desarrollo.

Ventral: Perteneciente a la superficie inferior del cuerpo o a una de sus partes.

Ventrículo: Cavidad dentro de un órgano. Cámara del corazón que descarga sangre a las arterias.

Vertebrado: Cualquier miembro del subfilo Vertebrata que comprende todos los animales que tienen columna vertebral, entre ellos peces, anfibios, reptiles, aves y mamíferos.

Víscera: Cualquiera de los órganos contenidos dentro de cavidades del cuerpo, especialmente de la cavidad abdominal.

Vivíparo: Que da nacimiento a jóvenes vivos que se desarrollan en el interior de la madre y han sido alimentados por ella. Que da nacimiento a jóvenes que se han desarrollado hasta una etapa más adelantada que la del huevo.

Zigodáctilo: Que tiene los dedos de los pies y a veces los de las manos dispuestos de tal manera que dos se dirigen hacia delante y los otros se dirigen hacia atrás.

Bibliografía

La siguiente lista de títulos indican obras clave de referencia utilizadas durante la preparación de este volumen y aquellos recomendados para futuras lecturas.

OBRAS DE INFORMACIÓN GENERAL

ADLER, K. (ed. 1989) *Contributions to the History of Herpetology*, Society for the Study of Amphibians and Reptiles (Contribuciones a la Historia de la Herpetología, Sociedad para el Estudio de Anfibios y Reptiles) Oxford, (Ohio), Estados Unidos.

ADLER, K. (ed. 1992) *Herpetology. Current Research on the Biology of Amphibians and Reptiles*, Society for the Study of Amphibians and Reptiles (Herpetología, Investigación actual sobre la Biología de Anfibios y Reptiles) Oxford, (Ohio), Estados Unidos.

ANANJEVA, N. B., BORKIN, L. J., DAREVSKY, I. S. AND ORLOV, N. L. (1988) *Dictionary of Animal Names in Five Languages. Amphibians and Reptiles*, (Diccionario de nombres de Animales en Cinco Idiomas. Anfibios y Reptiles). Russky Yazk Publishers, Moscú (Rusia). Lista en latín, ruso, inglés, alemán y francés.

BEA SÁNCHEZ, ANTONIO; ARRAYAGO, MARÍA JESÚS (1988) *Atlas de citología, ciencias naturales, 4: anfibios y reptiles*, Editorial Eusko Ikaskuntza, S.A. Sociedad de Estudios Vascos.

BELLAIRS, A. D'A. (1969) *The Life of Reptiles* (Vida de los Reptiles), volúmenes 1-2, Weidenfeld and Nicolson, Londres (Reino Unido).

BELLAIRS, A. D'A. Y COX. C. B. (ed. 1976) *Morphology and Biology of Reptiles* (Morfología y Biología de los Reptiles), Academic Press, Londres (Reino Unido).

BLASCO RUIZ, MANUEL (1999) *El cultivo de anfibios y reptiles: una oportunidad empresarial, una alternativa a la conservación*, Cámara Oficial de Comercio e Industria de Cáceres.

BURTON, ROBERT; BURTON, MAURICE (1992) *La vida de los reptiles y anfibios*, Espasa-Calpe, S.A.

CLOUDSLEY-THOMPSON, J. L. (1999) *The Diversity of Amphibians and Reptiles* (La Diversidad de Anfibios y Reptiles) Springer-Verlag, Berlin (Alemania).

COGGER, HAROLD G.; ZWEIFEL, RICHARD G. (1998) *Reptiles y anfibios* [Parte de obra completa: Vol.4], RBA REVISTAS, S.A,

DAVIES, ROBERT; DAVIES, VALERIE (1998) *Reptiles y anfibios: manual de preguntas y respuetas*, Editorial El Drac, S.L.

Distribución y biogeografía de los anfibios y reptiles en España y Portugal (1997), Editorial Universidad de Granada.

DUELLMAN, W. E. AND TRUEB, L. (1994) *Biology of Amphibians* (Biología de los Anfibios), Johns Hopkins University Press, Baltimore, (Maryland), Estados Unidos.

DUELLMAN, W. E. (ed. 1999) *Patterns of Distribution of Amphibians. A Global Perspective* (Modelo de distribución de los anfibios. Perspectiva mundial), Johns Hopkins University Press, Baltimore, (Maryland), Estados Unidos.

ESCALA URDAPILLETA, MARÍA DEL CARMEN (1982) *Anfibios y reptiles*, Ediciones y Libros, S.A.

FERGUSON, M. W. J. (ed. 1984) *The Structure, Development and Evolution of Reptiles* (Estructura, Desarrollo y Evolución de los Reptiles), Academic Press, Londres (Reino Unido)

FRANK, N. Y RAMUS, E. (1995) *A Complete Guide to the Scientific and Common Names of Reptiles and Amphibians of the World* (Guía completa de nombres científicos y comunes de reptiles y anfibios de todo el mundo), N G Publishing, Pottsville (Pensilvania), Estados Unidos.

FROST, D. (ed. 1985) *Amphibian Species of the World* (Especies anfibias del mundo), Association of Systematics Collections and Allen Press, Lawrence (Kansas) Estados Unidos. (Las adiciones y correcciones realizadas por W. E. Duellman fueron publicadas en 1993 por el Museo de Historia Natural de Lawrence (Kansas); la lista de Frost se actualiza de un modo regular en la página web del

Museo Americano (vea direcciones de páginas. Web).

GANS, C. ET AL. (ediciones 1969-1998) *Biology of the Reptilia* (Bilología de los Reptiles), volúmenes 1-19, Academic Press, Londres (Reino Unido) y otros editores; Serie continua publicada en la actualidad por la Sociedad para el Estudio de Anfibios y Reptiles, Ithaca (Nueva York) Estados Unidos.

GRASSÉ, P.-P. ET AL. (ed. 1970) *Traité de Zoologie: Reptiles* (Tratado de Zoología: Reptiles), vols. 1-2, Masson, París (Francia).

GRASSÉ, P.-P. Y DELSOL, M. (ed. 1986) *Traité de Zoologie: Batraciens* (Tratado de zoología: Batracios), Masson, París (Francia).

HAINES, S. (2000) *Slithy Toves: Illustrated Classic Herpetological Books, Society for the Study of Amphibians and Reptiles* (Libros clásicos ilustrados de herpetología, Sociedad para el Estudio de Anfibios y Reptiles), Ithaca (Nueva York) Estados Unidos.

HEATWOLE, H. ET AL. (ediciones 1994-2000) *Amphibian Biology* (Biología de los anfibios), vols. 1-4, Surrey Beatty, Chipping Norton, NSW (Australia). Serie continua.

HERNÁNDEZ GIL, VICENTE... [et al.] (1993) *Anfibios y reptiles de la Región de Murcia: guía ecológica para su identificación, conocimiento y conservación*, Universidad de Murcia. Servicio de Publicaciones.

Inventario de las áreas importantes para los anfibios y reptiles españoles (1998), Organismo Autónomo Parques Nacionales.

KABISCH, K. (1990) *Wörterbuch der Herpetologie* (Diccionario de Herpetología), Gustav Fischer, Jena (Alemania).

KEN, PRESTON MAFHMAN; MARVEN, MIGUEL; HARVEY, ROB (2001) *Bichos, arañas y serpientes*, Editorial LIBSA.

O'SHEA, M. Y HALLIDAY, T. (2002) *Reptiles and Amphibians* (Reptiles y anfibios), Dorling Kindersley, (Nueva York) Estados Unidos.

OTA, H. (ed. 1999) *Tropical Island Herpetofauna. Origin, Current Diversity, and Conservation* (Herpetofauna de islas tropicales. Origen, diversidad actual y conservación). Elsevier, Amsterdam (Holanda).

PETERS, J. A. (1964) *Dictionary of Herpetology* (Diccionario de Herpetología), Hafner, (Nueva York), Estados Unidos.

POUGH, F. H., ANDREWS, R. M., CADLE, J. E., CRUMP, M. L., SAVITZKY, A. H. Y WELLS, K. D. (2001) *Herpetology* (Herpetología), 2ª ed., Prentice Hall, Upper Saddle River (Nueva Jersey) Estados Unidos.

RHODIN, A. G. J. Y MIYATA, K. (ed. 1983) *Advances in Herpetology and Evolutionary Biology, Museum of Comparative Zoology* (Avances en Herpetología y Biología evolutiva, Museo de Zoología comparativa), Universidad de Harvard, Cambridge, (Massachussets) Estados Unidos.

RODRÍGUEZ ALONSO, MARIANO; PALACIOS ALBERTI, JESÚS (1999) *Guía de fauna de la Reserva «Las Lagunas de Villafáfila»: peces, anfibios, reptiles, mamíferos y aves*, Castilla y León. Consejería de Educación y Cultura.

SPARLING, D. W., LINDER, G. Y BISHOP, C. A. (ed. 2000) *Ecotoxicology of Amphibians and Reptiles* (Ecotoxilogia en anfibios y reptiles) SETAC Press, Pensacola (Florida) Estados Unidos.

STEBBINS, R.C. Y COHEN, N. W. (1995) *A Natural History of Amphibians* (Historia natural de los anfibios), Princeton University Press, Princeton (Nueva Jersey) Estados Unidos.

ULBER, T., GROSSMANN, W., BEUTELSCHIESS, J. Y BEUTELSCHIESS, C. (1989) *Terraristisch/herpetologisches Fachwörterbuch* (Diccionario especializado en herpetología), Terrariengemeinschaft Berlin e.V., Berlin (Alemania).

ZUG, G. R., VITT, L. J. Y CALDWELL, J. P. (2001) *Herpetology. An Introductory Biology of Amphibians and Reptiles* (Herpetología. Introducción a la biología de anfibios y reptiles), 2ª ed., Academic Press, San Diego (California) Estados Unidos.

Índice

Los números de página en cursiva se refieren a las ilustraciones. Los números de página en negrita se refieren a un tratamiento amplio del tema.

CRÉDITOS DE FOTOGRAFÍAS

t: arriba; b: abajo; c: centro; l: izquierda; r: derecha
Abreviaturas: AL Ardea London; **BCC** Bruce Coleman Collection; **FLPA** Frank Lane Picture Agency-Imágenes de la Naturaleza; **MPF** Michael & Patricia Fodgen; **NHPA** Natural History Photographic Agency; **NPL** Nature Picture Library; **OSF** Oxford Scientific Films

1 Chris Mattison; 2-3 Daryl Balfour/NHPA; 6, 7 MPF; 10 Daniel Heuclin/NHPA; 11 K.-H. Jungfer; 14 Richard La Val/Animals Animals/OSF; 16 Daniel Heuclin/NHPA; 17 E. Brodie; 18 Anthony Bannister/NHPA; 18-19 M.P.L. Fogden/BCC; 19 K. Adler; 20 Sheila Terry/Science Photo Library; 21 P. Morris/AL; 22 Kevin Schafer/NHPA; 22-23 MPF; 24 Zig Leszczynski/Animals Animals/OSF; 25t David M. Dennis/OSF; 25c MPF; 26 Zig Leszczynski/Animals Animals/OSF; 27, 28c, 28b MPF; 28-29 Mark Payne-Gill/NPL; 30 Stanley K. Sessions; 30-31 MPF; 32 Rico & Ruiz/NPL; 32-33 Pete Oxford; 33t Ken Lucas-Photo/AL; 33c Hans & Judy Beste/AL; 34 AFP Photo; 35 George McCarthy/Corbis; 36 Ronn Altig; 36-37 MPF; 37 Ronn Altig; 38 R.W. Van Devender; 38-39 Morley Read/NPL; 40-41 Ronald A. Nussbaum; 41 Morley Read/NPL; 42-43 David M. Dennis/OSF; 43 Mark Yates/NPL; 44 E.R. Degginger/Animals Animals/OSF; 44-45 Paul Franklin/OSF; 46 Karl Switak/NHPA; 46-47 Ken Lucas-Photo/AL; 47 Stephen M. Deban/Universidad de California en Berkeley; 50-51 Steve Hopkin/AL; 52 Doug Wechsler/NPL; 53t Dietmar Nill/NPL; 53b Karl Switak/NHPA; 54 Stephen M. Deban/Universidad de California en Berkeley; 55 Raymond Mendez/Animals Animals/OSF; 57 Mary Clay/AL; 58-59 David M. Dennis/OSF; 62-63 R.W. Van Devender; 63 E. Brodie; 64 Michael Sewell/OSF; 65 Rico & Ruiz/NPL; 66t Jim Frazier/Mantis Wildlife Films/OSF; 66b Rodger Jackman/OSF; 67 Derek Middleton/FLPA; 68t Dr. Ivan Polunin/NHPA; 68b Fabio Liverani/NPL; 69t E. Brodie; 69c Ingo Arndt/NPL; 72, 72-73 Fabio Liverani/NPL; 73 M.P.L. Fogden/BCC; 74t Andrea Florence/AL; 74b Pavel German/NHPA; 75t P. Kraus/ANT Photo Library; 75b Jean-Paul Ferrero/AL; 78 Zig Leszczynski/Animals Animals/OSF; 79 MPF; 80 Zig Leszczynski/Animals Animals/OSF; 81t Stephen Dalton/NHPA; 81b Kart Switak/NHPA; 83 Paul Franklin/OSF; 84-85 John Netherton/OSF; 86 MPF; 88-89 Borrell Casals/FLPA; 89 Jim Hallett/NPL; 90t, 90c, MPF; 91 W.Rohdich/FLPA; 92 MPF; 93 Konrad Wothe/OSF; 94-95 MPF; 96t Andrew Cooper/NPL; 96b, 96-97, 97t Stephen Dalton/NHPA; 97c Duncan McEwan/NPL; 97b Stephen Dalton/NHPA; 99 Staffan Widstrand/NPL; 101 Chris Mattison; 102 Pete Oxford/NPL; 104 G.I. Bernard/OSF; 104-105 Mark Deeble & Victoria Stone/OSF; 105 Martin Withers/FLPA; 108 Harvey B. Lillywhite; 109 Babs & Bert Wells/OSF; 110 Konrad Wothe/OSF; 110-111 Charles O'Rear/Corbis; 111 Pete Oxford/NPL; 112-113 Valerie Taylor/AL; 114-115 Galen Rowell/Corbis; 115 Chris Mattison; 116-117 Daniel Heuclin/NHPA; 118 D. Maslowski/FLPA; 118-119 Chris Mattison; 120 Jon Farrar; 121t Belinda Wright/OSF; 121b Georgette Douwma/NPL; 124 R. Austing/FLPA; 125 Doug Wechsler/NPL; 126t Clive Bromhall/OSF; 126b K. Aitken/Panda/FLPA; 126-127 Pete Oxford/NPL; 128-129 Mary Plage/BCC; 133 David M. Dennis; 134 Konstantin Mikhailov/NPL; 135 Kelly-Mooney Photography/Corbis; 136t, 136b, 136-137, 137tl, 137tr, 137b Olivier Grunewald/OSF; 138 Zig Leszczynski/Animals Animals/OSF; 139t P. Kaya/BCC; 139b Chris Mattison; 140 Joe McDonald/BCC; 141l Jean-Paul Ferrero/AL; 141r Stephen Dalton/NHPA; 142c Waina Cheng/OSF; 142b John Cancalosi/NPL; 143 Belinda Wright/OSF; 144-145 Stephen Dalton/NHPA; 145 A.N.T./NHPA; 146t Daniel Heuclin/NHPA; 146b Ingo Arndt/NPL; 147 Dr. S. Blair Hedges; 148t Ingo Arndt/NPL; 148b MPF; 148-149 Huw Cordey/NPL; 149b MPF; 150t M.Watson/AL; 150b D. Parer & E. Parer-Cook/AL; 151t Jean-Paul Ferrero/AL; 151b Martin Harvey/NHPA; 152 Tom Ulrich/OSF; 152-153 James Nash Alford/Patrick Morris/OSF; 154t Michael Leach/OSF; 154c Nick Garbutt/NPL; 155t Robin Bush/OSF; 155b Ken Preston-Mafham/Premaphotos Wildlife; 158 MPF; 159t Darek Karp/NHPA; 159b Laurie Campbell/NHPA; 160, 161t MPF; 161b Zig Leszczynski/Animals Animals/OSF; 164 David Shale/NPL; 164-165 Daniel Heuclin/NHPA; 165 MPF; 168-169 Zig Leszczynski/Animals Animals /OSF; 169 Pete Oxford/NPL; 172-173 MPF; 174 Alan Root/Survival Anglia/OSF; 175 Joe McDonald/BCC; 176, 176-177, 177, 178 Chris Mattison; 178-179 Joe McDonald/BCC; 179 Anthony Bannister/NHPA; 180 Jack Dermid/OSF; 181 David M. Dennis/OSF; 182 Daniel Heuclin/NHPA; 183t Chris Mattison; 183b Carol Hughes/BCC; 184t Rod Williams/NPL; 184b Daniel Heuclin/NHPA; 185t Martin Wendler/NHPA; 185b Stan Osolinski/OSF; 186t, 186c, Chris Mattison; 187t Rupert Barrington/NPL; 187b Howard Hall/OSF; 188 Anthony Bannister/NHPA; 188-189 Michael Fogden/OSF; 189 Daniel Heuclin/NHPA; 192 MPF; 192-193 Daniel Heuclin/NHPA; 193 Chris Mattison; 194t MPF; 194b Daniel Heuclin/NHPA; 195 Francois Savigny/NPL; 196 Joaquin Gutierrez Acha/OSF; 197t G.I. Bernard/OSF; 197b Pete Oxford/NPL; 198 Doug Wechsler/NPL; 199l Joe McDonald/BCC; 199r Michael Dick/Animals Animals/OSF; 201 Karl Switak/NHPA; 202, 203 D.A. Warrell; 205 MPF; 206 Jürgen Freund/NPL; 208t Hellio & Van Ingen/NHPA; 208b Jeffrey L. Rotman/Corbis; 208-209 Hellio & Van Ingen/NHPA; 209c MPF; 209b Jeffrey L. Rotman Corbis; 210 Zig Leszczynski/Animals Animals/OSF; 211 Kevin Schafer/NHPA; 212 Martin Harvey/NHPA; 213 Mark Deeble & Victoria Stone/OSF; 214t Anup Shah/NPL; 214b Pete Oxford; 215tl, 215tr Jeff Lang; 215b Brake/Sunset/FLPA; 218t Joanna Van Gruisen/AL; 218-219 John Shaw/BCC; 219 M. Watson/AL; 220 Ferrero-Labat/AL; 221 Mark Newman/FLPA; 222 Tom Vezo/NPL; 222-223 Steven David Millar/NPL; 223 Patridge Films Ltd./OSF; 225 Fritz Polking/FLPA.

DIBUJOS

Dibujos color de David M. Dennis excepto las siguientes:
Abreviaturas: DO Denys Ovenden, **ML** Michael Long, **RL** Richard Lewington, **CS** Chris Shields, **RO** Richard Orr, **SE** Samantha Elmhurst, **IJ** Ian Jackson.
4-5, 6-7, 8, DO; 13 ML; 76-77 (1,9) DO, (5) RL; 98-99 (1,3) CS, (2), RO; 100 SE; 106-107, 123 (2), 156-157 (1,7) 162 (3,4) DO; 163 (7) IJ; 200-201 DO.
Todos los dibujos lineales de Denys Ovenden.
Diagramas:
Martin Anderson
Simon Driver
Todos los dibujos © Andrómeda Oxford Ltd.